# LE PLUS BEAU DES CHEMINS

NICHOLAS SPARKS

# LE PLUS BEAU
# DES CHEMINS

*Traduit de l'anglais (États-Unis)*
*par Sylvie Del Cotto*

Titre original : *The Longest Ride*
© Willow Holdings, Inc., 2013.
Tous droits réservés.
Première publication en langue originale par Grand Central
Publishing, 2013.

© Michel Lafon Publishing, 2014, pour la traduction française
7-13, boulevard Paul-Émile-Victor – Île de la Jatte
92521 Neuilly-sur-Seine Cedex
www.michel-lafon.com

*Pour Miles, Ryan, Landon,*
*Lexie et Savannah.*

# 1

## Début février 2011
## Ira

Parfois, je me dis que je suis le dernier de mon espèce.

Je m'appelle Ira Levinson. Je viens du Sud, je suis juif, et malgré les insultes occasionnelles, j'ai toujours été fier de mes origines. Je suis aussi un vieil homme. Je suis né en 1920, l'année où l'on a interdit l'alcool et accordé le droit de vote aux femmes, si bien que je me suis souvent demandé si cela avait influencé le cours de ma vie. Après tout, comme je n'ai jamais aimé boire et que mon épouse a fait la queue pour accorder sa voix à Roosevelt dès qu'elle a eu l'âge requis, il est facile d'imaginer que mon année de naissance ait dicté toute la suite.

Cette idée aurait amusé mon père. C'était un homme de principes. « Ira, l'entendais-je dire dans ma jeunesse, quand je travaillais avec lui à la mercerie, je vais te dire ce que tu ne dois jamais faire ». Puis il parlait de ce qu'il intitulait ses « règles de vie. » J'ai grandi au son de ses codes de conduite qui portaient sur à peu près tout. Certains avertissements étaient d'ordre moral, enracinés dans les enseignements du Talmud ; probablement ceux que la plupart des parents répétaient à leurs enfants. J'ai appris à ne jamais mentir, tricher ou voler, par exemple, mais mon père – un juif à temps partiel, comme il aimait à se définir alors – avait plutôt le sens pratique. « Ne sors pas sous la pluie sans chapeau, me disait-il. Ne touche jamais au brûleur de la cuisinière, au cas où il serait encore chaud. » Il me conseillait de ne pas compter mon argent en public, ni d'acheter de bijoux à la sauvette, même si c'était a priori une bonne affaire. Ses *ne fais jamais ceci* ou *cela* s'accumulaient à l'infini, mais en dépit de leur nature aléatoire, j'ai fini par tous les suivre, peut-être pour éviter de le décevoir. Depuis toujours, sa voix m'accompagne partout où je vais, sur le plus beau de tous les chemins : celui que l'on nomme la vie.

De la même façon, il me disait souvent ce que je devais faire. S'il prônait l'honnêteté et la droiture en toute circonstance, il me recommandait également de tenir la porte aux femmes et aux enfants, d'avoir une poignée de main ferme, de me souvenir du nom de chaque personne et de donner au client un peu plus que ce qu'il attendait. Ses règles, ai-je fini par comprendre, étaient non seulement la base d'une philosophie qui lui a été très utile, mais elles en disaient long sur l'homme qu'il était. Puisqu'il croyait en l'intégrité, mon père pensait qu'il en était de même pour les autres. Il avait foi en la bienséance et supposait que tout le monde était comme lui. Il était convaincu que la plupart des gens, si on leur laisse le choix, préfèrent ce qui est juste, même quand c'est difficile et que le bien triomphe presque toujours du mal. Mais il n'était pas naïf pour autant. « Fais confiance aux autres, me disait-il, tant qu'ils ne te donneront pas de raison de te méfier. Et ne baisse jamais les bras. »

Plus que quiconque, mon père a façonné l'homme que je suis.

Par la suite, la guerre le changea. Plus précisément, l'Holocauste le changea. Pas son intellect, puisqu'il pouvait remplir la grille des mots croisés du *New York Times* en moins de dix minutes, mais son regard sur le genre humain. Il devint différent, car le monde qu'il pensait connaître lui parut soudain absurde. Il approchait alors de la soixantaine, et après m'avoir proposé de devenir son associé, il passa moins de temps au magasin. À la place, il préféra devenir juif à plein temps. Il se mit à aller régulièrement à la synagogue avec ma mère – dont je parlerai plus loin – et à soutenir financièrement plusieurs causes juives. Il ne voulait plus travailler pendant le shabbat. Il s'intéressa à tout ce qui avait trait à la création de l'État d'Israël, ainsi qu'à la guerre israélo-arabe qui en découla, et décida de se rendre à Jérusalem au moins une fois l'an, comme s'il cherchait quelque chose dont il avait toujours ignoré l'importance. Plus il vieillissait, plus ses voyages à l'étranger m'inquiétaient. Mais il m'assurait qu'il était capable de s'occuper de lui-même, ce qui fut longtemps le cas. Malgré les années, son esprit ne perdit rien de sa vivacité ; son corps, malheureusement, fut moins résistant. Il eut une crise cardiaque à quatre-vingt-dix ans, et bien qu'il s'en fût remis, l'attaque qu'il subit sept mois plus tard affaiblit grandement son côté droit. Même après cela, il tint encore à se débrouiller seul. Bien qu'il eût besoin d'un déambulateur pour marcher, il refusa de partir en maison de retraite et continua de conduire, même si je le suppliais d'y renoncer.

— C'est dangereux, lui disais-je, n'obtenant généralement qu'un haussement d'épaules.

— Comment veux-tu que je fasse ? lui arrivait-il de répondre. Comment veux-tu que j'aille faire mes courses sans voiture ?

Finalement, mon père mourut un mois avant le jour de ses 101 ans avec, à côté lui sur la table de nuit, son permis de conduire rangé dans son portefeuille et une grille de mots croisés remplie. Sa vie avait été longue, riche, et ces derniers temps je me surprends souvent à penser à lui. J'imagine que c'est compréhensible, puisque je marche sur ses traces depuis le début. Tous les matins, en ouvrant la boutique, comme dans ma façon de traiter les clients durant la journée, ses « règles de vie » m'ont habité. Je me suis souvenu du nom de tous les clients, je leur ai donné plus que ce qu'ils attendaient, et de toute ma vie je n'ai jamais oublié de prendre mon chapeau quand le ciel était menaçant. Comme mon père, j'ai eu une crise cardiaque et je me sers d'un déambulateur, et si je n'ai jamais aimé les mots croisés, j'ai toujours l'esprit aussi vif. Et comme mon père, je suis trop entêté pour avoir renoncé à conduire. Avec le recul, c'était probablement une erreur. Si j'avais arrêté, je ne me trouverais pas dans cette situation délicate : à l'écart de la nationale, ma voiture à moitié enfoncée dans un talus escarpé, le capot embouti contre un arbre. Et je ne rêverais pas d'une

Thermos de café, d'une couverture et de l'un de ces trônes qui servaient à transporter les pharaons.

Car pour autant que je sache, ce serait à peu près le seul moyen de me sortir d'ici vivant.

Ça va mal. De l'autre côté du pare-brise étoilé, la neige tombe, floue et déconcertante. Ma tête saigne et des vertiges m'assaillent par vagues ; je suis presque certain d'avoir le bras droit cassé. La clavicule aussi. J'ai des élancements dans l'épaule et le moindre mouvement est insoutenable. Malgré ma veste, j'ai tellement froid que je grelote.

Je mentirais en disant que je n'ai pas peur. Je ne veux pas mourir, et grâce à mes parents – ma mère est morte à quatre-vingt-seize ans – j'ai longtemps supposé que mes gènes me prédisposaient à vivre plus vieux que je ne le suis déjà. Il y a encore quelques mois, j'étais convaincu qu'il me restait six bonnes années à vivre. Enfin, peut-être pas de bonnes années. Ça ne marche plus comme ça, à mon âge. Je me désagrège depuis un moment – le cœur, les articulations, les reins, quelques petits bouts de mon corps ont commencé à rendre l'âme –, mais récemment, une complication est venue s'ajouter à l'ensemble. Des grosseurs dans les poumons, a déclaré le docteur. Des tumeurs. Un cancer. Désormais, le temps qu'il me reste ne se compte plus en années, mais en mois… Malgré tout, je ne suis pas encore prêt à mourir. Pas aujourd'hui. J'ai quelque chose à faire, quelque chose que je fais tous les ans depuis 1956. Une merveilleuse tradition va s'éteindre, et par-dessus tout, je voulais avoir une dernière occasion de dire au revoir.

Tout de même, c'est amusant de voir à quoi pense un homme quand il croit sa mort imminente. Je sais avec certitude que si j'ai fait mon temps, j'aime autant ne pas partir de la sorte, tremblant des pieds à la tête et claquant des dents, pour qu'enfin, inévitablement, mon cœur lâche pour de bon. Je sais ce qui se passe quand on meurt – à mon âge, j'ai assisté à trop d'enterrements pour pouvoir les compter. Si j'avais le choix, je préférerais m'éteindre chez moi dans mon sommeil, allongé dans un lit confortable. Ceux qui meurent dans ces conditions ont bonne allure à la veillée, et c'est la raison pour laquelle, si la Faucheuse vient à me taper sur l'épaule, j'ai d'ores et déjà décidé de tenter de me faufiler sur le siège arrière. Je tiens à éviter que l'on me découvre raidi par le froid, figé dans une position assise, telle une étrange sculpture de glace. Comment ferait-on pour m'extraire de la voiture ?

Vu comme je suis coincé derrière le volant, ça reviendrait à faire passer un piano par les toilettes. J'imagine un pompier gratter la glace en brutalisant mon corps pour le dégager, tout en criant : « Tourne-lui la tête par là, Steve » au moment où il leur faudrait extirper mon cadavre gelé de l'habitacle, ou « Pousse le bras du vieux dans l'autre sens, Joe ». Secouant et frappant, poussant et tirant jusqu'à ce que, dans un dernier effort, il s'écrase sur le sol. Pas pour moi, merci bien. J'ai encore ma fierté. Donc, comme je l'ai dit, si ça doit se produire, je ferai tout mon possible pour me hisser sur la banquette arrière avant de fermer les yeux. De cette manière, ils pourront me glisser par la portière aussi facilement qu'un bâtonnet de poisson.

Mais peut-être que je n'aurai pas à en venir là. Peut-être que quelqu'un va remarquer les traces de pneus sur la route, celles qui se dirigent tout droit vers le fossé. Peut-être que cette personne va s'arrêter pour vérifier s'il y a un blessé, et peut-être qu'avec sa lampe torche, elle verra qu'il y a une voiture tout en bas. Ce n'est pas inconcevable, ça pourrait arriver. Il neige et les gens roulent lentement. C'est sûr, on va me trouver. Il *faut* que quelqu'un me trouve.

N'est-ce pas ?

*
* *

Peut-être pas.

Il neige toujours. Mon souffle sort par petites bouffées comme celui d'un dragon, et le froid commence à m'endolorir de la tête aux pieds. Mais ça pourrait être pire. Comme il faisait froid quand je suis sorti, même s'il ne neigeait pas encore, je me suis habillé chaudement. J'ai passé deux tee-shirts, un pull, des gants et un bonnet. Pour l'instant, ma voiture est de travers, le nez pointé vers le bas. Ma ceinture de sécurité, toujours attachée, supporte mon poids, mais ma tête repose sur le volant. En se déployant, l'airbag a dispersé de la poussière blanche et une odeur âcre de poudre à canon dans l'habitacle. Ce n'est pas confortable, mais je tiens bon.

J'ai mal partout. L'airbag a sûrement mal fait son travail, car ma tête a heurté le volant et j'ai perdu connaissance. Pendant combien de temps, je ne sais pas. L'entaille que je porte à la tête saigne, et les os de mon bras droit semblent vouloir transpercer ma peau. Des élancements me traversent la clavicule et l'épaule, et j'ai peur de bouger. Je me répète que ça pourrait être pire. Bien qu'il neige, le froid n'est pas trop piquant. Ils ont annoncé une chute de température pendant la nuit, et on devrait descendre à moins quatre degrés, mais demain elles remonteront à trois degrés au-dessus de zéro. De plus, le vent va se lever et on attend des rafales à trente kilomètres à l'heure. Demain, dimanche, les rafales vont gagner en force, mais à compter de lundi soir, le temps va progressivement s'améliorer. Le front froid va enfin s'éloigner, et les vents tomber. Mardi, les températures dépasseront les quatre degrés.

Je le sais parce que je regarde la chaîne Météo. C'est moins déprimant que les informations, et je trouve ça intéressant. Ils ne se cantonnent pas aux prévisions ; certains programmes montrent des catastrophes dues aux intempéries. J'ai vu des reportages sur des gens qui étaient aux toilettes au moment où une tornade a arraché leur maison de ses fondations, et des témoins qui racontaient comment on les avait sauvés après qu'ils avaient été emportés par des inondations éclairs. Sur la chaîne Météo, les gens survivent toujours aux catastrophes, puisqu'on les interviewe. Ça me plaît de savoir à l'avance qu'ils n'ont pas péri. L'an dernier, j'ai vu un reportage sur des voyageurs qui se rendaient au travail en train, et qui ont été surpris par le blizzard à Chicago. Les chutes de neige ont été si soudaines que les routes ont dû être fermées alors qu'elles étaient encombrées de voitures. Pendant huit heures, des milliers de gens sont restés sur l'autoroute sans pouvoir avancer, alors que la température dégringolait. Le documentaire se concentrait sur deux personnes qui s'étaient retrouvées coincées dans la tempête de neige, mais, à ma grande stupéfaction, ni l'une ni l'autre n'était chaudement vêtue. Pendant la tempête, elles ont frôlé l'hypothermie. J'admets que ça m'échappe. Les habitants de Chicago savent qu'il neige fréquemment dans leur région. Le blizzard leur arrive parfois du Canada, et ils doivent forcément se rendre compte qu'il fait très froid. Comment l'ignorer ? Si je vivais dans ce genre de ville, je rassemblerais des couvertures thermiques, des bonnets, un blouson de rechange, des cache-oreilles, des gants, une pelle, une lampe torche, des chaufferettes pour les mains et une bouteille d'eau dans le coffre de ma voiture, avant Halloween. Si j'habitais Chicago, je pourrais rester coincé dans une tempête de neige pendant deux semaines avant d'avoir du souci à me faire.

Cependant, j'habite en Caroline du Nord, et c'est bien là mon problème. En temps normal, quand je prends le volant – exception faite de mon voyage annuel dans les montagnes, généralement en été –, je ne m'éloigne pas de plus d'une dizaine de kilomètres de mon domicile. Par conséquent, mon coffre est vide, mais je me rassure en me disant que même si j'y avais une chambre d'hôtel portative, elle ne me serait pas d'un grand secours. Le talus est verglacé et abrupt, et je n'aurais aucune chance d'y accéder, même si elle renfermait les trésors de Toutankhamon. Malgré tout, je ne suis pas complètement démuni. Avant de partir, j'ai préparé une Thermos de café, deux sandwichs, des prunes et une bouteille d'eau. J'ai placé la nourriture sur le siège passager, à côté de la lettre que j'ai écrite, et même si tout a été dispersé pendant l'accident, l'idée que tout ça se trouve dans la voiture me réconforte. Si la faim finit par me tenailler, j'essaierai de mettre la main sur un encas, mais j'ai d'ores et déjà compris que manger ou boire auraient un prix. Tout ce qui entre doit ressortir à un moment donné, et je n'ai pas encore trouvé de solution à ce problème. Mon déambulateur repose sur la banquette arrière, et la pente m'enverrait directement dans la tombe ; vu mes blessures, les besoins naturels sont secondaires.

Je pourrais justifier cet accident en concoctant une histoire exaltante basée sur les conditions météorologiques, ou décrire un chauffard qui m'aurait poussé en dehors de la route dans un accès de colère, mais ça ne s'est pas passé ainsi. Voici comment c'est arrivé : il faisait noir, la neige a commencé à tomber de plus en plus fort, et tout à coup, la route a tout simplement disparu. Je suppose que j'ai pris un virage – je dis bien « suppose », parce que, manifestement, je n'ai pas vu le virage –, toujours est-il que j'ai soudain traversé la barrière de sécurité et dévalé le talus. Alors je suis assis là, seul dans le noir, et je me demande si la chaîne Météo va réaliser un reportage sur moi.

Je ne vois plus rien à travers le pare-brise. Même si ça me coûte des douleurs atroces, j'active les essuie-glaces, sans grand espoir. Pourtant, au bout d'un moment, ils repoussent la neige, et il ne reste plus qu'une fine couche de glace devant moi. Ce soudain éclat de normalité m'émerveille, mais j'éteins les essuie-glaces de mauvais gré, en même temps que les phares encore allumés. Je me dis qu'il vaut mieux économiser la batterie, au cas où j'aurais besoin de me servir du Klaxon.

Je me décale légèrement, et un éclair me transperce du bras à la clavicule. C'est le trou noir. L'agonie. Je respire et j'attends que le pic de douleur passe. Dieu, je Vous en prie ! Je fais de mon mieux pour ne pas crier quand, par miracle, ça se calme. Je respire régulièrement en retenant mes larmes, et la souffrance fait place à l'épuisement. Je pourrais m'endormir et ne jamais me réveiller. Je ferme les yeux. Je suis fatigué, tellement fatigué…

Bizarrement, je me surprends à penser à Daniel McCallum et à l'après-midi de la visite. Je revois le cadeau qu'il a laissé derrière lui et, tout en cédant au sommeil, je me demande vaguement combien de temps je vais devoir attendre avant que quelqu'un ne me retrouve.

— Ira !

Je l'entends d'abord dans un rêve, mal articulé, informe, comme un son perçu sous l'eau. Il me faut un moment pour comprendre que l'on prononce mon nom. Mais c'est impossible.

— Il faut que tu te réveilles, Ira.

Mes yeux s'ouvrent doucement. Sur le siège, à côté de moi, je vois Ruth, ma femme.

— Je suis réveillé, dis-je, ma tête reposant toujours sur le volant.

Sans mes lunettes qui se sont perdues dans l'accident, elle m'apparaît floue, fantomatique.

— Ta voiture a quitté la route.

Je bats des paupières.

— Un taré m'est rentré dedans. J'ai dérapé sur une plaque de verglas. Sans mes réflexes de chat, ç'aurait pu être pire.

— Tu as quitté la route parce que tu vois aussi mal qu'une chauve-souris et que tu es trop vieux pour conduire. Combien de fois t'ai-je dit que tu étais un danger public ?

— Tu ne me l'as jamais dit.

— J'aurais dû. Tu n'as même pas vu le virage.

Elle se tait un instant.

— Tu saignes.

Relevant la tête, je m'essuie le front de ma main valide et elle me revient rouge. Il y a du sang sur le volant et le tableau de bord, des traînées pourpres partout. Je me demande combien j'en ai perdu.

— Je sais.

— Tu as le bras cassé. La clavicule, aussi. Et ton épaule n'a pas l'air normal.

— Je sais, répété-je. Quand je cligne des yeux, la présence ou l'image de Ruth vacille.

— Tu as besoin d'aller à l'hôpital, dit-elle.

– On est d'accord.

– Je m'inquiète pour toi.

Je me permets quelques respirations avant de répondre. De longues respirations.

– Moi aussi je m'inquiète pour moi, finis-je par dire.

Ruth, ma femme, n'est pas vraiment dans la voiture. J'en suis conscient. Elle est morte il y a neuf ans, le jour où j'ai eu l'impression que ma vie s'arrêtait net. Je l'avais appelée du salon, et comme elle ne répondait pas, je m'étais levé de mon fauteuil. À l'époque, je pouvais me déplacer sans déambulateur, même si je n'étais pas rapide, et en arrivant au niveau de la salle de bains, je l'avais vue par terre, près du lit, étendue sur le côté droit. J'avais appelé une ambulance et m'étais agenouillé près d'elle. Je l'avais roulée sur le dos et avais palpé son cou, sans trouver de pouls. J'avais collé ma bouche sur la sienne, inspirant et expirant, comme je l'avais vu faire à la télévision. Sa poitrine s'était soulevée et j'avais continué jusqu'à être pris de vertiges, mais elle n'avait pas réagi. J'avais embrassé ses lèvres et ses joues et l'avais serrée dans mes bras jusqu'à l'arrivée de l'ambulance. Ruth, ma femme depuis plus de cinquante-cinq ans, était morte, et le temps d'un battement de paupières, tout ce que j'aimais avait disparu avec elle.

– Pourquoi es-tu là ?

– Quelle question ! Je suis là pour toi.

Évidemment.

– Combien de temps ai-je dormi ?

– Je n'en sais rien, dit-elle. Il fait nuit. Je crois que tu as froid.

– J'ai tout le temps froid.

– Pas comme ça.

– Non, pas comme ça.

– Que faisais-tu sur cette route ? Où allais-tu ?

J'envisage de bouger, mais le souvenir de la douleur qui m'a transpercé plus tôt m'en dissuade.

– Tu le sais.

– Oui, dit-elle. Tu te rendais à Black Mountain. Là où nous avons passé notre lune de miel.

– J'avais envie d'y aller une dernière fois. C'est notre anniversaire, demain.

Elle prend un instant pour répondre.

– Je crois que tu perds la tête. Nous nous sommes mariés en août, pas en février.

– Pas cet anniversaire-là.

J'omets de préciser que d'après le docteur, je ne tiendrai pas jusqu'au mois d'août.

– L'autre anniversaire, dis-je plutôt.

– De quoi parles-tu ? Il n'y a pas d'autre anniversaire de mariage. Il n'y en a qu'un.

– Le jour où ma vie a changé pour de bon, développé-je. Le jour où je t'ai vue pour la première fois.

Ruth garde le silence. Elle sait que je suis sincère, mais contrairement à moi, elle a toujours eu du mal à exprimer ses émotions. Elle m'aimait passionnément, mais je le percevais dans son comportement, sa façon de me toucher, la douceur avec laquelle ses lèvres effleuraient les miennes. Et, quand j'en avais le plus besoin, elle m'écrivait son amour.

– C'était le 6 février 1939, commencé-je. Tu faisais des courses en ville avec ta mère, Elisabeth. Vous êtes entrées dans la boutique. Ta mère cherchait un chapeau pour ton père.

Elle s'adosse au siège sans me quitter des yeux.

– Tu es sorti de la réserve, poursuit-elle. Et ta mère est arrivée juste derrière toi.

Oui, ça me revient soudain, ma mère me suivait. Ruth a toujours eu une mémoire extraordinaire.

Comme ma famille maternelle, celle de Ruth venait de Vienne, mais ils n'avaient immigré en Caroline du Nord que deux mois plus tôt. Ils avaient fui Vienne après l'Anschluss, quand Hitler avait ordonné aux nazis d'annexer l'Autriche au Reich. Le père de Ruth, Jakob Pfeffer, un professeur d'histoire de l'art, savait ce que signifiait la montée de Hitler au pouvoir pour les juifs, et il avait vendu tous ses biens pour réunir les pots-de-vin nécessaires à la liberté de sa famille. Après avoir traversé la frontière suisse, ils étaient allés à Londres, puis à

New York, avant d'atteindre Greensboro. L'un des oncles de Jakob fabriquait des meubles à quelques pâtés de maison du magasin de mon père, et pendant des mois, Ruth et sa famille avaient vécu dans un petit deux-pièces au-dessus de l'usine. Plus tard, j'ai appris que les émanations permanentes de laque rendaient Ruth malade la nuit au point de l'empêcher de dormir.

— Nous étions entrés dans votre boutique parce que nous savions que ta mère parlait allemand. On nous avait dit qu'elle pouvait nous aider.

Elle secoue la tête.

— Nous avions le mal du pays, et besoin de rencontrer quelqu'un de chez nous.

J'acquiesce. Au moins par la pensée.

— Ma mère m'a tout expliqué quand vous êtes parties. Il le fallait bien. Je n'avais pas compris un traître mot de votre conversation.

— Ta mère aurait pu t'apprendre à parler allemand.

— Est-ce que ça aurait changé quelque chose ? Avant même que tu ne sois sortie du magasin, je savais qu'on se marierait un jour. Nous avions toute la vie pour parler.

— Tu dis toujours ça, mais ce n'est pas la vérité. Tu m'as à peine regardée.

— J'en étais incapable. Tu étais la plus belle fille que j'aie jamais vue. C'était comme essayer de regarder le soleil en face.

— *Ach, Quatsch…*, raille-t-elle. Je n'étais pas belle. J'étais une enfant. Je n'avais que seize ans.

— Et moi, à peine dix-neuf. Mais j'avais raison, en fin de compte.

Elle soupire.

— Oui, dit-elle, tu avais raison.

Bien sûr, j'avais déjà aperçu Ruth et ses parents avant ce jour-là. Ils fréquentaient la même synagogue que nous et s'asseyaient au premier rang, comme des étrangers en terre inconnue. Ma mère me les avait montrés après le service, les observant discrètement alors qu'ils retournaient précipitamment chez eux.

J'ai toujours aimé nos balades du samedi matin, quand nous rentrions à la maison après la synagogue, car j'avais ma mère pour moi seul. Nous passions naturellement d'un sujet à un autre, et je me réjouissais de bénéficier de toute son attention. Je pouvais lui parler de mes problèmes, ou lui poser toutes les questions qui me passaient par la tête, même celles que mon père aurait trouvées futiles. Mon père donnait des conseils, et ma mère m'offrait du réconfort et de l'amour. Mon père ne se joignait jamais à nous ; il préférait ouvrir le magasin de bonne heure le samedi, en misant sur le week-end pour faire du chiffre. Ma mère comprenait. À cette époque, j'étais conscient qu'ils avaient du mal à garder la boutique. La Dépression touchait durement Greensboro, comme partout ailleurs, et certains jours, aucun client n'entrait. La plupart des gens étaient au chômage, et ils étaient encore plus nombreux à ne pas manger à leur faim. Ils faisaient la queue pour obtenir de la soupe ou du pain. La majorité des banques locales avaient coulé, engloutissant les économies des particuliers avec elles. Mon père était du genre à mettre de l'argent de côté, mais en 1939, même pour lui, c'était difficile.

Ma mère avait toujours travaillé avec mon père, bien qu'elle s'occupât rarement des clients. À cette époque, les hommes – notre clientèle était presque exclusivement masculine – voulaient être servis par un autre homme, pour la commande comme pour l'essayage des costumes. Toutefois, ma mère veillait à laisser la porte de la réserve ouverte, de façon à observer les clients. Je dois dire que ma mère excellait dans son domaine. Mon père tirait, ajustait et marquait le tissu aux endroits voulus, mais d'un seul coup d'œil, ma mère savait si elle devait rectifier les marques laissées par mon père. Elle était capable d'imaginer le client dans le costume à confectionner avec la ligne précise de chaque pli et de chaque couture. Conscient de son talent, mon père positionnait le miroir de sorte qu'elle puisse épier la boutique. Certains hommes auraient pu se sentir menacés, mais cela emplissait mon père de fierté. Selon ses « règles de vie », il était préférable d'épouser une femme supérieure en intelligence.

— C'est ce que j'ai fait, m'a-t-il dit un jour, et tu devrais faire de même. Pourquoi penser à tout ?

Je dois avouer que ma mère était bien plus intelligente que mon père. Elle ne fut jamais bonne cuisinière – on aurait même dû lui interdire l'accès à la cuisine – mais elle parlait quatre langues et citait Dostoïevski en russe. Pianiste classique accomplie, elle était entrée à l'université de Vienne à une époque où les femmes étaient rarement admises. Pour sa part, mon père ne fit pas d'études. Comme moi, il commença à travailler dans la mercerie familiale dès son enfance, car il était doué en comptabilité comme avec la clientèle. Et comme moi, il rencontra sa femme à la synagogue, peu après l'installation de cette dernière à Greensboro.

Néanmoins, nos ressemblances s'arrêtent là, car je me suis souvent demandé si mes parents étaient heureux ensemble. Il serait facile d'avancer que la vie était différente à leur époque, que l'on se mariait moins par amour que pour des raisons pratiques. Je ne veux pas dire par là qu'ils étaient mal assortis. Mes parents étaient de bons partenaires l'un pour l'autre, et je ne les ai jamais entendus se disputer. Pourtant, je me suis souvent demandé s'ils étaient amoureux. Pendant toutes les années où j'ai vécu avec eux, je ne les ai jamais vus s'embrasser, et ils n'étaient pas non plus du genre à se tenir nonchalamment par la main. Le soir, mon père s'attelait à la comptabilité sur la table de cuisine et ma mère s'installait au salon, un livre ouvert sur les genoux. Plus tard, quand ils partirent à la retraite et que je repris le magasin, j'espérais les voir se rapprocher. Je croyais qu'ils allaient voyager ensemble, partir en croisière ou jouer aux touristes, mais après son premier voyage à Jérusalem, mon père avait pris l'habitude de se déplacer seul. Ils menèrent donc leurs vies séparément, s'éloignant toujours plus l'un de l'autre, redevenant des étrangers. À quatre-vingts ans, ils semblaient ne plus rien avoir à se dire. Ils pouvaient passer des heures dans la même pièce sans prononcer une seule parole. Quand Ruth et moi allions leur rendre visite, nous avions tendance à passer d'abord du temps avec l'un, puis avec l'autre, et dans la voiture, en rentrant, Ruth me serrait la main comme pour me promettre que nous ne finirions pas comme eux.

Ruth semblait plus perturbée par leur relation qu'eux-mêmes. Mes parents n'avaient apparemment pas le désir de combler le fossé qui les séparait. Ils se sentaient bien, chacun dans leur monde. Avec l'âge, tandis que mon père se rapprochait de ses origines, ma mère développa une passion pour le jardinage. Elle passait des heures à tailler ses plantes derrière la maison. Mon père adorait regarder les vieux westerns et les actualités du soir ; de son côté, ma mère avait ses livres. Et, bien sûr, ils s'intéressèrent toujours aux œuvres d'art que Ruth et moi collectionnions, aux originaux qui finirent par nous enrichir.

*
* *

— Tu as mis du temps avant de revenir au magasin, dis-je à Ruth.

Dehors, la neige a recouvert le pare-brise et continue à tomber. À en croire la chaîne Météo, ça aurait dû cesser depuis un moment, mais malgré les merveilles de la technologie moderne et de la météorologie, les prévisions ne sont pas infaillibles. C'est une raison de plus pour trouver ces programmes intéressants.

— Ma mère a acheté le chapeau. Nous n'avions plus d'argent pour autre chose.

— Mais tu m'as trouvé séduisant.

— Non. Tes oreilles étaient trop grandes. J'aime les oreilles délicates.

Elle a raison au sujet de mes oreilles. Elles sont grandes, et elles ressortent comme celles de mon père, mais contrairement à lui, j'en avais honte. Quand j'étais jeune, vers huit ou neuf ans, j'ai découpé une longue bande de tissu dans une chute et passé le restant de l'été à dormir avec ce bandeau enroulé autour de la tête, en espérant les recoller. Ma mère faisait semblant de ne rien remarquer quand elle venait voir si je dormais bien, mais il m'est arrivé d'entendre mon père lui murmurer sur un ton presque offensé : *Il a mes oreilles. Qu'ont-elles de si horrible ?*

Je racontai cette anecdote à Ruth peu de temps après notre mariage, et elle rit. Depuis ce jour, elle me taquina souvent à propos de mes oreilles comme elle vient de le faire, mais durant toutes les années que nous avons passées ensemble, elle ne fit jamais preuve de méchanceté.

— Je croyais que tu aimais bien mes oreilles. C'est ce que tu me disais chaque fois que tu les embrassais.

— J'aimais bien ton visage. Il était doux. Tes oreilles allaient avec. Je ne voulais pas te vexer.

— Un doux visage ?

— Oui. Il y avait de la douceur dans tes yeux, comme si tu ne voyais que le bon côté des gens. Je l'avais remarqué, même si tu me regardais à peine.

— J'essayais de trouver le courage de te proposer de te ramener chez toi.

— Non, dit-elle, en secouant la tête.

Je la vois mal, mais sa voix est jeune : c'est celle de la jeune fille de seize ans que j'ai rencontrée il y a si longtemps.

— Je t'ai souvent revu à la synagogue après ça, et tu ne m'as jamais rien demandé. Il m'est même arrivé de t'attendre, mais tu passais devant moi sans dire un mot.

— Tu ne parlais pas anglais.

— À ce moment-là, je commençais à le comprendre et à le parler un peu. Si tu m'avais posé la question, j'aurais dit : « D'accord, Ira. Faisons le chemin ensemble. »

Elle a un accent. Allemand de Vienne, léger et musical. Chantant. À la fin de sa vie, son accent s'était fortement estompé, mais il ne disparut jamais vraiment.

— Tes parents ne l'auraient pas permis.

— Ma mère aurait dit oui. Tu lui plaisais bien. Ta mère lui avait dit que tu reprendrais la boutique un jour.

— Je le savais ! Je t'ai toujours soupçonnée de m'avoir épousée pour mon argent.

– Quel argent ? Tu n'en avais pas. Si j'avais voulu épouser un homme riche, j'aurais choisi David Epstein. Son père était propriétaire d'une fabrique de textile, et ils vivaient dans un manoir.

C'était l'une des blagues récurrentes de notre vie de couple. Ma mère n'avait pas menti, même si elle savait qu'il était impossible de faire fortune avec cette boutique. Au départ, c'était un commerce modeste et ça le resta jusqu'au jour où je vendis le fonds et pris ma retraite.

– Je me souviens de vous avoir vus prendre un soda ensemble, en face du magasin. David t'y retrouvait presque tous les jours pendant l'été.

– J'aimais bien les sodas chocolatés. Je n'y avais jamais goûté auparavant.

– J'étais jaloux.

– Tu avais raison de l'être, dit-elle. Il était riche, beau garçon, et ses oreilles étaient parfaites.

Je souris, en regrettant de ne pas la distinguer plus nettement. L'obscurité m'en empêche.

– À un moment donné, j'ai bien cru que vous alliez vous marier, tous les deux.

– Il m'a demandé ma main plus d'une fois, et je lui répondais que j'étais trop jeune, qu'il allait devoir attendre que je termine mes études. Mais c'était un mensonge. En vérité, je m'intéressais plutôt à toi. C'est pour cela que je tenais à ce que nous allions toujours prendre un verre en face du magasin de ton père.

Je le savais, bien sûr. Mais j'aimais l'entendre de sa bouche.

– Je restais devant la fenêtre, et je te regardais t'asseoir avec lui.

– Je te voyais parfois.

Elle sourit, et poursuit :

– Une fois, je t'ai même salué de la main, et malgré cela, tu ne m'as jamais proposé de me raccompagner chez moi.

– David était mon ami.

C'était vrai, et cela le fut pendant une grande partie de notre vie. Nous fréquentions David et sa femme, Rachel, et Ruth donnait des cours à l'un de leurs enfants.

– Ça n'avait rien à voir avec l'amitié. Tu avais peur de moi. Tu as toujours été timide.

– Tu dois me confondre avec quelqu'un d'autre. J'étais sûr de moi, galant avec les dames, un jeune Frank Sinatra. Parfois, je devais me cacher tant les femmes me poursuivaient.

– Quand tu marchais, tu gardais les yeux rivés sur le bout de tes chaussures, et tu rougissais dès que je te faisais coucou. Et puis, au mois d'août, tu as quitté la ville. Tu es parti à l'université.

Je poursuivis mes études au William & Mary de Williamsburg, en Virginie, et ne rentrai à la maison qu'en décembre. Avant de retourner à l'université, au cours du mois, je vis Ruth à deux reprises à la synagogue, et de loin à chaque fois. En mai, je revins pour travailler tout l'été au magasin, et à l'époque, la Seconde Guerre mondiale faisait rage en Europe. Hitler avait conquis la Pologne et la Norvège, vaincu la Belgique, le Luxembourg et les Pays-Bas, et réduisait la France en bouillie. Dans la presse, comme dans les conversations courantes, il n'était plus question que de la guerre. Personne ne savait si les États-Unis allaient prendre part au conflit, et l'ambiance était morose. Quelques semaines plus tard, la France allait être écrasée pour de bon.

– Quand je suis revenu, tu fréquentais toujours David.

– Mais j'avais aussi sympathisé avec ta mère en ton absence. Quand mon père travaillait, ma mère et moi allions à la boutique. Nous parlions de Vienne et de notre vie d'avant. Ma mère et moi avions le mal du pays, bien sûr, mais j'étais aussi en colère. Je ne me plaisais pas en Caroline du Nord. Je n'aimais pas ce pays. Je ne m'y sentais pas chez moi. Malgré la guerre, une partie de moi avait envie de rentrer au pays. Je voulais aider ma famille. Nous nous inquiétions beaucoup pour eux.

Je la vois tourner la tête vers la vitre et son silence m'indique que Ruth pense à ses grands-parents, à ses tantes et à ses oncles, à ses cousins. La veille du départ de Ruth et de ses parents pour la Suisse, des douzaines de membres de sa famille éloignée s'étaient réunis lors d'un dîner d'adieu. Ils s'étaient dit au revoir avec angoisse et promis de rester en contact ; quelques-uns étaient heureux pour eux, mais ils trouvaient pour la plupart que la réaction du père de Ruth était exagérée, que c'était insensé de tout quitter pour un avenir incertain. Toutefois, certains d'entre eux avaient glissé des pièces d'or dans la poche de son père, et au cours des six semaines qu'il leur avait fallu pour atteindre la Suisse, c'était cet argent qui leur avait permis d'avoir un toit sur la tête et de ne pas mourir de faim. À l'exception de Ruth et de ses parents, toute la famille était restée à Vienne. Dès l'été 1940, ils durent porter l'étoile jaune sur le bras et presque tous arrêter de travailler. À ce moment-là, il était trop tard pour fuir.

Ma mère m'avait parlé des visites de Ruth et de ses inquiétudes. Comme Ruth, elle avait encore de la famille à Vienne, mais comme la plupart des gens, nous ne savions pas à quoi nous attendre, ni à quel point la suite des événements allait être terrible. Ruth non plus ne le savait pas, mais son père l'avait deviné. Plus tard, j'ai compris que c'était l'homme le plus intelligent que j'aie jamais rencontré.

— Ton père fabriquait des meubles à cette époque ?

— Oui, dit Ruth. Aucune université ne voulait l'embaucher, alors il a fait ce qu'il a pu pour subvenir à nos besoins. Mais c'était dur pour lui. Il n'était pas fait pour créer du mobilier. Quand il a commencé, il rentrait exténué, avec de la sciure de bois dans les cheveux et des bandages aux mains, et il s'endormait aussitôt sur sa chaise. Mais il ne s'est jamais plaint. Il savait que nous avions de la chance. Quand il se réveillait, il prenait sa douche et enfilait son costume pour dîner. C'était sa façon de se rappeler l'homme qu'il était autrefois. Pendant le repas, il bavardait avec animation. Tous les jours, il me demandait ce que j'avais appris à l'école, et il écoutait ma réponse avec beaucoup d'attention. Ensuite, il m'invitait à changer d'angle de vue. « À ton avis, qu'est-ce que c'est ? » demandait-il, ou : « As-tu pensé que c'était peut-être cela ? » Bien sûr, je savais ce qu'il cherchait à faire. Au fond de lui, il était toujours enseignant, il était doué pour ce métier et c'est pour cela qu'il a pu retrouver un poste de professeur après la guerre. Il m'a appris, comme à tous ses étudiants, à penser par moi-même et à faire confiance à mon propre jugement.

Je l'observe, en pensant à quel point c'est significatif que Ruth soit devenue enseignante elle aussi, et Daniel McCallum me revient à l'esprit, une fois de plus.

— Et en parallèle, ton père t'a aidée à apprécier l'art.

— Oui, dit-elle d'une voix teintée d'espièglerie. Il m'a aidée pour ça aussi.

# 2

## Quatre mois plus tôt
## Sophia

— Allez, viens, supplia Marcia. Je veux que tu viennes. On est treize ou quatorze à y aller. Ce n'est pas si loin, McLeansville. C'est à moins d'une heure de route, et tu sais qu'on va s'éclater dans la voiture.

Depuis son lit, où elle relisait sans conviction ses fiches sur l'histoire de la Renaissance, Sophia fit une moue sceptique.

— Je ne sais pas... un *rodéo* ?

— Tu dis n'importe quoi, protesta Marcia en arrangeant son chapeau de cow-boy noir sur sa tête devant le miroir, l'inclinant à droite puis à gauche.

Marcia Peak était la camarade de chambre de Sophia depuis sa deuxième année à l'université, et de loin sa meilleure amie sur le campus.

— A, ce n'est pas un rodéo. Ce n'est qu'une épreuve à dos de taureau. Et B, ce n'est pas le problème, reprit-elle. C'est surtout un prétexte pour sortir du campus, se balader en voiture et traîner avec les filles. Ils organisent une soirée après le concours et vont installer des bars dans la vieille grange près de l'arène... Il y aura un groupe de musique, on va danser, et je te garantis que c'est une occasion unique de trouver autant de beaux mecs réunis dans un même endroit.

Sophia l'observa par-dessus ses notes.

— Rencontrer un joli garçon, c'est la dernière chose dont j'aie envie en ce moment.

Marcia leva les yeux au ciel.

— Ce que je veux dire, c'est que tu as besoin de mettre le nez dehors. On est déjà en octobre. On a repris les cours depuis deux mois, et tu dois arrêter de broyer du noir.

— Je ne broie pas du noir, assura Sophia. J'en ai juste… marre.

— Marre de voir Brian, tu veux dire ?

Elle se retourna brusquement vers Sophia et poursuivit :

— Ça, je peux le comprendre. Mais c'est un petit campus. Et Chi Omega et Sigma Chi[1] marchent de pair, cette année. C'est inévitable, tu n'y peux rien.

— Tu sais de quoi je parle. Il me suit partout. Jeudi, il était dans l'atrium de Scales Center après mon cours. Quand on était ensemble, ça n'arrivait jamais.

— Tu lui as parlé ? Ou a-t-il cherché à discuter avec toi ?

— Non, répondit Sophia en secouant la tête. J'ai filé droit vers la sortie, comme si je ne l'avais pas vu.

— Il n'y a pas mort d'homme, alors.

— Quand même, ça file la chair de poule…

— Et alors ? fit Marcia en haussant les épaules. Ça ne doit pas t'atteindre. Ce n'est pas un psychopathe, quand même. Il va finir par comprendre.

Sophia détourna le regard en songeant *je l'espère,* mais devant son silence, Marcia traversa la pièce pour s'asseoir sur le lit à côté d'elle. Elle tapota la jambe de Sophia.

— Essayons d'aborder cette histoire avec logique, d'accord ? Tu as dit qu'il avait arrêté de t'appeler et de t'envoyer des SMS, non ?

Sophia acquiesça de mauvais gré.

— Bah, voilà. Il est temps de passer à autre chose, conclut-elle.

— C'est ce que j'essaie de faire. Mais partout où je vais, il est là. Je n'arrive pas à comprendre pourquoi il ne me laisse pas tranquille.

---

1. Les sororités, développées en réponse aux fraternités ou confréries américaines, sont des associations qui offrent en particulier un toit aux étudiantes. Celles-ci doivent en retour suivre des règles de vie collective précises. Ces organisations sont désignées par les lettres de l'alphabet grec.

Marcia ramena ses jambes contre sa poitrine, et cala son menton sur ses genoux.

– C'est simple. Brian pense que s'il arrive à te parler, à trouver les mots justes et à te charmer, il arrivera à te faire changer d'avis. Il le croit sincèrement.

Marcia la considéra avec gravité.

– Sophia, tu dois comprendre que tous les garçons sont comme ça. Les mecs pensent qu'ils peuvent tout régler par la parole, et ils veulent toujours ce qu'ils n'ont pas. C'est dans leurs gènes. Tu l'as plaqué, alors maintenant il veut te récupérer. C'est classique.

Elle adressa un clin d'œil à son amie.

– Avec le temps, il finira par comprendre que c'est fini. Enfin, tant que tu ne cèdes pas, bien sûr.

– Je ne céderai pas, affirma Sophia.

– Tant mieux, dit Marcia. Tu as toujours été trop gentille avec lui.

– Je croyais que tu aimais bien Brian.

– Mais je l'aime bien. Il est drôle, séduisant et riche. On ne peut pas lui reprocher grand-chose. On est amis depuis la première année, et on se parle toujours. Mais avec toi, il a été nul, et en plus il t'a trompée – toi, ma camarade de chambre. Pas une fois ni deux, mais trois.

Sophia se sentit dépitée.

– Merci de me le rappeler.

– Tu sais, en tant qu'amie, c'est mon rôle de t'aider à tourner la page. Comment je m'y prends ? Je te propose cette solution formidable à tous tes problèmes, une soirée entre filles, loin du campus, et toi, tu veux rester là ?!

Comme Sophia ne disait rien, Marcia se pencha vers elle.

– S'il te plaît ! Viens avec nous. Je n'ai personne à qui donner le bras.

Sophia soupira, car elle savait à quel point Marcia pouvait être tenace.

– Bon, très bien, je viens, finit-elle par accepter.

Si à ce moment précis elle l'ignorait, chaque fois qu'elle repenserait au passé, elle se dirait que c'était là que tout avait commencé.

Alors que minuit approchait, Sophia devait admettre que son amie avait eu raison. Elle avait besoin de sortir… Elle prit conscience qu'elle s'amusait pour la première fois depuis plusieurs semaines. Après tout, elle n'avait pas souvent l'occasion d'apprécier l'odeur de la poussière, de la transpiration et de la bouse, en admirant des cinglés montés sur des animaux encore plus dingues. Elle découvrit que Marcia trouvait les hommes chevauchant des taureaux follement excitants, et à plus d'une reprise sa colocataire lui avait donné un coup de coude pour indiquer un spécimen particulièrement séduisant, dont celui qui avait tout remporté.

— Lui, il est là pour le plus grand plaisir des yeux, avait-elle précisé.

Et Sophia avait pouffé, amusée de devoir admettre qu'elle avait raison.

Après les épreuves, la soirée fut une agréable surprise. La grange délabrée avec son sol en terre battue, ses murs lambrissés, ses poutres apparentes et ses trous béants dans le toit, était bondée de monde. Trois rangées de personnes se pressaient devant chaque bar fait de bric et de broc, et la foule se rassemblait autour de tables et de sièges dispersés au petit bonheur dans l'immense espace. Elle n'écoutait jamais de musique country, mais ce groupe était dynamique et la piste de danse improvisée, composée de planches, était prise d'assaut. De temps en temps, les danseurs se rangeaient en ligne et tout le monde, sauf elle, semblait connaître les pas. Ça ressemblait à un code secret. Une chanson s'arrêtait, une autre commençait, les danseurs quittaient la piste d'un bloc et d'autres les remplaçaient, chacun occupant une place précise dans la rangée, lui donnant l'impression que la chorégraphie était orchestrée d'avance. Marcia et les autres filles de leur sororité se joignaient aux groupes, exécutant les mouvements à la perfection, ce qui invita Sophia à se demander où elles avaient appris ces danses en ligne.

Si elle n'était pas prête à se ridiculiser sur la piste, cela n'empêchait pas Sophia de se réjouir d'être là. Contrairement à la plupart des bars d'étudiants proches du campus – ou de tous les bars où elle était allée, en fin de compte –, les gens étaient agréables. À tel point que c'en était ridicule. Elle n'avait jamais entendu autant d'inconnus crier « pardon », ou « désolé » en souriant amicalement avant de s'éloigner. Et Marcia avait vu juste sur un autre point : les beaux mecs affluaient, et comme la plupart des filles présentes, elle ne se gênait pas pour en profiter. Depuis leur arrivée, aucune d'elles n'avait payé un seul verre.

Cette soirée correspondait à l'image qu'elle se faisait du Colorado, du Wyoming ou du Montana, sans y avoir jamais mis les pieds. Qui aurait pu s'attendre à trouver autant de cow-boys en Caroline du Nord ? Survolant la foule du regard, elle s'aperçut qu'il ne s'agissait pas d'authentiques cow-boys. La plupart étaient là parce qu'ils aimaient assister à des spectacles à dos de taureau et boire de la bière le samedi soir, mais elle n'avait jamais vu autant de chapeaux de cow-boy, de santiags et de ceinturons à boucle réunis dans un même lieu. Et les femmes ? Elles portaient aussi des bottes et des chapeaux, mais entre ses camarades de la sororité et les autres filles présentes, les minishorts et débardeurs ultracourts étaient plus courants que sur le campus le premier jour chaud du printemps. On aurait dit une convention Daisy Duke[1]. Marcia et les filles étaient allées faire du shopping dans l'après-midi, et dans son jean et son haut sans manches, Sophia se sentait mal fagotée.

Elle sirotait son verre et se contentait d'observer, écoutant sans en perdre une miette. Marcia avait suivi Ashley quelques minutes plus tôt, certainement pour parler d'un garçon qu'elle avait rencontré. La plupart des autres filles étaient réunies par petits groupes, mais Sophia ne ressentait pas l'envie de se joindre à elles. Elle avait toujours été solitaire, et contrairement

---

1. Sex-symbol de la série *Shérif, fais-moi peur*, caractérisée par ses minishorts et son air naïf.

aux autres, elle ne vivait pas selon les règles du club. Malgré les bonnes amies qu'elle y avait rencontrées, elle avait hâte de tourner la page. Plonger dans la *vraie vie* l'effrayait, mais l'idée d'avoir son appartement lui faisait envie. Elle imaginait vaguement un loft en ville, dans un quartier rempli de petits restaurants et de cafés, sans savoir si c'était réaliste. En vérité, un logement miteux au bord d'une nationale à Omaha, dans le Nebraska, aurait été préférable à sa situation actuelle. Elle en avait assez de loger dans une association de filles, et pas seulement parce que Chi Omega et Sigma Chi étaient de nouveau réunis. C'était la troisième année qu'elle passait dans cet internat, et la vie en collectivité était de moins en moins excitante. Non, rectification. Dans une maison occupée par trente-quatre filles, l'excitation était permanente, et malgré ses efforts pour s'en préserver, cette année ne s'annonçait pas plus paisible que les précédentes. Les dernières arrivantes se tracassaient constamment à propos de ce que l'on pensait d'elles, et de ce qu'il fallait faire pour monter en grade dans le classement de popularité.

Même quand elle s'était jointe à l'organisation en première année, Sophia se moquait de tout cela. Elle était devenue membre du club en partie parce qu'elle ne s'entendait pas avec sa première camarade de chambre, et en partie parce que toutes les autres élèves se ruaient vers cette sororité. Elle était curieuse d'en découvrir les raisons, en particulier parce que la vie sociale de Wake était largement dictée par l'alphabet grec. Elle avait rapidement rejoint Chi Omega et versé un dépôt de garantie pour réserver une chambre dans la maison.

Elle s'était efforcée de jouer le jeu. Vraiment. En deuxième année, elle avait brièvement envisagé d'en devenir un agent actif. Marcia avait pouffé de rire dès que Sophia avait avancé cette idée, Sophia avait ri à son tour, et elles n'en avaient plus parlé. C'était tant mieux, car Sophia n'était pas faite pour le rôle de meneuse. Même si elle avait assisté à toutes les soirées, à toutes les réunions formelles et obligatoires, elle avait du mal à adhérer à la philosophie selon laquelle « la solidarité va changer votre vie », pas plus qu'elle ne croyait que « toute votre vie, vous récolterez les fruits de votre adhésion à Chi Omega ».

Chaque fois qu'elle entendait ces slogans lors des réunions, elle avait envie de lever la main pour demander à ses consœurs si elles croyaient sincèrement que l'enthousiasme qu'elles manifestaient au cours de la semaine grecque leur profiterait à long terme. Malgré tout le mal qu'elle se donnait, elle n'imaginait pas un entretien d'embauche où un futur employeur lui demanderait : « Je lis que vous avez participé à la chorégraphie qui a permis à Chi Omega de se placer en tête du classement des sororités de l'année. Pour vous parler franchement, mademoiselle Danko, il se trouve que c'est exactement le genre de compétences que nous recherchons pour ce poste de conservateur de musée. »

Et puis quoi encore ?

La vie associative faisait partie de son expérience d'étudiante et elle ne regrettait rien, mais ces années ne pouvaient pas honnêtement se résumer à la sororité. Même pas en partie. Avant tout, elle était venue à Wake Forest pour acquérir de bonnes connaissances, et sa bourse lui imposait de faire passer les études en premier. Elle s'y appliquait.

Elle fit tourner son verre entre ses mains en réfléchissant à l'année précédente. Enfin… presque, en tout cas.

Le semestre précédent, quand elle avait appris que Brian l'avait trompée pour la seconde fois, elle n'avait plus été qu'une loque. Elle avait été incapable de se concentrer, et à l'approche des examens de fin d'année, elle avait dû bachoter à fond pour préserver sa moyenne générale. Elle avait réussi… de peu. Mais elle n'avait jamais traversé de période plus stressante que celle-là et elle était déterminée à ce que cela ne se reproduise jamais. Sans Marcia, elle n'aurait peut-être pas survécu au semestre, et c'était une raison suffisante pour se féliciter d'avoir rejoint Chi Omega. Pour elle, la sororité était synonyme d'amitié individuelle, pas d'une identité de groupe forcenée. Et à ses yeux, l'amitié n'était pas une question de place dans un classement de popularité. Ainsi, comme elle s'y efforçait depuis le début, elle continuerait à jouer son rôle dans la maison jusqu'au bout, mais sans en faire plus que nécessaire.

Elle s'acquitterait de ses factures et de ses dettes et ignorerait les clans qui se formaient déjà, en particulier ceux pour qui être une Chi Omega représentait le point culminant de l'existence.

Des clans qui vénéraient des gens comme Mary-Kate, par exemple.

Mary-Kate était la présidente de l'association, et non seulement elle affichait exagérément son mode de vie solidaire, mais elle en avait le physique : des lèvres pleines et un nez légèrement retroussé, une peau nette et une ossature bien dessinée. De plus, avec son allure de rentière – sa famille, qui avait fait fortune dans le commerce du tabac, restait l'une des plus prospères de l'État – pour la plupart des gens, elle incarnait l'âme de la sororité. Et Mary-Kate le savait. Pour l'instant, assise à l'une des plus grandes tables rondes, elle était entourée de ses admiratrices, les jeunes sœurs qui voulaient devenir comme elle quand elles seraient grandes. Comme toujours, elle ne parlait que d'elle.

– J'ai envie de laisser une trace, vous comprenez ? expliquait Mary-Kate. Je sais que je ne peux pas complètement changer le monde, mais je pense que c'est important d'apporter ma contribution.

Jenny, Drew et Brittany étaient suspendues à ses lèvres.

– Je trouve ça formidable, approuva Jenny.

C'était une élève de seconde venue d'Atlanta, et Sophia la connaissait assez pour qu'elles se disent bonjour chaque matin, mais sans plus. La compagnie de Mary-Kate la transportait de joie.

– Vous savez, je n'ai pas l'intention d'aller en Afrique, à Haïti ou dans ce genre d'endroits, reprit Mary-Kate. Pourquoi aller aussi loin ? Mon père dit que les occasions d'aider les autres en restant chez nous ne manquent pas. C'est d'ailleurs pour ça qu'il a monté son association à but caritatif, et c'est pour ça que je vais travailler pour lui quand j'aurai terminé mes études. Pour aider à régler les problèmes locaux. Pour faire bouger les choses ici, en Caroline du Nord. Savez-vous que dans cet État, il y a des gens qui n'ont pas de toilettes à l'intérieur de leur domicile ? Vous imaginez leur vie ? Avec des sanitaires sur le palier ? C'est ce genre de problèmes qu'il faut régler.

— Attends, je ne comprends pas, intervint Drew.

Elle venait de Pittsburgh et portait une tenue presque identique à celle de Mary-Kate, y compris les bottes et le chapeau. Tu veux dire que la fondation de ton père construit des toilettes ?

Les sourcils soigneusement épilés de Mary-Kate formèrent un V.

— Qu'est-ce que tu racontes ?

— La fondation de ton père, tu as dit qu'elle se chargeait de construire des toilettes ?

Mary-Kate pencha la tête sur le côté et dévisagea Drew comme si elle était totalement idiote.

— Sa fondation finance les études des enfants nécessiteux. Construire des toilettes ? D'où te vient cette idée saugrenue ?

*On se le demande,* se dit Sophia, avec amusement. *Peut-être parce que tu as parlé de sanitaires sur le palier ? Et que c'est ce que tout le monde a cru comprendre ?* Mais elle se garda de s'exprimer à haute voix, devinant que Mary-Kate n'apprécierait pas l'ironie. Dès qu'il était question de ses grands projets d'avenir, Mary-Kate n'avait aucun sens de l'humour. Après tout, le futur n'était pas un sujet à prendre à la légère.

— Mais je croyais que tu voulais présenter le journal télé, s'offusqua Brittany. La semaine dernière, tu nous as parlé d'une proposition de travail.

Mary-Kate rejeta la tête en arrière.

— Je ne vais pas pouvoir l'accepter.

— Mais pourquoi ?

— C'était pour animer le journal du matin. À Owensboro, dans le Kentucky.

— Et alors ? demanda l'une de ses plus jeunes sœurs, manifestement déconcertée.

— Imagine ! Owensboro ? Tu as déjà entendu parler de la ville d'Owensboro ?

— Non.

Les filles échangèrent des regards timides.

— Exactement, annonça Mary-Kate. Je n'irai pas à Owensboro, dans le Kentucky. Ce bled apparaît à peine sur les cartes routières. Et je ne vais quand même pas me lever à quatre heures du matin. En plus, comme je l'ai dit, j'ai envie de faire quelque chose d'important. Il y a beaucoup de gens dans le besoin autour de nous. Ça fait longtemps que j'y pense. Mon père dit…

Mais Sophia ne l'écoutait déjà plus. Poussée par l'envie de retrouver Marcia, elle se leva et balaya la salle du regard. C'était bondé de monde, et ça ne faisait que se remplir un peu plus d'heure en heure. Elle se faufila derrière un groupe de filles et celui des garçons avec lesquels elles parlaient, et s'aventura dans la foule en cherchant le chapeau de cow-boy noir de Marcia. C'était perdu d'avance. Les chapeaux noirs étaient légion. Elle tenta de se souvenir de la couleur du chapeau d'Ashley. Beige ? Forte de ce détail, elle poursuivit sa quête avec plus de conviction et les repéra bientôt. Alors qu'elle s'avançait vers ses amies, slalomant entre les groupes, quelque chose attira son attention.

Ou plus précisément quelqu'un.

Elle s'immobilisa et se tordit le cou pour avoir un meilleur point de vue. En général, grâce à sa grande taille, on le localisait facilement dans la foule. Mais la marée de chapeaux l'empêchait de s'assurer que c'était bien lui. Malgré le doute, elle se sentit mal à l'aise. Elle se répéta qu'elle faisait erreur, que ce n'était que le fruit de son imagination.

Mais c'était plus fort qu'elle, elle ne pouvait pas se détourner. Elle scruta tous les visages en tentant d'ignorer son cœur qui se serrait douloureusement. *Il n'est pas ici,* se répétait-elle, mais au même moment elle l'aperçut de nouveau, roulant des mécaniques dans la foule en compagnie de deux de ses amis.

Brian.

Figée sur place, elle les vit se diriger vers une table libre, Brian se frayant un chemin à grands coups d'épaule, comme sur un terrain de crosse[1]. Elle avait du mal à y croire. Elle se répétait *Impossible ! Tu m'as suivie jusqu'ici ?*

---

1. Sport d'origine amérindienne, au cours duquel on pousse la balle dans le but adverse à l'aide d'une crosse.

Elle sentit le feu lui monter aux joues. Elle était avec ses amies, en dehors du campus… Qu'avait-il en tête ? Elle lui avait clairement affirmé qu'elle ne voulait plus le voir. Elle lui avait dit dans le blanc des yeux qu'elle ne voulait pas lui parler. Elle fut tentée de foncer droit sur lui pour lui redire une fois de plus, bien en face, qu'entre eux tout était terminé.

Mais elle renonça, convaincue que ça ne changerait rien. Marcia avait raison. Brian était certain que s'il parvenait à lui parler, elle changerait d'avis. Parce qu'il se croyait irrésistible quand il usait de ses charmes pour s'excuser platement. Après tout, elle lui avait déjà pardonné ses fautes par le passé. Pourquoi pas une fois de plus ?

Elle fit demi-tour et se fraya un chemin jusqu'à Marcia, se félicitant de s'être éloignée des tables à temps. Elle préférait éviter de le voir déambuler en feignant la surprise une fois devant elle. Car malgré les faits, elle finirait par être perçue comme celle des deux qui n'avait pas de cœur. Pourquoi ? Parce que Brian était le Mary-Kate de sa fraternité. En tant que joueur de crosse typiquement américain, doté d'un physique extrêmement séduisant et d'un père investisseur fortuné, Brian s'imposait spontanément dans leur cercle social. Tous les membres de sa fraternité le vénéraient, et elle savait d'expérience qu'il lui suffisait de claquer des doigts pour que la moitié des filles sortent avec lui.

Eh bien, qu'elles le gardent !

Sophia se faufila entre les fêtards, alors que le groupe terminait une chanson et en démarrait une autre. Elle aperçut Marcia et Ashley. Près de la piste de danse, elles parlaient avec trois garçons en jeans moulants et chapeaux de cow-boys, qui devaient avoir deux ans de plus qu'elles. Sophia poursuivit dans cette direction, et au moment où elle s'apprêtait à saisir le bras de Marcia, celle-ci fit volte-face, l'air un peu abruti. Ou plus précisément ivre.

– Tiens, salut ! articula-t-elle péniblement. Elle attira Sophia vers elle. Les gars, je vous présente ma camarade de chambre, Sophia. Voici Brooks et Tom… et…

Marcia considéra le garçon du milieu en plissant les yeux.

— Comment tu t'appelles, déjà ?

— Terry, répondit-il.

— Salut, dit Sophia par automatisme.

Elle se tourna vers Marcia.

— Je peux te parler seule à seule ?

— Maintenant ? fit Marcia, les sourcils froncés.

Elle décocha un regard aux garçons avant de se tourner vers Sophia, sans cacher son agacement.

— Qu'est-ce qui t'arrive ?

— Brian est ici, siffla Sophia.

Marcia la scruta longuement, comme pour s'assurer d'avoir bien entendu, avant d'acquiescer d'un geste. Elles s'éloignèrent de la piste de danse. La musique était moins assourdissante, mais Sophia dut malgré tout élever la voix.

— Il m'a suivie. Encore.

Marcia jeta un coup d'œil par-dessus l'épaule de Sophia.

— Où est-il ?

— Dans le coin des tables, avec tous ceux de l'école. Il est venu avec Jason et Rick.

— Comment savait-il que tu serais ici ?

— Ce n'est pas vraiment un secret. La moitié du campus savait que l'on viendrait ce soir.

Pendant que Sophia fulminait, l'attention de Marcia se reporta sur l'un des garçons avec qui elle était auparavant, puis elle dévisagea Sophia avec impatience.

— Bon… il est ici. (Elle haussa les épaules.) Que veux-tu faire ?

— Je ne sais pas, fit Sophia en croisant les bras.

— Est-ce qu'il t'a vue ?

— Je ne crois pas, dit-elle. Je n'ai pas envie qu'il tente quoi que ce soit.

— Tu veux que j'aille lui parler ?

— Non, refusa Sophia en secouant la tête. En fait, je ne sais pas ce que je veux.

— Alors détends-toi. Ignore-le. Reste avec Ashley et moi. Nous ne retournerons pas vers les tables, et puis c'est tout.

Il va peut-être s'en aller. Et s'il nous trouve, je n'aurai qu'à le draguer. Pour le distraire.

Elle sourit d'un air aguicheur.

– Tu sais, je lui plaisais bien, avant. Avant toi, je veux dire.

Sophia serra ses bras contre sa poitrine.

– On ferait mieux de s'en aller.

Marcia rejeta son idée d'un mouvement vague.

– Comment ? Nous sommes à une heure de route du campus et nous n'avons pas de voiture. On est venues avec Ashley, tu te souviens ? Et ça m'étonnerait qu'elle ait envie de partir.

Sophia n'avait pas pensé à ce détail.

– Viens, on va prendre un verre, tenta de la persuader Marcia. Ces gars vont te plaire. Ils sont en troisième cycle à l'université de Duke.

Sophia refusa d'un geste.

– Je ne suis pas vraiment d'humeur à discuter avec des garçons.

– Dans ce cas, qu'as-tu envie de faire ?

Sophia aperçut le ciel noir à l'autre bout de la grange, et brusquement elle eut envie de quitter ce lieu trop bondé qui empestait la sueur.

– Je crois que j'ai besoin de prendre l'air.

Marcia suivit son regard, puis regarda de nouveau Sophia.

– Tu veux que je t'accompagne ?

– Non, ça va. Je te retrouverai plus tard. Reste dans le coin, d'accord ?

– Ouais, ça marche, accepta Marcia avec un soulagement évident. Mais je peux venir avec toi, si…

– Ne t'en fais pas. Je reviens vite.

Marcia partit rejoindre ses nouveaux amis, tandis que Sophia se lançait dans la traversée de la grange et de la foule, qui devenait moins dense à mesure qu'elle s'éloignait de la piste et des musiciens. Au passage, quelques hommes tentèrent d'attirer son attention, mais Sophia fit semblant de ne pas les remarquer, refusant de se laisser distraire. Les portes en bois surdimensionnées étaient ouvertes, et dès qu'elle mit le pied dehors, une vague de soulagement l'envahit.

La musique était moins forte et l'air vif de l'automne lui fit l'effet d'un baume rafraîchissant. Elle ne s'était pas rendu compte de la chaleur extrême qui régnait dans la grange. Elle regarda alentour, dans l'espoir de trouver un endroit où s'asseoir. Sur le côté s'élevait un chêne massif, dont les branches noueuses s'étiraient dans toutes les directions, et, de-ci, de-là, des grappes d'étudiants fumaient et buvaient. Il lui fallut un petit moment pour comprendre qu'ils se trouvaient tous à l'intérieur d'une vaste enceinte entourée de barrières en bois qui se déployaient de chaque côté de la grange. C'était un ancien corral.

Il n'y avait pas de tables. Les petits groupes étaient répartis au sol et contre les barrières. L'un d'entre eux était perché sur ce qu'elle crut être une vieille roue de tracteur. Plus loin, sur le côté, un homme solitaire portant un chapeau de cow-boy scrutait les pâturages environnants, le visage plongé dans l'ombre. Elle se demanda vaguement si lui aussi était de l'université de Duke, mais elle en doutait. Sans raison précise, elle n'associait pas les chapeaux de cow-boy à Duke.

Elle se dirigea vers un espace vide le long de la clôture, à quelques poteaux du cow-boy solitaire. Au-dessus d'elle, le ciel était dégagé et la lune brillait par-dessus la rangée d'arbres lointaine. Elle s'accouda au bois brut de la rambarde et admira le paysage. Sur la droite, elle distingua les gradins d'où elle avait assisté au concours de monte de taureaux sauvages un peu plus tôt. Juste derrière s'étalaient des pâturages clos dans lesquels étaient enfermées les bêtes. Si les corrals n'étaient pas éclairés, les lumières de l'arène donnaient une allure spectrale aux animaux. Derrière les enclos, vingt à trente pick-up étaient garés, et leurs propriétaires se tenaient à côté. De loin, elle percevait le bout incandescent des cigarettes et le claquement des bottes. Elle se demanda à quoi servait ce lieu en dehors des concours de taureaux. Accueillait-il des manifestations équestres ? Des exhibitions canines ? Des foires agricoles ? Autre chose ? La désolation et la dégradation des lieux suggéraient qu'ils étaient inoccupés la plupart du temps. La grange branlante renforçait cette impression, mais qu'en savait-elle ? Elle était née et avait grandi dans le New Jersey.

C'est ce que Marcia aurait dit, en tout cas. Elle le répétait depuis leur première année, et Sophia avait trouvé cela amusant au début, puis de moins en moins, mais c'était à présent comme une blague récurrente entre les deux amies. Marcia était originaire de Charlotte, née et élevée à quelques heures de Wake Forest. Sophia se souvenait encore de l'air abasourdi de Marcia quand elle avait appris qu'elle venait de Jersey City. Si Sophia lui avait annoncé qu'elle débarquait de Mars, sa réaction n'aurait pas été plus vive.

Sophia devait admettre que l'attitude de Marcia n'était pas totalement injustifiée. Leurs histoires étaient diamétralement opposées. Marcia était la deuxième d'une famille de deux enfants. Son père était chirurgien orthopédique et sa mère avocate spécialisée dans les problèmes d'environnement. Son frère aîné était en dernière année de droit à Vanderbilt, et si sa famille n'entrait pas dans la liste Forbes, elle appartenait assurément à la classe supérieure. C'était le genre de fille qui avait pris des cours d'équitation et de danse quand elle était petite et reçu une Mercedes décapotable pour sa majorité. Sophia, quant à elle, était fille d'immigrants. Sa mère était française et son père slovaque. Ils étaient arrivés dans ce pays avec toute leur fortune en poche. Malgré leur éducation – son père était chimiste et sa mère pharmacienne –, leur maîtrise de l'anglais était limitée, et pendant longtemps ils n'avaient obtenu que des postes subalternes, vivant dans des appartements minuscules et délabrés jusqu'à ce qu'ils aient suffisamment d'économies pour ouvrir une épicerie fine. Sur ces entrefaites, ils avaient eu trois autres enfants. Sophia était l'aînée, et elle avait toujours travaillé avec ses parents à la boutique après l'école et le week-end.

Les affaires allaient modérément bien, suffisamment pour subvenir aux besoins de la famille, mais jamais plus. Comme la plupart des bons élèves de sa classe, jusqu'à quelques mois avant les examens, elle avait prévu d'aller à Rutgers. Elle avait postulé à Wake Forest sur un coup de tête, parce que son conseiller d'orientation le lui avait suggéré, même si elle n'en avait pas les moyens, si bien qu'elle ne connaissait rien d'autre de cet établissement que les belles photos du site de l'université. À sa grande surprise, Wake Forest lui avait offert une bourse couvrant les frais d'inscription, et en août, Sophia avait pris un bus dans le New Jersey et embarqué pour une destination virtuellement inconnue, où elle devait passer l'essentiel des quatre années suivantes.

Ç'avait été une bonne décision, d'un point de vue scolaire, du moins. L'école de Wake Forest était plus petite que celle de Rutgers, ce qui impliquait que les classes l'étaient aussi, et les professeurs du département d'histoire de l'art étaient des passionnés qui aimaient enseigner. Elle avait déjà passé un entretien pour décrocher un stage au musée d'Art de Denver (et, non, on ne lui avait posé aucune question sur son rôle au sein de Chi Omega), qui selon elle s'était bien déroulé, bien qu'elle n'ait pas encore eu de réponse. L'été précédent, elle avait réussi à mettre suffisamment d'argent de côté pour s'offrir sa première voiture. Rien d'excessif, une Toyota Corolla de onze ans, avec plus de cent soixante mille kilomètres au compteur, la portière arrière cabossée et une certaine nombre d'égratignures – mais pour Sophia, qui s'était toujours déplacée à pied ou en bus, c'était une libération de pouvoir aller et venir à sa guise.

Accoudée à la barrière, elle grimaça. Enfin, sauf ce soir. Mais c'était sa faute. Elle aurait pu conduire, mais…

Pourquoi avait-il fallu que Brian soit là, ce soir ? Qu'avait-il imaginé ? Pensait-il réellement qu'elle oublierait ce qu'il lui avait fait, pas une fois, ni deux, mais trois ? S'était-il attendu à ce qu'elle le reprenne aussi facilement que par le passé ?

Pour être honnête, il ne lui manquait pas. Elle ne lui pardonnerait pas, et s'il ne l'avait pas suivie partout, elle n'aurait pas pensé une seule seconde à lui. Pourtant, il arrivait encore à lui gâcher sa soirée, et cela l'ennuyait. Parce qu'elle ne faisait rien pour l'en empêcher. Parce qu'elle lui accordait ce pouvoir sur elle.

Eh bien c'est fini, décida-t-elle. Elle allait retourner dans la grange, rejoindre Marcia, Ashley et ces garçons de Duke, et tant pis si Brian demandait à lui parler. Elle l'ignorerait. Et s'il cherchait à l'empêcher de passer un bon moment avec ses amies ? Peut-être qu'elle embrasserait l'un des garçons pour lui prouver qu'elle avait tourné la page. Point final.

Souriant à cette idée, elle se retourna vivement, heurta quelqu'un et faillit perdre l'équilibre.

— Oh, excusez-moi, fit-elle automatiquement en cherchant à se retenir à ce qu'elle avait sous la main. Sa paume tomba malencontreusement sur son torse, et elle leva les yeux. Dès qu'elle le reconnut, elle fit quelques pas en arrière.

— Wah, dit Brian en la rattrapant par les épaules.

Après avoir retrouvé l'équilibre, elle dressa un rapide bilan de cette désagréable situation, si prévisible. Il avait fini par la coincer. Ils étaient face à face, seuls. Exactement ce qu'elle cherchait à éviter depuis leur rupture. Génial.

— Désolé de surgir dans ton dos.

Comme Marcia, son élocution était laborieuse, ce qui ne l'étonna pas. Brian ne ratait jamais une occasion de picoler.

— Je ne t'ai pas trouvée vers les tables, et j'avais le sentiment que je tu devais être…

— Que veux-tu, Brian ? demanda-t-elle en lui coupant la parole.

Le ton de sa voix le fit tressaillir. Mais comme toujours, il se reprit rapidement. C'était toujours comme ça avec les riches et les enfants gâtés.

— Je ne veux rien, déclara-t-il en enfonçant la main dans la poche de son jean.

Le voyant chanceler, elle comprit qu'il était tellement ivre qu'il n'allait pas tarder à s'effondrer.

— Alors, pourquoi es-tu là ?

— Je t'ai vue toute seule dehors et je suis venu voir si tout allait bien.

Il inclina la tête pour jouer son numéro d'homme au grand cœur, mais ses yeux injectés de sang le rendaient peu crédible.

— J'allais très bien avant que tu n'arrives.

Il haussa les sourcils.

— Tu es dure avec moi.

— Je n'ai pas le choix. Tu me traques partout où je vais.

Il hocha la tête, reconnaissant par ce geste qu'elle disait vrai. Et, bien sûr, pour lui signifier qu'il acceptait son dédain. C'était le candidat idéal pour tourner dans une vidéo intitulée *Que faire pour que votre ex petite-amie vous pardonne… encore ?*

— Je sais, répondit-il à point nommé. Je suis désolé.

— Vraiment ?

Il haussa les épaules.

— Je n'avais pas envie que notre histoire se termine de cette façon… et je voulais te dire à quel point j'ai honte pour tout ce qui s'est passé. Tu ne le méritais pas, et je ne peux pas te reprocher d'avoir rompu. Je suis conscient d'avoir…

Sophia secoua la tête, déjà lasse de l'entendre.

— Pourquoi fais-tu ça ?

— Pourquoi je fais quoi ?

— Ça, dit-elle. Ton petit numéro bidon. Me rejoindre ici, avec cet air pitoyable, faire semblant d'être désolé. Que veux-tu ?

Sa question sembla le prendre de court.

— J'essaie simplement de m'excuser d'avoir…

— D'avoir fait quoi, au juste ? demanda-t-elle. De m'avoir trompée pour la troisième fois ? Ou d'avoir passé ton temps à me mentir depuis le début ?

Il battit des paupières.

— Arrête, Sophia, dit-il. Ne sois pas comme ça. Je n'ai rien planifié. Seulement, je n'ai pas envie que tu passes l'année entière à croire que tu dois m'éviter. Nous avons partagé trop de choses pour en arriver là.

Même s'il butait sur quelques mots, il avait l'air presque crédible. Presque.

— Tu n'as rien compris.

Elle se demanda sincèrement s'il pensait obtenir son pardon.

— Je sais que je n'ai pas à t'éviter. Mais j'en ai envie.

Il la fixa du regard, totalement confus.

— Pourquoi te comportes-tu ainsi ?

— C'est une blague ?

— Quand tu as rompu, j'ai compris que j'avais fait la plus grosse bêtise de ma vie. Parce que j'ai besoin de toi. Tu me fais du bien. Grâce à toi, je suis devenu une personne meilleure. Et même si nous ne pouvons plus être ensemble, j'aimerais que l'on arrive à se voir, à discuter de temps en temps. Juste discuter. Comme avant. Avant que je foute tout en l'air.

Elle ouvrit la bouche, prête à répliquer, mais l'insolence de Brian la laissa sans voix. Croyait-il honnêtement qu'elle puisse se laisser charmer par les mêmes excuses ?

— Allez, dit-il en s'apprêtant à lui prendre la main. Allons prendre un verre et bavarder. On peut s'en sortir…

— Ne me touche pas ! s'écria-t-elle d'une voix coupante.

— Sophia…

Elle longea la barrière et s'éloigna de lui.

— J'ai dit, ne me touche pas !

Pour la première fois, elle perçut un éclat de colère dans ses yeux au moment où il s'avança pour s'emparer de son poignet.

— Calme-toi…

Elle tira sur son bras, tentant de se dégager.

— Lâche-moi !

Loin de l'écouter, il se rapprocha au point qu'elle sentit les relents de bière de son haleine.

— Pourquoi faut-il toujours que tu fasses une scène ? demanda-t-il.

Tout en se débattant, elle leva les yeux sur lui, glacée d'effroi. Ce n'était pas le Brian qu'elle connaissait. Il fronçait durement les sourcils, au point que des rides se creusaient autour de ses yeux et que sa mâchoire pendait, molle et informe. Paralysée, elle inclina le buste en arrière pour échapper à son souffle chaud et saccadé. Plus tard, elle ne se souviendrait que de cette peur qui la figeait sur place, jusqu'à ce qu'une voix résonne derrière elle.

— Tu devrais la lâcher, dit l'homme.

Brian leva la tête puis reporta son attention sur Sophia, resserrant son emprise.

— On discute, c'est tout, grommela-t-il entre ses dents serrées, la mâchoire frémissante.

— Je n'ai pas l'impression que vous soyez juste en train de parler, déclara l'inconnu. Et je ne te demande pas de la lâcher, je te dis de le faire.

La voix était clairement menaçante, mais contrairement aux échanges saturés d'adrénaline auxquels il était arrivé à Sophia d'assister dans les fraternités, l'homme paraissait calme.

Brian sentit d'instinct le danger, mais ne parut pas intimidé pour autant.

— Je contrôle la situation. Occupe-toi de tes affaires, d'accord ?

— C'est ta dernière chance, répondit la voix. Ça m'ennuierait d'avoir à te faire mal. Mais je n'hésiterais pas à le faire.

Trop angoissée pour se retourner, Sophia ne put s'empêcher de remarquer les spectateurs qui commençaient à se tourner vers eux. Du coin de l'œil, elle vit deux hommes se lever du pneu de tracteur et faire quelques pas dans leur direction. Deux autres sautèrent de la barrière, le visage dissimulé par les bords de leurs chapeaux.

Quand il les remarqua, une lueur d'hésitation traversa les yeux rougis de Brian, puis il lança un regard mauvais derrière Sophia, à l'homme qui venait de parler.

— Quoi ? Tu as appelé tes copains, en plus ?

— Je n'ai pas besoin d'eux pour m'occuper de toi, affirma l'inconnu d'une voix neutre.

Ce commentaire fit réagir Brian, qui écarta Sophia, relâchant son bras qu'il tenait fermement. Il esquissa un pas vers la voix.

— Sérieusement, c'est ce que tu veux ?

Dès qu'elle se retourna, Sophia comprit d'où provenait l'attitude orgueilleuse de Brian. Il mesurait près de deux mètres et pesait quatre-vingt-dix kilos. Il s'entraînait à la salle de gym cinq fois par semaine. Face à lui, l'inconnu tout en longueur faisait quinze centimètres de moins que son adversaire. Son chapeau de cow-boy semblait avoir connu des jours meilleurs.

— Laisse tomber, dit le cow-boy en reculant d'un pas. Il n'y a aucune raison d'aggraver la situation.

Brian l'ignora. Avec une vivacité étonnante, il plongea sur son vis-à-vis de taille moyenne, les bras écartés, décidé à le renverser. Pour l'avoir vu une quantité innombrable de fois plaquer des joueurs à terre sur le terrain de crosse, Sophia reconnut le mouvement. Elle savait exactement ce qui allait suivre : Brian allait baisser la tête et pousser sur ses jambes, pour que l'homme s'abatte comme un arbre scié. Et pourtant… si Brian ne la surprit pas par son geste, ça ne se termina pas comme d'habitude. Au moment où Brian l'atteignait, l'inconnu garda une jambe immobile et se pencha sur le côté opposé. Il tendit les bras pour retourner l'élan de Brian contre lui et le déstabiliser. Une seconde plus tard, Brian gisait le nez dans la poussière, la botte éraflée de son adversaire posée sur sa nuque.

— Maintenant, tu vas te calmer, ordonna le cow-boy.

Brian se débattit sous la botte, décidé à se redresser. Mais d'un saut rapide, tout en gardant fermement un pied planté dans la nuque de Brian, le cow-boy écrasa de l'autre les doigts du garçon. Par terre, Brian dégagea sa main en hurlant, tandis que la semelle se faisait plus dure dans son cou.

— Arrête de bouger, si tu ne veux pas aggraver ton cas.

L'homme parlait clairement et lentement, comme s'il s'adressait à un imbécile.

Choquée par la rapidité des événements, Sophia considérait le cow-boy, les yeux écarquillés. Elle reconnut en lui le solitaire qui se tenait près de la barrière quand elle était sortie de la grange, et se fit la réflexion qu'il ne l'avait pas regardée une seule fois. Il semblait préférer se concentrer sur sa botte, comme s'il maîtrisait un serpent à sonnette dans un canyon. Ce qu'il faisait, d'une certaine façon.

À ses pieds, Brian recommença à se débattre. L'homme écrasa ses doigts encore un peu plus, tout en le plaquant au sol de son autre botte. Brian poussa un gémissement étouffé et son corps s'immobilisa progressivement. Ce ne fut qu'à cet instant que le cow-boy posa les yeux sur Sophia, des yeux d'un bleu perçant sous les lumières artificielles du parc.

— Si tu veux t'en aller, proposa-t-il, je me ferai une joie de le retenir un moment.

Il avait parlé avec détachement, comme si ce genre de situation faisait partie de son quotidien. Pendant qu'elle cherchait une réponse appropriée, elle remarqua les mèches de cheveux châtains qui dépassaient de son chapeau et constata qu'il n'était pas beaucoup plus âgé qu'elle. Il lui était vaguement familier, et pas seulement parce qu'elle l'avait vu près de la barrière un peu plus tôt. Elle l'avait vu ailleurs, peut-être à l'intérieur, mais cette explication ne la satisfaisait pas. Elle n'arrivait pas à le resituer.

— Merci, dit-elle en se raclant la gorge. Ça va aller.

Au son de sa voix, Brian recommença à se tortiller ; une fois de plus, sa main fut maîtrisée dans un cri de douleur.

— Tu es sûre ? demanda le cow-boy. Il a l'air un peu énervé.

C'est peu dire, songea-t-elle, Brian étant sans aucun doute furieux. Malgré elle, elle sourit discrètement.

— Je crois qu'il a compris la leçon.

Le cow-boy sembla soupeser sa réponse.

— Tu pourrais peut-être voir ce qu'il en pense, suggéra-t-il, en repoussant son chapeau de son front. Juste pour être sûre.

Elle se surprit à lui sourire, avant de se pencher vers Brian.

— Alors, tu vas me laisser tranquille maintenant, Brian ?

Il poussa un cri étouffé.

— Dis-lui de me lâcher ! Je vais le tuer…

Le cow-boy soupira, appuyant toujours plus sur la nuque de Brian. Cette fois, son visage s'enfonça durement dans la poussière.

Elle consulta le cow-boy du regard, puis s'adressa à Brian une nouvelle fois.

— Je dois prendre ça pour un oui ou pour un non, Brian ? demanda-t-elle calmement.

Le cow-boy eut un rire, révélant une rangée régulière de dents blanches et un sourire enfantin.

Bien qu'elle ne les ait pas remarqués plus tôt, quatre autres cow-boys s'étaient placés autour d'eux, et Sophia trouva que cet incident devenait de plus en plus surréaliste. Elle avait l'impression d'avoir atterri sur le tournage d'un vieux western, et brusquement, elle sut où elle avait vu ce cow-boy avant cet instant. Pas dans la grange en début de soirée, mais au rodéo. C'était celui qui était là pour le plus grand plaisir des yeux, selon les mots de Marcia. Le cavalier qui avait raflé tous les prix.

— Ça va, Luke ? demanda l'un de ses camarades. Besoin d'un coup de main ?

Le cow-boy aux yeux bleus secoua la tête.

— Je maîtrise la situation pour l'instant. Mais s'il n'arrête pas de gesticuler, il va se retrouver avec le nez cassé, que ça lui plaise ou non.

Elle le regarda.

— Tu t'appelles Luke ?

Il confirma d'un signe de tête.

— Et toi ?

— Sophia.

Il souleva le bord de son chapeau.

— Ravi de faire ta connaissance, Sophia.

Souriant à belles dents, il baissa la tête vers Brian.

— Tu vas laisser Sophia tranquille, si je t'autorise à te relever ?

Vaincu, Brian cessa de bouger. Lentement, mais sûrement, la pression sur sa nuque s'atténua et Brian tourna prudemment la tête.

— Enlève ta botte de mon cou ! gronda-t-il, d'une voix à la fois assurée et craintive.

Sophia passa d'un pied à l'autre.

— Tu devrais le laisser se relever, je crois, dit-elle.

Réagissant du tac au tac, Luke retira son pied et s'écarta. Brian bondit aussitôt sur les siens, visiblement crispé. Son nez et sa joue étaient éraflés, et il avait de la terre dans les dents. Tandis que le cercle des participants au rodéo se resserrait autour de lui, Brian se tourna tour à tour vers chacun des hommes, sa tête virant de droite à gauche.

Malgré son état d'ébriété, il n'était pas idiot, et après avoir regardé Sophia de travers, il esquissa un pas en arrière. Les cinq cow-boys ne bougèrent pas, comme si la suite leur était indifférente, mais Sophia savait que ce n'était qu'une illusion. Quoi que fasse Brian, ils étaient prêts à le contrer, mais il recula d'un autre pas avant de pointer un doigt menaçant vers Luke.

– On n'en a pas encore fini, toi et moi, tu m'entends ? cracha-t-il.

Il laissa passer quelques secondes avant de se concentrer sur Sophia. Ses yeux reflétaient de la colère, mais aussi un sentiment de trahison, et sans rien ajouter, il fit volte-face et retourna dans la grange.

# 3

## Luke

En temps normal, il ne s'en serait pas mêlé.

Après tout, il suffisait d'aller prendre un verre dans un bar pour se retrouver confronté à ce genre de scénario, et l'enchaînement des événements était si prévisible que c'en était presque ridicule : un couple passe une bonne soirée dans un bar, devant un verre ou deux – trop chargés en alcool –, et une dispute éclate. L'un hurle sur l'autre, le second répond en braillant, la colère monte en flèche, et neuf fois sur dix, l'homme finit par retenir la fille. Par la main, le poignet ou l'avant-bras, peu importe. Et ensuite ?

C'était là que ça se compliquait. Quelques années plus tôt, alors qu'il participait à un rodéo à Houston, il s'était retrouvé dans une situation similaire. Il était allé décompresser dans un petit bar de quartier, quand un couple avait commencé à se chamailler. Au bout d'une minute de reproches, ils en étaient venus aux mains, et Luke était intervenu là aussi – sauf que l'homme comme la femme s'étaient alors retournés contre lui, chacun lui criant de leur ficher la paix et de s'occuper de ses oignons. Et sans lui laisser le temps de réagir, la femme lui avait sauté au visage, l'avait griffé et lui avait tiré les cheveux pendant qu'il se bagarrait avec le mari. Heureusement, il n'y avait pas eu de gros dégâts, d'autres s'étaient rapidement interposés pour séparer le trio. Luke était sorti en secouant la tête, jurant que

51

plus jamais il ne se mêlerait des affaires des autres. Après tout, s'ils avaient envie de se comporter comme des imbéciles, pourquoi les en empêcher ?

C'était exactement ce qu'il avait eu l'intention de faire dans le cas présent. Au départ, il n'avait même pas eu envie de s'attarder à la soirée après le rodéo, mais ses camarades cavaliers l'avaient persuadé de venir fêter son retour et de trinquer à sa victoire. Après tout, il avait fini par gagner le concours, à la fois le *short-go*[1] et l'*all-around*[2]. Non pas parce qu'il avait particulièrement bien monté les taureaux, mais simplement parce que personne n'avait tenu jusqu'au bout lors de la finale. En résumé, il avait gagné faute de combattants, mais parfois ça se terminait ainsi.

Il était content que personne n'ait remarqué que ses mains tremblaient avant d'entrer en piste. Ces tremblements, c'était une première pour lui, et même s'il cherchait à se convaincre qu'ils étaient dus à une interruption prolongée, il en connaissait la vraie raison. Sa mère aussi, et elle avait clairement affirmé qu'elle s'opposait à son retour dans l'arène. Depuis qu'il avait fait allusion à son désir de reprendre part aux tournois, l'atmosphère était tendue entre eux. D'ordinaire, il l'appelait dès la fin du rodéo, mais pas ce soir. Elle se moquait de savoir s'il avait gagné. Il avait préféré lui envoyer un message pour l'informer qu'il allait bien. Elle n'avait pas répondu.

Après quelques bières, il sentait à peine s'estomper le goût acide de la peur. Suite à ses deux premiers passages, il s'était retiré dans son pick-up, poussé par le besoin d'être seul et de retrouver son calme. Malgré un bon classement, il avait envisagé d'abandonner. Mais après avoir étouffé cette réaction instinctive, il avait participé à la dernière épreuve de la journée. Il avait entendu l'animateur évoquer ses blessures et le congé qu'il avait dû prendre, pendant qu'il se préparait derrière l'arène. Le taureau qu'il avait monté – Pump and Dump, un taureau

---

1. Tour final ordonné en fonction des points obtenus par chaque concurrent.
2. Récompense attribuée au cow-boy qui a remporté plus de deux épreuves.

classé – s'était mis à tournoyer sur lui-même en bondissant en tout sens dès l'ouverture du portail, et Luke avait eu beaucoup de mal à s'accrocher le temps nécessaire. Après qu'il se fut libéré de la sangle de maintien, l'atterrissage avait été violent, mais il n'avait pas été blessé et avait salué de son chapeau la foule enthousiaste.

Ensuite, il avait eu droit à des tapes dans le dos et à des félicitations, et tant de gens voulaient lui offrir un verre qu'il n'avait pas pu s'en aller. De toute façon, il n'était pas prêt à rentrer chez lui. Il avait besoin de décompresser, de rejouer le concours dans sa tête comme à l'accoutumée. Dans son imagination, il lui était toujours possible d'apporter les modifications qu'il n'avait pas pu appliquer pendant la monte, et il avait besoin de décortiquer chaque étape pour progresser. Bien qu'il ait gagné, son sens de l'équilibre s'était altéré. Il lui restait encore un long chemin à parcourir.

Il refaisait mentalement son second passage, quand il avait remarqué la fille pour la première fois. Il était difficile de ne pas admirer sa cascade de cheveux blonds et son regard intense. Il avait eu le sentiment que, comme lui, elle était perdue dans ses pensées. Elle était mignonne, mais ce n'était pas tout. Son air sain et naturel laissait présager qu'elle restait la même en jean, chez elle ou en robe de soirée. Elle n'avait rien d'une poupée parée dans le but de séduire un cow-boy. Ces filles étaient communes et faciles à trouver. Deux d'entre elles s'étaient glissées à côté de lui un peu plus tôt dans la grange pour faire les présentations, mais elles ne l'intéressaient pas. Au cours des dernières années, il avait eu quelques aventures d'une nuit, suffisamment pour savoir qu'elles lui laissaient inévitablement un sentiment de vide.

En revanche, la fille accoudée à la barrière avait éveillé sa curiosité. Elle n'était pas comme les autres, même s'il n'arrivait pas à définir ce qui la distinguait de la moyenne. Peut-être son regard perdu dans le vague, cet instant de relâchement dans lequel elle avait semblé presque vulnérable. Ça n'avait pas d'importance, car sur le moment, ce dont elle avait besoin, c'était surtout d'un ami. Il avait songé à aller lui parler, mais avait rejeté cette idée pour se concentrer sur les taureaux au loin. Malgré l'éclairage de l'arène, il faisait trop noir pour distinguer tous les détails, mais cela ne l'avait pas dissuadé de chercher Big Ugly Critter. Ils étaient liés pour toujours, et il se demandait si le taureau avait déjà été chargé dans le camion. Il doutait que le propriétaire ait prévu de passer la nuit sur la route, ce qui voulait dire que l'animal était encore là, mais il lui avait fallu du temps pour le localiser.

Pendant qu'il observait Big Ugly Critter, l'ex-petit ami ivre avait surgi derrière la fille. Il était impossible de ne pas entendre leur conversation, même de loin, mais sur le moment il s'était rappelé sa décision de ne pas se mêler des histoires des autres. Et il n'aurait pas bougé, si cette énorme brute ne l'avait attrapée par le bras. À ce stade, il était manifeste qu'elle ne voulait pas discuter avec lui, et quand la colère de la jolie blonde s'était muée en peur, Luke s'était instinctivement approché. Il était conscient que sa décision allait probablement se retourner contre lui, mais tout en s'avançant vers eux, il l'avait revue comme elle était un peu plus tôt et avait compris qu'il n'avait pas le choix.

\*
\* \*

Luke regarda l'ex-petit ami ivre décamper et remercia ses camarades d'avoir proposé leur aide. Ils disparurent l'un après l'autre, si bien que Luke et Sophia restèrent seuls.

Au-dessus d'eux, les étoiles s'étaient multipliées dans le ciel d'ébène. Dans la grange, le groupe termina une chanson et entama la suivante, un vieux classique de Garth Brooks. Poussant un profond soupir, Sophia desserra les bras. La brise automnale souleva doucement ses cheveux au moment où elle se tourna vers lui.

– Je suis désolée que tu te sois retrouvé mêlé à cette histoire, mais je tiens à te remercier pour ce que tu as fait, dit Sophia, l'air un peu ennuyée.

Maintenant qu'il se tenait près d'elle, Luke remarqua le vert peu ordinaire de ses yeux, son élocution fluide et précise, son accent qui évoquait des villes lointaines. Pendant un instant, il resta muet.

– Je suis content d'avoir pu t'aider, réussit-il finalement à dire.

Il se tut et elle glissa une mèche de cheveux derrière son oreille.

– Il… n'est pas toujours aussi dément, pas autant que tu dois l'imaginer. On est sortis ensemble pendant un moment et il n'est pas content que j'aie rompu.

– C'est ce que j'ai cru comprendre.

– Tu as… tout entendu ?

Son visage exprimait un mélange d'embarras et de lassitude.

– C'était difficile de faire autrement.

Elle pinça les lèvres, gênée.

– C'est bien ce que je pensais.

– Si ça peut te soulager, je te promets de tout oublier, proposa-t-il.

Elle éclata d'un rire sincère, dans lequel il crut deviner son soulagement.

– Moi aussi, je vais faire de mon mieux pour tout oublier, dit-elle. Je souhaite seulement…

Comme elle laissait la fin de sa phrase en suspens, Luke se permit d'aller au bout de sa pensée.

– À mon avis, c'est bel et bien terminé. Au moins pour ce soir.

Elle s'accorda un moment de réflexion pendant lequel elle examina la grange.

– Je l'espère fortement.

Luke gratta la terre du pied, comme s'il cherchait à déterrer la phrase suivante.

– Je suppose que tes amis sont à l'intérieur.

Le regard de Sophia balaya les silhouettes qui se pressaient devant les portes de la grange et au-delà.

– Je suis venue avec tout un petit groupe, expliqua-t-elle. Je viens de Wake Forrest, et ma colocataire de la sororité a décidé que j'avais besoin d'une sortie entre filles.

– Elles doivent se demander où tu es.

— J'en doute, répondit-elle. Elles s'amusent trop pour penser à moi.

Perchée sur une longue branche de l'un des arbres bordant le corral, une chouette hulula, et ils se retournèrent de concert.

— Tu veux que je te raccompagne à l'intérieur ? Au cas où il t'embêterait encore, je veux dire ?

Elle le surprit en secouant la tête.

— Non. Je pense que c'est mieux que tu restes dehors un petit moment. Le temps que Brian se calme.

Il ne se calmera que s'il arrête de boire, songea Luke. *Laisse tomber. Ça ne te regarde pas,* se rappela-t-il à l'ordre.

— Tu préfères que je te laisse ?

Une lueur d'amusement s'alluma dans les yeux de la jeune femme.

— Pourquoi ? Je t'ennuie ?

— Non, dit-il en secouant la tête. Pas du tout. C'est juste que je ne voulais pas…

— Je rigole.

Elle s'approcha de la barrière en bois et s'y accouda. Penchée en avant, elle se tourna vers lui en souriant. Luke hésita avant de la rejoindre.

Elle admira la vue, les collines lointaines et leurs courbes douces si communes dans cette partie de l'État. Luke la dévisagea en silence, remarqua le petit clou d'oreille qui ornait son lobe, et chercha à combler le silence.

— Tu es en quelle année, à l'université ? demanda-t-il finalement.

Il savait que cette question était niaise, mais il n'avait rien trouvé de mieux.

— Je suis en troisième année.

— Ça fait que tu as… vingt-deux ans ?

— Vingt et un. Et toi ? demanda-t-elle en se tournant à moitié vers lui.

— Je suis plus vieux.

— Pas de beaucoup, je dirais. Tu es allé à la fac ?

— Ce n'était pas trop mon truc.

Il haussa les épaules.

– Et monter des taureaux sauvages, c'est ton métier ?

– En partie, répondit-il. Quand j'arrive à rester dessus. Mais il y a des moments où je ne suis qu'un jouet avec lequel s'amuse le taureau, jusqu'à ce que la cloche m'autorise à redescendre.

Elle haussa les sourcils.

– Je t'ai trouvé plutôt impressionnant aujourd'hui.

– Tu te souviens de moi ?

– Bien sûr. Tu es le seul à les avoir tous montés. Tu as gagné, non ?

– La soirée a été plutôt bonne, admit-il.

Elle pressa ses mains l'une contre l'autre.

– Tu t'appelles Luke…

– Collins, précisa-t-il.

– C'est ça, dit-elle. Le présentateur a longuement parlé de toi avant ton arrivée.

– Et ?

– Pour être honnête, je n'ai pas été très attentive. Il faut dire qu'en début de soirée, je ne savais pas que tu volerais à mon secours.

Il chercha à déceler une note de sarcasme dans sa voix, mais n'en trouva pas, et cela le surprit. Pointant le pouce vers la roue de tracteur, il crut bon d'ajouter :

– Les autres aussi sont venus proposer leur aide.

– Mais ils ne sont pas intervenus. Tu es le seul à avoir agi.

Elle lui laissa le temps de saisir la portée de sa remarque.

– Je peux te poser une question ? reprit-elle. Je me la suis posée toute la soirée.

Luke détacha une écharde dans la barrière.

– Pourquoi monter des taureaux sauvages ? On risque de se faire tuer à tout moment, quand même.

*Bien vu,* se dit-il. C'était la question la plus courante. Il y répondit comme à chaque fois.

– Tout simplement parce que c'est ce que j'ai toujours eu envie de faire. J'ai commencé très jeune. Je crois que j'ai monté mon premier veau à l'âge de quatre ans, et je chevauchais déjà des bœufs en CE2.

— Mais comment as-tu commencé, la toute première fois ? Qui t'a fait découvrir le rodéo ?

— Mon père, dit-il. Il a longtemps participé à des rodéos. En selle.

— C'est différent des taureaux ?

— Les règles sont assez similaires, mais c'est à dos de cheval. Huit secondes à s'accrocher d'une seule main à un animal qui essaie de t'expulser.

— Sauf que les chevaux n'ont pas des cornes de la taille d'une batte de baseball. En plus, ils sont plus petits et moins méchants.

Il réfléchit à sa remarque.

— C'est assez juste, je crois.

— Alors, pourquoi tu ne montes pas des chevaux, plutôt que des taureaux sauvages ?

Il la regarda repousser ses cheveux en arrière de ses deux mains, cherchant à attraper les petites mèches indisciplinées.

— C'est une longue histoire. Tu as vraiment envie de l'entendre ?

— Sinon, je ne t'aurais rien demandé.

Il joua avec son chapeau.

— Parce que c'est une vie difficile, j'imagine. Mon père parcourait cent soixante mille kilomètres par an pour se rendre d'un concours à un autre, dans le seul but de se qualifier pour la finale nationale. Tous ces déplacements, c'est difficile à vivre pour la famille, et non seulement il n'était pas souvent à la maison, mais à l'époque, ça ne rapportait pas lourd. En comptant les frais de transport et les droits d'inscription, il aurait probablement mieux gagné sa vie en travaillant au salaire minimum. Il ne voulait pas de cette vie pour moi, et quand il a appris que les monteurs de taureaux s'apprêtaient à lancer leurs propres concours, il s'est dit que ça avait une chance de réussir. C'est là qu'il m'a fait découvrir les taureaux. Ça impose aussi des déplacements, mais les événements ont lieu le week-end, et en général, j'arrive à faire l'aller-retour assez rapidement. Sans compter que les récompenses sont plus élevées.

— Alors il avait raison.

— Il avait de l'intuition. Pour tout.

Il avait parlé sans réfléchir, et devant la réaction de Sophia, il devina qu'elle avait compris la suite. Il soupira.

— Il est mort il y a six ans.

Sans le quitter des yeux, elle tendit spontanément la main vers lui et effleura son bras.

— Je suis désolée, dit-elle.

Si sa main avait à peine frôlé son bras, la sensation persistait.

— Ça va, dit-il en se reprenant.

Les courbatures dues au rodéo s'installaient déjà, et il préféra se concentrer sur leur échange.

— Enfin bref, voilà comment j'en suis arrivé à monter des taureaux.

— Et ça te plaît ?

C'était une question délicate. Pendant longtemps, son activité l'avait défini sans aucun doute possible. Mais maintenant ? Il n'était plus très sûr de lui.

— Pourquoi est-ce que ça t'intéresse autant ? préféra-t-il répondre.

— Je ne sais pas, dit-elle. Peut-être parce que c'est un monde dont je ne sais absolument rien ? Ou peut-être par curiosité naturelle ? Mais qui sait si ce n'est pas simplement pour discuter ?

— Quelle raison est la bonne ?

— Je pourrais te répondre, dit-elle, ses séduisants yeux verts brillant au clair de lune. Mais où serait le plaisir ? Le monde a besoin d'un peu de mystère.

Le défi voilé qui transparaissait dans sa voix le toucha.

— D'où viens-tu ? demanda-t-il en appréciant de se sentir titillé. J'ai l'impression que tu n'es pas d'ici.

— Je viens du New Jersey. (Elle se tut un instant.) Et on ne se moque pas, s'il te plaît.

— Pourquoi est-ce que je me moquerais ? J'aime bien le New Jersey.

— Tu y es déjà allé ?

— Je connais Trenton. J'ai participé à quelques concours à l'arène de Sovereign Bank. Tu sais où c'est ?

— Je sais situer Trenton, répondit-elle. C'est au sud de la ville où j'habite, près de Philadelphie. Je suis plus vers le nord, à côté de la ville.

— Tu es déjà allée à Trenton ?

— Quelquefois. Mais je ne suis jamais allée à l'arène. Ni à un rodéo, d'ailleurs. C'était la première fois, ce soir.

— Qu'en as-tu pensé ?

— En plus d'avoir été impressionnée ? J'ai trouvé que vous étiez tous dingues.

Il rit, séduit par sa franchise.

— Tu connais mon nom de famille, mais je n'ai pas retenu le tien.

— Danko, dit-elle.

Puis, anticipant la question suivante, elle compléta :

— Mon père vient de Slovaquie.

— C'est à côté du Kansas, non ?

Elle battit des paupières, décontenancée. Elle ouvrit la bouche pour la refermer aussitôt, et alors qu'elle s'apprêtait à lui expliquer le concept d'Europe, il leva les mains.

— Je rigole, dit-il. Je sais où c'est. En Europe centrale. Ça appartenait à l'ancienne Tchécoslovaquie. J'avais juste envie de voir ta réaction.

— Et ?

— J'aurais dû te prendre en photo pour la montrer à mes amis.

Elle lui fit les gros yeux avant de lui asséner un coup de coude.

— C'est pas sympa.

— Mais c'était marrant.

— Ouais, admit-elle. C'était marrant.

— Donc, ton père vient de Slovaquie…

— Et ma mère est française. Ils sont venus vivre ici un an avant ma naissance.

Il lui fit face.

— Vraiment ?

— Ça a l'air de te surprendre.

– Je crois que tu es la première Franco-Slovaque que je rencontre.

Il se tut un instant.

– Je pense même que je n'avais jamais parlé avec quelqu'un du New Jersey avant toi.

L'entendant s'esclaffer, il se détendit, ravi de la faire rire.

– Et tu habites dans le coin ? demanda-t-elle.

– Pas très loin d'ici. Juste au nord de Winston-Salem. Dans la banlieue proche de King.

– Ça a l'air huppé.

– C'est tout le contraire. C'est une toute petite ville habitée par des gens sympas, mais c'est à peu près tout. Nous avons un ranch.

– Nous ?

– Ma mère et moi. En fait, le ranch est à elle. Je ne fais qu'y vivre et y travailler.

– Tu veux dire… un vrai ranch ? Avec des vaches, des chevaux et des cochons ?

– Il y a même une grange qui ferait passer celle-là pour neuve.

Elle observa la grange qui s'élevait derrière eux.

– J'en doute.

– Peut-être que je te la montrerai un jour. Je pourrais même t'emmener faire du cheval.

Leurs regards se croisèrent, s'accrochèrent l'un à l'autre un instant, et une fois de plus, elle effleura son bras.

– Je crois que ça me plairait, Luke.

# 4

## Sophia

Sophia n'était pas certaine de pouvoir s'expliquer sa réponse. Les mots avaient jailli d'eux-mêmes sans qu'elle puisse les contenir. Elle envisagea de se rattraper ou de trouver une ruse pour démentir aussitôt, mais pour une raison qui lui échappait, elle n'en avait pas envie.

Ce n'était pas dû à son physique, bien que Marcia eût entièrement raison : indubitablement séduisant et d'un charme un peu enfantin, il avait un large sourire amical qui faisait ressortir ses fossettes. Il était mince et élancé, ses épaules larges contrastaient avec ses hanches étroites, et la masse indisciplinée de boucles brunes qu'il cachait sous son chapeau usé était follement sexy. Mais ce qui ressortait, c'étaient ses yeux. Elle craquait toujours devant de beaux yeux. Ceux-là étaient d'un bleu d'été suffisamment vif et clair pour qu'on le soupçonne de porter des lentilles de contact colorées, même si elle savait que Luke aurait trouvé cette idée totalement incongrue.

Elle devait l'admettre, c'était agréable de le voir montrer une attirance aussi franche. Adolescente, elle avait affiché une silhouette dégingandée, de longues jambes maigrichonnes, des hanches inexistantes, et l'acné ne l'avait pas épargnée. Elle avait dû attendre l'âge de seize ans pour porter un soutien-gorge. Tout avait commencé à changer au cours de sa dernière année de lycée, même si cet intérêt l'avait surtout

rendue consciente d'elle-même et maladroite. Même maintenant, quand elle jaugeait son reflet dans le miroir, elle aperce-
vait encore l'adolescente qu'elle avait été et s'étonnait d'être
la seule à la distinguer.

Aussi flatteur que soit le regard de Luke, ce qui l'attirait le
plus, c'était la façon dont il rendait tout facile, de son attitude
imperturbable face à Brian à sa façon de mener cette conversation à bâtons rompus. À aucun moment, il n'avait eu l'air
de chercher à l'impressionner, mais son assurance discrète le
rendait, à ses yeux, très différent de tous les garçons de Wake,
en particulier de Brian.

Elle appréciait également qu'il la laisse se perdre dans ses
pensées sans éprouver de gêne. Beaucoup de gens ressentaient
le besoin de remplir le silence, mais Luke se contentait d'observer les taureaux et de suivre ses propres réflexions. Au bout
d'un certain temps, elle s'aperçut que la musique dans la grange
s'était arrêtée – le groupe faisait sans doute une pause – et elle
se demanda si Marcia allait se mettre à sa recherche. Elle se
surprit à espérer qu'elle n'en fasse rien, pas encore, en tout cas.

– C'est comment, de vivre dans un ranch ? demanda-t-elle
en rompant le silence. Que fais-tu de tes journées ?

Elle le vit croiser les jambes, le talon de ses bottes enfoncé
dans la poussière.

– Un peu de tout. Il y a toujours quelque chose à faire.

– Quoi, par exemple ?

D'un geste distrait, il se massa la main tout en réfléchissant
à sa question.

– Pour commencer, il faut nourrir les chevaux, les cochons
et les poulets dès le réveil, et nettoyer leurs stalles. Il faut surveiller le troupeau. Tous les jours, j'inspecte les bêtes pour
voir si elles sont en bonne santé, si elles n'ont pas d'infections
oculaires, si elles ne se sont pas coupées avec des fils barbelés
ou d'autres ennuis du même genre. Si l'une d'elles est blessée ou
malade, j'essaie de m'en occuper tout de suite. Après ça, il faut
irriguer les pâturages, et plusieurs fois par an, je dois déplacer
le troupeau d'un herbage à un autre afin que les animaux aient

toujours de la bonne herbe. Ensuite, deux fois par an, je dois vacciner les vaches, et pour ça je dois les attraper au lasso une par une et les séparer les unes des autres pendant un certain temps. Nous avons aussi un potager assez vaste pour notre usage personnel, dont je dois m'occuper…

Elle cligna des yeux.

— C'est tout ? plaisanta-t-elle.

— Loin de là, poursuivit-il. Nous vendons des citrouilles, des myrtilles, du miel et des sapins de Noël aux particuliers, alors je passe une partie de la journée à planter, désherber, arroser ou récolter le miel dans les ruches. Quand les clients viennent, je dois être là pour attacher les arbres ou les aider à porter les citrouilles jusqu'à leurs voitures, etc. Et bien sûr, il y a toujours quelque chose qui se casse et que je dois réparer, que ce soit le tracteur ou le véhicule tout-terrain, la clôture, la grange ou le toit de la maison.

Il prit un air contrit.

— Tu peux me croire, il y a toujours quelque chose à faire.

— Tu ne peux pas faire tout ça tout seul, c'est impossible, dit Sophia avec incrédulité.

— Ma mère se charge de pas mal de tâches, et il y a un gars qui travaille pour nous depuis des années. José. En règle générale, il s'occupe de ce que nous ne pouvons pas faire. Et quand c'est nécessaire, nous embauchons des équipes pour quelques jours, le temps de nous aider à tailler les sapins, par exemple.

Elle fronça les sourcils.

— Comment ça, tailler les sapins ? Les sapins de Noël ?

— Si ça t'intéresse, leur forme triangulaire n'est pas naturelle. Il faut les tailler au fur et à mesure pour qu'ils poussent ainsi.

— C'est vrai ?

— Et il faut aussi rouler les citrouilles. Pour éviter qu'elles pourrissent par en dessous. Mais il faut aussi qu'elles soient bien rondes, ou au moins ovales, sinon, personne n'en veut.

Elle plissa le nez.

— Alors, tu les fais vraiment rouler ?

— Eh oui. Mais il faut veiller à ne pas casser la tige.

— Je ne savais pas.

– Peu de gens le savent. Mais tu dois connaître plein de choses que j'ignore.

– Tu sais où se trouve la Slovaquie.

– J'ai toujours aimé l'histoire et la géographie. Mais si tu me parlais de chimie ou d'algèbre, je serais probablement perdu.

– Moi non plus, je n'ai jamais tellement aimé les maths.

– Mais tu étais quand même douée. Je parie que tu faisais partie des meilleurs élèves de ta classe.

– Qu'est-ce qui te fait dire ça ?

– Tu vas à Wake Forest, répondit-il. Je parie que pendant toutes tes études, tu étais au top dans toutes les matières. Qu'étudies-tu à l'université ?

– Pas le fonctionnement des ranchs, visiblement.

Les fossettes du garçon ressurgirent.

Sophia gratta la barrière de la pointe de ses ongles.

– Je me suis spécialisée en histoire de l'art.

– C'est un domaine qui t'intéresse depuis toujours ?

– Pas du tout, dit-elle. Quand je suis arrivée à Wake, je n'avais aucune idée de ce que je voulais faire plus tard, alors j'ai choisi les mêmes cours que tous les étudiants de première année, en espérant me découvrir un intérêt pour un sujet particulier. Je voulais trouver quelque chose qui… me passionne, tu comprends ?

Elle se tut et sentit qu'il lui accordait son attention pleine et entière. La sincérité de sa curiosité lui rappela une fois de plus à quel point il était différent de tous les garçons qu'elle côtoyait sur le campus.

– En deuxième année, je me suis inscrite à un cours sur les Impressionnistes français, plus pour remplir mon emploi du temps que dans un but précis. Mais le professeur était incroyable, intelligent, fascinant et charismatique, toutes les qualités d'un bon enseignant. Avec lui, l'art devenait vivant et pertinent, d'une certaine façon… et dès le deuxième cours, j'ai eu un déclic. J'ai su ce que je voulais faire, et plus je suivais ses cours d'histoire de l'art, plus je voulais appartenir à ce milieu.

– Je parie que tu es contente d'avoir choisi son cours !

– Oui… Mais mes parents, pas tellement. Ils voulaient que je fasse médecine ou que j'étudie le droit ou la comptabilité. Quelque chose qui me permette de décrocher un boulot à la fin de mes études.

Il tira sur sa chemise.

– Pour ce que j'en sais, ce qui compte, c'est d'avoir un diplôme. Avec ton niveau d'études, tu pourras décrocher toutes sortes d'emploi.

– C'est ce que je leur ai dit. Mais en réalité, je rêve de travailler dans un musée.

– Alors, fais-le.

– Ce n'est pas aussi facile que ça en a l'air. Il y a beaucoup de diplômés en histoire de l'art et les postes à responsabilité sont rares. De plus, la plupart des musées ont du mal à survivre, donc ils réduisent leurs équipes. J'ai déjà eu de la chance d'obtenir un entretien au musée d'Art de Denver. Ce n'est pas rémunéré, en fait, c'est plutôt un stage, mais ils m'ont dit que ça pourrait éventuellement évoluer vers un poste salarié. Ce qui, bien sûr, m'amène à me demander comment payer mes factures pendant que je travaillerai là-bas. Je refuserais que mes parents me financent, même s'ils en avaient les moyens. J'ai une jeune sœur qui va à Rutgers, deux autres qui vont bientôt entrer au lycée, et…

Elle se tut, momentanément intimidée. Luke sembla lire dans ses pensées et ne la pressa pas à poursuivre.

– Que font tes parents ? préféra-t-il demander.

– Ils tiennent une épicerie fine. Spécialisée dans le fromage et la viande. Ils vendent du pain sorti du four. Des sandwichs et des soupes maison.

– De la bonne nourriture ?

– Excellente, même.

– Si un jour j'allais dans leur épicerie, que me recommanderais-tu de choisir ?

– Tout est bon. Ma mère fait une soupe de champignons succulente. C'est ce que je préfère, mais je pense que notre réputation repose sur nos sandwichs au steak et au fromage fondu. À l'heure du déjeuner, il y a toujours la queue, et c'est ce que commandent la plupart des clients. Il y a deux ans, ils ont même gagné un prix. Celui du meilleur sandwich de la ville.

— Ah oui ?

— Eh oui ! C'est un journal qui a lancé ce concours et les gens pouvaient voter. Mon père a encadré le certificat et l'a accroché juste à côté de la caisse. Peut-être que je te le montrerai un jour.

Il pressa ses mains l'une contre l'autre, imitant le geste qu'elle avait fait un peu plus tôt.

— Je crois que ça me plairait, Sophia.

Elle rit en reconnaissant sa propre phrase, mais sans manquer d'apprécier sa façon de prononcer son nom. Articulé plus lentement qu'elle, mais avec plus de douceur aussi, les syllabes roulant sur sa langue à un rythme plaisant et paresseux. Même s'ils venaient de se rencontrer, elle n'avait pas l'impression d'être face à un étranger. Elle s'adossa contre le poteau de la barrière.

— Les autres garçons qui se sont approchés tout à l'heure, ce sont tes copains ?

Il lança un coup d'œil dans leur direction, puis reporta son attention sur elle.

— Non, dit-il. En fait, je ne connais qu'un seul d'entre eux. Mes amis sont à l'intérieur. Probablement occupés à lorgner tes copines, si tu veux mon avis.

— Comment se fait-il que tu ne sois pas avec eux ?

De l'index, il repoussa le bord de son chapeau en arrière.

— J'étais avec eux, mais je ne suis pas resté longtemps. Je n'étais pas d'humeur à bavarder, alors je suis sorti.

— On dirait que ça va mieux.

— Je crois, dit-il avec un sourire penaud. Il n'y a pas grand-chose d'autre à dire sur moi. Je monte des taureaux et je travaille au ranch familial. Ma vie n'est pas très intéressante, en fait.

Elle l'observa.

— Alors, raconte-moi quelque chose dont tu ne parles pas d'habitude.

— Comme quoi ? demanda-t-il.

— N'importe quoi, répondit-elle en décroisant les mains. À quoi pensais-tu quand tu étais seul, dans le noir ?

Mal à l'aise, il changea de position et détourna le regard. Dans un premier temps, il resta silencieux. Pour gagner du temps, il plia les mains devant lui, sur la rampe.

— Pour mieux comprendre, je crois qu'il faut le voir, dit-il. Mais il y a un problème : ce n'est pas exactement ici.

— Où est-ce ? demanda-t-elle, perplexe.

— Là-bas, dit-il en indiquant la zone des corrals.

Sophia hésita. C'était un classique : *une fille rencontre un garçon qui a l'air gentil et charmant, mais dès qu'il l'entraîne à l'écart…* Et pourtant, en sa compagnie, aucune sirène d'alarme ne se déclenchait. D'instinct il lui inspirait confiance, et pas uniquement parce qu'il avait volé à son secours. En fait, elle n'avait pas l'impression qu'il la draguait. Au contraire, si elle lui demandait de la laisser tranquille, il s'en irait certainement et elle n'entendrait plus parler de lui. De plus, il l'avait fait rire ce soir. Pendant le peu de temps qu'ils avaient passé ensemble, elle avait totalement oublié Brian.

— D'accord, je veux bien te suivre, accepta-t-elle.

Si elle l'étonna, il n'en montra rien. Il se contenta de hocher la tête et, posant les mains sur le haut de la barrière, il sauta gracieusement par-dessus.

— Frimeur, le taquina-t-elle.

Elle courba le dos pour se faufiler entre les lattes de bois, et ils partirent aussitôt vers les corrals.

Tandis qu'ils traversaient le champ, Luke se tint à une distance confortable. Sophia observa les ondulations de la barrière du fond qui épousait les contours du terrain, s'émerveillant du contraste que ce paysage formait avec son pays d'origine. Elle se rendit alors compte qu'elle avait fini par apprendre à apprécier la beauté paisible et presque austère de cette région. La Caroline du Nord était composée d'un millier de petites agglomérations, chacune ayant sa personnalité et son histoire, et elle comprenait désormais pourquoi la plupart des natifs ne quitteraient leurs terres pour rien au monde. Au loin, les pins et les chênes agglutinés les uns contre les autres formaient un écran noir impénétrable. Derrière eux, la musique s'estompa progressivement, tandis qu'à mesure qu'ils avançaient, émergeaient les crissements à peine perceptibles des criquets. Dans l'obscurité, elle sentait que Luke cherchait à deviner ses pensées, même s'il s'efforçait de ne pas le montrer.

— Il y a un raccourci après la prochaine barrière, indiqua-t-il. De là, on pourra facilement rejoindre mon pick-up.

Son commentaire la prit de court.

— Ton pick-up ?

— Ne t'inquiète pas, se défendit-il en levant les mains. Nous ne partons pas d'ici. Nous n'allons même pas monter dans ma voiture. Simplement, je me disais que tu verrais mieux de l'arrière. C'est plus haut et plus confortable. J'ai deux chaises longues que je peux installer, si tu veux.

— Tu as des chaises longues dans la benne de ton pick-up ?

Incrédule, elle fronça les sourcils.

— J'ai beaucoup de choses dans ma voiture.

Bien sûr. N'était-ce pas le cas de tout le monde ? Si elle avait été là, Marcia s'en serait donné à cœur joie.

Ils atteignirent la clôture où la lumière des projecteurs de l'arène était plus forte. De nouveau, il enjamba la barrière avec souplesse, mais cette fois, les planches étaient trop rapprochées pour permettre à Sophia de se glisser entre elles. Alors elle grimpa sur la clôture et resta perchée un instant, avant de faire passer ses jambes de l'autre côté. Elle accepta les mains qu'il lui tendait pour sauter à terre, appréciant au passage leur chaleur et leurs callosités.

Ils remontèrent un chemin menant à un portail et bifurquèrent en direction du parking.

Luke obliqua vers un véhicule noir brillant à grosses roues, équipé d'une rangée de projecteurs sur le toit, le seul à être garé à l'envers. Il ouvrit le hayon et monta à l'arrière. Il lui tendit de nouveau les mains, et après qu'il l'eut aidée à se hisser auprès de lui, elle se retrouva à l'arrière de la camionnette.

Luke lui tourna le dos pour fouiller dans ses affaires, les déplaçant sur le côté. Les bras croisées, Sophia se demanda ce que Marcia allait penser de tout ça. Elle imaginait déjà ses questions : *Tu parles bien du cow-boy hypermignon ? Il t'a emmenée sur le parking ? Tu as perdu la boule ? Et si c'était un fou ?* Pendant ce temps, Luke continuait de trier divers objets. Elle entendit un bruit métallique juste avant qu'il ne réapparaisse à côté d'elle, une chaise à la main, de celles que la plupart des gens emmènent à la plage. Après l'avoir dépliée, il l'installa et invita la jeune fille à prendre place.

– Vas-y, assieds-toi. Tout sera prêt dans quelques minutes.

Sophia resta immobile, le visage sceptique de Marcia dansant toujours devant ses yeux, puis se décida à bouger. Pourquoi pas ? Après tout, cette soirée était entièrement surréaliste, alors, se retrouver dans une chaise longue à l'arrière d'un pick-up appartenant à un monteur de taureaux, cela constituait presque une suite logique. Elle se fit la réflexion que, à l'exception de Brian, la dernière fois qu'elle était restée en tête en tête avec un garçon remontait à l'été précédant son arrivée à Wake, quand Tony Russo l'avait accompagnée au bal de promotion. Ils se connaissaient depuis plusieurs années, mais après la remise des diplômes, ça n'était pas allé bien loin. Elle le trouvait mignon et intelligent – il devait intégrer Princeton à l'automne – mais dès leur troisième rendez-vous, il avait eu les mains baladeuses, et...

Luke posa l'autre chaise à côté d'elle, interrompant ses pensées. Toutefois, au lieu de s'asseoir, il descendit du pick-up et alla ouvrir la portière du passager pour se pencher dans l'habitacle. Un instant plus tard, il alluma la radio. De la musique country.

Évidemment, se dit-elle avec amusement. Que pourrait-il écouter d'autre ?

Après l'avoir rejointe, il prit place et allongea ses jambes devant lui, l'une par-dessus l'autre.

— C'est confortable ? demanda-t-il.

— Presque.

Elle se tortilla, un peu gênée par leur proximité.

— Tu veux qu'on échange nos sièges ?

— Ce n'est pas le siège. C'est… ça, dit-elle en indiquant l'ensemble d'un geste vague. Me retrouver assise à l'arrière d'un pick-up. C'est une première pour moi.

— Ça ne vous arrive jamais, dans le New Jersey ?

— On fait plein d'autres choses. Aller au cinéma. Dîner au restaurant. Passer voir des amis. Je crois comprendre que vous ne vivez pas comme ça, par ici ?

— Mais si, bien sûr. Ça arrive.

— Quel est le dernier film que tu es allé voir ?

— C'est quoi, un film ?

Elle ne saisit la plaisanterie qu'au bout d'un petit moment, et son changement radical d'expression le fit rire. Puis il lui indiqua la clôture.

— Ils ont l'air plus gros de près, tu ne trouves pas ? demanda-t-il.

En se retournant, elle vit, à un mètre ou deux de là, un taureau avancer lentement vers eux, les muscles de son poitrail ondulant au rythme de ses pas. Sa masse lui coupa le souffle. De près, ce n'était pas comme dans une arène.

— Bon sang, s'exclama-t-elle, sans cacher sa stupéfaction. Elle se pencha en avant.

— Il est… énorme.

Elle se tourna vers Luke.

— Et tu montes là-dessus ? Volontairement ?

— Quand ils me laissent faire.

— C'est ça que tu voulais me montrer ?

— Presque, dit-il. En fait, c'est celui qui se trouve là-bas.

Il désigna l'enclos voisin dans lequel se tenait un taureau beige qui ne remuait que les oreilles et la queue. L'une de ses cornes était tordue, et même à cette distance, elle distingua plusieurs cicatrices s'entrecroisant sur son flanc. S'il n'était pas aussi massif que certains de ses congénères, il avait une allure sauvage et menaçante, et elle eut le sentiment qu'il défiait tous les autres taureaux d'oser s'approcher de lui. Ses grognements rauques déchiraient le silence de la nuit.

En tournant la tête vers Luke, elle remarqua un changement dans son regard. Il restait rivé sur le taureau avec un calme évident, mais elle sentait qu'il y avait autre chose, sans parvenir à mettre le doigt dessus.

— C'est Big Ugly Critter, dit-il sans quitter l'animal des yeux. C'est à lui que je pensais, quand tu m'as vu seul dans le champ. Je le cherchais.

— Est-ce l'un des taureaux que tu as montés ce soir ?

— Non, dit-il. Mais je me suis rendu compte que je ne pouvais pas m'en aller sans être venu le voir de près. C'est bizarre, parce qu'en arrivant ici, c'était le dernier taureau dont j'avais envie de m'approcher. C'est pour ça que je me suis garé à reculons. Et si je l'avais tiré au sort ce soir, je ne sais pas comment j'aurais réagi.

Elle attendit qu'il poursuive, mais il s'arrêta là.

— Je crois comprendre que tu l'as déjà monté.

— Non, répondit-il en secouant la tête. J'ai juste essayé. Trois fois. C'est ce qu'on appelle un taureau « hors catégorie ». Seuls quelques rares cow-boys ont réussi à le chevaucher, et ça remonte à plusieurs années. Il virevolte sur lui-même, lance des ruades, change constamment de direction, et s'il te jette à terre, il essaie de t'encorner rien que pour avoir osé le monter. Ce taureau me donne des cauchemars. Il me fait peur.

Il se tourna vers elle, son visage à moitié dans l'ombre.

— Presque personne ne le sait.

Dans ses yeux, elle discerna de la terreur, un sentiment dont elle l'aurait cru incapable.

— D'une certaine manière, j'ai du mal à imaginer qu'il t'arrive d'avoir peur, dit-elle calmement.

— Ouais, bah… je suis un être humain.

Il sourit à belles dents.

— Et si tu veux le savoir, je ne raffole pas de la foudre non plus.

Elle se redressa dans sa chaise.

– J'aime bien la foudre.

– C'est différent quand on se trouve au milieu d'un champ sans aucun abri.

– Je veux bien te croire.

– C'est mon tour, maintenant. J'ai le droit de te poser une question. Tout ce que je veux.

– Je t'écoute.

– Pendant combien de temps es-tu sortie avec Brian ? demanda-t-il.

Son soulagement fut tel qu'elle faillit rire.

– C'est tout ? rétorqua-t-elle, sans attendre de réponse. On a commencé à sortir ensemble quand j'étais en deuxième année.

– Il est imposant, fit-il remarquer.

– Il a obtenu une bourse de joueur de crosse.

– C'est qu'il doit être bon.

– Au jeu de crosse, admit-elle. Mais pas trop dans le rôle de petit ami.

– Tu es quand même restée deux ans avec lui.

– Eh oui…

Elle ramena ses genoux sur sa poitrine et les serra entre ses bras.

– Tu as déjà été amoureux ? demanda-t-elle.

Il leva la tête, comme s'il cherchait la réponse dans les étoiles.

– Je n'en suis pas sûr.

– Si tu n'en es pas sûr, ça veut probablement dire que tu ne l'étais pas.

Il réfléchit un instant.

– D'accord.

– Quoi ? Tu dis d'accord sans discuter ?

– Je te l'ai dit, je n'en suis pas sûr.

– Étais-tu malheureux quand l'histoire s'est arrêtée ?

Il pinça les lèvres, considérant sa réponse.

– Pas vraiment, mais Angie non plus. Ce n'était qu'un truc de lycéens. À la fin de la terminale, je crois que nous avons tous les deux compris que nous n'avions pas les mêmes envies. Mais nous sommes toujours amis. Elle m'a même invité à son mariage. Je me suis beaucoup amusé pendant la réception en compagnie de l'une de ses demoiselles d'honneur.

Sophia baissa les yeux.

— J'ai été amoureuse de Brian. Avant lui, j'avais eu quelques passades. Tu sais, du genre qui donne envie d'écrire le nom d'un garçon dans son cahier de textes et de dessiner des cœurs tout autour. Je crois que les gens ont tendance à mettre leur premier amour sur un piédestal, et au début, j'étais comme tout le monde. Je ne savais pas trop pourquoi il voulait sortir avec moi. Après tout, il est beau garçon, c'est un athlète, tout le monde l'apprécie, il est riche… Quand j'ai compris qu'il s'intéressait plus à moi qu'aux autres, ça m'a fait un choc. Et puis au début, il était drôle et adorable. Au moment de notre premier baiser, j'étais déjà amoureuse de lui. Très amoureuse, même, et puis…

Elle s'interrompit, préférant de ne pas entrer dans les détails.

— Enfin bref, j'ai rompu cette année, peu de temps après la rentrée. J'ai découvert qu'il avait couché avec une fille de chez lui pendant tout l'été.

— Et maintenant, il veut te récupérer.

— Ouais, mais pourquoi ? Parce qu'il me veut, ou parce qu'il ne peut pas m'avoir ?

— C'est une question que tu me poses ?

— J'aimerais connaître ton point de vue. Pas parce que j'ai l'intention de recommencer à le fréquenter. Ça n'arrivera pas. Je te demande ton avis en tant que garçon.

Quand il prit la parole, il pesa ses mots.

— Un peu des deux, probablement. Mais d'après ce que je sais, j'imagine qu'il s'est aperçu qu'il avait commis une grosse erreur.

En silence, elle assimila le compliment tacite, tout en appréciant sa délicatesse.

— Je suis contente d'avoir eu l'occasion de te voir à dos de taureau ce soir, dit-elle en toute sincérité. J'ai trouvé que tu t'en étais vraiment bien sorti.

— J'ai eu de la chance. Je me suis plutôt senti rouillé. Ça faisait un moment que je n'étais pas monté sur un vrai taureau.

— Combien de temps ?

Il frotta son jean pour gagner du temps, avant de répondre :
— Dix-huit mois.
Sur le coup, elle crut qu'elle avait mal entendu.
— Tu n'es pas monté sur un taureau depuis un an et demi ?
— Exact.
— Comment ça se fait ?
Elle eut l'impression qu'il se demandait quelle réponse lui fournir.
— La dernière fois que je suis monté, sans compter ce soir, ça s'est mal passé.
— À quel point ?
— Ça s'est très mal passé.
Soudain, tout se mit en place dans sa tête.
— Big Ugly Critter, dit-elle.
— Celui-là même, admit-il.
Pour échapper à la question suivante, il revint à elle.
— Tu loges dans la maison de la sororité, alors ?
Elle remarqua qu'il avait changé de sujet, mais le suivit sans rechigner.
— C'est ma troisième année à la sororité.
Les yeux du garçon pétillèrent de malice.
— C'est vraiment ce qu'on raconte ? Soirées pyjamas et batailles d'oreillers ?
— Bien sûr que non, dit-elle. C'est plutôt soirées nuisettes et batailles d'oreillers.
— Je crois que ça me plairait de vivre dans un endroit pareil.
— J'imagine, dit-elle en riant.
— Comment c'est vraiment ? demanda-t-il avec une curiosité sincère.
— C'est un groupe de filles qui vivent ensemble, et la plupart du temps, ça va. Mais parfois ça se passe moins bien. C'est un monde à part, qui vit selon ses propres règles et sa hiérarchie, ce qui est très bien tant qu'on y adhère. Mais je ne suis pas du genre à avaler des couleuvres… Je viens du New Jersey et j'ai grandi dans une famille qui a travaillé dur pour mener sa barque. Si je peux me permettre d'aller à Wake, c'est uniquement parce

que j'ai décroché une bourse d'études qui couvre tous les frais. Nous ne sommes pas nombreuses dans ce cas au foyer. Je ne dis pas qu'elles sont toutes riches, car c'est faux. Et beaucoup de filles de la maison ont dû prendre des petits boulots quand elles étaient lycéennes. C'est juste que...

– Tu es différente, dit-il en terminant sa phrase à sa place. Je parie que la plupart de tes copines de la sororité n'auraient jamais accepté d'aller voir un taureau au milieu d'un champ de vaches.

*Je n'en suis pas si sûre*, songea-t-elle. Il avait gagné le rodéo et il était sans conteste un plaisir des yeux, selon le qualificatif de Marcia. Pour certaines de ses camarades de l'association, ça aurait plus que suffi.

– Tu as dit que tu avais des chevaux, au ranch ? demanda-t-elle.

– Oui, nous en avons.

– Tu fais souvent du cheval ?

– Presque tous les jours, répondit-il. Quand je vais contrôler les bêtes. Je pourrais prendre le tout-terrain, mais dans mon enfance j'ai appris à les surveiller à cheval, et j'ai gardé cette habitude.

– Ça t'arrive de chevaucher juste pour le plaisir ?

– De temps en temps. Pourquoi ? Tu fais de l'équitation ?

– Non, je ne suis jamais montée à cheval, avoua-t-elle. Les chevaux sont rares à Jersey City. Mais lorsque j'étais petite, j'en mourais d'envie. Comme toutes les petites filles, je pense.

Elle se tut un instant.

– Comment s'appelle ton cheval ?

– Cheval.

Sophia attendit la suite de la blague, mais il s'en tint là.

– Tu as baptisé ton cheval « Cheval » ?

– Ça ne le dérange pas.

– Tu devrais lui donner un nom plus noble. Comme Prince ou Chef ou ce que tu veux.

– Ça l'embrouillerait si je changeais son nom maintenant.

– Crois-moi, ce serait toujours préférable à Cheval. Ça revient à appeler un chien « Chien ».

– J'ai un chien qui s'appelle Chien. Un chien de berger australien.

Il se tourna vers elle, le visage impassible.

– Un grand meneur de troupeau.

– Et ta mère n'a rien trouvé à redire ?

– C'est elle qui lui a donné ce nom.

Elle secoua la tête.

– Ma colocataire ne va jamais me croire.

– Quoi ? Que mes animaux ont, selon toi, des noms étranges ?

– Entre autres choses, le taquina-t-elle.

– Parle-moi de l'université, reprit-il, et elle passa la demi-heure suivante à évoquer sa vie quotidienne dans les moindres détails.

À ses propres oreilles, c'était monotone – les cours, les révisions, la vie sociale du week-end – mais il semblait sincèrement intéressé et posait des questions ponctuelles, même si, pour l'essentiel, il la laissa soliloquer. Elle décrivit la sororité, et plus particulièrement Mary-Kate, évoquant rapidement Brian et son comportement depuis la rentrée. Dans l'intervalle, les gens commencèrent à affluer sur le parking, certains se faufilant entre les véhicules et les saluant en soulevant le bord de leurs chapeaux, d'autres s'arrêtant le temps de féliciter Luke pour sa victoire.

À mesure que la soirée s'étirait, la température chutait et Sophia eut soudain la chair de poule. Elle croisa les bras, se pelotonnant sur elle-même dans sa chaise longue.

– J'ai une couverture dans la cabine, si tu veux, proposa-t-il.

– Merci, ça va aller. Je crois qu'il est temps que je retourne dans la grange. Je n'ai pas envie que mes amies partent sans moi.

– Je comprends, dit-il. Je te raccompagne.

Il l'aida à descendre du pick-up et ils reprirent le même chemin qu'à l'aller, la musique devenant plus distincte à mesure qu'ils approchaient. Ils se retrouvèrent rapidement devant la grange qui ne s'était que très légèrement vidée. Elle avait pourtant l'impression de s'être absentée pendant plusieurs heures.

– Tu veux que je t'accompagne à l'intérieur ? Au cas où Brian soit resté dans les parages ?

— Non, c'est bon. Je vais rester collée à ma camarade de chambre.

Il garda le regard rivé au sol un moment, puis releva soudain la tête.

— J'ai passé un bon moment à bavarder avec toi, Sophia.

— Moi aussi, dit-elle. Et merci encore. Pour ce que tu as fait plus tôt dans la soirée, je veux dire.

— Je suis content de t'avoir rendu service.

Il hocha la tête et fit volte-face. Sophia le regarda s'éloigner. L'histoire aurait pu s'arrêter là, et plus tard, elle se demanderait si ça n'aurait pas été mieux, mais elle le rattrapa et les mots sortirent automatiquement de sa bouche.

— Luke, cria-t-elle. Attends !

Alors qu'il pivotait sur lui-même, elle redressa légèrement le menton.

— Tu as dit que tu me montrerais ta grange. Qui est soi-disant plus délabrée que celle-ci.

Il sourit et ses fossettes se creusèrent.

— À une heure, demain ? proposa-t-il. J'ai du travail le matin. Je viens te chercher ?

— Je peux prendre ma voiture, dit-elle. Envoie-moi les indications par texto.

— Je n'ai pas ton numéro.

— Quel est le tien ?

Il lui communiqua les chiffres qu'elle entra dans son téléphone avant de l'appeler. Dès que le portable de Luke sonna, elle raccrocha et le fixa sans le quitter des yeux, se demandant ce qui lui était passé par la tête.

— Maintenant, tu l'as.

# 5

## Ira

Il fait de plus en plus noir, et le vent d'hiver ne cesse de gagner en force. Les bourrasques ressemblent désormais à des hurlements et les vitres de la voiture sont recouvertes d'une épaisse couche de neige. Je suis peu à peu enterré vivant et je repense à la voiture. Elle est beige, une Chrysler 1988, et je me demande si elle sera visible quand le soleil se lèvera. Ou si elle se fondra simplement dans le paysage.

— Il ne faut pas penser à ça, entends-je dire Ruth. Quelqu'un va venir. Il n'y en a plus pour longtemps.

Elle est toujours assise au même endroit, mais elle n'a plus la même apparence. Un peu plus âgée, elle porte une autre robe… une robe vaguement familière. Je fouille dans ma mémoire à la recherche d'une image d'elle dans cette tenue, quand sa voix résonne à nouveau.

— C'était l'été 1940. En juillet.

Au bout d'un moment, ça me revient. *Oui*, me dis-je. *Cette nuit-là. L'été qui a suivi ma première année à l'université.*

— Je me souviens, dis-je.

— Maintenant, tu t'en souviens, me taquine-t-elle. Mais il a fallu que je t'aide. Avant, tu te souvenais de tout.

— Avant, j'étais plus jeune.

— Moi aussi, j'ai été jeune.

— Tu l'es toujours.

— Plus maintenant, dit-elle, sans cacher une vague tristesse. J'étais jeune à l'époque.

Je cligne des paupières, cherchant à la distinguer plus nettement, en vain. Elle avait dix-sept ans.

— C'est la robe que tu portais quand je t'ai enfin proposé de te raccompagner.

— Non, me dit-elle. C'est la robe que je portais quand *je* te l'ai demandé.

Je souris. C'est une histoire que nous avons souvent racontée dans les dîners, celle de notre premier rendez-vous. Au fil du temps, Ruth et moi avons appris à bien la raconter. Là, dans la voiture, elle se lance dans son récit, comme autrefois devant nos invités. Elle pose sa main sur sa cuisse et soupire, partagée entre déception feinte et confusion.

— J'avais fini par comprendre que tu ne viendrais jamais me parler. Tu étais rentré de l'université depuis un mois et tu n'étais toujours pas venu me trouver, alors, après l'office du shabbat, je suis allée vers toi. Je t'ai regardé droit dans les yeux et j'ai dit : « Je ne fréquente plus David Epstein. »

— Je m'en souviens, dis-je.

— Te rappelles-tu ce que tu m'as dit ? Tu as fait « Oh », et ensuite tu as rougi et baissé la tête.

— Je pense que tu me confonds avec quelqu'un d'autre.

— Tu sais que ça s'est passé de cette façon. Après, je t'ai dit que j'aimerais que tu me raccompagnes chez moi.

— Je me souviens que ça ne plaisait guère à ton père.

— Il pensait que David était un jeune homme très convenable. Il ne te connaissait pas.

— Pas plus qu'il ne m'aimait. Pendant que nous marchions, je sentais son regard peser sur ma nuque. C'est pour ça que j'ai gardé mes mains dans mes poches.

Elle penche la tête sur le côté, m'observant.

— Est-ce pour cela que, même pendant qu'on marchait, tu ne m'as rien dit ?

— Je voulais lui faire comprendre que mes intentions étaient honorables.

— En arrivant à la maison, il m'a demandé si tu étais muet. J'ai dû lui rappeler une fois de plus que tu étais un étudiant brillant, que tu avais des notes excellentes et que tu bouclerais ton cycle en seulement trois ans. Chaque fois que je discutais avec ta mère, elle veillait à me le rappeler.

Ma mère. La marieuse.

— Ç'aurait été différent si tes parents ne nous avaient pas suivis, dis-je. S'ils n'avaient pas joué les chaperons, je t'aurais soulevée de terre et portée dans mes bras. Je t'aurais pris la main et chanté une sérénade. Je t'aurais cueilli un bouquet de fleurs. Tu serais tombée en pâmoison.

— Oui, je sais. Revoilà le jeune Frank Sinatra. Tu l'as déjà dit.

— Je ne fais que préciser certains points du récit. Il y avait une fille à l'école qui s'intéressait à moi, tu sais. Elle s'appelait Sarah.

Ruth hoche la tête, avec l'air de s'en moquer.

— Ta mère m'avait aussi parlé d'elle. Elle avait ajouté que tu ne lui avais ni téléphoné ni écrit depuis ton retour. Je savais que ce n'était pas sérieux.

— Tu parlais souvent avec ma mère ?

— Au début, pas tellement, et toujours en compagnie de la mienne. Mais avant que tu ne reviennes, il m'arrivait de demander à ta mère de m'aider en anglais, et nous avons commencé à nous voir une ou deux fois par semaine. Il me restait beaucoup de vocabulaire à apprendre et elle savait m'expliquer le sens des mots de façon compréhensible. J'ai souvent dit que je suis devenue enseignante grâce à mon père, et c'est vrai, mais si j'ai pu faire ce métier, c'est aussi grâce à ta mère. Elle était très patiente avec moi. Elle me racontait des histoires, et c'était un autre moyen de m'aider à apprendre la langue. Elle disait que je devais apprendre à m'exprimer parce que tout le monde, dans le Sud, raconte des histoires.

Je souris.

— Quelles histoires racontait-elle ?

— Des histoires qui parlaient de toi.

Je le sais, bien sûr. Quand on reste longtemps marié avec quelqu'un, les secrets se font rares.

— Laquelle était ta préférée ?

Elle prend le temps de réfléchir.

— Celle qui parle de toi petit, finit-elle par répondre. Ta mère m'a raconté que tu avais trouvé un écureuil blessé et que, comme ton père t'avait interdit de le garder au magasin, tu l'avais caché dans une boîte derrière une machine à coudre et remis sur pied. Une fois guéri, tu l'as relâché dans le parc et il s'est enfui, mais tous les jours, tu retournais voir s'il n'avait pas besoin de toi. Elle me disait que c'était le signe que ton cœur était pur, que tu nouais des attachements profonds, et qu'une fois que tu aimais quelque chose ou quelqu'un, c'était pour toujours.

Je le répète, une marieuse.

Ce ne fut qu'après notre mariage que ma mère m'avoua qu'elle avait donné des cours à Ruth en lui racontant des anecdotes à mon sujet. À l'époque, cette nouvelle m'avait perturbé. Je voulais croire que j'avais gagné le cœur de Ruth par moi-même, et je le lui avais clairement dit. Ma mère avait ri et m'avait répondu qu'elle avait seulement agi comme toute mère le ferait pour son fils. Ensuite, elle avait ajouté que ma tâche consistait dorénavant à prouver qu'elle n'avait pas menti car c'était ce que tout fils était censé faire pour sa mère.

— Dire que je pensais avoir du charme.

— Tu es devenu charmant dès que tu as cessé d'avoir peur de moi. Mais ça n'a pas été le cas dès notre première promenade. Quand nous avons enfin atteint l'usine dans laquelle nous habitions, j'ai dit « Merci de m'avoir raccompagné, Ira », et toi, tu n'as rien répliqué de plus que « De rien ». Ensuite, tu as salué mes parents d'un signe de tête et tu es parti.

— Mais j'ai fait mieux la semaine suivante.

— Oui. Tu as parlé du mauvais temps. Tu as dit « C'est vraiment nuageux », trois fois. Deux fois, tu as ajouté : « Je me demande s'il va pleuvoir. » Ton art de la conversation était éblouissant. À propos, c'est ta mère qui m'a appris le sens de ce mot.

— Et malgré tout, tu continuais à vouloir faire le chemin avec moi.

— Oui, dit-elle en plongeant ses yeux dans les miens.

— Et début août, je t'ai demandé si je pouvais t'offrir un soda chocolaté. Exactement comme David Epstein.

Elle lisse une mèche échappée de son chignon, sans détacher ses yeux des miens.

— Et je me souviens de t'avoir dit que ce soda au chocolat était le plus délicieux que j'aie jamais goûté.

C'est comme ça que notre histoire a commencé. Ce n'est pas un récit d'aventures palpitant, ni une idylle de conte de fées comme on en voit dans les films, mais j'ai l'impression d'y discerner une intervention divine. Je ne comprends pas qu'elle m'ait trouvé un quelconque intérêt, mais j'ai eu l'intelligence de saisir ma chance. Après cela, nous avons passé l'essentiel de notre temps libre ensemble, bien qu'il fût restreint. À ce moment-là, l'été touchait déjà à sa fin. De l'autre côté de l'Atlantique, la France avait capitulé et la bataille d'Angleterre était en marche, mais malgré tout, pendant ces quelques semaines, la guerre semblait lointaine. Nous nous promenions et discutions longuement dans le parc. Comme David l'avait fait avant moi, je lui offrais souvent des sodas au chocolat. Par deux fois, j'ai emmené Ruth au cinéma. Une autre fois, je les ai invitées, elle et sa mère, à déjeuner. Et toujours je la raccompagnais chez elle après la synagogue, tandis que ses parents nous suivaient à une dizaine de pas de distance pour nous accorder un peu plus d'intimité.

— Tes parents ont fini par m'apprécier.

— Oui.

Elle hoche la tête.

— Mais c'est parce que je t'aimais bien. Tu me faisais rire, et tu as été le premier à m'aider à me détendre dans ce pays. Mon père me demandait à chaque fois ce que tu avais dit de si drôle, et je lui répondais que c'était moins ce que tu disais que ta façon de le dire. Comme la tête que tu faisais quand tu décrivais la cuisine de ta mère.

— Ma mère savait faire bouillir de l'eau, et pourtant, elle n'a jamais réussi à faire cuire un œuf.

— Elle n'était pas si mauvaise.

— Petit, j'ai appris à retenir ma respiration en mangeant. À ton avis, pourquoi mon père et moi étions-nous maigres comme des coucous ?

Elle secoue la tête.

— Si ta mère avait su que tu disais ces vilaines choses…

— Ça ne l'aurait pas ennuyée. Elle savait qu'elle cuisinait mal.

Elle reste silencieuse un instant.

— Je regrette qu'on n'ait pas eu plus de temps cet été-là. J'étais très triste quand tu as repris l'université.

— Même si je n'étais pas parti, nous n'aurions pas pu rester ensemble. Toi aussi, tu devais partir. Pour Wellesley.

Elle hoche la tête, mais prend un air distant.

— J'ai eu beaucoup de chance d'avoir cette opportunité. Mon père connaissait un professeur dans cette école, et il m'a aidée de multiples façons. Mais malgré tout, cette année a été difficile pour moi. Même si tu n'avais pas écrit à Sarah, je savais que tu allais la revoir et je craignais que tu ne développes des sentiments pour elle. Et j'avais peur que Sarah ne te trouve les mêmes qualités que moi et qu'elle ne se serve de ses charmes pour te voler à moi.

— Ça n'aurait jamais pu se produire.

— Je le sais maintenant, mais à l'époque, je l'ignorais.

Je détourne légèrement la tête, et tout à coup des points blancs obscurcissent les coins de ma vision alors qu'une série de piques remonte le long de mon cuir chevelu. Je ferme les yeux en attendant que ça passe, mais ça s'éternise. Je me concentre, m'applique à respirer calmement, et au bout d'un moment, ça commence à se calmer. Le monde me revient par bribes et je repense à l'accident. J'ai le visage collant et l'airbag dégonflé est recouvert de poussière et de sang. Le sang m'effraie, pourtant, il y a de la magie dans la voiture, une magie qui m'a rendu Ruth. Je déglutis pour tenter d'humidifier le fond de ma gorge, mais je n'ai plus de salive et c'est rêche comme du papier de verre.

Je sais que Ruth s'inquiète pour moi. Dans l'ombre étirée, je la vois qui m'observe, la femme que j'ai toujours adorée. Je replonge dans l'année 1940 pour lui faire oublier ses peurs.

— Malgré tes inquiétudes au sujet de Sarah, dis-je, tu n'es pas rentrée en décembre pour me voir.

Dans mon esprit, je vois Ruth lever les yeux au ciel, sa réaction habituelle dès que je me plains.

— Je ne suis pas rentrée parce que je n'avais pas les moyens de m'offrir un billet de train, dit-elle. Tu le sais. Je travaillais dans un hôtel, et il m'était impossible de partir. Ma bourse ne couvrait que les frais de scolarité, je devais donc payer tout le reste.

— Des excuses, dis-je en blaguant.

Elle m'ignore, comme toujours.

— Parfois, je travaillais toute la nuit à la réception, et je devais encore aller en cours le matin. J'avais du mal à ne pas tomber de sommeil, la tête dans le livre ouvert sur mon bureau. Ce n'était pas facile. À la fin de ma première année, j'avais hâte de rentrer chez moi pour l'été, ne serait-ce que pour filer droit dans mon lit.

— Mais j'ai contrecarré tes plans en apparaissant à la gare.

— Oui, dit-elle en souriant. Mes projets sont tombés à l'eau.

— Je ne t'avais pas vue depuis neuf mois, observé-je. Je voulais te faire la surprise.

— C'était réussi. Pendant le voyage, je me demandais qui m'attendrait à l'arrivée, mais je ne voulais pas être déçue. Et puis, quand le train est entré en gare et que je t'ai vu par la fenêtre, mon cœur a bondi dans ma poitrine. Tu étais très séduisant.

— Ma mère m'avait confectionné un nouveau costume.

Elle émet un rire mélancolique, toujours perdue dans ce souvenir.

— Et tu es venu avec mes parents.

Je hausserais volontiers les épaules, mais j'ai peur de bouger.

— Je savais qu'ils avaient envie de te voir, eux aussi, alors j'ai emprunté la voiture de mon père.

— C'était courtois de ta part.

— Ou égoïste. Sans cela, tu serais rentrée directement chez toi.

— Oui, peut-être, me taquine-t-elle. Mais bien sûr, tu avais pensé à ça aussi. Tu avais demandé à mon père si tu pouvais m'inviter à dîner. Il m'a rapporté que tu étais allé le trouver à l'usine pendant qu'il travaillait, pour lui demander la permission.

— Je voulais éviter que tu aies une raison de refuser.

— Je n'aurais pas dit non, même si tu n'avais rien demandé à mon père.

— Je le sais maintenant, mais à l'époque, je l'ignorais, dis-je en reprenant sa phrase. Nous sommes, et avons toujours été, identiques sur de nombreux points. Ce soir-là, quand tu es descendue du train, je me souviens m'être dit que la gare aurait dû être remplie de photographes se bousculant pour te prendre en photo. Tu ressemblais à une star de cinéma.

— Je venais de passer douze heures dans le train. J'avais une mine atroce.

C'est un mensonge, et nous le savons tous les deux. Ruth était belle, et même à cinquante ans passés, les hommes la suivaient du regard quand elle entrait dans une pièce.

— J'ai lutté pour ne pas t'embrasser.

— Ce n'est pas vrai, me contredit-elle. Tu n'aurais jamais fait une chose pareille devant mes parents.

Elle a raison, bien sûr. En réalité, j'étais resté en retrait pour laisser à ses parents le soin de l'accueillir. Ce n'est qu'après, quelques minutes plus tard, que je m'étais avancé vers elle. Ruth lit dans mes pensées.

— Ce soir-là, mon père a compris pour la première fois ce qui me plaisait en toi. Plus tard, il m'a dit qu'il avait remarqué que tu étais non seulement travailleur et bon, mais aussi un gentleman.

— Et pourtant, il ne me trouvait toujours pas assez bien pour toi.

— Aux yeux d'un père, aucun homme n'est assez bien pour sa fille.

— Sauf David Epstein.

— Oui, s'amuse-t-elle. Sauf lui.

Je souris, même si cela provoque une autre décharge électrique qui traverse mon corps.

— Pendant le dîner, je ne pouvais pas m'empêcher de te regarder. Tu étais tellement plus belle que dans mes souvenirs.

— Mais nous étions redevenus des étrangers l'un pour l'autre, dit-elle. Il a fallu du temps pour que la conversation redevienne aussi fluide que l'été précédent. Jusqu'à ce que tu me raccompagnes chez moi, je crois.

— Je ne voulais pas que tu me prennes pour un homme facile.

— Non, tu étais seulement toi-même, dit-elle. Et en même temps, tu n'étais pas vraiment toi. Pendant mon année d'absence, tu étais devenu un homme. Tu m'as même pris la main en me raccompagnant devant ma porte, ce que tu n'avais jamais fait auparavant. Je m'en souviens parce que j'ai eu des frissons dans le bras, et puis tu t'es arrêté, tu m'as regardée, et alors j'ai su ce qui allait arriver.

— Je t'ai embrassée pour te dire au revoir.

— Non, me dit Ruth d'une voix sensuelle. Tu m'as embrassée, oui, mais ce n'était pas juste pour me dire au revoir. Déjà à ce moment-là, je sentais que ton baiser renfermait une promesse, celle de toujours m'embrasser de la même façon.

\*

\* \*

Dans la voiture, je me souviens précisément de ce moment, du contact de ses lèvres contre les miennes, de l'excitation et de l'émerveillement quand je l'avais prise dans mes bras. Mais soudain, tout tourne autour de moi. À vive allure, comme si j'étais dans un grand huit, et tout à coup Ruth disparaît. Ma tête s'écrase lourdement sur le volant et je bats frénétiquement des paupières en priant pour que cela cesse. J'ai besoin de boire, certain qu'une seule gorgée suffirait à mettre fin aux vertiges. Mais il n'y a pas d'eau et je m'évanouis.

Quand je reprends conscience, la réalité s'impose progressivement. Dans l'obscurité, je plisse les yeux, mais Ruth n'est
plus à côté de moi sur le siège passager. J'ai désespérément
besoin qu'elle revienne. Je me concentre, essayant de faire res-
surgir son image, mais rien ne vient et ma gorge se noue.

Rétrospectivement, Ruth avait vu juste au sujet de ma transformation. Cet été-là, le monde avait changé et j'avais compris
que chaque minute que je passais avec elle était précieuse.
Après tout, la guerre était partout. Le Japon et la Chine étaient
en guerre depuis quatre ans, et au printemps 1941, d'autres
pays étaient tombés aux mains de la Wehrmacht, dont la
Yougoslavie et la Grèce. Les Anglais avaient battu en retraite
jusqu'en Égypte face à l'Afrikakorps de Rommel. Le canal de
Suez était menacé, et si je ne le savais pas encore à l'époque,
les panzers et l'infanterie allemands étaient prêts à envahir la
Russie. Je me demandais combien de temps durerait l'isolement de l'Amérique.

Je n'ai jamais rêvé de devenir soldat. Je n'avais jamais touché
une arme. Je n'étais pas, et n'ai jamais été, un combattant
d'aucune sorte, mais malgré tout j'aimais mon pays, et j'avais
passé l'essentiel de l'année à essayer d'imaginer un avenir altéré
par le conflit. Et je n'étais pas le seul à tenter d'accepter ce
nouveau monde. Durant l'été, mon père lisait deux ou trois
journaux par jour et écoutait continuellement la radio. Ma mère
devint bénévole à la Croix-Rouge. Les parents de Ruth étaient
particulièrement effrayés, et je les ai souvent vus se réunir
autour d'une table et parler à voix basse. Ils n'avaient aucune
nouvelle de leur famille depuis plusieurs mois. « C'est à cause
de la guerre », murmuraient certains. Mais même en Caroline
du Nord, les rumeurs avaient commencé à circuler sur ce qu'il
advenait des juifs en Pologne.

En dépit – ou peut-être à cause – des peurs et des rumeurs
de la guerre, j'ai toujours considéré l'été 1941 comme le

dernier de mon innocence. Ce fut l'été pendant lequel Ruth et moi avons passé presque tout notre temps libre ensemble, tombant toujours plus profondément amoureux. Elle me rendait visite au magasin ou j'allais la voir à la fabrique – elle répondait au téléphone pour son oncle au cours de l'été – et le soir, nous flânions sous les étoiles. Tous les dimanches, nous pique-niquions au parc, près de chez nous. Rien d'extravagant, juste assez pour nous faire tenir jusqu'au dîner que nous prenions ensemble plus tard. Le soir, elle venait parfois chez mes parents ou j'allais chez les siens, où nous écoutions de la musique classique sur le phonographe. Quand l'été avait touché à sa fin et que Ruth avait repris le train pour le Massachusetts, je m'étais replié dans un coin de la gare, le visage dans les mains, parce que je savais que rien ne serait plus jamais pareil. Je savais qu'approchait le moment où j'allais être appelé au combat.

Et quelques mois plus tard, le 7 décembre 1941, je reçus la preuve que j'avais raison.

*
* *

Je passe toute la nuit à m'évanouir et à reprendre conscience. Le vent continue de souffler, la neige à tomber. Dans mes moments de lucidité, je me demande si je reverrai la lumière, si je verrai un autre jour se lever. Mais pour l'essentiel, je continue à me concentrer sur le passé, dans l'espoir que Ruth réapparaisse. Sans elle, je suis déjà mort.

Quand j'obtins mon diplôme universitaire en mai 1942, je rentrai à la maison, mais ne reconnus pas le magasin. Là où d'ordinaire des costumes étaient suspendus à des tringles à l'avant de la boutique, se trouvaient trente machines à coudre et trente femmes confectionnant des uniformes pour l'armée. Des rouleaux de tissu épais arrivaient deux fois par jour et emplissaient entièrement la réserve. Le local voisin, resté vide pendant des années, avait été repris par mon père, et cet espace contenait soixante machines à coudre. Ma mère supervisait la production, tandis que mon père se chargeait du téléphone, de la comptabilité et des livraisons vers les bases militaires de l'armée de terre et de la marine, qui poussaient comme des champignons dans le Sud.

Je savais que j'étais sur le point d'être appelé sous les drapeaux. En vertu de mon numéro d'ordre, ma convocation était inévitable et les tranchées m'attendaient. Cette perspective attirait les braves, mais comme je l'ai dit, je ne l'étais pas. Dans le train, en rentrant chez moi, j'avais d'ores et déjà pris la décision de m'engager dans les forces aériennes de l'armée américaine. Pour une raison qui m'échappait, l'idée de combattre dans le ciel me semblait moins effrayante que de me battre au sol. Toutefois, j'allais avoir la preuve du contraire.

Le soir, en arrivant chez moi, j'en avais informé mes parents dans la cuisine. Ma mère s'était aussitôt tordu les mains. Mon père n'avait rien dit, mais plus tard, alors qu'il inscrivait des chiffres dans son registre de comptabilité, je crus déceler une lueur humide dans ses yeux.

J'avais également pris une autre décision. Avant que Ruth ne rentre de Greensboro, j'étais allé trouver son père pour lui expliquer que je tenais énormément à sa fille. Deux jours plus tard, je conduisis ses parents à la gare comme l'année précédente. Là encore, je les laissai la saluer en premier, et puis, cette fois aussi, j'emmenai Ruth dîner. Ce fut là, alors que nous mangions dans un restaurant presque vide, que je lui exposai mes projets. Contrairement à mes parents, elle ne versa aucune larme. Pas à ce moment-là.

Je ne l'avais pas reconduite tout de suite chez elle. Après le dîner, j'avais préféré l'emmener au parc, près de l'endroit où nous avions si souvent pique-niqué ensemble. C'était une nuit sans lune et les lumières du parc étaient déjà éteintes. Au moment où je glissai ma main dans la sienne, je distinguais à peine son visage.

Je touchai la bague dans ma poche, celle dont j'avais dit à son père que je voulais l'offrir à Ruth. J'avais longuement hésité, non pas parce que je n'étais pas sûr de mes intentions, mais parce que je doutais des siennes. Mais j'étais amoureux d'elle, et à l'heure où je m'apprêtais à partir au combat, je voulais savoir si elle serait là quand je reviendrais. Un genou au sol, je lui déclarai que je tenais énormément à elle. Je lui dis que je ne pouvais pas imaginer ma vie sans elle et je lui demandai de devenir ma femme. Tout en prononçant ces mots, j'avais offert la bague à Ruth. Sur le moment, elle n'avait rien dit et je mentirais en disant que je n'eus pas peur. Mais ensuite, lisant dans mes pensées, elle prit la bague et la passa à son doigt avant de me prendre la main. Je me relevai, debout devant elle sous le ciel étoilé. Elle m'entoura de ses bras. « Oui », murmura-t-elle. Nous restâmes ainsi, rien qu'elle et moi, enlacés, pendant ce qui me sembla durer des heures. Encore maintenant, presque soixante-dix ans plus tard, je ressens sa chaleur malgré le froid qui règne dans la voiture. Je sens son parfum, une odeur florale et subtile. Je l'inspire longuement, comme pour la retenir, de la même façon que je m'étais accroché à elle cette nuit-là.

Plus tard, toujours enlacés, nous nous étions promenés dans le parc et avions évoqué notre avenir commun. Sa voix débordait d'amour et d'impatience, et pourtant c'est la partie de la soirée qui continue à m'emplir de regrets. Elle me rappelle l'homme que je n'ai jamais été capable d'être, les rêves qui ne sont jamais devenus réalité. Alors qu'une vague familière de honte me submerge, je perçois de nouveau les effluves de son parfum. Il est plus fort à présent, et je songe que ce n'est pas un souvenir, que cette odeur a envahi la voiture. J'ai peur d'ouvrir les yeux, mais je soulève néanmoins les paupières. Au début, tout est flou et sombre, et je me demande si je vais réussir à distinguer quoi que ce soit.

Mais finalement, je la vois. Elle est translucide, fantomatique à nouveau, mais c'est Ruth. Elle est là, elle est revenue me voir, me dis-je, et les battements de mon cœur s'accélèrent. J'ai envie de tendre la main vers elle, de la prendre dans mes bras, mais je sais que c'est impossible, alors je préfère rester concentré.

Je m'efforce de la distinguer plus nettement, et alors que mes yeux s'habituent, je remarque que sa robe est beige, avec des volants sur le devant. C'est la robe qu'elle portait le soir où je lui ai demandé sa main.

Mais Ruth n'est pas contente de moi.

– Non, Ira, dit-elle soudain.

Elle me met en garde sur un ton implacable :

– Nous ne devons pas parler de ça. Le dîner, oui. La demande en mariage, oui. Mais pas ça.

Même maintenant, j'ai du mal à croire qu'elle soit revenue.

– Je sais que ça te rend triste…

– Ça ne me rend pas triste, me contre-t-elle. C'est toi qui éprouves de la tristesse quand tu penses à ça. Tu portes cette tristesse en toi depuis ce soir-là. Je n'aurais jamais dû dire ce que j'ai dit.

– Mais tu l'as fait.

Elle incline la tête. Ses cheveux, contrairement aux miens, sont bruns et épais, riches de tous les possibles de la vie.

– Cette nuit-là, pour la première fois, je t'ai dit que je t'aimais, affirme-t-elle. Je t'ai dit que je voulais t'épouser. J'ai promis de t'attendre et que nous nous marierions dès que tu reviendrais.

– Mais tu n'as pas dit que ça…

– Le reste n'a pas d'importance, déclara-t-elle en redressant le menton. Nous avons été heureux, non ? Pendant toutes les années que nous avons passées ensemble ?

– Oui.

– Et tu m'as aimée ?

– Toujours.

– Alors, je veux que tu écoutes ce que je vais te dire, Ira, gronde-t-elle en contenant mal son impatience.

Elle se penche vers moi.

– Je n'ai jamais regretté de t'avoir épousé. Tu m'as rendue heureuse, tu m'as fait rire, et si je pouvais tout recommencer, je n'hésiterais pas une seule seconde. Regarde la vie que nous avons eue, les voyages que nous avons faits, les aventures que nous avons vécues. Comme le disait ton père, nous avons parcouru le plus beau des chemins ensemble, celui que l'on nomme la vie, et la mienne a été pleine de joie grâce à toi. Contrairement à certains couples, nous ne nous sommes jamais disputés.

— Nous avons eu nos disputes, protesté-je.

— Ce n'étaient pas de vraies disputes, insiste-t-elle. Elles étaient sans importance. Oui, je m'énervais quand tu oubliais de sortir la poubelle, mais je n'appelle pas ça se disputer. Ce n'est rien. Ça passe aussi facilement qu'une feuille est balayée par le vent. Dès que c'est terminé, on n'y pense plus.

— Tu oublies…

— Je m'en souviens, me coupe-t-elle, car elle sait ce que je m'apprête à dire. Mais nous avons trouvé le moyen de nous en remettre. Ensemble. Comme nous l'avons toujours fait.

En dépit de ses propos, j'éprouve les mêmes remords, la même douleur incrustée au fond de moi pour toujours.

— Je suis désolé, dis-je au bout d'un certain temps. Je veux que tu saches que j'ai toujours regretté.

— Ne dis pas ça, dit-elle d'une voix qui commence à flancher.

— C'est plus fort que moi. Nous avons parlé pendant des heures, ce soir-là.

— Oui, admet-elle. Nous avons parlé des étés que nous avons passés ensemble. Nous avons parlé de l'école, nous avons parlé du fait qu'un jour tu reprendrais le magasin de ton père. Et plus tard, après que je suis rentrée chez moi, je suis restée allongée sur mon lit à admirer la bague pendant des heures. Le lendemain matin, je l'ai montrée à ma mère et elle était très heureuse pour moi. Même mon père était content.

Je sais qu'elle cherche à détourner la conversation, mais ça ne mène à rien. Je ne la lâche pas des yeux.

— Nous avons aussi parlé de toi, ce soir-là. De tes rêves.

À ces mots, Ruth tourne la tête.

— Oui, dit-elle. Nous avons parlé de mes rêves.

— Tu m'as dit que tu voulais devenir enseignante et que nous achèterions une maison à proximité de nos parents.

— Oui.

— Et tu as dit que tu avais envie de voyager. Que nous irions visiter New York et Boston, et peut-être même Vienne.

— Oui, répète-t-elle.

Je ferme les yeux, sentant le poids d'un vieux chagrin peser sur mes épaules.

— Et tu m'as aussi annoncé que tu voulais avoir des enfants. Que plus que tout au monde, tu souhaitais devenir mère. Tu voulais deux filles et deux garçons, parce que tu tenais à construire une maison comme celle de tes cousins, pleine de monde et de bruit. Tu aimais aller chez eux parce que tu y étais toujours heureuse. C'est ce que tu voulais par-dessus tout.

Soudain, ses épaules semblent s'affaisser et elle se tourne vers moi.

— Oui, murmure-t-elle. J'avoue que c'est ce que je voulais.


Ses mots manquent de me briser le cœur, et je sens quelque chose s'effriter en moi. La vérité est souvent terrible à entendre, et une fois de plus, je regrette de ne pas être quelqu'un d'autre. Mais c'est trop tard à présent, trop tard pour changer quoi que ce soit. Je suis vieux, seul, et à chaque heure qui passe, je me rapproche un peu plus de la mort. Je suis fatigué, plus fatigué que je ne l'ai jamais été.

— Tu aurais dû épouser un autre homme, dis-je dans un murmure.

Elle secoue la tête, et dans un geste de gentillesse qui me rappelle toute notre vie commune, elle s'avance vers moi. Avec douceur, elle passe son doigt sur la courbe de ma joue et m'embrasse le dessus de la tête.

— Je n'aurais jamais pu épouser un autre que toi, dit-elle. Et nous avons assez parlé de ça. Tu as besoin de te reposer. Tu dois dormir encore un peu.

— Non, je grommelle, en essayant de souligner mon refus d'un mouvement de tête, mais la douleur est telle qu'elle m'en empêche. Je veux rester éveillé. Je veux être avec toi.

— Ne t'inquiète pas. Je serai là quand tu te réveilleras.

— Mais tu n'étais plus là quand j'ai rouvert les yeux.

— Je n'étais pas partie. J'étais là, et je serai toujours là.

— Comment peux-tu en être aussi sûre ?

Elle m'embrasse avant de répondre :

— Parce que, affirme-t-elle avec tendresse, je suis toujours avec toi, Ira.

# 6

## Luke

Plus tôt dans la matinée, il avait peiné pour sortir du lit, et pendant qu'il brossait l'encolure et le garrot de Cheval, il sentait son dos protester violemment. L'ibuprofène avait atténué les douleurs les plus aiguës, mais il avait encore du mal à lever le bras plus haut que l'épaule. Et à l'aube, lors de sa visite de contrôle des bêtes, le simple fait de tourner la tête lui arrachait des grimaces, si bien qu'il s'était réjoui que José lui prête main-forte au ranch.

Après avoir raccroché la brosse, il versa de l'avoine dans un seau pour Cheval, puis se dirigea vers l'ancien bâtiment de ferme, conscient qu'il lui faudrait un jour ou deux pour récupérer totalement. Après n'importe quelle performance de monte, souffrir n'avait rien de surprenant, et il avait sans aucun doute connu pire. La question n'était pas de savoir *si* un monteur de taureau allait être blessé, mais plutôt *quand* et à quel point. Depuis ses débuts, sans compter Bug Ugly Critter, il avait eu des côtes cassées à deux reprises et subi un affaissement des poumons. Il s'était déchiré le ligament croisé intérieur et le collatéral médial, un à chaque genou, s'était brisé le poignet gauche en 2005 et déboîté les deux épaules. Quatre ans plus tôt, il avait participé aux championnats mondiaux des monteurs de taureaux professionnels avec une cheville cassée, en se servant d'une botte de cow-boy conçue spécialement pour maintenir les os brisés en place. Et bien sûr, il avait eu sa part de commotions à force d'être éjecté. Malgré tout, il avait passé l'essentiel de sa vie à ne rien vouloir d'autre que de continuer à chevaucher des taureaux.

Comme l'avait dit Sophia, il était peut-être fou.

Jetant un coup d'œil par la fenêtre de la cuisine, au-dessus de l'évier, il vit sa mère passer rapidement. Il se demanda quand les choses redeviendraient normales entre eux. Ces dernières semaines, elle essayait de terminer son petit déjeuner avant qu'il ne se montre, ce qui témoignait d'une volonté évidente de ne pas lui parler. Son attitude lui démontrait son mécontentement : elle voulait lui faire sentir le poids de son silence en débarrassant précipitamment son assiette pour le laisser seul à table. Surtout, elle tenait à ce qu'il éprouve de la culpabilité. Il aurait pu, éventuellement, prendre son petit déjeuner chez lui, puisqu'il s'était bâti une maisonnette à l'autre bout du domaine, mais il savait d'expérience que la priver de ces opportunités n'aurait fait qu'aggraver la situation. Elle reviendrait vers lui, il le savait. Un jour ou l'autre.

Il grimpa sur les blocs de béton craquelés pour examiner la bâtisse d'un rapide coup d'œil. Le toit était en bon état – il l'avait remplacé quelques années auparavant – mais l'habitation avait besoin d'être repeinte. Malheureusement, il allait d'abord devoir poncer les planches une à une, ce qui triplerait le délai habituel de réfection et lui prendrait du temps qu'il n'avait pas. La ferme avait été construite à la fin du XIX$^e$ siècle, et peinte et repeinte tant de fois que le revêtement devait être plus épais que le bois lui-même. La peinture s'écaillait un peu partout et pourrissait sous les avant-toits. D'ailleurs, il allait également devoir se résoudre à les réparer.

Il entra dans le petit vestibule et essuya ses bottes sur le paillasson. La porte s'ouvrit en émettant son grincement habituel, et il fut accueilli par l'arôme familier du bacon grillé et des pommes de terre rissolées. Sa mère se tenait près du réchaud, remuant des œufs brouillés dans une poêle. La cuisinière était neuve – il la lui avait offerte pour Noël, l'an passé – mais les placards étaient d'origine, tout comme le plan de travail. Et le linoléum. La table en chêne construite par son grand-père s'était ternie avec le temps. Dans l'angle opposé, le vieux poêle à bois dégageait de la chaleur. Cela lui rappela qu'il devait en couper. En prévision de l'hiver qui approchait à grands pas, il devait remplir le bûcher au plus vite. En plus de la cuisine, le poêle chauffait la maison entière. Il décida de s'y mettre sitôt son petit déjeuner terminé, avant que Sophia n'arrive.

En accrochant son chapeau à la patère, il remarqua que sa mère avait l'air fatigué. Pas étonnant : pendant que lui sellait Cheval et faisait le tour de la ferme, sa mère avait déjà nettoyé les stalles.

– Bonjour, maman, dit-il, d'une voix volontairement neutre. (Il alla se récurer les mains dans l'évier.) Besoin d'un coup de main ?

– C'est presque prêt, répondit-elle sans lever les yeux. Mais tu peux mettre du pain à griller. Sur le plan de travail, derrière toi.

Il inséra les tranches dans le grille-pain, puis se servit une tasse de café. Sa mère gardait le dos tourné, et comme il s'y attendait, elle était dans le même état d'esprit que depuis plusieurs semaines. *Sens-toi coupable, mauvais fils. Je suis ta mère. Ce que je ressens ne compte donc pas pour toi ?*

*Si, bien sûr,* se dit-il. *C'est pour cette raison que j'agis ainsi.* Mais il garda le silence. En un quart de siècle à vivre ensemble au ranch, ils étaient passés maîtres dans l'art de la conversation silencieuse.

Il but une gorgée de café, écoutant le grattement de la spatule dans la poêle.

– Aucun problème ce matin, dit-il à la place. J'ai vérifié les points de suture du veau qui s'était coincé dans les barbelés, il va très bien.

– Tant mieux.

Après avoir posé la spatule, elle ouvrit un placard et sortit quelques assiettes.

– On se sert directement dans la poêle, l'informa-t-elle.

Il posa sa tasse de café sur la table, puis sortit la confiture et le beurre du réfrigérateur. Le temps qu'il se serve, sa mère était déjà à table. Il prit les toasts, lui en tendit un, puis déposa la cafetière entre eux.

— Il faut qu'on prépare les citrouilles cette semaine, lui rappela-t-elle en tendant la main vers la cafetière.

Pas de regard direct, pas de baiser du matin… Mais il s'y attendait.

— Il faut aussi installer le labyrinthe. Le foin arrive mardi. Et tu dois retourner pas mal de citrouilles.

La moitié de la récolte avait déjà été vendue à la Première Église baptiste de King, mais le week-end, ils ouvraient le ranch aux particuliers. L'attraction attendue par les enfants, et donc le centre d'intérêt pour les parents, était le labyrinthe de bottes de foin. Quand Luke était petit, son père avait été emballé par cette idée, et au fil des années, le dédale avait gagné en complexité. Sa traversée était devenue une modeste tradition locale.

— Je vais m'en occuper, dit-il. Le plan est toujours dans le tiroir du bureau ?

— Si tu l'as remis à sa place l'an dernier, il doit y être.

Luke beurra son toast et y étala de la confiture sans que ni l'un ni l'autre n'entretienne la conversation.

Finalement, sa mère soupira.

— Tu es rentré tard hier soir, dit-elle.

Elle prit le beurre et la confiture dès qu'il eut terminé ses tartines.

— Tu n'étais pas couchée ? Il n'y avait pas de lumière.

— Je dormais. Mais je me suis réveillée quand ton pick-up est entré dans l'allée.

Il en doutait. La fenêtre de la chambre de sa mère ne donnait pas sur l'allée, elle devait donc se trouver au salon. Par conséquent, elle avait dû attendre qu'il rentre pour se coucher, inquiète pour lui.

— J'étais avec des amis, ils m'ont convaincu de rester avec eux.

Elle garda le regard rivé sur son assiette.

— C'est ce que je me suis dit.

— Tu as reçu mon message ?

— Oui, dit-elle sans rien ajouter.

Pas de questions sur le concours, pas de questions sur son état émotionnel, ses blessures ou les douleurs dont elle n'ignorait pourtant pas l'existence. Au lieu de parler, elle emplit la pièce de ses sentiments sombres. Le chagrin et la colère suintaient du plafond, ruisselaient des murs. Il devait l'admettre, elle était assez douée pour créer une ambiance culpabilisante.

— Tu as envie d'en parler ? finit-il par demander.

Pour la première fois, elle le regarda depuis l'autre bout de la table.

— Pas vraiment.

*Très bien*, se dit-il. Mais malgré la colère de sa mère, discuter avec elle lui manquait.

— Je peux quand même te poser une question ?

Il pouvait presque la sentir enclencher la vitesse supérieure pour se préparer au combat. Prête à le laisser seul à table, tandis qu'elle mangerait sur la véranda.

— Quelle est ta pointure ? demanda-t-il.

La fourchette de sa mère s'immobilisa entre sa bouche et son assiette.

— Ma pointure ?

— Quelqu'un doit passer tout à l'heure. (Il planta sa fourchette dans ses œufs.) Et elle aura peut-être besoin de bottes. Si on va faire du cheval.

Pour la première fois depuis des semaines, sa mère ne put cacher son intérêt.

— Une fille, tu veux dire ?

Il hocha la tête, sans cesser de manger.

— Elle s'appelle Sophia. Je l'ai rencontrée hier soir, elle a envie de visiter la grange.

Elle battit des paupières.

— Comment se fait-il que la grange l'intéresse ?

— Je ne sais pas. C'est son idée.

— Qui est cette fille ?

Luke détecta une lueur de curiosité dans les yeux de sa mère.

— Elle est en dernière année à Wake Forest. Elle vient du New Jersey. Et si on va se promener à cheval, elle aura sûrement besoin d'une paire de bottes. C'est pour ça que je t'ai demandé ta pointure.

Devant son air confus, il comprit que, pour la première fois depuis une éternité, elle avait autre chose que le ranch en tête. Ou le rodéo. Ou la liste de tout ce qu'elle voulait accomplir avant le coucher du soleil. Mais l'effet ne fut que temporaire, et elle baissa de nouveau les yeux vers son assiette. À sa façon, elle était aussi bornée que lui.

— Quarante. Il y a une vieille paire dans mon placard qu'elle peut prendre. Si c'est la bonne taille.

— Merci, dit-il. J'avais l'intention de couper du bois avant qu'elle n'arrive, mais tu as peut-être besoin que je fasse autre chose ?

— Irriguer, dit-elle. Le second pâturage a besoin d'eau.

— J'ai mis l'arrosage en marche ce matin. Je le couperai tout à l'heure.

Sa mère repoussa ses œufs sur le bord de son assiette.

— Le week-end prochain, je vais avoir besoin que tu m'aides à m'occuper des clients.

De la manière dont elle le dit, Luke comprit qu'elle avait eut l'intention d'évoquer ce sujet depuis le début et que c'était pour cette raison qu'elle était restée à table avec lui.

— Tu sais que je ne serai pas là samedi, lui rappela-t-il délibérément. Je serai à Knoxville.

— Encore un rodéo, fit-elle.

— C'est le dernier de l'année.

— Alors, pourquoi y aller ? Les points n'ont plus d'importance.

Sa voix se teintait progressivement d'amertume.

— Ce n'est pas une question de points. Je ne veux pas entamer la prochaine saison avec l'impression de m'être mal préparé.

La conversation s'arrêta subitement, une fois de plus, et céda la place au tintement des couverts dans les assiettes.

– J'ai gagné, hier soir, fit-il remarquer.

– Tant mieux pour toi.

– Je déposerai le chèque sur ton compte dès lundi.

– Garde cet argent, rétorqua-t-elle d'une voix cinglante. Je n'en veux pas.

– Et le ranch ?

Quand elle leva les yeux vers lui, il décela moins de colère que prévu. Il vit plutôt de la résignation, peut-être même de la tristesse, soulignée par une lassitude qui la vieillissait.

– Je me moque du ranch, dit-elle. Tout ce qui compte pour moi, c'est mon fils.

*

\* \*

Après le petit déjeuner, Luke fendit du bois pendant une heure et demie, regarnissant la pile de bûches entassées sur le côté de la maison. Sa mère avait recommencé à l'éviter, et bien que cela l'ennuyât, manipuler la hache l'apaisait, détendait ses muscles et chassait Sophia de ses pensées.

Elle avait déjà de l'emprise sur lui, ce qui ne lui était pas arrivé depuis longtemps. Pas depuis Angie, du moins, mais même avec elle, ç'avait été différent. Il avait tenu à elle, mais il ne se souvenait pas qu'elle l'ait hanté comme le faisait Sophia. En réalité, jusqu'à la veille au soir, il n'aurait jamais cru cela possible. Après la mort de son père, monter à cheval lui demandait un énorme effort de concentration. Quand le chagrin s'était suffisamment atténué pour qu'il puisse passer un jour ou deux sans penser à son père, il avait investi toute son énergie dans les taureaux, dans le but de devenir le meilleur cavalier possible. Au cours de ces années de compétition, il avait été incapable de penser à quoi que ce soit d'autre, et à chaque victoire il plaçait la barre un peu plus haut, toujours plus passionné dans son désir de tout remporter.

Ce genre d'engagement ne laissait que peu de place à la vie amoureuse, excepté les rencontres à court terme dépourvues de sens. Les dix-huit mois qui venaient de s'écouler avaient changé cela. Finis les voyages et l'entraînement, et bien que le ranch l'occupât énormément, il y avait un vide dans sa vie. Pour qu'une exploitation prospère, il fallait avoir le sens des priorités, et lui et sa mère étaient plutôt doués pour ça. Ce qui lui avait donné le temps de réfléchir, de s'interroger sur l'avenir, et pour la première fois de sa vie, en fin de journée, il se prenait parfois à avoir envie de parler à quelqu'un après le dîner. Quelqu'un d'autre que sa mère.

Sans que ce soit obsessionnel, il ne pouvait nier son vif désir de rencontrer quelqu'un. Le seul problème était qu'il ignorait comment s'y prendre… et maintenant qu'il avait repris les concours, il n'avait plus le temps de s'en préoccuper.

Puis, à l'improviste et au moment où il s'y était le moins attendu, il avait rencontré Sophia. Même s'il avait passé une grande partie de la matinée à penser à elle, s'interrogeant sur la douceur de ses cheveux, il doutait que leur relation puisse durer. Ils n'avaient rien en commun. Elle allait à l'université, où elle étudiait l'histoire de l'art – quelle idée ! –, et dès qu'elle décrocherait son diplôme, elle s'en irait travailler dans un musée dans une ville lointaine. De son point de vue c'était sans issue, mais l'image qu'il gardait d'elle, assise dans la benne de son pick-up sous les étoiles, ressurgissait sans cesse dans sa tête. Et il se surprit à se demander si, peut-être, éventuellement, il pouvait y avoir une petite chance pour que ça marche entre eux.

Il se répéta qu'ils se connaissaient à peine et qu'il se faisait probablement des illusions. Il lui fallait néanmoins admettre que la venue de Sophia le rendait nerveux.

Après avoir coupé du bois, il rangea les abords de la maison, alla éteindre le système d'arrosage avec le tout-terrain, puis fit un saut à l'épicerie pour remplir le frigo. Il ne savait pas si elle entrerait dans la maison, mais au cas où, il préférait être prêt à l'accueillir.

Quand il se glissa sous la douche, il pensait encore à elle. Il offrit son visage au jet d'eau, se demandant ce qui lui arrivait.

À une heure et quart, Luke était assis dans le rocking-chair de la véranda, quand il entendit une voiture remonter lentement le long chemin de terre, soulevant de la poussière jusqu'à la cime des arbres. Chien se tenait à ses pieds, près des bottes de cow-boy que Luke avait trouvées dans le placard de sa mère. Il s'assit, les oreilles dressées, puis consulta Luke du regard.

– Va chercher, ordonna-t-il à Chien, qui détala aussitôt.

Luke s'empara des bottes et descendit sur la pelouse. Il agita son chapeau en s'avançant dans la grande allée, dans l'espoir qu'elle remarque sa présence entre les buissons qui bordaient le chemin. Si elle continuait tout droit, elle arriverait à la ferme principale, alors que pour se rendre chez lui, elle devait bifurquer entre les arbres et suivre une piste d'herbe râpée. L'embranchement était difficile à repérer pour un nouveau venu et aurait bien mérité une couche de gravier. Encore une autre tâche sur la liste de choses à faire qu'il avait rarement le temps de suivre. Il n'avait jamais pensé que ce fût important, mais alors que Sophia approchait et que son cœur s'emballait, il regretta de ne pas s'y être attelé.

Heureusement, Chien savait ce que Luke attendait de lui. Posté au milieu de l'allée principale comme une sentinelle, il obligea Sophia à s'arrêter. Dès que la voiture fut devant lui, il aboya avec autorité avant de repartir vers son maître en trottinant. Luke adressa de nouveaux signes à Sophia et réussit enfin à attirer son attention afin qu'elle emprunte le bon chemin. Un instant plus tard, elle se garait sous l'imposant magnolia.

Elle descendit de voiture, dans un jean étroit et délavé coupé aux genoux, aussi fraîche que l'été. Avec ses yeux de chat et ses traits slaves faiblement typés, elle était encore plus saisissante à la lumière du soleil que la veille au soir. Il ne put s'empêcher de la dévisager. Il eut l'étrange sensation qu'à l'avenir, dès qu'il penserait à elle, ce serait ainsi qu'il la verrait. Elle était trop belle, trop raffinée, trop exotique pour ce paysage rural, mais quand elle y fit irruption, un sourire amical aux lèvres, il sentit quelque chose se dissiper en lui, comme si le soleil avait soudain percé le brouillard.

— Désolée, je suis en retard, cria-t-elle en fermant sa portière, visiblement moins nerveuse que lui.

— Ça ne fait rien, répondit-il en reposant son chapeau sur sa tête avant d'enfoncer les mains dans ses poches.

— J'ai tourné au mauvais endroit et j'ai dû faire demi-tour. Mais ça m'a donné l'occasion de traverser King.

Il sautilla d'un pied sur l'autre.

— Et ?

— Tu avais raison. Ça n'a rien de prétentieux, mais les gens ont l'air sympas. Un vieil homme assis sur un banc m'a remise dans la bonne direction, dit-elle. Comment vas-tu ?

— Ça va, répondit-il, en osant finalement lever la tête.

Si elle avait remarqué à quel point il était tendu, elle n'en montra rien.

— As-tu fini tout ce que tu avais à faire ?

— J'ai fait le tour des bêtes, coupé du bois, fait quelques courses à l'épicerie.

— Ça a l'air chouette, dit-elle.

S'abritant les yeux du soleil avec la main, elle pivota lentement sur elle-même pour survoler les terres du regard. Chien, qui venait de les rejoindre, entreprit de faire sa connaissance en zigzaguant entre ses jambes.

— Tu dois être Chien.

— Le seul et l'unique.

Elle s'accroupit et le gratta derrière les oreilles, la queue de l'animal fouettant l'air de contentement.

— Tu as un nom horrible, Chien, murmura-t-elle en le couvrant d'attentions.

La queue s'agita de plus belle.

— C'est beau, ici. C'est à toi, tout ça ?

— À ma mère. Mais oui, ça fait partie du ranch.

— C'est grand comment ?

— Un peu plus de huit cents acres, précisa-t-il.

Elle fronça les sourcils.

– Ça ne me dit absolument rien, tu sais. Je viens du New Jersey. Une fille de la ville, tu te souviens ?

Sa réponse lui plut.

– Et si je te présentais le domaine autrement que par des chiffres ? proposa-t-il. Il commence à la route sur laquelle tu as tourné, et au bout de deux kilomètres et demi, s'arrête à la rivière. Il a grosso modo la forme d'un éventail, assez étroit du côté de la route et plus large – trois kilomètres – vers la rivière.

– C'est plus clair comme ça, dit-elle.

– Vraiment ?

– Pas vraiment, non. Ça représente combien de pâtés de maisons ?

L'expression qu'il eut à sa question déroutante la fit rire.

– Aucune idée.

– Je plaisante, dit-elle en se relevant. Mais c'est impressionnant. C'est la première fois que je visite un ranch.

D'un geste, elle indiqua la maison qui s'élevait derrière elle.

– Et là, c'est ta maison ?

Il se retourna, suivant son regard.

– Je l'ai construite il y a deux ans.

– Et par « je l'ai construite », tu entends…

– J'ai presque tout fait, excepté la plomberie et l'électricité. Je n'ai pas les licences qu'il faut. Mais les plans et la construction, c'est moi.

– Évidemment, dit-elle. Et je parie que si ma voiture tombait en panne, tu saurais la réparer.

Il considéra son véhicule, les yeux plissés.

– Probablement, oui.

– Tu es un peu… à l'ancienne. Un homme, un vrai. Vous n'êtes plus très nombreux à savoir faire tout ça.

S'il avait du mal à savoir si elle était impressionnée ou si elle l'asticotait, il aimait sa façon de le déstabiliser avec légèreté. D'une certaine façon, cela lui donnait un air plus mature que la plupart des filles de son entourage.

– Je suis content que tu sois là, dit-il.

Pendant un instant, elle eut l'air de ne pas savoir comment prendre sa remarque

— Moi aussi, je suis contente d'être venue. Merci de m'avoir invitée.

Il s'éclaircit la voix tout en réfléchissant.

— Je me suis dit que je pourrais te faire visiter la propriété.

— À cheval ?

— Il y a un petit endroit sympa au bord de la rivière, dit-il sans répondre directement à sa question.

— Un coin romantique ?

À cela non plus, Luke ne savait pas comment répondre.

— J'aime bien cet endroit, avança-t-il d'une voix hésitante.

— Ça me va, dit-elle en riant.

Elle montra du doigt les bottes qu'il tenait à la main.

— Je suis censée mettre ça ?

— Elles sont à ma mère. Je ne sais pas si c'est la bonne pointure, mais tu seras plus à l'aise dans les étriers. J'ai mis des chaussettes à l'intérieur. Elles sont à moi et probablement trop grandes, mais elles sont propres.

— Je te fais confiance, dit-elle. Si tu es capable de réparer des voitures et de bâtir une maison, je suis sûre que tu sais te servir d'une machine à laver et d'un sèche-linge. Je peux les essayer ?

Il les lui tendit en s'efforçant de ne pas trop s'attarder sur les courbes que son jean soulignait, tandis qu'elle s'avançait vers la véranda. Chien la suivit en remuant la queue, la langue pendante, comme s'il venait de rencontrer sa nouvelle meilleure amie. Dès qu'elle s'assit, Chien fourra son museau dans sa main, ce qui était bon signe, car il n'était jamais aussi amical. À l'abri du soleil, il regarda Sophia enlever ses sandales. Avec une grâce fluide, elle enfila les chaussettes et glissa ses pieds dans les bottes. Elle se leva et fit quelques pas pour tester leur confort.

— C'est la première fois que je porte des bottes de cow-boy, dit-elle en examinant ses pieds. De quoi j'ai l'air ?

— De quelqu'un qui porte des bottes.

Elle s'esclaffa avec naturel, puis entreprit d'arpenter la véranda sans quitter ses pieds des yeux.

— Je m'en doutais, dit-elle avant de se tourner vers lui. Est-ce que je ressemble à une cow-girl ?

— Il te manque un chapeau.

— Prête-moi le tien, dit-elle en tendant la main.

Luke la rejoignit et ôta son chapeau, avec l'impression de moins contrôler la situation à présent que la veille au soir avec les taureaux. Il lui donna son couvre-chef, qu'elle posa sur sa tête avant de l'incliner vers son cou.

— Comme ça ?

*Parfait,* se dit-il, *la plus parfaite des filles que j'aie jamais vues.* Il sourit malgré la sécheresse soudaine de sa gorge, songeant qu'il était sérieusement dans le pétrin.

— Voilà, là, tu ressembles à une vraie cow-girl.

Elle sourit avec un ravissement évident.

— Je crois que je vais le garder aujourd'hui. Si ça ne te dérange pas.

— J'en ai plein d'autres, répondit-il, s'entendant à peine.

Tentant de se recentrer, il gratta de nouveau le sol de ses bottes.

— Comment ça s'est passé, hier soir ? reprit-il. Je me suis demandé si tu avais eu d'autres ennuis.

Elle descendit les marches de la véranda.

— Très bien. Marcia était exactement à l'endroit où je l'avais laissée.

— Brian ne t'a pas fait d'histoires ?

— Non, répondit-elle. Je crois qu'il craignait que tu ne sois toujours dans les parages. Et de toute façon, on n'est pas restées longtemps. Une demi-heure, environ. J'étais fatiguée.

Tout en parlant, elle s'était rapprochée de lui.

— J'aime bien les bottes et le chapeau. Je me sens bien dans cette tenue. Je devrais remercier ta mère. Elle est là ?

— Non, elle est dans la grande maison. Je lui passerai ton message.

— Quoi ? Tu ne veux pas me présenter ta mère ?

— Ce n'est pas ça. Elle est remontée contre moi, ce matin.

— Pourquoi ?

— C'est une longue histoire.

Sophia leva la tête vers lui.

— Tu m'as dit la même chose hier soir, quand je t'ai demandé pourquoi tu faisais du rodéo, observa-t-elle. J'ai l'impression que « c'est une longue histoire », c'est ta manière de dire « je n'ai pas envie d'en parler », je me trompe ?

— Je n'ai pas envie d'en parler.

Elle rit, ses joues rosissant de joie.

— Et maintenant, que faisons-nous ?

— On pourrait aller à la grange. Tu veux la visiter, je crois ?

Elle haussa les sourcils.

— Tu sais que je ne suis pas vraiment venue pour voir la grange ?

# 7

## Sophia

*Bon,* se dit-elle dès que les mots franchirent ses lèvres, *c'est peut-être un peu trop culotté.*

Elle en rejeta la responsabilité sur Marcia. Si son amie ne l'avait pas bombardée de questions, la veille au soir et toute la matinée, sur ce qui s'était passé pendant la soirée et sur sa visite au ranch ; si elle n'avait pas opposé son veto aux deux premières tenues que Sophia avaient sélectionnées, tout en répétant : « J'arrive pas à croire que tu vas faire du cheval avec ce canon ! », alors Sophia n'aurait pas été aussi nerveuse. Plaisir des yeux. Craquant. Canon. Marcia s'obstinait sur ces qualificatifs, plutôt que d'appeler le garçon par son prénom. Par exemple : « Alors, le plaisir des yeux a surgi de nulle part et a volé à ton secours ? » ou « De quoi as-tu parlé avec le canon ? » ou simplement « Il est tellement craquant ! ». Pas étonnant qu'elle ait manqué le virage, à la sortie de l'autoroute ; au moment de s'engager dans l'allée, des gouttelettes de sueur perlaient entre ses seins. Elle n'était pas nécessairement anxieuse, mais elle était nerveuse, et quand elle était dans cet état, elle avait la langue bien pendue et imitait inconsciemment des filles comme Marcia et Mary-Kate. Mais parfois, ses vieilles habitudes reprenaient le dessus, et elle se surprenait à prononcer des phrases qu'elle aurait mieux fait de garder pour elle. Comme aujourd'hui. Et la veille au soir, quand elle avait déclaré vouloir faire une balade à cheval.

Et Luke n'avait rien fait pour l'aider. Il l'avait accueillie en chemise de chambray et jean, ses boucles brunes tentant de s'échapper de son chapeau. Il avait à peine posé ses yeux bleus à longs cils sur elle, et sa timidité l'avait étonnée au point qu'elle avait senti son cœur se serrer. Il lui plaisait bien... vraiment bien. Mais surtout, pour une raison qu'elle ignorait, il lui inspirait confiance. Elle avait l'impression que son monde répondait aux règles du bien et du mal, qu'il était intègre. Il ne cherchait pas à passer pour ce qu'il n'était pas, et son visage était aussi lisible qu'un livre ouvert. Dès qu'elle le surprenait, elle le voyait instantanément ; quand elle le taquinait, il se moquait volontiers de lui-même. Alors, au moment où il avait évoqué la grange... eh bien, elle n'avait pas pu s'en empêcher.

Elle crut le voir rougir, mais il baissa la tête et alla chercher un autre chapeau à l'intérieur. Quand il revint, ils marchèrent naturellement l'un à côté de l'autre, trouvant leur rythme d'instinct. Chien les dépassa en courant, puis revint précipitamment vers eux avant de s'élancer dans une autre direction, telle une boule d'énergie en mouvement perpétuel. Peu à peu, elle sentit son anxiété se dissiper. Ils longèrent le bosquet d'arbres qui entourait la maison et rattrapèrent l'allée principale. Alors que la propriété s'étendait sous ses yeux, elle découvrit la vaste demeure avec sa grande véranda couverte, ses volets noirs et l'imposant taillis d'arbres à l'arrière. Derrière la maison, la vieille grange et les prés verdoyants étaient nichés au pied d'une chaîne de collines. Au loin, les berges d'un petit lac étaient parsemées d'animaux, des montagnes à la cime bleutée encadrant le paysage comme une carte postale à la limite de l'horizon. De l'autre côté de l'allée, une futaie de sapins de Noël s'élevait en lignes bien nettes. Une brise soufflait dans le bois en un doux sifflement qui ressemblait à de la musique.

— Tu as grandi ici ? C'est incroyable, dit-elle, le souffle coupé, admirant chaque détail. C'est là que ta mère habite ? demanda-t-elle en indiquant la maison.

— En fait, je suis né dans ce bâtiment de ferme.

— Quoi ? Le cheval n'a pas été assez rapide pour que ta mère arrive à temps à l'hôpital ?

Il rit, manifestement plus à l'aise qu'au moment de quitter la maison.

— À l'époque, une sage-femme vivait dans le ranch voisin. C'était une amie de ma mère, et un bon moyen d'éviter les dépenses. Elle est comme ça, ma mère, je veux dire. Un vrai rapace dès qu'il est question d'argent.

— Même pour son accouchement ?

— Je ne crois pas qu'accoucher l'ait impressionnée. Quand on vit dans une ferme, on assiste à beaucoup de naissances. De plus, elle aussi est née à la maison, alors elle a dû se dire « quelle affaire ! ».

Sophia sentit les graviers crisser sous les semelles de ses bottes.

— Depuis combien de temps ce ranch appartient-il à ta famille ? demanda-t-elle.

— Longtemps. Mon arrière-grand-père en a acheté la majeure partie dans les années vingt, et par la suite, quand la Dépression a frappé, il a pu s'agrandir. Il était doué pour les affaires. Puis c'est devenu la propriété de mon grand-père, et enfin de ma mère. Elle a repris le ranch à l'âge de vingt-deux ans.

Pendant qu'il parlait, elle regardait tout autour d'elle, émerveillée par cette sensation d'isolement que n'entamait pas la proximité de la grand-route. Ils dépassèrent la ferme, et débouchèrent devant des structures en bois usées par les intempéries, et entourées d'une clôture. Le vent souffla et Sophia sentit l'odeur des conifères et des chênes. Tout, dans le ranch, la changeait agréablement du campus où elle passait l'essentiel de son temps. Y compris Luke, se dit-elle. Mais elle évita de s'appesantir sur la question.

— À quoi servent ces bâtiments ? demanda-t-elle.

— Le premier, c'est le poulailler. Derrière, c'est la porcherie. Il n'y a pas beaucoup de porcs, juste trois ou quatre. Je te l'ai dit hier, nous avons plutôt des vaches.

— Vous avez combien de bêtes ?

— Plus de deux cents paires, dit-il. Nous avons aussi neuf taureaux.

Elle fronça les sourcils.

— Des paires ?

— Une vache adulte et son veau.

— Alors, pourquoi tu ne dis pas tout simplement quatre cents bêtes ?

— C'est comme ça qu'on les compte. C'est une façon de connaître le nombre d'animaux qui pourront être mis en vente pendant l'année. Nous ne vendons pas les veaux. Certains le font, mais nous sommes connus pour notre viande de bœuf bio. Nos clients sont principalement des restaurants haut de gamme.

Ils longèrent la clôture en direction d'un vieux chêne dont les branches massives se déployaient dans toutes les directions comme une araignée. En passant sous sa canopée, ils furent accueillis par un concert de cris perçants d'oiseaux en alerte. Sophia s'intéressa à la grange à mesure qu'ils s'en approchaient, et comprit que Luke ne s'était pas moqué d'elle. Elle avait l'air abandonné, ne semblant tenir debout que par l'équilibre précaire de ses planches pourries. Le lierre et le kudzu[1] envahissaient ses flancs, et une partie du toit semblait entièrement recouverte de bardeaux. Il indiqua la bâtisse d'un geste.

— Qu'en penses-tu ?

— Je me demande s'il t'arrive d'envisager de la raser, juste par charité.

— Elle est plus robuste qu'elle n'en a l'air. On préfère la conserver en l'état, pour lui donner un genre.

— Je vois, dit-elle avec scepticisme. C'est ça, ou alors tu n'as pas trouvé le temps de la réparer.

— Qu'est-ce que tu racontes ? Tu aurais dû la voir avant.

Elle sourit, amusée par son sens de l'humour.

— C'est là que se trouvent les chevaux ?

---

1. Liane envahissant les arbres jusqu'à une hauteur de trente mètres. En provenance du Japon, elle s'est rapidement répandue à travers les États-Unis, où elle est considérée comme envahissante et difficile à maîtriser.

— Tu veux rire ? Je ne les mettrais jamais dans un endroit aussi dangereux.

Cette fois, elle rit sans le vouloir.

— À quoi sert la grange, alors ?

— Elle sert principalement de remise. Le taureau mécanique est lui aussi installé là, et je m'y rends pour m'entraîner. Mais en dehors de ça, c'est globalement rempli de trucs hors d'usage. Quelques camions démontés, un tracteur des années cinquante, des pompes pour les puits, des pompes à chaleur cassées, des machines en pièces détachées. Tout est bon à bazarder, mais comme je te l'ai dit, ma mère n'aime pas gaspiller. J'avoue qu'il m'arrive de trouver là-dedans des pièces dont j'ai besoin pour une réparation.

— Ça t'arrive souvent ? De trouver quelque chose d'utile ?

— Pas vraiment. Mais je n'ai pas le droit de commander une pièce avant d'avoir tout fouillé. C'est l'une des règles imposées par ma mère.

Derrière la grange, une petite écurie donnait sur un corral de taille moyenne. Trois chevaux au large poitrail les observèrent s'approcher. Sophia regarda Luke ouvrir la porte de l'écurie et piocher trois pommes dans un sac qu'il avait emporté avec lui.

— Cheval, viens par ici ! cria-t-il.

Répondant aussitôt à son appel, un cheval marron trottina dans sa direction, suivi de deux chevaux à la robe plus foncée.

— Cheval est à moi, expliqua-t-il. Les deux autres sont Friendly et Démon.

Elle resta en retrait, le front plissé par l'inquiétude.

— Je crois qu'il vaudrait mieux que je prenne Sympa, non ? dit-elle.

— J'éviterais, à ta place. Il mord, et en plus il essaierait de t'éjecter. Il est horrible avec tout le monde, sauf avec ma mère. En revanche, Démon est adorable.

Elle secoua la tête.

— Tes animaux ont de drôles de noms.

Le temps que Sophia se tourne vers le pâturage, Cheval s'était rapproché et la dominait de toute sa taille. Elle recula rapidement, bien que l'animal, préoccupé par Luke et les pommes, ne semblât pas lui prêter attention.

— Je peux le caresser ?

— Bien sûr, dit-il en lui tendant une pomme. Il aime bien qu'on lui frotte le nez. Et qu'on le gratte derrière les oreilles.

Elle n'était pas prête à lui toucher le nez, mais elle passa la main derrière ses oreilles avec douceur et les vit se dresser de plaisir, sans que l'animal cesse de grignoter la pomme.

Luke entraîna Cheval vers une stalle et l'équipa pour la promenade à gestes habiles et détachés. Il lui passa la bride, installa une couverture sur son dos et posa une selle par-dessus. À chacun de ses mouvements, chaque fois qu'il se penchait son jean le moulait et Sophia sentit le feu lui monter aux joues. Luke était l'homme le plus attirant qu'elle ait jamais rencontré. Elle tourna rapidement la tête, faisant semblant d'examiner les chevrons pendant qu'il finissait de préparer les montures.

— Voilà, annonça-t-il en réglant la longueur des étriers. Tu es prête ?

— Pas vraiment, avoua-t-elle. Mais je vais faire de mon mieux. Tu es sûr qu'il est gentil ?

— Un vrai bébé, lui assura Luke. Pose ta main sur la corne de la selle et glisse ton pied gauche dans l'étrier. Ensuite, tu passes ta jambe par-dessus.

Elle s'exécuta et grimpa sur le cheval malgré les battements accélérés de son cœur. Alors qu'elle cherchait une position confortable, le cheval lui apparut comme un muscle géant près de fléchir.

— Euh… c'est plus haut que je ne l'avais imaginé.

— Tout va très bien se passer, dit-il en lui passant les rênes.

Avant qu'elle n'ait eu le temps de protester, il était déjà installé sur Cheval, manifestement à l'aise.

— Démon n'a pas besoin de grand-chose, dit-il. Il suffit de toucher son cou avec les rênes pour qu'il tourne, comme ça. Et pour le faire avancer, tu lui donnes simplement des coups de talon dans les flancs. Quand tu veux l'arrêter, tu tires la bride vers toi.

Il répéta deux fois sa démonstration, veillant à ce qu'elle assimile bien ces codes.

— Tu n'as pas oublié que c'était la première fois, pour moi ? demanda-t-elle.

— Tu me l'as dit, oui.

— Tu sais, je n'ai pas l'âme d'un casse-cou, je n'ai pas envie de faire une chute. L'une de mes colocataires s'est cassé le bras en tombant de ce genre d'animal, et je préfère éviter de rédiger mes devoirs avec un bras dans le plâtre.

Il se gratta la joue, visiblement en attente.

— C'est tout ? demanda-t-il.

— Je ne fais qu'établir les principes de base.

Il secoua la tête.

— Ah, les filles de la ville, soupira-t-il, amusé.

Et d'un rapide mouvement du poignet, il ordonna à Cheval de faire demi-tour, puis partit au pas. Un instant plus tard, il se pencha pour relever le loquet du portail, qui s'ouvrit en grand. Dès qu'il l'eut franchi, elle vit la stalle s'interposer dans son champ de vision.

— Tu es censée me suivre ! cria-t-il.

Le cœur battant à vive allure et la bouche aussi sèche que de la sciure de bois, Sophia s'accorda une longue inspiration. Elle n'avait aucune raison de ne pas y arriver. Elle savait faire du vélo, et ce n'était pas si différent, après tout. Tous les jours, des gens montaient à cheval. Si des gamins pouvaient en faire, ça ne devait pas être compliqué. De toute façon, les choses difficiles ne lui résistaient pas. Le cours de littérature de M. Aldair était difficile. Travailler quatorze heures d'affilée à l'épicerie tous les samedis, pendant que toutes ses amies allaient flâner en ville était difficile. Laisser Brian lui presser le citron, ça, ç'avait vraiment été difficile. Rassemblant tout son courage, elle secoua les rênes et donna des coups de pied dans les flancs de Demon.

Rien.

Elle recommença.

Il fit bouger ses oreilles, mais à part ce geste discret, resta aussi immobile qu'une statue.

Bon, pas si facile que ça, se dit-elle. Demon semblait avoir envie de rester à la maison.

Luke et Cheval reparurent devant elle.

– Tu viens ? demanda-t-il.

– Il ne veut pas bouger, expliqua-t-elle.

– Donne-lui un coup de pied et dis-lui ce que tu veux qu'il fasse. Sers-toi des rênes. Il a besoin de sentir que tu sais ce que tu fais.

*Assez improbable,* songea-t-elle. *Je ne sais pas du tout ce que je fais.* Elle rejoua des talons. Toujours rien.

Luke s'adressa au cheval comme un maître d'école gronde ses élèves.

– Arrête de faire l'andouille, Demon, cria-t-il. Tu lui fais peur. Viens par ici.

Comme par miracle, ces mots suffirent à faire avancer le cheval sans l'intervention de Sophia. Surprise, celle-ci partit en arrière sur sa selle puis, tentant de se redresser, balança instinctivement son buste vers l'avant.

Les oreilles de Demon pivotèrent à nouveau, comme s'il se demandait s'il était victime d'une mauvaise blague.

Elle serra les rênes des deux mains, se préparant à tourner, mais Demon n'eut pas besoin d'elle. Il franchit le portail, renifla en passant devant Cheval, puis s'arrêta le temps que Luke referme le portail et la rejoigne.

Cheval avançait d'un pas lent mais régulier. Demon se contentait de marcher à côté de lui sans qu'elle ait besoin de le guider. Traversant l'allée, ils empruntèrent un chemin qui contournait la dernière rangée de sapins.

L'odeur des arbres à feuilles persistantes était plus forte de ce côté, lui rappelant les vacances. À mesure qu'elle s'adaptait au rythme du cheval, elle sentait son appréhension la quitter et sa respiration se calmer.

Le bosquet faisait place à une fine bande de forêt large comme un terrain de football. Les chevaux s'engagèrent sur une piste à l'herbe haute, presque en pilotage automatique, et suivirent les courbes des collines, s'enfonçant plus avant dans la nature sauvage. Derrière eux, le ranch s'effaça progressivement, donnant l'impression à Sophia qu'ils se promenaient en pays étranger.

Luke était ravi de la laisser à ses pensées, tandis qu'ils poursuivaient leur route entre les arbres. Chien courait devant eux, la truffe collée au sol, disparaissant et réapparaissant à chaque tournant. Elle courba l'échine pour passer sous les ramures d'un arbre et, du coin de l'œil, vit Luke se pencher pour éviter une autre branche, alors que le sol devenait plus rocailleux et plus dense. Les écureuils passaient en flèche sur les branches de hickorys[1], échangeant des appels alarmés, tandis que les rayons du soleil se fragmentaient en traversant la canopée, ajoutant une note d'irréel au tableau.

— C'est beau par ici, dit Sophia d'une voix qui sonna étrangement, même à ses propres oreilles.

Luke se retourna sur sa selle.

— J'espérais que ça te plairait.

— Cette terre t'appartient aussi ?

— En partie. Nous la partageons avec le ranch voisin. Elle fait office de brise-vent et de frontière entre les propriétés.

— Tu viens souvent faire du cheval par ici ?

— Avant, oui. Mais ces derniers temps, je ne viens plus que pour réparer le grillage. Il arrive que le bétail s'aventure dans ce coin.

— Dire que je croyais que tu amenais toutes les filles par ici…

Il secoua la tête.

— Je n'ai jamais amené aucune fille ici.

— Pourquoi donc ?

— J'imagine que je n'y avais jamais pensé.

Cette prise de conscience sembla le surprendre autant qu'elle. Chien les rejoignit en trottinant, vérifia que tout allait bien, puis repartit d'où il était venu.

— Parle-moi de cette ancienne petite amie. Angie, c'est ça ?

Il tressaillit légèrement, sans doute surpris qu'elle s'en souvienne.

---

1. Arbres typiques de l'Amérique du Nord, proches de nos noyers et au bois très résistant.

— Il n'y a pas grand-chose à dire, en vérité. Comme je te l'ai déjà dit, ce n'était qu'une histoire d'adolescents.

— Pourquoi avez-vous rompu ?

Il sembla réfléchir à la question.

— Je suis parti en tournée la semaine qui a suivi la remise des diplômes, à la fin du lycée, expliqua-t-il. À l'époque, je n'avais pas les moyens de prendre l'avion à chaque fois, alors je passais un temps fou sur les routes. Il m'arrivait de partir le jeudi pour ne rentrer que le lundi ou le mardi suivant. Certaines semaines, je n'avais même pas le temps de rentrer à la maison, et je ne peux pas lui reprocher d'avoir eu envie d'autre chose. D'autant qu'il y avait peu de chances pour que ça change.

Elle prit le temps d'assimiler son explication.

— Comment ça se passe ? demanda-t-elle en gigotant sur la selle pour trouver une meilleure position. Quand on veut participer aux concours, je veux dire. Que faut-il faire pour avoir le droit de s'inscrire ?

— Rien de compliqué, en fait, répondit-il. Il faut d'abord acheter une carte auprès du PBR…

— Du PBR ?

— L'ordre des professionnels[1], précisa-t-il. Ils organisent les championnats. En gros, il suffit de s'inscrire et de payer les droits d'entrée. Quand on se présente à un concours, on tire un taureau au sort et on a le droit de le monter.

— Tu veux dire que n'importe qui a le droit de participer ? Par exemple, si j'avais un frère qui décidait de commencer demain, ce serait possible ?

— En principe, oui.

— C'est absurde. Et si quelqu'un s'inscrit sans aucune expérience ?

— Dans ce cas, il sera probablement blessé.

— Ah ouais ?

Il sourit à pleines dents et se gratta le front sous le bord de son chapeau.

---

1. Professional Bull Riders, les monteurs de taureaux professionnels.

— Ça a toujours été comme ça. Dans les rodéos, la majeure partie de la somme à empocher provient des concurrents. Ce qui signifie que ceux qui sont doués aiment bien avoir affaire à des cavaliers moins bons qu'eux. Ça veut dire qu'ils ont plus de chances d'empocher de l'argent.

— Ça me paraît plutôt impitoyable.

— Comment veux-tu faire autrement ? On peut s'entraîner autant qu'on veut, il n'y a qu'une seule façon de savoir si on est capable de rester assis sur un taureau, c'est de le monter.

En repensant à la veille, elle se demanda combien de participants en étaient à leur première fois.

— Alors, disons que quelqu'un se présente à un concours, et disons qu'il est comme toi et qu'il gagne. Que se passe-t-il ensuite ?

Il haussa les épaules.

— Monter des taureaux, c'est un peu différent du rodéo à cheval. Maintenant, il y a des tournées propres aux taureaux, mais en fait il existe deux tournées. Il y a la plus grosse, celle qui passe tout le temps à la télé, et la petite, qui est un peu celle des ligues plus modestes. Si l'on gagne assez de points dans les ligues mineures, on est promu dans les ligues majeures. Pour ce sport, c'est là qu'est l'argent.

— Et hier soir ?

— Hier soir, c'était un concours de petit championnat.

— Tu as déjà concouru dans la grosse tournée ?

Il se pencha pour tapoter l'encolure de Cheval.

— J'en ai fait partie pendant cinq ans.

— Tu étais bon ?

— Je me débrouillais plutôt bien.

Elle soupesa sa réponse, se souvenant qu'il avait dit la même chose la veille au soir, alors qu'il avait tout gagné.

— D'où me vient cette impression que tu es meilleur que tu ne l'affirmes ?

— Je ne sais pas.

Elle le dévisagea.

— Autant que tu me dises à quel point tu étais bon. Je peux toujours taper ton nom sur Google.

Il redressa le dos.

— Je suis arrivé au championnat du monde des PBR quatre années consécutives. Pour cela, il faut être dans les trente-cinq meilleurs du classement.

— Autrement dit, tu fais partie des meilleurs.

— Je faisais partie des meilleurs. Ce n'est plus le cas. J'ai dû tout recommencer de zéro.

Dans l'intervalle, ils avaient atteint une petite clairière aux abords de la rivière et arrêté les chevaux en haut de la berge en surplomb. La rivière n'était pas large, mais Sophia avait l'impression que le paisible cours d'eau était plus profond qu'il n'en avait l'air. Des libellules voletaient à la surface, rompant l'immobilité de l'eau et produisant de minuscules ondulations qui rayonnaient jusqu'à la rive. Chien était allongé, haletant de fatigue, la langue pendante sur le côté. Derrière lui, dans l'ombre d'un chêne noueux, elle remarqua ce qui semblait être les restes d'un vieux campement, avec une table de pique-nique décatie et un foyer abandonné.

— À quoi sert cet endroit ? demanda-t-elle en redressant son chapeau.

— Mon père et moi venions souvent pêcher ici. Il y a un arbre immergé juste là, et c'est un coin formidable pour attraper des truites. Nous restions ici des journées entières. C'était un peu notre endroit à nous, rien qu'à nous deux. Ma mère déteste l'odeur du poisson, alors on les pêchait, on les lavait et on les cuisinait ici avant de les ramener à la ferme. À d'autres moments, mon père m'amenait ici après l'entraînement, et on admirait simplement les étoiles. Il n'avait pas fait d'études, mais il connaissait le nom de toutes les constellations. J'ai vécu certains des meilleurs moments de ma vie ici.

Elle caressa la crinière de Demon.

— Il te manque.

— Tout le temps, confia-t-il. Venir ici m'aide à m'en souvenir comme je le devrais. Je retrouve l'image qu'il faut garder de lui.

Elle percevait le poids du deuil dans sa voix, le sentait à la rigidité de sa posture.

– Comment est-il mort ? demanda-t-elle avec douceur.

– Nous revenions d'un concours à Greenville, en Caroline du Sud. Il était tard, il était fatigué, et soudain un chevreuil a traversé la route en trombe. Il n'a même pas eu le temps de tourner le volant que le chevreuil s'est écrasé sur le pare-brise. Le camion a fait trois tonneaux au bout du compte, mais même avant cela, c'était déjà trop tard. Le choc lui a brisé la nuque.

– Tu étais avec lui ?

– Je l'ai sorti de l'épave, dit-il. Je me souviens de l'avoir pris dans mes bras et d'avoir tout fait pour le réveiller jusqu'à l'arrivée des secours.

Elle pâlit.

– J'ai du mal à imaginer une chose aussi horrible…

– Même pour moi, c'est difficile à visualiser, dit-il. On discutait de mes prestations, et l'instant d'après il n'était plus là. Ça semblait irréel. Ça l'est toujours. Parce qu'il n'était pas seulement mon père. C'était aussi mon entraîneur, mon partenaire et mon ami, et…

Il laissa sa phrase en suspens, perdu dans ses pensées. Puis il secoua lentement la tête.

– … Et je ne sais pas pourquoi je te raconte tout ça.

– Ça va, dit-elle avec douceur. Je suis contente que tu m'en parles.

Il accueillit ses paroles en hochant la tête avec reconnaissance.

– Comment sont tes parents ? demanda-t-il.

– Ils sont passionnés, dit-elle enfin. Pour tout.

– Comment ça ?

– Il faut vivre avec eux pour le comprendre. Ils peuvent être en train de roucouler, et puis d'un coup, ils se mettent à hurler. Ils ont des opinions très affirmées sur tous les sujets, de la politique à l'environnement, en passant par le nombre de cookies qu'il est raisonnable de manger après le repas, et même sur la langue qu'il faut parler tel ou tel jour…

– La langue ? intervint-il.

– Mes parents tenaient à ce que nous soyons tous polyglottes, alors le lundi nous parlions le français, le mardi c'était le slovaque, le mercredi, le tchèque. Ça nous rendait folles, mes sœurs et moi, surtout quand nous avions des amis à la maison, parce qu'ils ne comprenaient rien à ce que nous disions. Ils sont perfectionnistes dès qu'il est question de notre éducation. Nous devions faire nos devoirs dans la cuisine, et ma mère nous faisait passer un test avant chaque examen. Et j'aime autant te dire que si je rentrais avec une note moyenne, le ciel leur tombait sur la tête. Ma mère se tordait les mains et mon père me répétait qu'il était déçu, et au final, je m'en voulais tellement que je me remettais à étudier un cours pour lequel j'avais déjà passé l'examen. Je sais que c'est parce qu'ils ne voulaient pas que ma vie soit aussi dure que la leur, mais c'était oppressant par moments. De plus, nous devions toutes travailler à l'épicerie, ce qui veut dire que nous passions presque tout notre temps ensemble... Disons simplement qu'au moment d'entrer à l'université, j'avais hâte de prendre mes décisions seule.

Luke haussa les sourcils.

— Et tu as choisi Brian.

— Tu parles comme mes parents, maintenant, dit-elle. Dès le début, Brian ne leur a pas plu. S'ils peuvent être cinglés parfois, ils sont en réalité assez intelligents. J'aurais dû les écouter.

— On fait tous des erreurs, dit-il. Combien de langues parles-tu ?

— Quatre, répondit-elle, en repoussant le bord de son chapeau de la même façon que lui. Mais en comptant l'anglais.

— J'en parle une, en comptant l'anglais.

Elle sourit, appréciant son commentaire, l'appréciant lui tout entier.

— Je ne sais pas si ça va me servir à grand-chose. Sauf si je pars travailler dans un musée en Europe.

— C'est ce que tu veux faire ?

— Peut-être. Je ne sais pas. Pour l'instant, je serais prête à travailler n'importe où.

Quand elle se tut, il resta silencieux, le temps d'assimiler ce qu'elle venait de lui dire.

— Quand je t'écoute, je me dis que j'aurais dû prendre mes études plus au sérieux. Je n'étais pas un mauvais élève, mais je n'étais pas particulièrement brillant non plus. Je ne faisais pas d'efforts. Mais maintenant, je ne peux pas m'empêcher de me dire que j'aurais dû poursuivre jusqu'à l'université.

— C'est sûr que c'est moins dangereux que de monter des taureaux sauvages.

Bien qu'elle ait dit cela sur le ton de la blague, il ne sourit pas.

— Tu as tout à fait raison.

*
* *

Après avoir quitté la clairière au bord de la rivière, Luke l'emmena faire le tour du ranch. Ils prirent tout leur temps, leur conversation passant d'un sujet à un autre et Chien vagabondant autour d'eux. Ils passèrent entre les sapins de Noël et longèrent les ruches, et il l'entraîna vers les pâturages vallonnés qui hébergeaient le troupeau. Ils parlaient de tout, des genres de musique qu'ils aimaient à leurs films préférés, en passant par l'image que Sophia avait de la Caroline du Nord. Elle évoqua ses sœurs, son enfance citadine et sa vie sur le campus protégé de Wake. Bien que leurs mondes soient totalement différents, elle fut surprise de découvrir qu'il semblait trouver son univers aussi fascinant que le sien l'était à ses yeux.

Plus tard, quand elle se sentit plus confiante en selle, elle s'élança au trot, puis au petit galop. Luke resta à côté d'elle tout le long, prêt à la rattraper si elle venait à chuter, l'avertissant dès qu'elle se penchait trop en avant ou trop en arrière, et lui rappelant de ne pas tenir la bride trop serrée. Elle n'aimait pas le trot, mais quand le cheval partit au petit galop, elle s'adapta naturellement à son rythme fluide et régulier. Ils firent quatre ou cinq allers-retours d'une clôture à une autre, accélérant le pas à chaque tour de piste. Dès qu'elle se sentit un peu plus sûre d'elle, Sophia botta les flancs de Demon pour l'inciter à accélérer encore. Luke fut pris au dépourvu, si bien qu'il lui fallut quelques secondes pour la rattraper, et alors qu'ils filaient côte à côte, elle se délecta du vent sur son visage, de l'expérience terrifiante et exaltante. Au retour, elle poussa Demon à prendre encore un peu plus de vitesse, et quand ils s'arrêtèrent enfin, quelques minutes plus tard, elle éclata de rire, libérant la peur et la montée d'adrénaline.

Quand leurs fous rires cessèrent, ils repartirent lentement vers l'écurie. Les chevaux étaient encore essoufflés, en sueur, et après que Luke eut enlevé leurs selles, elle l'aida à les brosser. Elle offrit une pomme à Demon, puis sentit des courbatures s'installer dans ses jambes, mais ne s'en soucia pas le moins du monde. Elle avait fait du cheval pour de vrai, et dans un élan de fierté et de joie, elle prit Luke par le bras et ils partirent gaiement vers la maison.

Cheminant d'un pas tranquille, ils n'éprouvaient ni l'un ni l'autre le besoin de parler. Sophia repensait aux événements de la journée, se réjouissant d'être venue. A priori, Luke partageait son sentiment de paix et de félicité.

Alors qu'ils approchaient de la maison, Chien fila vers son bol d'eau sur la véranda. Il lapa entre deux respirations saccadées, puis s'écroula sur le ventre.

— Il est fatigué, dit-elle, ébahie par le son de sa propre voix.

— Il va s'en remettre. Il me suit tous les matins, quand je fais mon tour à cheval.

Il ôta son chapeau et essuya la sueur qui perlait au ras de ses sourcils.

— Tu veux boire quelque chose ? proposa-t-il. Je ne sais pas ce que tu en dis, mais j'ai envie d'une bière.

— Bonne idée.

— Je reviens dans une minute, promit-il avant de disparaître dans la maison.

Tandis qu'il s'éloignait, elle l'observa en tentant de rationaliser son attirance pour lui. Qui aurait pu trouver un sens à tout cela ? Elle y réfléchissait encore quand il ressurgit avec deux bouteilles givrées.

Il décapsula une bouteille qu'il lui tendit, et leurs doigts se frôlèrent légèrement. Il lui indiqua les rocking-chairs d'un geste.

Elle s'assit et s'adossa en soupirant d'aise, son chapeau retombant sur ses yeux. Elle avait presque oublié qu'il était sur sa tête. Elle l'enleva et le posa sur ses genoux avant de prendre une gorgée de bière. Elle était glacée et rafraîchissante.

— Tu étais vraiment à l'aise sur le cheval, dit-il.

— Tu veux dire pour une débutante. Je ne suis pas encore tout à fait prête pour un rodéo, mais je me suis bien amusée.

— Tu as un sens de l'équilibre naturel, observa-t-il.

Mais Sophia ne l'écoutait pas. Elle avait le regard rivé derrière son épaule, sur une petite vache qui était apparue au coin de la maison. Elle semblait leur porter un intérêt excessif.

— Je crois qu'une de tes vaches s'est perdue, dit-elle en la montrant du doigt. Une petite vache.

Il suivit son regard, et son expression changea dès qu'il reconnut l'animal.

— C'est Mudbath[1]. Je ne sais pas comment elle fait, mais elle débarque ici deux fois par semaine. Il doit certainement y avoir un trou dans le grillage, mais je n'arrive pas à le trouver.

— Elle t'aime bien.

— Elle m'adore, dit-il. En mars, on a eu une période de pluie et de froid, et elle s'est retrouvée coincée dans la boue. J'ai passé des heures à essayer de la sortir de là, et j'ai dû la nourrir au biberon pendant plusieurs jours. Et depuis, elle vient me voir régulièrement.

— C'est mignon, dit-elle en s'efforçant de ne pas trop le fixer, sans grand succès. Tu mènes une vie intéressante.

Il enleva son chapeau et se peigna avec les doigts, avant de prendre une nouvelle gorgée de bière. Quand il reprit la parole, sa voix avait perdu de cette réserve habituelle à laquelle elle s'était habituée.

— Je peux te dire quelque chose ? (Un long moment passa avant qu'il ne poursuive.) Mais ne le prends pas mal.

_____

1. Bain de boue.

— Dis-moi.

— Avec toi, elle est beaucoup plus intéressante qu'elle ne l'est en réalité.

— Que veux-tu dire par là ?

Il gratta l'étiquette de sa bouteille, recolla le papier avec son pouce, et elle eut l'impression qu'il ne cherchait pas la réponse, mais plutôt qu'il attendait qu'elle s'impose à lui, avant de se tourner vers elle.

— Je trouve que tu es la fille la plus intéressante que j'aie jamais rencontrée.

Elle voulut dire quelque chose, n'importe quoi, mais se noya dans ses yeux bleus, et ses mots se tarirent instantanément. Elle le regarda se pencher vers elle avec une brève hésitation. Il inclina légèrement la tête, et sans réfléchir elle pencha la sienne en écho, leurs visages se rapprochant l'un de l'autre.

Ça ne fut ni long ni enflammé, mais dès que leurs lèvres se rencontrèrent, elle sut avec une certitude soudaine que c'était naturel et juste, la conclusion idéale d'un après-midi d'une perfection inimaginable.

# 8

## Ira

Où suis-je ?

Je ne me pose que brièvement cette question, car à peine ai-je bougé que la douleur me fournit la réponse. Une cascade bouillonnante qui explose dans mon bras et mon épaule. Ma tête n'est que verre brisé, et dans ma poitrine, les élancements sont tels qu'ils me donnent l'impression qu'on vient de m'extraire une énorme masse.

Au cours de la nuit, la voiture s'est transformée en igloo. La neige sur le pare-brise commence à scintiller, ce qui veut dire que le soleil se lève. On est dimanche matin, le 6 février 2011, et d'après le cadran de ma montre que je ne peux distinguer qu'en plissant les yeux, il est 7 h 20. Hier soir, le soleil s'est couché à 5 h 50, et je conduisais dans le noir depuis une heure avant de quitter la route. Je suis là depuis plus de douze heures, et bien que je sois toujours en vie, pendant un moment, je ne suis qu'effroi.

J'ai déjà éprouvé un sentiment de terreur similaire. Ça ne se devine pas au premier coup d'œil. À l'époque où je travaillais au magasin, les clients étaient souvent surpris d'apprendre que j'avais fait la guerre. Je n'en parlais jamais ; une seule fois, j'ai raconté à Ruth ce qui m'était arrivé. Et nous n'avons plus jamais évoqué le sujet. Greensboro n'était pas encore la ville qu'elle est devenue – par de nombreux aspects, c'était encore une petite ville, et la plupart des gens que je côtoyais au cours de ma jeunesse savaient que j'avais été blessé au combat en Europe. Et pourtant, dès qu'elle fut terminée, ils n'eurent pas plus que moi l'envie de parler de la guerre. Pour certains, les souvenirs étaient simplement trop insupportables ; pour d'autres, le futur présentait plus d'intérêt que le passé.

Si l'on m'avait posé la question, j'aurais répondu que mon histoire ne méritait pas qu'on perde du temps à l'écouter. Et si l'on avait malgré tout insisté pour en apprendre plus, j'aurais dit que je m'étais enrôlé dans les forces aériennes de l'U.S. Army en juin 1942, et qu'après avoir prêté serment, j'avais embarqué dans un train rempli d'autres élèves officiers attendus par l'Army Air Corps Reception Center de Santa Ana, en Californie. C'était la première fois que je me rendais dans l'Ouest. Je passai le mois suivant à apprendre à obéir aux ordres, à nettoyer les toilettes, à marcher au pas. De là, je fus envoyé à l'école de pilotage de l'académie de Mira Loma, à Oxnard, où j'acquis les bases de la météorologie, de la navigation, de l'aérodynamique et de la mécanique. En même temps, je travaillai avec un instructeur qui m'apprit à piloter. C'est là que je volai en solo pour la première fois, et en l'espace de trois mois, j'avais cumulé suffisamment d'heures de vol pour passer à l'étape suivante : l'entraînement du Gardner Field de Taft. De là, je fus envoyé à Roswell, au Nouveau-Mexique, pour poursuivre mon apprentissage avant de revenir à Santa Ana, où je commençai enfin mon entraînement officiel de navigateur. Au terme de cette formation, ça ne s'est pas arrêté là. J'ai été envoyé à Mather Field, près de Sacramento, pour apprendre à naviguer d'après les étoiles, à l'estime et selon des repères visuels au sol. Ce n'est qu'après tout cela que je devins titulaire.

Il fallut attendre encore deux mois avant de rejoindre le théâtre européen. La troupe fut d'abord envoyée au Texas, où nous fûmes assignés au B-17, puis en Angleterre. Avant de m'envoler pour ma première mission de combat en octobre 1943, je m'étais entraîné pendant près d'un an et demi sans quitter mon pays, autrement dit, le plus loin possible de toute action militaire.

Ce n'est pas ce que les gens auraient aimé entendre, mais c'était alors mon unique expérience de la guerre. Elle se composait d'entraînements et de transferts destinés à me prodiguer des formations supplémentaires. D'autorisations de sortie pour le week-end, du moment où j'ai découvert la plage californienne et posé les yeux sur le Pacifique pour la toute première fois. De l'opportunité de voir les séquoias géants du nord de la Californie, des arbres si imposants qu'ils dépassent l'entendement. De l'admiration que j'ai éprouvée en survolant l'étendue désertique, alors que l'aube pointait. Et, bien sûr, de Joe Torrey, le meilleur ami que j'aie jamais eu.

Nous avions peu de points communs. C'était un catholique de Chicago, un joueur de base-ball aux dents écartées. Il avait du mal à construire une phrase sans jurons, mais il riait beaucoup, se moquait souvent de lui-même, et tout le monde l'invitait dès qu'on recevait nos autorisations de sortie. Sa présence était réclamée à toutes les parties de poker, comme aux balades en ville, car les femmes semblaient le trouver irrésistible. Pourquoi il préférait passer du temps avec moi, je ne l'ai jamais su, mais c'est grâce à Joe que le groupe m'accepta. C'est avec Joe que je bus ma première bière, assis sur la jetée de Santa Monica, et c'est avec Joe que je fumai la première et unique cigarette de ma vie. C'est avec Joe que, à cette époque, je parlais de Ruth qui me manquait beaucoup, et Joe m'écoutait d'une telle manière que j'avais envie de continuer à me confier, jusqu'à ce que je me sente mieux. Joe avait lui aussi une fiancée qui l'attendait chez lui – une jolie fille prénommée Marla – et il m'avait expliqué que la guerre lui importait peu, du moment qu'il retournerait à ses côtés.

Joe et moi nous retrouvâmes à bord du même B-17. Notre chef était le colonel Bud Ramsey, un authentique héros, pilote de génie, qui avait déjà effectué une première série de missions de combat et était assigné sur une seconde. Même dans les circonstances les plus atroces, il restait calme, maître de ses actes, et nous savions que nous avions de la chance d'être sous son commandement.

Ma véritable expérience de la guerre débuta le 2 octobre, lors d'un raid sur une base sous-marine d'Emden. Deux jours plus tard, nous intégrâmes un escadron de trois cents bombardiers convergeant à Francfort, et le 10 octobre, nous bombardâmes un embranchement ferroviaire à Munster. Le 14 octobre, jour par la suite appelé le« jeudi noir », fut pour moi la fin de la guerre.

La cible était une usine de roulements à billes implantée à Schweinfurt. Elle avait déjà été bombardée une fois quelques mois plus tôt, mais les Allemands avaient eu tôt fait de la réparer. À cause de la distance qui nous séparait de la base, notre formation de bombardiers ne disposait d'aucun soutien technique, et surtout, cette fois, le bombardement avait été anticipé. Les militaires allemands apparurent sur le littoral, poursuivant différents escadrons, et le temps qu'on se rapproche suffisamment pour passer à l'attaque, les tirs antiaériens avaient déjà produit un brouillard intense sur toute la ville. Les roquettes allemandes explosaient tout autour de nous, à haute altitude, et les ondes de choc secouaient l'avion. Nous venions de libérer notre charge quand les ennemis surgirent en nombre de partout. Tout autour de nous, les bombardiers commencèrent à s'écraser au sol, pendant que des boules de feu filaient en spirale dans le ciel. En l'espace de quelques minutes, la formation fut anéantie. Notre mitrailleur, touché au front, s'écroula sur le dos dans l'avion. D'instinct, je bondis sur son siège et fis feu, tirant près de cinq cents balles sans causer aucun dégât notoire. Sur le moment, je ne m'étais pas dit que j'allais survivre, mais j'étais trop terrorisé pour cesser de tirer.

L'ennemi nous mitraillait de tous côtés. De mon poste d'observation m'apparurent les trous béants qui déchiraient l'aile. Quand un moteur tomba, suite à un tir ennemi, l'avion se mit à vibrer avec un rugissement terrible, mais Bud luttait aux commandes. L'aile flancha brusquement et l'avion perdit de l'altitude, un nuage de fumée s'élevant derrière nous. Les ennemis nous encerclèrent, prêts à nous abattre, et de nouveaux tirs antiaériens déchiquetèrent le fuselage. Nous chûtâmes de mille pieds, puis de deux mille. Cinq mille. Huit mille. Bud fit en sorte de redresser les ailes, et alors, telle une créature mythologique, le nez de l'avion se releva. Par miracle, l'avion tenait toujours dans les airs, mais nous avions été séparés de la formation, et nous étions seuls en territoire ennemi, toujours poursuivis par les rafales.

Bud nous avait orientés vers la base, dans une tentative désespérée de nous enfuir, quand les tirs firent exploser le cockpit. Joe fut touché, et instinctivement il se tourna vers moi. Je vis ses yeux s'écarquiller avec incrédulité et ses lèvres articuler mon nom. Je plongeai vers lui, voulant lui porter secours d'une façon ou d'une autre, quand soudain je sentis mon corps se vider de ses forces. Je ne comprenais pas ce qui se passait. Sur le moment, je ne savais pas que j'étais blessé, et je tentais en vain de rejoindre Joe, et puis je sentis de vives sensations de brûlure. Baissant les yeux, je découvris de grosses taches de sang sur toute la partie inférieure de mon corps. Le monde explosa autour de moi et je perdis connaissance.

Je ne sais pas comment nous rentrâmes à la base, même si je peux affirmer que Bud Ramsey accomplit un miracle. Plus tard, à l'hôpital, on me raconta que des gens avaient pris l'avion en photo après l'atterrissage, émerveillés qu'il ait pu voler dans cet état. Mais je ne voulus pas voir ces images, même après avoir repris des forces.

On me dit aussi que j'aurais dû mourir. Le temps de rejoindre l'Angleterre, blanc comme un linge, j'avais perdu plus de la moitié de mon sang. Mon pouls était si faible qu'ils n'arrivaient pas à le trouver à mon poignet, mais ils m'ont tout de même transporté au bloc opératoire. Ils ne s'attendaient pas à me voir passer la nuit, ni la nuit suivante. On envoya un télégramme à mes parents pour expliquer que j'avais été blessé et qu'on les tiendrait au courant. L'armée de l'air entendait par là qu'un second télégramme les informerait de mon décès.

Mais ce second télégramme ne fut jamais envoyé, parce qu'en fin de compte, je ne mourus pas. Ce n'était pas un choix conscient et héroïque ; je n'étais pas un héros, et j'étais toujours inconscient. Plus tard, je n'ai été capable de me souvenir d'aucun rêve, ni même si j'en avais fait. Mais finalement, cinq jours après l'opération, je me réveillai, le corps couvert de sueur. D'après les infirmières, je délirais et hurlais de douleur. Une péritonite s'était déclarée et on me renvoya aussitôt en chirurgie. Je ne me souviens pas de ça non plus, ni des jours qui suivirent. J'eus de la fièvre pendant treize jours, et chaque jour, quand on l'interrogeait sur son pronostic, le médecin secouait la tête. Je ne me rendis compte de rien, mais Bud Ramsey et les survivants de mon équipage vinrent me voir tous les jours avant qu'on leur assigne un nouvel avion. Entre-temps, un télégramme fut envoyé aux parents de Joe Torrey pour leur annoncer sa mort. La RAF bombarda Cassel, et la guerre continua.

Ma fièvre tomba enfin alors que nous entrions dans le mois de novembre. Quand j'ouvris les yeux, je ne savais pas où j'étais. Je ne me souvenais pas de ce qui s'était passé, et j'étais incapable de bouger. J'avais la sensation d'avoir été enterré vivant, et en rassemblant toutes mes forces, je réussis à murmurer une seule et unique syllabe.

*Ruth.*

*
* *

Le soleil se fait plus vif, et le vent plus cinglant, mais personne ne vient. La terreur que j'éprouvais un peu plus tôt s'est dissipée, et en son absence, mon esprit s'égare. Je me fais la réflexion que je ne suis pas le premier à être enterré vivant sous la neige, dans une voiture. Il n'y a pas si longtemps, sur la chaîne Météo, j'ai vu un reportage sur un Suédois qui, comme moi, avait été pris au piège dans son véhicule alors que la neige le recouvrait progressivement. C'était arrivé à proximité d'une petite ville qui s'appelle Umeå, près du cercle arctique, où les températures tombent bien au-dessous de zéro. Cependant, d'après le présentateur, la voiture avait formé une sorte d'igloo. Cet homme n'aurait pas pu survivre longtemps, exposé aux éléments, mais dans la voiture, la température avait été tolérable un long moment, d'autant plus que l'homme était habillé pour les circonstances et avait un sac de couchage à portée de main. Mais ce n'est pas le plus incroyable ; en revanche, ce qui l'est, c'est la durée pendant laquelle le Suédois a survécu. Il n'avait ni nourriture ni eau, et ne s'était nourri que de poignées de neige, mais les spécialistes avaient expliqué que son corps s'était plongé dans une sorte d'état d'hibernation. Le fonctionnement de son organisme s'était si bien ralenti qu'il avai tenu soixante-quatre jours, le temps qu'on vienne le secourir.

Mon Dieu, je me souviens d'avoir pensé, *soixante-quatre jours*. Sur le moment, quand j'ai vu ce documentaire, j'ai eu peine à imaginer une telle expérience, mais là, évidemment, elle se pare d'un autre sens. Si je passais deux mois dans la voiture, on me retrouverait début avril. Les azalées seraient en fleur, la neige aurait fondu depuis longtemps et le printemps serait dans l'air. Si l'on venait à mon secours en avril, ce seraient probablement de jeunes gens en bermudas de randonnée, barbouillés d'écran solaire.

Mais quelqu'un va me retrouver avant, et de cela, j'en suis certain. Voilà qui devrait m'aider ; or je ne me sens pas mieux. Pas plus que je ne me sens conforté par la température, qui est loin d'être aussi basse ici, ou par mes deux sandwichs, parce que je ne suis pas ce Suédois. Il avait quarante-quatre ans et était indemne ; mon bras et ma clavicule sont cassés, j'ai perdu beaucoup de sang, et j'ai quatre-vingt-onze ans. Je crains de m'évanouir au moindre mouvement, et franchement, mon corps est en mode hibernation depuis dix ans. Si mes fonctions vitales continuent à ralentir, je vais rester à l'horizontale pour de bon.

S'il y a un seul point positif à ma situation, c'est que je n'ai pas encore faim. C'est courant à mon âge. Je n'ai plus d'appétit depuis ces dernières années, et je dois me forcer à avaler une tasse de café et un toast le matin. En revanche, j'ai soif. J'ai l'impression que ma gorge a été lacérée par des ongles, mais je ne sais ce que je peux y faire. Il y a bien une bouteille d'eau dans la voiture, mais j'ai peur de la torture que j'endurerai si j'essaie de mettre la main dessus.

J'ai froid, très froid. Je n'ai pas grelotté autant depuis mon séjour à l'hôpital, il y a des siècles. Après mes opérations chirurgicales, quand ma fièvre était tombée et que j'avais cru que je commençais à me rétablir, un terrible mal de tête m'avait saisi et les glandes de ma gorge s'étaient mises à gonfler. Ma température était remontée, et j'avais ressenti des douleurs lancinantes dans une partie du corps qu'aucun homme n'aime voir atteinte. Au début, les docteurs crurent que cette seconde poussée de fièvre était liée à la première. Mais ce n'était pas le cas. Mon voisin de chambre présentait des symptômes identiques aux miens, et en l'espace de quelques jours, trois autres hommes du même service étaient tombés malades. C'étaient les oreillons, une maladie infantile qui, chez l'adulte, est grave. De tous les hommes, j'étais le plus sérieusement touché. J'étais très affaibli, et le virus fit rage dans mon corps pendant près de trois semaines. Le temps que ça passe, je ne pesais plus que cinquante-deux kilos, et j'étais si faible que je ne tenais pas debout.

Il fallut attendre un mois pour qu'on me laisse enfin sortir de l'hôpital, mais je n'obtins pas l'autorisation de voler à nouveau. Je n'avais pas repris assez de poids, et je n'avais plus d'équipage, pour ainsi dire. J'appris que Bud Ramsey avait été abattu en survolant l'Allemagne, et qu'il n'y avait eu aucun survivant. Les forces aériennes militaires ne sachant que faire de moi, ils finirent par décider de me renvoyer à Santa Ana. Je devins instructeur pour les nouvelles recrues, et travaillai avec eux jusqu'à la fin de la guerre. Je reçus ma démobilisation en janvier 1946, et après avoir pris le train jusqu'à Chicago pour présenter mes condoléances à la famille de Joe Torrey, je rentrai en Caroline du Nord.

Comme tous les vétérans, je voulais clore le chapitre de la guerre. Mais je n'y parvenais pas. J'étais amer et en colère, détestant ce que j'étais devenu. À l'exception de la nuit à

Schweinfurt, j'avais peu de souvenirs des combats, et pourtant la guerre ne me quittait pas. Toute ma vie durant, j'ai vécu avec des blessures que personne ne pouvait voir, mais qu'il m'était impossible d'oublier. Joe Torrey et Bud Ramsey étaient des hommes d'une immense bonté, et pourtant ils étaient morts alors que j'avais survécu, et la culpabilité ne m'a jamais quitté. À cause de la balle qui a déchiré mon corps, j'ai du mal à marcher certains matins d'hiver, et je n'ai jamais retrouvé mon estomac d'avant. Je ne peux plus boire de lait ni manger épicé, et je n'ai jamais réussi à récupérer mon poids normal. Je ne suis pas monté en avion depuis 1945, et il m'est impossible de regarder un film de guerre. Je n'aime pas les hôpitaux. Pour moi, en fin de compte, la guerre et mon séjour à l'hôpital ont tout changé.

*

\* \*

— Tu pleures, me dit Ruth.

Ailleurs, à un autre moment, j'essuierais mes larmes du plat de la main. Mais ici et maintenant, ce geste me semble impossible.

— Je ne m'en étais pas rendu compte, dis-je.

— Tu pleurais souvent en dormant, me dit Ruth. Au début de notre mariage. Je t'entendais la nuit et ça me brisait le cœur. Je te frottais le dos en susurrant « chut », et parfois tu te retournais et tu te calmais. Mais il t'arrivait de continuer toute la nuit, et le matin, tu me disais que tu n'en connaissais pas la raison.

— Parfois, je l'ignorais.

Elle me lorgne.

— Mais parfois, tu la connaissais, termine-t-elle.

Je la regarde en plissant les yeux, songeant que sa silhouette est presque liquide, comme si je la distinguais à travers ces nuages de chaleur miroitants qui s'élèvent de l'asphalte en été. Elle porte une robe bleu marine et un bandeau blanc dans les cheveux, et sa voix me paraît plus vieille. Il me faut un moment, mais je finis par comprendre qu'elle a vingt-trois ans, l'âge qu'elle avait à mon retour de la guerre.

– Je pensais à Joe Torrey, dis-je.

– Ton ami, celui qui a mangé cinq hot-dogs à San Francisco. Celui qui t'a offert ta première bière.

Je ne lui ai jamais parlé de la cigarette, car je sais qu'elle aurait désapprouvé. Ruth a toujours détesté l'odeur de la fumée. C'est un mensonge par omission, mais je me suis convaincu il y a bien longtemps que c'était la meilleure solution.

– Oui, dis-je.

Le soleil matinal forme un halo autour de Ruth.

– J'aurais aimé le rencontrer, dit-elle.

– Il t'aurait plu.

Ruth s'éclaircit la voix, réfléchissant à ce que je viens de dire avant de se détourner. Elle fait face à la vitre nappée de neige, perdue dans ses pensées intimes. Cette voiture, me dis-je, est désormais ma tombe.

– Tu pensais aussi à l'hôpital, murmure-t-elle.

Je fais oui de la tête, et elle émet un soupir de lassitude.

– N'as-tu pas écouté ce que je t'ai dit ? demande-t-elle en me regardant à nouveau. Que ça n'a pas eu d'importance pour moi ? Je ne te mentirais pas sur ce point.

– Pas volontairement, dis-je. Mais je pense que, peut-être, il t'est arrivé de te mentir à toi-même.

Elle est surprise, ne serait-ce que parce que c'est la première fois que j'aborde ce sujet aussi directement. Mais je sais que j'ai raison.

– C'est pour ça que tu as cessé de m'écrire, remarque-t-elle. Après que tu as été renvoyé en Californie, tes lettres sont devenues plus rares au point que je n'en ai plus reçu aucune. Je n'ai eu aucune nouvelle de toi pendant six mois.

– J'ai arrêté de t'écrire parce que je me suis souvenu de ce que tu m'avais dit.

– Parce que tu voulais rompre.

La colère transperce sa voix, et je suis incapable de la regarder en face.

— Je voulais que tu sois heureuse.

— Je n'étais pas heureuse, affirme-t-elle avec brusquerie. J'étais perdue, j'avais le cœur brisé, et je ne comprenais pas ce qui se passait. J'ai prié pour toi tous les jours, dans l'espoir que tu me laisses t'aider. Mais au lieu de ça, je trouvais toujours la boîte aux lettres vide, malgré toutes celles que je t'envoyais.

— Je suis désolé. J'ai mal agi.

— Lisais-tu certaines de mes lettres, au moins ?

— Toutes. Je les relisais encore et encore, et plus d'une fois j'ai essayé de t'écrire pour te faire savoir ce qui s'était passé. Mais je ne trouvais jamais les mots justes.

Elle secoue la tête.

— Tu ne m'as même pas dit quand tu devais rentrer. C'est ta mère qui me l'a annoncé, et j'ai pensé aller t'accueillir à la gare, comme tu le faisais quand je rentrais pour les vacances.

— Mais tu ne l'as pas fait.

— Je voulais voir si tu allais venir à moi. Mais les jours ont passé, puis une semaine entière, et quand je ne t'ai pas vu à la synagogue, j'ai compris que tu m'évitais. Alors je me suis finalement rendue au magasin, et je t'ai dit que j'avais besoin de te parler. Et tu te souviens de ce que tu m'as répondu ?

Parmi toutes les phrases que j'ai prononcées au cours de ma vie, c'est celle que je regrette le plus. Mais Ruth attend, crispée, les yeux braqués sur moi. Par son silence et son attitude, elle me défie avec acharnement.

— Je t'ai dit que nos fiançailles étaient rompues et que c'était fini entre nous.

Elle hausse un sourcil.

— Oui, confirme-t-elle, c'est ce que tu m'as dit.

— Je ne pouvais pas te parler. J'étais…

Comme je laisse ma phrase en suspens, elle la termine à ma place.

— En colère, confirme-t-elle d'un hochement de tête. Ça se voyait dans tes yeux, mais malgré tout, je savais que tu étais toujours amoureux de moi.

— Oui. Je l'étais.

— Tes paroles m'ont quand même blessée, dit-elle. Je suis rentrée chez moi et j'ai pleuré comme je n'avais pas pleuré depuis toute petite. Ma mère a fini par entrer dans ma chambre et m'a prise dans ses bras. Ni elle ni moi ne savions quoi faire. J'avais déjà tant perdu. Je ne supportais pas de te perdre, toi aussi.

Elle fait allusion à sa famille, celle qui était restée à Vienne. Sur le moment, je n'avais pas réalisé à quel point mon comportement était égoïste, ni que Ruth allait le percevoir de cette façon. Ce souvenir est lui aussi resté avec moi, et dans la voiture, une honte ancienne ressurgit.

Ruth, mon rêve, sait ce que je ressens. Quand elle reprend la parole, c'est avec une tendresse renouvelée.

— Mais si c'était vraiment fini, je voulais en comprendre la raison. Alors le lendemain, je suis allée au café en face du magasin, et j'ai commandé un soda au chocolat. Je me suis assise près de la vitre, et je t'ai regardé travailler. Je sais que tu m'as vue, mais tu n'es pas venu me parler. Alors j'y suis retournée le lendemain, puis le jour suivant, et c'est là que tu t'es décidé à traverser la rue.

— C'est ma mère qui m'a ordonné de te rejoindre, dois-je admettre. Elle m'a dit que tu méritais une explication.

— C'est ce que tu m'as toujours raconté. Mais je pense que tu avais envie de le faire, parce que je te manquais. Et parce que tu savais que j'étais la seule à pouvoir t'aider à guérir.

À ces mots, je ferme les yeux. Elle a raison, bien sûr, sur toute la ligne. Ruth m'a toujours connu mieux que moi-même.

— Je me suis assis en face de toi, dis-je. Et puis, un instant plus tard, on m'a apporté un soda au chocolat.

— Tu étais si maigre. Je me suis dit que tu avais besoin que je t'aide à reprendre du poids. Que tu redeviennes comme tu étais quand on s'était rencontrés.

— Je n'ai jamais été gros, dis-je, mécontent. Mon poids était à peine suffisant pour que j'intègre l'armée.

— Oui, mais quand tu es revenu, tu n'étais plus qu'un sac d'os. Tu flottais dans ton costume comme s'il te fallait deux tailles en moins. J'ai eu peur que le vent se lève et que tu t'envoles quand tu as traversé la route, et je me suis demandé si tu redeviendrais comme avant. Je n'étais pas sûre de retrouver l'homme dont j'étais tombée amoureuse.

— Ça ne t'a pas empêchée de me donner une seconde chance.

Elle hausse les épaules.

— Je n'avais pas le choix, dit-elle, les yeux pétillants de malice. Entre-temps, David Epstein s'était marié.

Je ris malgré moi et mon corps se tétanise, mes neurones s'enflamment, la nausée me reprend. Je respire, les dents serrées, et l'agonie s'estompe peu à peu. Ruth attend que ma respiration se calme avant de poursuivre :

— J'avoue que j'ai eu peur. Je voulais que tout redevienne comme avant entre nous, alors j'ai fait comme si de rien n'était. J'ai discuté de mes études et de mes amis, de tout le travail que j'avais fourni à l'université, et je t'ai raconté que mes parents m'avaient fait la surprise d'assister à la remise des diplômes. J'ai parlé de mon poste de remplaçante dans une école près de la synagogue, mais j'ai aussi fait allusion à un entretien que j'avais passé pour un poste à temps plein à occuper dès l'automne, dans une école élémentaire de campagne à l'extérieur de la ville. Je t'ai également dit que mon père avait rendez-vous avec le doyen du département d'histoire de l'art de Duke pour la troisième fois, et que mes parents allaient peut-être devoir déménager à Durham. Et puis je me suis demandé à haute voix si j'allais devoir renoncer à mon nouvel emploi pour les accompagner à Durham.

— Et j'ai brusquement compris que je ne voulais pas que tu partes.

— C'est dans ce but que j'ai dit tout ça, répond-elle en souriant. Je voulais voir ta réaction, et le temps d'un éclair, l'Ira d'avant a ressurgi. Alors, j'ai cessé d'avoir peur de t'avoir définitivement perdu.

— Mais tu ne m'as pas demandé de te raccompagner.

— Tu n'étais pas prêt. Il y avait encore trop de colère en toi. C'est pour cela que j'ai suggéré qu'on se voie une fois par semaine pour prendre un soda au chocolat, comme on avait l'habitude de le faire. Tu avais besoin de temps et j'étais disposée à patienter.

— Dans une certaine mesure. Pas pour toujours.

— Non, pas pour toujours. Quand est arrivée la fin du mois de février, je commençais d'ailleurs à me demander si tu allais te décider à m'embrasser.

— J'en avais envie, dis-je. À chaque fois que j'étais avec toi, j'avais envie de t'embrasser.

— Je le savais, et c'est pour cela que j'étais perdue. Je ne comprenais pas ce qui clochait. Je n'arrivais pas à comprendre ce qui te retenait, pourquoi tu ne me faisais pas confiance. Tu aurais dû savoir que rien ne pouvait m'empêcher de continuer à t'aimer.

— Je le savais, dis-je. Et c'est pour cela que je ne pouvais rien dire.

*
* *

J'ai fini par tout lui expliquer, bien sûr, par une froide nuit du début de mars. Je l'ai appelée chez elle un soir pour lui demander de me retrouver au parc où nous nous étions promenés ensemble une centaine de fois. Mais je n'avais pas prévu de le lui dire à ce moment-là. J'avais préféré me convaincre que j'avais juste besoin d'une amie à qui parler, puisque à la maison l'ambiance était devenue oppressante.

Mon père avait gagné pas mal d'argent pendant la guerre, et dès qu'elle fut terminée, il reprit ses activités de tailleur. Les machines à coudre étaient parties ; à leur place, des costumes étaient suspendus à des portants, et pour qui passait devant la vitrine, la boutique était comme avant la guerre. Mais à l'intérieur, tout était différent. Mon père avait changé. Au lieu d'accueillir les clients à la porte comme il en avait l'habitude, il passait ses après-midi dans l'arrière-boutique à écouter les informations à la radio, à essayer de comprendre la folie qui avait provoqué la mort de tant d'innocents. Il ne voulait parler de rien d'autre ; l'Holocauste était devenu l'unique sujet des conversations qui animaient nos repas et chaque minute de son temps libre. En revanche, plus il parlait, plus ma mère se concentrait sur ses travaux d'aiguille, parce qu'elle ne supportait pas d'y penser. Pour mon père, après tout, c'était une horreur abstraite ; pour ma mère – qui, comme Ruth, avait perdu des amis et de la famille –, c'était profondément personnel. Et à travers leurs réactions divergentes face à ces événements déchirants, mes parents ont progressivement séparé leurs chemins, la distance entre eux ne faisant que se creuser.

Étant leur fils, je m'efforçais de ne pas prendre parti. Avec mon père, j'écoutais, et avec ma mère je restais muet, mais quand nous étions tous les trois réunis, je constatais avec horreur que nous avions oublié que nous formions une famille. Ça n'aidait pas non plus que mon père nous accompagne désormais, ma mère et moi, à la synagogue ; les conversations intimes que nous avions jadis avec ma mère furent reléguées dans le passé. Quand mon père m'informa qu'il voulait faire de moi son associé – ce qui impliquait que nous passerions tout notre temps à trois – je fus désespéré, conscient qu'il serait alors impossible d'échapper à la morosité qui avait infiltré nos vies.

– Tu penses à tes parents, me dit Ruth.

– Tu as toujours été gentille avec eux.

– J'aimais beaucoup ta mère. Malgré notre différence d'âge, elle a été ma première véritable amie dans ce pays.

– Et mon père ?

– Je l'aimais aussi. Comment aurais-je pu ne pas l'aimer ? C'est ma famille.

Je souris, me souvenant qu'à la fin de sa vie elle était plus patiente que moi envers lui.

– Je peux te poser une question ?

– Tu peux me demander tout ce que tu veux.

– Pourquoi m'as-tu attendu ? Même après que j'ai cessé de t'écrire ? Je sais que tu as dit que tu m'aimais, mais…

– On va encore parler de ça ? Tu te demandes pourquoi je t'aimais ?

– Tu aurais pu avoir n'importe quel homme.

Elle se penche vers moi, et répond d'une voix douce :

– Ça a toujours été ton problème, Ira. Tu ne te vois pas comme les autres te voient. Tu ne te trouves pas très beau, mais tu étais très séduisant quand tu étais jeune. Tu crois que tu n'es ni très intéressant ni très intelligent, mais tu es tout cela aussi, et le fait que tu ne sois pas conscient de tes plus grandes qualités fait partie de ton charme. Tu as toujours une si belle opinion des autres – surtout de moi. Avec toi, je me sentais extraordinaire.

– Mais tu es extraordinaire, dis-je avec insistance.

Elle lève les mains avec ravissement.

– C'est de cela dont je parle, dit-elle en riant. Tes sentiments viennent du fond de ton cœur, et tu fais toujours attention aux autres, je ne suis pas la seule à le reconnaître. Ton ami Joe Torrey l'a bien senti. Je suis sûre que c'est pour ça qu'il passait son temps libre avec toi. Ma mère l'a senti, elle aussi, et c'est pour ça qu'elle m'a consolée quand j'ai cru que je t'avais perdu. Parce que nous savions toutes les deux que les hommes comme toi sont rares.

– Je suis content que tu m'aies rejoint ce soir-là, dis-je. J'avais besoin de toi.

– Et tu savais aussi, dès que nous avons commencé à nous promener dans le parc, que tu étais enfin prêt à me dire la vérité. Toute la vérité.

Je hoche la tête. Dans l'une de mes dernières lettres, j'avais brièvement évoqué le bombardement de Schweinfurt et Joe Torrey. J'avais fait mention de mes blessures et de l'infection qui s'était déclarée par la suite, en omettant certains éléments. Mais ce soir-là, je repris tout depuis le début. Je racontai tout en détail, sans rien garder pour moi. Sur le banc, elle m'écoutait déverser mon récit sans dire un mot.

À la fin, elle m'entoura de son bras et je m'appuyai contre elle. Les émotions me submergeaient par vagues, alors que les paroles de réconfort qu'elle me murmurait libéraient des souvenirs enfouis depuis trop longtemps.

Je ne sais pas combien de temps il fallut pour que cette tempête qui faisait rage en moi s'apaise, mais j'étais exténué. Toutefois, un secret persistait, un secret que même mes parents ignoraient.

Dans la voiture, Ruth est silencieuse. Je sais qu'elle repense à toutes les paroles échangées au cours de cette soirée.

– Je t'ai appris que j'avais attrapé les oreillons à l'hôpital – le cas le plus sévère qu'ait jamais vu le médecin. Et je t'ai fait part de ses propos.

Si Ruth ne dit rien, ses yeux se mettent à briller de larmes.

– Il m'avait expliqué que les oreillons peuvent rendre stérile, dis-je. C'est à cause de ça que j'ai voulu rompre. Parce que je savais que si tu m'épousais, nous n'aurions que très peu de chances d'avoir des enfants.

# 9

## Sophia

— Et après, que s'est-il passé ? demanda Marcia.

Debout devant le miroir, elle s'appliquait une seconde couche de mascara sur les cils, pendant que Sophia lui racontait sa journée au ranch.

— Ne me dis pas que tu as couché avec lui, poursuivit-elle en observant la réaction de Sophia dans le miroir.

— Bien sûr que non ! répondit celle-ci. (Elle replia une jambe sous l'autre, sur le lit.) On s'est juste embrassés et on a recommencé à bavarder, et quand je suis partie, il m'a encore embrassée devant la voiture. C'était... tendre.

— Oh, fit Marcia, en cessant de se maquiller.

— Inutile de cacher ta déception. Vraiment.

— Quoi ? lança-t-elle. À te regarder, on jurerait que tu en avais envie.

— Je le connais à peine !

— Ce n'est pas vrai. Tu as passé combien de temps avec lui ? Plus d'une heure hier soir, et six ou sept heures aujourd'hui ? C'est pas mal. Ça fait de longues conversations. Plus la balade à cheval, les bières... à ta place, je lui aurais pris la main pour l'entraîner dans la maison.

— Marcia !

— Je rigole. Je le trouve vraiment canon, c'est tout. Tu l'as remarqué, quand même ?

Sophia n'avait aucune envie que son amie recommence à lui vanter les charmes de Luke.

— Il est sympa, dit-elle dans l'espoir de faire bifurquer la conversation.

— Encore mieux, dit Marcia en lui adressant un clin d'œil.

Elle recouvrit généreusement sa bouche de rouge à lèvres brillant avant de s'emparer d'une barrette à cheveux.

— Mais j'ai compris. Nous sommes différentes. Et je respecte tes choix, vraiment. Je suis surtout contente que tu en aies fini avec Brian.

— J'en ai fini avec lui depuis que j'ai rompu.

— Je sais, dit-elle en rassemblant son épaisse chevelure brune en queue-de-cheval, avant de l'attacher avec une pince pailletée. Tu sais que j'ai discuté avec lui ?

— Quand ça ?

— À la fête, après le rodéo, quand tu as disparu avec le canon.

Sophia fronça les sourcils.

— Pourquoi ne m'as-tu rien dit ?

— Il n'y avait rien à dire. J'ai juste essayé de lui changer les idées. Les gars de Duke le détestent, au fait.

Elle arrangea quelques mèches qu'elle avait dégagées de sa queue-de-cheval avec soin, puis plongea les yeux dans ceux de Sophia par miroir interposé.

— Admets que je suis la meilleure des colocataires. Sans moi pour te convaincre de sortir avec nous, tu serais toujours en train de te morfondre dans cette chambre. Tout ça pour dire que je me demande quand j'aurai l'occasion de rencontrer ton nouveau mec.

— Nous n'avons pas parlé de nous revoir.

Visiblement, Marcia eut du mal à la croire.

— Mais comment c'est possible ?

*Parce que nous sommes différentes*, songea Sophia. *Et parce que…* Elle ne savait pas vraiment l'expliquer, en fait, mais elle craignait que leur baiser ne lui ait fait perdre les pédales au point d'oblitérer toute pensée d'ordre pratique.

— Tout ce que je sais, c'est qu'il ne sera pas là le week-end prochain. Il doit participer à un championnat à Knoxville.

146

— Alors appelle-le. Invite-le à passer avant qu'il ne parte.

Sophia secoua la tête.

— Je ne vais pas lui téléphoner.

— Et s'il ne t'appelle pas non plus ?

— Il a dit qu'il m'appellerait.

— Il arrive souvent que les garçons disent ça, et qu'on n'entende plus jamais parler d'eux.

— Il n'est pas comme ça, dit Sophia, et comme pour prouver le bien-fondé de ses propos, son portable se mit à sonner. Reconnaissant le numéro de Luke, elle s'en empara et bondit sur ses pieds.

— Ne me dis pas qu'il t'appelle déjà ?

— Il devait me téléphoner pour voir si j'étais bien rentrée.

Sophia fila aussitôt vers la sortie, remarquant à peine la surprise de sa camarade et les mots qu'elle murmura au moment où Sophia disparaissait dans le couloir.

— Il faut vraiment que je fasse la connaissance de ce type.

*
* *

Le jeudi soir, une heure après le coucher du soleil, Sophia finissait de se coiffer quand Marcia se tourna vers elle. Postée devant la fenêtre, elle surveillait l'arrivée du pick-up de Luke, ce qui ne faisait que décupler la nervosité de Sophia. Elle avait rejeté trois des tenues proposées par Sophia, lui avait prêté ses pendants d'oreilles dorés, le collier assorti, et lorsqu'elle rejoignit son amie en sautillant, son exaltation était flagrante.

— Il est là ! Je vais descendre lui ouvrir la porte.

Sophia expira longuement.

— Bon, je suis prête. Allons-y.

— Non, toi, tu restes dans la chambre pendant quelques minutes. Tu ne veux pas qu'il s'imagine que tu étais collée à la fenêtre pour voir s'il arrivait.

— Je n'étais pas collée à la fenêtre, dit Sophia. C'est toi qui le zieutais.

— Tu m'as comprise. Tu dois faire une entrée remarquée. Il faut qu'il te voie descendre l'escalier. Il faut éviter de lui donner l'impression que tu en meurs d'envie.

— Pourquoi tu compliques tout ? protesta Sophia.

— Fais-moi confiance, dit Marcia. Je sais ce que je dis. Descends dans trois minutes. Compte jusqu'à cent, grosso modo. Allez, j'y vais.

Elle disparut aussitôt, laissant Sophia seule avec sa nervosité, le ventre sens dessus dessous. C'était d'ailleurs étrange, étant donné qu'ils avaient passé plus d'une heure à bavarder au téléphone au cours des trois derniers soirs, reprenant chaque fois la conversation là où ils l'avaient arrêtée la veille. En général, il appelait à la tombée de la nuit, et elle lui parlait sous le porche en l'imaginant en face d'elle, se rejouant en boucle leur journée de balade.

Passer du temps avec lui au ranch, c'était une chose. Ç'avait été facile. Mais voir Luke ici ? Au foyer de la sororité ? C'était comme visiter Mars, pour lui. Depuis trois ans qu'elle vivait dans cette maison, les seuls garçons à être jamais entrés – en dehors des frères, des pères et des fiancés venus de loin – appartenaient à la fraternité, étaient des étudiants de la fraternité récemment diplômés ou des étudiants de la fraternité venus d'autres universités.

Elle avait gentiment tenté de le prévenir – maladroitement, car comment lui faire comprendre que les filles de la maison allaient l'aborder comme un spécimen exotique, et qu'à peine le dos tourné, il deviendrait le sujet de leurs interminables chicanes ? Alors elle avait proposé de le rejoindre à l'extérieur du campus, mais il avait répondu que n'étant jamais allé à Wake, il avait envie de visiter les lieux. Elle résista au désir brûlant de courir le rejoindre pour le pousser vers la sortie au plus vite.

Se souvenant du conseil appuyé de Marcia, Sophia inspira longuement en s'examinant dans le miroir. Un jean, un chemisier et des escarpins, à peu près la même tenue que la dernière fois, mais dans une version plus sophistiquée. Elle pivota sur elle-même d'un côté, puis de l'autre, en se disant : *C'est le mieux que je puisse faire*. Puis, se décochant un sourire aguicheur, elle admit : *Mais ce n'est pas mal du tout*.

Elle vérifia l'heure à sa montre et laissa une minute s'écouler avant de sortir de la chambre. En semaine, les garçons n'étaient autorisés que dans le vestibule et au salon. Le salon, qui hébergeait des canapés et une énorme télé à écran plat, était la pièce dans laquelle les filles aimaient à s'attarder. Alors qu'elle approchait des marches au bout du couloir, elle entendit Marcia rire dans la pièce silencieuse. Elle accéléra le pas, priant pour qu'elle et Luke puissent s'enfuir discrètement.

Elle le vit immédiatement, debout au centre de la pièce à côté de Marcia, son chapeau à la main. Comme toujours, il portait des bottes, un jean et avait complété sa tenue d'un ceinturon à très grande boucle brillante en argent. Sophia perdit confiance en s'apercevant que lui et Marcia n'étaient pas seuls dans le salon. En fait, il y avait plus de monde que d'habitude, mais la pièce était plongée dans un silence inquiétant. Trois garçons de la fraternité, vêtus de bermudas, de polos et de chaussures bateau, considéraient Luke bouche bée, de la même façon que Mary-Kate sur l'autre canapé. Tout comme Jenny, Drew et Brittany. Quatre ou cinq autres filles étaient rassemblées dans l'angle opposé de la pièce, s'interrogeant toutes sur la présence inattendue d'un étranger.

Mais d'après ce qu'elle voyait, leur examen minutieux n'avait pas d'effet sur lui. Il avait l'air à l'aise et écoutait Marcia, qui bavardait en agitant les mains d'une manière théâtrale. Quand elle surgit à la porte du salon, il leva les yeux vers elle. Souriant à belles dents, ses fossettes se creusèrent et Sophia eut l'impression qu'il ne voyait plus qu'elle.

La jeune femme inspira profondément et entra dans le salon, sentant l'attention collective se porter sur elle. Au même moment, Jenny se pencha vers Drew et Brittany pour leur murmurer quelque chose à l'oreille. Bien qu'ils aient tous eu vent de sa rupture avec Brian, il était clair que personne n'avait entendu parler de Luke, et elle se demanda combien de temps il faudrait à Brian pour apprendre qu'un cow-boy était passé la prendre. Sur Greek Row, le bouche à oreille était efficace. Elle les imaginait déjà composer son numéro sur leurs portables, avant même qu'elle et Luke aient ouvert la portière du pick-up.

Par conséquent, Brian n'allait pas tarder à être mis au courant. Il conclurait aussitôt qu'il s'agissait du cow-boy qui l'avait humilié le week-end précédent. Ça n'allait pas lui plaire, et à ses camarades de la fraternité non plus. En fonction de la quantité d'alcool ingurgitée — le jeudi, ils s'y mettaient de bonne heure — ils allaient rapidement comploter la vengeance adéquate. Soudain embarrassée, elle se demanda pourquoi elle n'y avait pas pensé plus tôt.

— Salut, dit-elle en s'efforçant de camoufler son anxiété.

Luke sourit de plus belle.

— Tu es splendide.

— Merci, murmura Sophia.

— Il me plaît bien, intervint Marcia.

Stupéfait, Luke lui décocha un regard avant de s'adresser à Sophia.

— De toute évidence, j'ai déjà eu le plaisir de faire la connaissance de ta camarade de chambre.

— J'essayais de voir s'il a des amis célibataires, confia Marcia.

— Et ?

— Il va voir ce qu'il peut faire.

Sophia fit un signe du menton.

— On peut y aller ? demanda-t-elle.

Marcia ne tarda pas à la contrer.

— Non, pas déjà. Il vient tout juste d'arriver.

Sophia lança un regard noir à Marcia, dans l'espoir d'obtenir de la compréhension.

— Il faut vraiment qu'on file.

— Allez, fit Marcia d'une voix charmeuse. On va prendre un verre d'abord. C'est jeudi soir, après tout. J'ai envie que tu me parles des taureaux.

À côté, Mary-Kate, qui commençait à cerner la situation, prit un air pincé. Sans doute que Brian était retourné voir les autres ce fameux samedi soir, régalant l'assemblée de son histoire sur le gang de cow-boys qui l'avait agressé. Brian et Mary-Kate étaient amis de longue date, et quand celle-ci se leva du canapé, portable en main, s'apprêtant à quitter la pièce, Sophia craignit le pire et n'hésita plus.

– Nous ne pouvons pas rester. Nous avons une réservation, affirma-t-elle.

– Quoi ? s'exclama Marcia en battant des paupières. Tu ne m'en as pas parlé. Où ça ?

Sophia resta interdite, incapable d'inventer une réponse. Elle sentit le regard de Luke s'attarder sur elle, puis il s'éclaircit la voix.

– Chez Fabian, annonça-t-il soudain.

L'attention de Marcia se porta de l'un à l'autre.

– Je suis sûre qu'ils ne diront rien si vous avez quelques minutes de retard.

– Malheureusement, nous sommes déjà en retard, insista Luke. Puis, se tournant vers Sophia :

– Tu as toutes tes affaires ?

Soulagée, Sophia glissa la bandoulière de son sac à main sur son épaule.

– Je suis prête.

Luke la prit délicatement par le coude et l'entraîna vers la porte.

– Ravi de t'avoir rencontrée, Marcia.

– Moi aussi, dit-elle, perplexe.

Après avoir ouvert la porte, il prit le temps de remettre son chapeau en place. Ce faisant, il afficha son amusement comme s'il comprenait la confusion que sa présence avait provoquée dans la sororité. Puis, sans cesser de sourire, il sortit, Sophia à son bras.

Dès que la porte se referma sur eux en claquant, Sophia entendit jaillir les commentaires. Si Luke les perçut aussi, il ne sembla pas leur prêter la moindre attention. Il l'accompagna à la portière du pick-up qu'il ouvrit, puis contourna le véhicule jusqu'au côté conducteur. Pendant ce temps, elle put remarquer la rangée de visages avides – dont celui de Marcia – qui surgirent aux fenêtres du salon. Elle hésitait entre les saluer d'un geste de la main et les ignorer, quand Luke se glissa sur son siège et referma la portière.

— On dirait que tu as éveillé leur curiosité, dit-il.

Elle nia d'un geste.

— Ce n'est pas à mon sujet qu'ils se posent des questions.

— Ah, j'ai compris. C'est à cause de ma maigreur, c'est ça ?

Elle pouffa, et comprit à cet instant que l'avis des autres n'avait plus d'importance pour elle, pas plus que ce qu'ils pensaient, faisaient ou disaient d'eux.

— Merci de m'avoir couverte, dit-elle.

— Que crains-tu ?

Elle lui expliqua que Brian l'inquiétait, et qu'elle avait des doutes sur Mary-Kate.

— J'y ai pensé, avoua-t-il. Tu m'as raconté qu'il t'espionnait. Je m'attendais vaguement à le voir apparaître d'un instant à l'autre.

— Et tu es quand même venu ?

— Bien obligé, dit-il en haussant les épaules. Tu m'as invité.

Elle appuya sa tête contre le repose-tête et apprécia le ton de sa voix.

— Je suis désolée, mais je ne vais pas pouvoir te faire visiter le campus ce soir.

— Ce n'est pas grave.

— Une autre fois, promit-elle. Un jour où il ne saura pas que tu viens. Je te montrerai tous les coins sympas.

— Un vrai rendez-vous, dit-il.

De près, ses yeux étaient d'un bleu clair d'une pureté saisissante. Elle tira sur un fil imaginaire de son jean.

— Qu'as-tu envie de faire ?

Il réfléchit un instant.

— Tu as faim ?

— Un peu, répondit-elle.

— Tu veux allez chez Fabian ? Je ne suis pas sûr qu'on puisse avoir une table, puisque nous n'avons pas vraiment réservé. Mais on peut toujours essayer.

Elle réfléchit, puis rejeta cette idée d'un mouvement de tête.

– Pas ce soir. J'ai envie d'un endroit moins prisé. Pourquoi pas des sushis ?

Il hésita avant de répondre.

– D'accord.

Elle le consulta du regard.

– Tu as déjà mangé des sushis ?

– Je vis peut-être dans un ranch, mais j'en sors de temps à autre.

*Et ?* songea-t-elle.

– Tu n'as pas répondu à ma question.

Il joua avec les clés avant d'insérer la bonne dans le démarreur.

– Non, avoua-t-il. Je n'ai jamais mangé de sushis.

Elle rit, car c'était la seule réaction possible.

*

* *

Suivant les indications de Sophia, ils arrivèrent au restaurant japonais Sakura. À l'intérieur, la plupart des tables étaient occupées, tout comme le comptoir à sushis. Pendant qu'ils attendaient l'hôtesse, Sophia balaya la salle du regard en espérant ne pas tomber sur une connaissance. Cet endroit était peu fréquenté par les étudiants – les hamburgers et les pizzas ayant toujours été, partout dans le monde, leurs repas préférés –, mais Sakura n'était pas non plus un lieu secret. Elle y venait parfois avec Marcia, et même si elle ne reconnut aucun visage, elle demanda néanmoins une table dans le patio ouvert.

Des lampes chauffantes brillaient dans les coins de la courette, dispersant une nappe de chaleur qui rendait la fraîcheur du soir supportable. Comme une seule table était occupée par un couple en fin de repas, l'endroit était agréablement calme. La vue ne présentait guère d'intérêt, mais le halo jaune répandu par les lanternes japonaises apportait une touche romantique à la cour.

Une fois qu'ils furent assis, Sophia se pencha vers Luke.

— Que penses-tu de Marcia ?

— Ta colocataire ? Elle a plutôt l'air sympa. Un peu envahissante, peut-être.

Elle pencha la tête sur le côté.

— Tu veux dire qu'elle parle trop ?

— Non, elle n'arrêtait pas de me toucher le bras pendant qu'elle parlait.

Sophia repoussa son commentaire d'un geste.

— Elle fait tout le temps ça. Avec tous les garçons. Elle ne peut pas s'empêcher de flirter.

— Sais-tu quelle est la première chose qu'elle m'ait dite ? Avant même de me faire entrer dans la maison ?

— Je ne sais pas si j'ai envie de le savoir.

— « Alors, il paraît que tu as embrassé ma meilleure amie ? »

*Rien d'étonnant,* songea Sophia.

— C'est tout Marcia. Elle dit à peu près tout ce qui lui passe par la tête. Sans filtre.

— Mais tu l'aimes bien.

— Ouais, concéda Sophia. C'est vrai. Elle m'a prise sous son aile quand j'en avais besoin, en quelque sorte. Elle me trouve un peu… naïve.

— Et c'est vrai ?

— D'une certaine façon, admit Sophia.

Elle prit un paire de baguettes et les sépara.

— Avant de venir à Wake, je n'étais sortie avec aucun garçon. Au lycée, j'étais plutôt l'intello de service, et avec l'épicerie, je n'avais pas le temps de sortir. Bon, je ne vivais pas non plus en ermite, et je savais ce que les autres faisaient de leurs week-ends. Je savais qu'à l'école, il y avait de la drogue et des histoires de sexe, mais pour moi, ça se résumait à des rumeurs et à des chuchotements surpris dans les couloirs. Ce n'est pas comme si j'avais vu quoi que ce soit. Au cours de mon premier semestre sur le campus, j'étais plutôt choquée de constater que ça se faisait à la vue de tous. Au dortoir, les filles parlaient souvent de sortir avec des garçons qu'elles connaissaient à peine, et je ne savais pas trop comment le prendre. La moitié du temps,

154

je m'interroge toujours, parce qu'elles n'entendent pas toutes la même chose par « sortir ». Pour certaines, c'est juste flirter, mais pour d'autres, c'est coucher, et pour d'autres encore, c'est quelque chose entre les deux, si tu vois ce que je veux dire. J'ai passé une grande partie de ma première année à essayer de déchiffrer les codes.

Il sourit, la laissant poursuivre.

– Et puis la vie de groupe ne ressemble pas à ce que j'avais en tête. Il y a tout le temps des soirées, et pour beaucoup d'étudiants c'est synonyme d'alcool et de drogue notamment. Je dois avouer qu'il m'est arrivé de boire trop à deux ou trois reprises, j'ai été malade et je me suis évanouie dans la salle de bains. Je n'en suis pas fière, mais sur le campus, il y en a qui font ça tous les week-ends, et durant tout le week-end. Et je ne veux pas dire que c'est parce qu'on vit dans des sororités. Ça se passe aussi comme ça dans les dortoirs, dans des appartements à l'extérieur du campus, partout. Seulement, ce n'est pas pour moi, et pour beaucoup de monde – y compris pour Marcia – ça fait de moi une fille naïve. En plus, je ne me reconnais pas dans leurs histoires de coucheries, alors je renvoie l'image d'une fille prude. Même aux yeux de Marcia, en fin de compte. Elle n'a jamais compris l'intérêt de chercher une relation sérieuse alors qu'on est encore étudiante. Elle me répète sans cesse qu'elle a envie de tout, pourvu que ce ne soit pas sérieux.

Il prit ses baguettes et l'imita.

– Je connais des garçons qui seraient très intéressés par ce genre de fille.

– Non… même si elle dit ça, je ne suis pas sûre que ce soit la vérité. Je crois qu'elle a envie de sincérité, dans le fond, mais elle ne sait pas comment trouver un petit copain qui soit sur la même longueur d'ondes. À la fac, les garçons de ce genre sont rares, et pourquoi en serait-il autrement ? Alors que les filles donnent tout pour rien ? Bon, je peux comprendre qu'on couche avec quelqu'un qu'on aime, mais quand on se connaît à peine ? À quoi bon ? C'est rabaissant.

Elle se tut, prenant conscience qu'il était la première personne à qui elle ait exposé son point de vue. C'était étrange, non ?

Luke joua avec ses baguettes, grattant les bords bruts à l'endroit de la séparation, prenant le temps de réfléchir. Puis il s'adossa, se plaçant sous la lumière, et dit :

— Si tu veux mon avis, c'est assez mature comme point de vue.

Elle leva le menu, légèrement embarrassée.

— Tu sais, tu n'es pas obligé de commander des sushis. Il y a aussi du poulet et du bœuf teriyaki.

Luke parcourut la carte.

— Que prends-tu ?

— Des sushis, répondit-elle.

— Où as-tu appris à aimer les sushis ?

— Au lycée, dit-elle. Une de mes amies était japonaise, et elle me parlait souvent d'un restaurant d'Edgewater où elle allait chaque fois que la nourriture de son pays lui manquait. À force de manger à l'épicerie, j'avais envie de goûter à autre chose, alors un jour, je l'ai accompagnée, et au final, ça m'a plu. De temps en temps, quand nous faisions nos devoirs ensemble, on prenait sa voiture et on filait à Edgewater vers ce petit restaurant quelconque. Nous avons fini par devenir des habituées. Et depuis, il m'arrive d'avoir des fringales de sushis. Comme ce soir.

— Je vois très bien, dit-il. Au lycée, quand je concourais avec le 4-H[1], j'allais à la foire d'État et il fallait toujours que j'aie mon Twinkie[2] frit.

Elle posa sur lui des yeux écarquillés.

— Tu compares les sushis aux Twinkies frits ?

— Tu as déjà goûté un Twinkie frit ?

— Ça a l'air dégoûtant.

— Ouais, bah, tant que tu n'y as pas goûté, tu n'as pas le droit de critiquer. C'est bon. Si on en mange trop, on risque sûrement

---

1. Clubs de jeunes gérés par le ministère de la Culture, et dont le but est de faire des mineurs des campagnes des citoyens responsables.

2. Célèbre génoise fourrée à la crème. La version frite s'est rapidement répandue dans les foires d'État.

de faire une crise cardiaque, mais de temps en temps, il n'y a rien de meilleur. C'est encore plus délicieux que les Oreos frits.

— Des Oreos frits ?

— Si tu veux proposer des idées à ta famille pour l'épicerie, je te conseille plutôt le Twinkie frit.

Sur le moment, elle fut incapable de formuler une réponse.

— Ça m'étonnerait que dans le Nord-Est tu trouves quelqu'un qui accepte de manger un truc pareil, finit-elle par rétorquer avec sérieux.

— On ne sait jamais. Ça pourrait devenir la nouvelle friandise à la mode. Il y aurait la queue du matin au soir.

En secouant légèrement la tête, elle reporta son attention sur le menu.

— Alors, le 4-H ?

— J'ai commencé quand j'étais gamin. Avec les cochons.

— C'est quoi, au juste ? J'en ai entendu parler, mais je ne sais pas ce que c'est précisément.

— C'est censé défendre la citoyenneté et le sens des responsabilités. Mais en réalité, quand on participe aux concours, on apprend surtout à reconnaître un bon cochon quand il est bébé. On examine ses géniteurs s'ils sont sur place, ou des photos ou ce qu'on a, et on choisit celui dont on pense qu'il fera un bon cochon de foire. Le but est de trouver un cochon ferme et musclé, avec peu de graisse et d'imperfections. Et ensuite, pour résumer, on l'élève pendant un an. On le nourrit, on le soigne. Un peu comme un animal de compagnie.

— Attends, je parie que tu les as tous baptisés « Cochon ».

— Eh bien, non. Le premier s'appelait Edith, le deuxième, Fred, et le troisième, Maggie. Je peux continuer la liste, si tu veux.

— Tu en as eu combien ? Au total ?

Il fit tambouriner ses doigts sur la table.

— Neuf, je crois. J'ai commencé au CE2, et j'ai continué jusqu'en première.

— Et après, une fois qu'ils atteignent l'âge adulte, où concourez-vous ?

— Dans les foires d'État. Les juges les examinent, et après ils annoncent les gagnants.

— Et on gagne quoi ?

— Un ruban. Mais qu'on gagne ou qu'on perde, on vend le cochon au bout du compte, dit-il.

— Qu'advient-il du cochon ?

— Ce qui arrive en général aux cochons, répondit-il. On les envoie à l'abattoir.

Elle battit des paupières.

— Si j'ai bien compris, tu le prends tout petit, tu l'élèves, tu lui donnes un nom, tu prends soin de lui et après tu le vends pour qu'il soit tué ?

Il la considéra avec curiosité.

— Que veux-tu faire d'autre avec un cochon ?

Elle était tellement sidérée que sur le moment elle fut incapable de répondre. Au bout d'un certain temps, elle secoua la tête.

— J'aimerais que tu saches que je n'avais jamais rencontré quelqu'un comme toi.

— Je crois, répliqua-t-il, que je peux dire la même chose de toi.

# 10

## Luke

Même après avoir consulté le menu, il avait du mal à choisir. Il pouvait opter pour la sécurité — le poulet ou le bœuf teriyaki qu'elle avait suggérés — mais il était réticent. Il avait entendu des gens chanter les louanges des sushis et savait qu'il devait y goûter. La vie n'était qu'une somme d'expériences, après tout.

Le problème était qu'il n'arrivait pas à se les représenter Dans son esprit, le poisson cru était du poisson cru, et les photos ne l'aidaient pas du tout. De son point de vue, il était censé se décider entre le rougeâtre, le rosâtre et le blanchâtre, mais rien n'indiquait le goût de chaque bouchée.

Il lorgna Sophia par-dessus la carte. Elle avait appliqué plus de mascara et de rouge à lèvres que le jour où elle était venue au ranch, et son maquillage lui rappela leur rencontre. Aussi impossible que cela puisse paraître, elle remontait à moins d'une semaine. S'il appréciait plus volontiers la beauté naturelle, il devait admettre que l'artifice lui donnait un air sophistiqué. Lorsqu'ils avaient traversé le restaurant, plus d'un homme s'était retourné sur son passage.

— Quelle est la différence entre nigiri-sushi et maki-sushi ? demanda-t-il.

Sophia était, elle aussi, toujours plongée dans la lecture du menu. Quand la serveuse était venue prendre leur commande,

159

elle avait demandé deux Sapporo, de la bière japonaise. Là non plus, il n'avait aucune idée du goût qu'elle aurait.

— Nigiri, ça veut dire que le poisson est servi sur un lit de riz, expliqua-t-elle. Les makis sont enroulés dans des algues.

— Des algues ?

Elle lui adressa un clin d'œil.

— C'est bon. Ça va te plaire.

Il pinça les lèvres, incapable de cacher ses doutes. Derrière la baie vitrée, des gens attablés appréciaient leurs mets en maniant habilement les baguettes. Au moins, sur ce point, il allait y arriver, car il s'était exercé en dévorant des plats chinois directement dans la barquette au volant de son pick-up.

— Pourquoi tu ne commanderais pas à ma place, dit-il en reposant le menu. Je te fais confiance.

— D'accord, accepta-t-elle.

— À quoi vais-je goûter ?

— À tout un tas de choses. Nous allons essayer les anago, ahi, aji, hamachi… et peut-être encore d'autres choses.

Il prit sa bouteille, prêt à boire une gorgée.

— Tu te rends bien compte que c'est du charabia pour moi.

— Anago veut dire anguille, précisa-t-elle.

Sa bouteille s'immobilisa avant d'atteindre sa bouche.

— Ça va te plaire, lui assura-t-elle, sans chercher à cacher son amusement.

Quand la serveuse revint, Sophia énuméra une longue liste de noms avec l'assurance d'une experte ; ensuite, la conversation prit un ton léger, seulement interrompue par l'arrivée de leur repas. Il lui résuma son enfance qui, malgré le travail au ranch, était plutôt classique. Ses années de lycée s'étaient composées de matchs de catch pendant trois ans, de fêtes à chaque retour au pays, de bals de fin d'année et de quelques soirées mémorables. Il lui raconta que pendant l'été, il partait à cheval avec ses parents dans les montagnes, pour passer quelques jours dans la région de Boone, où ils se baladaient sur les pistes, et c'étaient leurs uniques vacances en famille. Il évoqua brièvement ses entraînements sur le taureau mécanique dans la grange, et avoua que son père avait truqué le mécanisme afin d'accroître la violence des mouvements. Ces séances avaient débuté alors qu'il était à l'école élémentaire, et son père critiquait chacun de ses gestes. Il fit allusion aux multiples blessures qu'il s'était faites au cours de ces années, et au trac qu'il éprouvait lors des championnats du monde des PBR. Une fois, il s'était maintenu dans les premiers jusqu'à la dernière épreuve, et avait atteint la troisième place au classement général. Pendant tout ce temps, Sophia l'écoutait, littéralement captivée, ne l'interrompant que pour lui poser quelques questions.

Il sentait avec quelle intensité elle l'écoutait, son attention aussi brûlante qu'un laser, alors qu'elle absorbait tout en détail, et au moment où la serveuse vint débarrasser les plats vides, tout en elle, de son rire spontané à son accent du Nord, léger mais perceptible, lui paraissait charmant et désirable. Plus important encore, il avait l'impression de pouvoir lui-même apprécier sa compagnie en dépit de leurs différences. Quand il était avec elle, il oubliait facilement les inquiétudes relatives au ranch. Ou le stress provoqué par sa mère. Ou la suite des événements, si tout ne se passait pas comme prévu…

Il laissa son esprit vagabonder de la sorte, si bien qu'il ne s'aperçut pas immédiatement qu'elle le fixait du regard.

— À quoi penses-tu ? demanda-t-elle.

— Pourquoi me poses-tu cette question ?

— Tu avais l'air presque… perdu.

— À rien.

— Tu es sûr ? J'espère que ce n'est pas à cause de l'anago.

— Non. Je pensais juste à tout ce que j'ai à faire avant de partir ce week-end.

Elle fronça les sourcils sans le lâcher des yeux.

— Bon, dit-elle finalement. Quand pars-tu ?

— Demain après-midi, répondit-il, soulagé qu'elle n'insiste pas. Je prendrai la route dès que j'aurai fini et je passerai la nuit à Knoxville. Samedi soir, je prendrai le chemin du retour. Je vais rentrer tard, mais c'est le premier week-end où nous vendons les citrouilles. J'ai presque tout installé pour Halloween aujourd'hui, José et moi avons construit un immense labyrinthe en bottes de foin, entre autres, mais il y a toujours beaucoup de monde. Même si José vient donner un coup de main, ma mère aura besoin de moi.

— C'est pour ça qu'elle est en colère ? Parce que tu ne seras pas là ?

— En partie, admit-il en promenant une lamelle de gingembre rose vif tout autour de son assiette. Elle me reproche de monter des taureaux, point final.

— Elle n'y est pas habituée, depuis tout ce temps ? Ou est-ce depuis que tu t'es blessé en tombant de Big Ugly Critter ?

— Ma mère, dit-il en pesant ses mots, a peur qu'il m'arrive quelque chose.

— Mais tu n'en es pas à tes premières blessures. Loin de là.

— Non.

— Aurais-tu omis de me préciser certaines choses ?

Il ne répondit pas tout de suite.

— Et si on disait, proposa-t-il en posant ses baguettes, que le moment venu je te raconterai tout ?

— Je peux toujours poser la question à ta mère.

— C'est vrai. Mais pour ça, il faudrait d'abord que tu fasses sa connaissance.

— Bon, dans ce cas, je passerai peut-être la voir samedi.

— Ne te gêne pas. Mais si tu vas la voir, attends-toi à ce qu'elle te fasse bosser. Tu vas passer ta journée à remuer des citrouilles.

— Je suis musclée, tu sais.

— Tu as déjà passé une journée entière à porter des citrouilles ?

Elle se pencha au-dessus de la table.

— As-tu déjà déchargé un camion rempli de viande et de saucisses ?

Comme il ne répondait pas, une étincelle de victoire s'alluma dans ses yeux.

— Tu vois, nous avons quelque chose en commun. Nous sommes deux travailleurs acharnés.

— Et maintenant, nous savons tous deux monter à cheval.

Elle sourit.

— Ça aussi. Comment as-tu trouvé les sushis ?

— C'était bon, dit-il.

— J'ai le sentiment que tu aurais préféré des côtelettes de porc.

— Je peux manger des côtelettes quand je veux. C'est l'une de mes spécialités.

— Tu fais la cuisine ?

— Des grillades, dit-il. C'est mon père qui m'a appris.

— Je crois que j'aimerais bien goûter tes grillades un jour.

— Je te cuisinerai tout ce que tu veux. Tant que tu aimes les hamburgers, les steaks et les côtelettes.

Elle se rapprocha de lui.

— On fait quoi, maintenant ? Aimerais-tu prendre le risque d'aller dans une soirée d'étudiants de la fraternité ? Je suis sûre qu'elle a déjà commencé.

— Et Brian ?

— Nous irons dans une autre maison. Une dans laquelle il ne se rend jamais. Et nous ne resterons pas longtemps. Il vaut peut-être mieux que tu te passes de ton chapeau.

— Si ça te dit, je te suis.

— Je peux y aller aussi souvent que je veux. C'est ton avis qui m'intéresse.

— Ces soirées ressemblent à quoi ? demanda-t-il. De la musique, un groupe d'étudiants qui picolent, ce genre d'ambiance ?

— Globalement, oui.

Il réfléchit brièvement avant de secouer la tête.

— Ce n'est pas vraiment mon genre, admit-il.

— C'est ce que je pensais. On peut quand même visiter le campus, si tu en as envie.

— Je crois qu'on va garder ça pour un autre jour. De cette façon, tu seras obligée de me revoir.

Elle frôla le bord de son verre d'eau du bout du doigt.

— Qu'as-tu envie de faire, alors ?

Il ne répondit pas du tac au tac, et pour la première fois il se demanda en quoi sa vie aurait été différente s'il n'avait pas décidé de reprendre les rodéos. Sa mère n'était pas contente, et lui, franchement, n'était pas certain que ce soit une bonne idée, mais cela l'avait tout de même amené à rencontrer une fille qu'il n'oublierait jamais.

— On va faire un tour en voiture ? Je connais un endroit où je te promets que tu ne croiseras personne de l'université. C'est tranquille, et surtout très joli la nuit.

*
* *

De retour au ranch, la lune déposait un voile argenté sur le monde alors qu'ils descendaient du pick-up. Chien, une forme floue dans la nuit, surgit de la véranda et se précipita à leur rencontre pour s'arrêter à côté de Sophia, comme s'il les avait attendus.

— J'espère que ça te convient. Je n'avais pas d'autre idée.

— Je savais que tu allais nous conduire ici, avoua Sophia en se baissant pour caresser Chien. Si ça m'avait dérangée, je te l'aurais dit.

Il indiqua la maison.

— On peut s'asseoir sur la véranda ou aller près du lac. Il y a un coin magnifique.

— Pas à la rivière ?

— Tu connais déjà la rivière.

Elle balaya le paysage du regard, puis se tourna vers lui.

— On va encore s'installer dans les chaises longues à l'arrière du pick-up ?

— Bien sûr, répondit-il. Tu peux me croire, il vaut mieux ne pas s'asseoir par terre. C'est un pâturage.

Il regarda Chien tourner autour des jambes de Sophia.

— On peut emmener Chien ? demanda-t-elle.

— Que je le veuille ou non, Chien nous suivra.

— Alors, allons au lac, décida-t-elle.

— Je vais prendre quelques affaires dans la maison, d'accord ?

Il la laissa seule un instant et revint avec une petite glacière et des couvertures sous le bras, qu'il déposa dans la benne de son pick-up. Ils montèrent, et quand il démarra, les rugissements du moteur furent assourdissants.

— Ta voiture est aussi bruyante qu'un tank, cria-t-elle pour couvrir les vrombissements. Tu le sais, ça ?

— Ça te plaît ? J'ai dû modifier l'échappement pour qu'il retentisse aussi fort. J'ai ajouté un second silencieux, et tout ce qui va avec.

— Ce n'est pas vrai. Personne ne fait ça.

— Je l'ai vraiment fait. Comme beaucoup de gens, d'ailleurs, répondit-il.

— Des gens qui vivent dans les ranchs, peut-être.

— Pas seulement. Les chasseurs et les pêcheurs aussi.

— Autrement dit, tous ceux qui ont un fusil et qui aiment la vie au grand air.

— Parce qu'il y a d'autres sortes de gens dans ce monde ?

Elle sourit tandis que la voiture reculait pour bifurquer dans l'allée qui longeait la ferme. Des lampes étaient allumées dans le salon, et il se demanda ce que faisait sa mère. Alors il repensa à ce qu'il avait dit à Sophia, et à tout ce qu'il avait tu.

Afin d'y voir plus clair, il baissa la vitre et posa son coude sur le rebord. La camionnette avançait en cahotant, et du coin de l'œil, il vit les cheveux blonds comme les blés de Sophia se soulever en éventail sous l'effet du vent. Elle gardait la tête tournée vers l'extérieur, tandis qu'ils passaient devant la grange dans un silence détendu.

Une fois à destination, il descendit d'un bond et ouvrit un portail, avant de faire entrer le pick-up et de refermer le portail derrière lui. Il passa en pleins phares et roula lentement pour éviter d'endommager la végétation. Devant le lac, il s'arrêta, se gara en marche arrière, exactement comme au rodéo, et coupa le moteur.

— Fais attention où tu mets les pieds, la prévint-il. Nous sommes dans le pré.

Il ouvrit la vitre du côté passager, et alluma la radio avant de contourner le véhicule. Il aida Sophia à grimper à l'arrière, et installa les chaises. Puis, exactement comme ils l'avaient fait une semaine auparavant, ils s'assirent dans la benne du pick-up, Sophia, cette fois, une couverture étalée sur les genoux. Dans la glacière, Luke prit deux bouteilles de bière. Il les décapsula, en offrit une à Sophia et la regarda en avaler une gorgée.

Derrière eux, le lac était pareil à un miroir, réfléchissant le croissant de lune et les étoiles. Au loin, sur l'autre berge, les bovidés étaient rassemblés sur la rive, leurs poitrails blancs luisant dans la nuit. De temps à autre, une vache meuglait et son appel se répercutait sur l'eau, se mêlant aux coassements des grenouilles et aux chants des criquets. Ça sentait bon l'herbe, la poussière et la terre, un mélange d'ordre quasi primitif.

— C'est beau ici, chuchota Sophia.

*Ce mot pourrait aussi bien la décrire*, songea-t-il, mais il garda cette pensée pour lui.

— Ça me rappelle la clairière près de la rivière, ajouta-t-elle. Mais en plus dégagé.

— Un peu, oui. Comme je te l'ai dit, je vais plutôt là-bas quand j'ai envie de retrouver mon père. Ici, c'est l'endroit où je viens pour penser à autre chose.

— À quoi, par exemple ?

Non loin d'eux, l'eau était calme et reflétait le ciel comme un miroir.

— À beaucoup de choses, dit-il. À la vie. Au travail. Aux relations amoureuses.

Elle le regarda du coin de l'œil.

— Je croyais que tu n'étais pas sorti avec beaucoup de filles.

— C'est pour ça que j'ai besoin de penser aux filles.

Elle gloussa.

— L'amour, c'est un sujet délicat. Mais bien sûr, je suis jeune et naïve, alors qu'est-ce que j'en sais ?

— Donc, si je devais te demander conseil…

— Je te dirais qu'il vaudrait mieux t'adresser à quelqu'un d'autre. À ta mère, peut-être.

— Peut-être, admit-il. Elle s'entendait plutôt bien avec mon père. Surtout après qu'il ait quitté le monde du rodéo et qu'il ait été plus disponible pour l'aider au ranch. S'il avait continué,

166

je ne sais pas s'ils seraient restés ensemble. C'était trop lourd à porter pour elle seule, d'autant qu'elle devait aussi s'occuper de moi. Je suis sûr que c'est à peu près ce qu'elle lui a expliqué. Alors, il a arrêté. Et plus tard, quand je lui ai demandé pourquoi, il m'a répondu qu'être marié avec ma mère était plus important que de faire du cheval.

— On dirait que tu es fier d'elle ?

— Je le suis, dit-il. Mes deux parents travaillaient dur, mais en réalité, c'est elle qui faisait tourner la maison. Quand elle a hérité du ranch, les affaires allaient mal. Les prix du bétail sont très fluctuants, et certaines années, ça ne rapporte pas grand-chose. C'est elle qui a eu l'idée de se concentrer sur le bœuf biologique, qui intéressait de plus en plus de clients. C'est elle qui prenait la voiture pour arpenter l'État en tous sens, distribuer des brochures et rencontrer les restaurateurs. Sans elle, Collins Beef n'existerait pas. Pour toi, ça ne veut peut-être rien dire, mais pour les consommateurs exigeants de Caroline du Nord, ça compte.

Sophia prit le temps de tout assimiler, tout en examinant la ferme dans le lointain.

— J'aimerais bien la rencontrer.

— Je te la présenterais bien tout de suite, mais elle doit dormir à l'heure qu'il est. Elle se couche de bonne heure. Mais quand je serai de retour dimanche, tu pourras venir.

— À mon avis, tu m'invites pour que je t'aide à charger des citrouilles.

— En fait, je pensais plutôt t'inviter à dîner à la maison. Comme tu l'as compris, la journée va être chargée.

— Avec plaisir, si tu penses que ça ne dérangera pas ta mère.

— Ça ne la dérangera pas.

— À quelle heure ?

— Vers six heures ?

— C'est parfait, dit-elle. Au fait, où est le labyrinthe dont tu m'as parlé ?

— Prêt du champ de citrouilles.

Elle fronça les yeux.

— On est passés par là, l'autre jour ?

— Non, dit-il. C'est vers la route principale, près des sapins.

— Comment se fait-il que je ne l'aie pas remarqué quand nous sommes arrivés en voiture ?

— Je ne sais pas. Parce qu'il faisait nuit, peut-être ?

— C'est un labyrinthe qui fait peur ? Plein d'épouvantails et d'araignées ?

— Bien sûr, mais ce n'est pas vraiment effrayant. C'est pour les petits. Un jour, mon père a mis le paquet, et quelques gosses sont ressortis en larmes. Alors maintenant, on évite d'en faire trop. Mais c'est quand même bien décoré. Des araignées, des fantômes, des épouvantails, oui. Mais ils ont l'air gentil.

— On pourrait y aller ?

— Bien sûr, ça me ferait plaisir de te le montrer. Mais n'oublie pas que ça ne fait pas le même effet quand on est grand. On voit au-dessus des bottes de foin. (Il chassa quelques moustiques de la main.) Au fait, tu n'as pas répondu à ma question.

— Laquelle ?

— Sur les relations amoureuses, dit-il.

Elle remit la couverture en place.

— Avant, je croyais en comprendre le principe. Après tout, ma mère et mon père sont mariés depuis longtemps, et je pensais savoir ce que je faisais. Mais j'ai dû rater l'essentiel.

— Qui est… ?

— Faire le bon choix.

— Comment fait-on pour être sûr que c'est la bonne personne ?

— Eh bien, dit-elle en évitant de répondre directement. C'est là que ça se complique. Mais je dirai que, pour commencer, il faut avoir des points communs. Des valeurs. Par exemple, c'était important pour moi que Brian soit fidèle. Mais à l'évidence son système de valeurs est différent du mien.

— C'est bien que tu arrives à en rire.

— C'est facile quand l'histoire est terminée. Je ne veux pas dire par là que je n'ai pas eu de peine, car j'ai souffert. Le printemps dernier, quand j'ai découvert qu'il était sorti avec une autre fille, je n'ai rien mangé pendant des semaines. J'ai dû perdre six kilos.

— Tu n'as pourtant pas besoin de perdre du poids.

— Je sais, mais que pouvais-je y faire ? Certains mangent quand ils sont stressés. Moi, c'est le contraire. Et quand je suis rentrée chez moi pendant les vacances d'été, mes parents ont paniqué. Dès que je les croisais, ils me suppliaient de manger. Je n'ai pas encore repris tout le poids que j'ai perdu. Bien sûr, pendant la période des cours, je ne me nourris pas toujours correctement.

— Alors, je suis content que tu manges quand on est ensemble.

— Je ne me sens pas stressée avec toi.

— Même si nous n'avons pas grand-chose en commun ?

À peine eut-il prononcé sa phrase qu'il craignit qu'elle ne saisisse son inquiétude sous-jacente, mais elle ne sembla rien remarquer.

— Nous avons plus de choses en commun que tu ne le penses. Sur certains points, nos parents se ressemblent. Ils sont restés mariés pendant longtemps, ont travaillé dur pour faire tourner leur entreprise et comptent sur leurs enfants pour reprendre le flambeau. Mes parents voulaient que je sois une bonne élève, ton père voulait faire de toi un champion du rodéo, et nous avons tous les deux satisfait leurs attentes. Nous sommes deux produits de notre éducation, et je crois que ce n'est pas près de changer.

Surpris, il sentit un étrange soulagement l'envahir.

— Prête à aller voir le labyrinthe ?

— Et si on terminait nos bières avant ? On est tellement bien ici, ce serait dommage de s'en aller tout de suite.

Tout en buvant lentement le restant de leurs bières, ils discutèrent de choses et d'autres sous le clair de lune qui traçait un chemin sur l'eau. Malgré une forte envie de l'embrasser, il se retint. Il préférait réfléchir à sa déclaration au sujet de leurs points communs. Il conclut qu'elle avait raison et qu'il espérait que ce serait suffisant pour la convaincre de revenir au ranch.

Au bout d'un moment, leur conversation céda la place à un silence paisible, et il s'aperçut qu'il n'avait aucune idée de ce à quoi elle pensait. D'un geste instinctif, il tendit la main vers la couverture. Consciente de ses intentions, elle lui prit la main sans dire un mot.

La nuit devenait plus fraîche et un halo cristallin enveloppait les étoiles. Il leva la tête vers le ciel, puis baissa les yeux vers elle et, alors qu'elle suivait le dessin de ses mains du bout de son pouce, il imita son geste. En cet instant, il sut avec certitude qu'il était amoureux d'elle, et que rien au monde ne pourrait l'empêcher de l'être.

*
* *

Tandis qu'ils traversaient le champ de citrouilles en direction du labyrinthe, Luke garda la main de Sophia dans la sienne. En un sens, ce simple geste lui semblait plus significatif que leurs baisers, plus permanent peut-être. Il s'imaginait lui tenant la main dans les années à venir, où que leurs pas les conduisent, et cette idée l'effraya.

— À quoi penses-tu ?

Il fit quelques pas avant de répondre.

— À pas mal de choses, dit-il enfin.

— On t'a déjà dit que tu avais tendance à être vague ?

— Ça t'agace ? contra-t-il.

— Je ne sais pas, dit-elle en lui serrant la main. Je te le dirai en temps voulu.

— Le labyrinthe est juste derrière, indiqua-t-il du doigt. Mais je voulais te montrer le carré de citrouilles d'abord.

— Je peux en cueillir une ?

— Bien sûr.

— Tu veux m'aider à la creuser pour Halloween ?

— On pourra la sculpter après le dîner. Juste pour que tu le saches, je suis expert en la matière.

— Ah, ouais ?

— J'en ai déjà sculpté quinze ou vingt cette semaine. Des effrayantes, des joyeuses, tous les genres.

Elle l'évalua d'un coup d'œil.

— Tes talents sont multiples, on dirait.

Même si elle le taquinait, il apprécia sa remarque.

– Merci.

– Je suis impatiente de faire la connaissance de ta mère.

– Elle va te plaire.

– Comment est-elle ?

– Disons qu'il vaut mieux ne pas t'attendre à une dame chic en robe à fleurs, avec des perles autour du cou. Imagine plutôt une femme…en jean, bottes, avec de la paille dans les cheveux.

Sophia sourit.

– Je vois. Autre chose que je devrais savoir ?

– Ma mère aurait été une formidable pionnière. Quand il y a quelque chose à faire, elle agit aussitôt et attend de moi la même attitude. On ne discute pas avec elle. C'est quelqu'un de dur.

– C'est ce que j'imaginais. La vie n'est pas facile, ici.

– Par dur, je veux dire qu'elle supporte toutes les douleurs, ne se plaint jamais, ne geint jamais et ne pleure pas plus. Il y a trois ans, elle s'est cassé le poignet en tombant de cheval. Qu'a-t-elle fait ? Elle n'a rien dit, elle a terminé sa journée de travail, a préparé le dîner, et ce n'est qu'après tout ça qu'elle s'est rendue seule à l'hôpital en voiture. Je n'en ai rien su avant le lendemain, quand j'ai découvert son bras plâtré.

Sophia enjamba des tiges de vigne vierge qui serpentaient sur le sol, en prenant soin de ne pas abîmer les citrouilles.

– Rappelle-moi de bien me tenir.

– Tu seras parfaite. Tu vas lui plaire. Vous vous vous ressemblez plus que tu ne l'imagines.

Elle lui jeta un coup d'œil, et il précisa sa pensée.

– Elle est intelligente, dit-il. Crois-le ou non, mais elle est sortie major de sa promotion et elle lit toujours beaucoup, en plus de tenir la comptabilité et de se maintenir à la pointe dans son domaine. Ses avis sont très tranchés, mais elle est plus exigeante envers elle-même qu'envers les autres. Si elle avait une faiblesse, ce serait qu'elle en pince pour les types qui portent un chapeau de cow-boy.

Elle rit.

– C'est moi, ça aussi ? J'en pince pour les types à chapeau de cow-boy ?

171

— Je ne sais pas. Qu'en penses-tu ?

Elle éluda sa question.

— Ta mère a l'air incroyable.

— Elle l'est, dit-il. Et qui sait, peut-être que si elle est d'humeur, elle te racontera l'une de ses histoires. Ma mère aime raconter des histoires.

— Quel genre d'histoires ?

— Un peu de tout, en fait. Mais elles me font toujours réfléchir.

— Tu m'en racontes une ? demanda-t-elle.

Il s'arrêta pour s'agenouiller devant une énorme citrouille.

— Très bien, accepta-t-il en faisant rouler la courge sur elle-même. Quand j'ai gagné le championnat national de rodéo du lycée…

— Attends… l'interrompit-elle. Avant que tu n'ailles plus loin… vous faites du rodéo dès l'école, dans cette région ?

— Comme partout. Pourquoi ?

— Pas dans le New Jersey.

— Bien sûr que si. Il y a des concurrents dans chaque État. Il suffit d'être étudiant pour y participer.

— Et tu as gagné ?

— Oui, mais ce n'est pas là où je voulais en venir, dit-il en se relevant, avant de lui reprendre la main. Un jour, après la victoire – la première, pas la deuxième –, railla-t-il, je divaguais sur mes objectifs et mes projets d'avenir, et bien sûr, mon père buvait toutes mes paroles comme du petit-lait. Mais ma mère a débarrassé là table, et ensuite elle a interrompu l'exposé de mes fantasmes en me racontant cette histoire que je n'ai jamais oubliée.

— De quoi ça parle ?

— D'un jeune homme qui vit dans une minuscule maison sur la plage, et tous les jours il part pêcher en barque, non seulement pour se nourrir, mais aussi parce qu'il se sent en paix au large. Mais surtout, il compte améliorer son train de vie et celui de sa famille, alors il travaille dur pour ramener des prises de plus en plus grosses. Grâce aux profits, il parvient à acheter un plus gros bateau et à augmenter ses bénéfices. Peu à peu, il achète un troisième bateau, puis un quatrième. Plus les années passent, plus ses affaires sont florissantes, et en fin de compte il se retrouve à la tête d'une véritable flotte. Il est devenu riche et influent, il a une grande maison et une entreprise prospère, mais le stress dû à ses fonctions de directeur finit par avoir des conséquences négatives. Il réalise alors qu'à sa retraite, ce qu'il veut par-dessus tout, c'est vivre dans une minuscule maison sur la plage et passer ses journées à pêcher en mer dans sa barque, parce qu'il a besoin de retrouver le sentiment de paix et de contentement de sa jeunesse.

Elle inclina la tête.

— Ta mère est une femme sage. Il y a beaucoup de vérité dans cette histoire.

— Tu crois ?

— Oui, dit-elle, je pense que les gens comprennent rarement que rien n'est jamais exactement comme on l'imagine.

Ils arrivèrent alors devant l'entrée du labyrinthe. Luke l'entraîna à sa suite, lui indiquant les chemins qui se terminaient en cul-de-sac après plusieurs bifurcations, et ceux qui permettaient de progresser. Le labyrinthe, vaste terrain d'attractions pour les enfants, occupait plus de quatre ares de terrain.

Quand ils ressurgirent à l'autre bout, ils allèrent jusqu'aux piles de citrouilles. La plupart étaient étalées devant le champ, mais d'autres étaient entassées dans des bennes, et certaines étaient regroupées en tas désordonnés. Dans la parcelle de terrain qui se déployait derrière ce stock, il en restait des centaines à récolter.

— C'est ici, dit-il.

— Il y en a beaucoup, dis donc. Il t'a fallu combien de temps pour installer tout ça ?

— Trois jours. Tout en faisant le reste en même temps.

— Bien sûr.

Elle fouilla parmi les citrouilles et finit par en choisir une de taille moyenne qu'elle donna à Luke. Ils retournèrent au pick-up et il la déposa dans la benne.

Quand il se retourna, Sophia se tenait derrière lui, ses cheveux blonds presque blancs sous le ciel étoilé. Sans réfléchir, il tendit une main, puis l'autre, avant que les mots ne jaillissent d'eux-mêmes.

— J'ai envie de tout savoir sur toi, murmura-t-il.

— Tu me connais mieux que tu ne le crois, dit-elle. Je t'ai parlé de ma famille, de mon enfance, de ma vie à l'université et de ce que j'ai envie de faire. Il n'y a pas grand-chose d'autre à savoir.

Mais ce n'était pas tout. Il restait tant de détails, et il désirait tout savoir.

— Pourquoi es-tu là ? chuchota-t-il.

Elle n'eut pas l'air très sûre de ce qu'il lui demandait.

— Parce que tu m'as amenée ici ?

— Je veux dire, pourquoi es-tu avec moi ?

— Parce que j'en ai envie.

— J'en suis très heureux, dit-il.

— Ah, oui ? Et pourquoi ?

— Parce que tu es une fille intelligente. Et intéressante.

Sa tête était penchée sur le côté, comme si elle l'invitait à poursuivre.

— La dernière fois que tu m'as trouvée intéressante, tu m'as embrassée.

Sans répondre, il s'avança et vit les yeux de Sophia se fermer doucement. Dès que leurs lèvres se touchèrent, il eut la même impression de découverte qu'un explorateur atteignant enfin les côtes lointaines dont il avait jusque-là rêvé ou entendu parler. Il l'embrassa encore et encore, puis, appuyant son front contre le sien, il prit une profonde inspiration, luttant pour contrôler son émotion, sachant qu'il ne l'aimait pas seulement ici et maintenant, mais à tout jamais.

# 11

## Ira

Nous sommes à présent dimanche après-midi. À la tombée de la nuit, je serai là depuis plus de vingt-quatre heures. La douleur continue à croître par vagues, mais mes jambes et mes pieds sont si engourdis par le froid que je ne les sens plus du tout. Mon visage – la partie qui est en contact avec le volant – est devenu douloureux ; je sens des bleus se former. Toutefois, ma plus grande inquiétude est désormais la soif. L'envie de boire me torture et ma gorge s'enflamme à chaque respiration. Mes lèvres sont aussi sèches et craquelées qu'un champ touché par la sécheresse.

*De l'eau,* je pense une fois de plus. Sans eau, je vais mourir. J'en ai besoin et je l'entends qui m'appelle..

*De l'eau.*

*De l'eau…*

*… De l'eau.*

Cette idée ne me quitte pas, occultant tout le reste. De ma vie je n'ai éprouvé de besoin aussi violent. De ma vie je n'avais passé des heures à me demander comment m'en procurer. Il ne m'en faut pas beaucoup. Rien qu'un peu. Une simple cuillerée suffirait.

Pourtant, je reste immobile. Je ne sais pas où est la bouteille d'eau, et je ne sais pas si je réussirais à l'ouvrir si jamais je mettais la main dessus. Si je détache ma ceinture, j'ai peur de basculer en avant, que ma clavicule ne s'écrase sans que j'aie la force de me retenir. Je risque de m'effondrer sur le plancher du véhicule, définitivement coincé dans une position inextricable. Je me sens incapable de relever la tête du volant, alors comment fouiller la voiture ?

Mais le besoin de boire me rappelle à l'ordre. C'est un appel lancinant, sans fin, et le désespoir s'installe. Je vais mourir de soif, me dis-je. Je vais mourir ici sans même avoir bougé le petit doigt. Sans compter que je n'atteindrai jamais la banquette arrière. Les secours ne me feront pas sortir aussi facilement qu'un bâtonnet de poisson.

— Ton sens de l'humour est morbide, dit Ruth en interrompant mes pensées, ce qui m'oblige à me répéter qu'elle n'est rien d'autre qu'un rêve.

— Je crois que la situation l'impose, non ?

— Tu es toujours vivant.

— Oui, mais pour combien de temps ?

— Le record est de soixante-quatre jours. Un homme, en Suède. Je l'ai vu sur la chaîne Météo.

— Non. C'est moi qui l'ai vu sur la chaîne Météo.

Elle hausse les épaules.

— C'est pareil, non ?

Je crois qu'elle n'a pas tort.

— J'ai besoin d'eau.

— Non, dit-elle. Pour l'instant, nous devons parler. Ça t'empêchera d'être obsédé par l'idée de boire.

— Rusé, dis-je.

— Ce n'est pas une ruse. Je suis ta femme. Et je veux que tu m'écoutes.

J'obéis. Les yeux fixés sur elle, je me laisse dériver. Mes paupières se ferment au bout d'un moment, et j'ai l'impression de flotter dans le courant d'une rivière. Des images vont et viennent, l'une après l'autre, tandis que les flots m'emportent.

À la dérive.

À la dérive.

Puis, finalement, ça se solidifie en quelque chose de réel.

Dans la voiture, j'ouvre les yeux et cligne des paupières, remarquant que Ruth a changé depuis ma dernière vision. Mais ce souvenir, contrairement aux autres, est vif et clair. Elle est comme en juin 1946. J'en suis certain, car c'est la première fois que je l'ai vue en robe d'été décontractée. Comme tout le monde après la guerre, elle est différente. La mode a changé. Plus tard, cette année-là, le Bikini a été inventé par Louis Réard, un ingénieur français, et tout en observant Ruth, je remarque la belle courbe des muscles de ses bras. Sa peau est légèrement hâlée, car elle vient de passer quelques semaines à la plage avec ses parents. Son père a emmené la famille sur les Outer Banks[1] pour fêter son embauche officielle à Duke. Il avait été reçu en entretien dans plusieurs institutions, dont une petite école d'art expérimental dans les montagnes, mais l'architecture gothique de Duke lui était plus familière. À l'automne, il allait recommencer à enseigner, et ce nouveau virage était bienvenu après une dure année de deuil.

Tout avait changé entre Ruth et moi, depuis cette nuit dans le parc. Elle commenta peu ma révélation, mais en la raccompagnant devant sa porte, je ne cherchai pas à l'embrasser. Je la savais bouleversée, et plus tard elle m'avoua qu'elle n'avait plus été elle-même durant plusieurs semaines. Quand je la revis, elle ne portait plus sa bague de fiançailles, mais je ne pouvais pas le lui reprocher. Elle était sous le choc et avait toutes les raisons de m'en vouloir de ne pas lui avoir confié cette information plus tôt. Juste après la perte de sa famille viennoise, c'était indubitablement un coup terrible. Car c'est une chose de déclarer sa flamme à quelqu'un, c'en est une autre d'accepter que pour aimer cette personne il faille sacrifier ses propres rêves. Et avoir des enfants, fonder une famille, pour ainsi dire, avait pris un tout autre sens depuis la perte de ses proches.

---

1. Côte de la Caroline du Nord, marquée par un cordon d'îles.

Je le comprenais intuitivement, et au cours des deux mois qui suivirent, nous nous laissâmes du temps. Nous ne parlâmes plus d'engagement, mais nous continuâmes à nous retrouver, deux ou trois fois par semaine, peut-être. Il m'arrivait de l'emmener au spectacle ou au restaurant, et d'autres fois, nous nous baladions simplement en ville. Il y avait une galerie d'art dont elle était devenue adepte, et nous prîmes l'habitude de la fréquenter régulièrement. La plupart des œuvres n'avaient rien de remarquable, ni par le sujet ni par l'exécution, mais à l'occasion, Ruth trouvait de l'attrait à une création précise qui ne m'évoquait rien de particulier. Comme son père, elle se passionnait pour l'art moderne, un mouvement initié par des peintres comme Van Gogh, Cézanne et Gauguin, et elle discernait rapidement l'influence de ces artistes, même sur des œuvres médiocres.

Ces visites à la galerie et sa profonde connaissance de l'art en général m'ont éveillé à un univers qui m'était alors complètement inconnu. Cependant, je me demandais souvent si nos conversations sur l'art n'étaient pas devenues un moyen de fuir l'évocation de notre avenir. Ces discussions creusaient une distance entre nous, mais je les entretenais avec joie, tant – même dans ces moments – je désirais ardemment obtenir à la fois son pardon pour mes actes passés et l'acceptation d'un avenir commun modifié, quelle que soit sa forme.

Cependant, Ruth ne semblait pas plus proche d'une décision qu'elle ne l'avait été dans le parc lors de cette soirée fatidique. Elle n'était pas froide avec moi, mais elle ne laissait pas non plus de place à l'intimité ; par conséquent, lorsque ses parents m'invitèrent à les rejoindre à la mer, où ils passaient leurs vacances, je fus surpris.

Deux semaines à se promener ensemble sur la plage auraient pu être exactement ce dont nous avions besoin, mais malheureusement, il m'était impossible de m'absenter aussi longtemps. Avec mon père rivé à la radio dans la pièce du fond, j'étais d'ores et déjà devenu le visage du magasin, et les clients affluaient. Les vétérans en recherche d'emploi venaient acheter des costumes qu'ils peinaient à s'offrir, dans l'espoir de trouver du travail. Mais les entreprises embauchaient peu, et quand ces hommes désespérés poussaient la porte de notre commerce, je pensais à Joe Torrey et à Bud Ramsey. Alors je faisais ce que je pouvait pour eux. Je convainquis mon père de vendre des costumes à bas prix en réduisant sa marge, et ma mère procédait gratuitement aux retouches. Grâce à nos prix modérés et au bouche à oreille, même sans ouvrir le samedi, les ventes progressaient de mois en mois.

Néanmoins, je parvins à ce que mes parents acceptent de me prêter leur voiture pour aller rendre visite à la famille de Ruth à la fin des vacances, et le jeudi matin je pris la route. Ce fut un long trajet, d'autant que je passai la dernière heure à rouler dans le sable. L'Outer Banks était d'une beauté sauvage dans les années qui suivaient la guerre. Largement isolée du reste de l'État, cette région était peuplée de familles qui vivaient là depuis plusieurs générations, tirant leurs revenus de la mer. Des herbes hautes parsemaient les dunes balayées par le vent, et les arbres ressemblaient à des œuvres en argile entortillées par des enfants. De-ci, de-là, j'apercevais des chevaux sauvages qui levaient la tête à mon passage, leurs queues fouettant l'air pour garder les mouches à distance. Entouré par l'océan qui grondait d'un côté et les dunes balayées par le vent de l'autre, je roulais vitres ouvertes pour mieux m'imprégner du paysage en me demandant ce que j'allais trouver à l'arrivée.

Quand je surgis dans l'allée sablonneuse, le soleil était sur le point de se coucher. J'eus la surprise de constater que Ruth m'attendait sur la véranda, pieds nus, dans la robe qu'elle porte à présent. Je descendis de voiture, et sans pouvoir la quitter des yeux, je me répétai qu'elle était rayonnante. Ses cheveux retombaient librement sur ses épaules et son sourire semblait receler un secret n'appartenant qu'à nous deux. Quand elle me salua de la main, j'eus le souffle coupé à la vue du minuscule diamant qui étincelait sous les rayons du soleil couchant, ma bague de fiançailles absente depuis plusieurs mois.

Je restai figé sur place, mais elle bondit au bas des marches et s'élança sur le sable, comme si rien d'autre n'avait d'importance. Quand elle me sauta dans les bras, elle sentait bon le sel, les embruns et le vent, une odeur que je lui associerai toujours par la suite, à elle comme à ce week-end. Je la serrai dans mes bras, savourant le contact de son corps, songeant qu'au cours des mois écoulés, cette sensation m'avait terriblement manqué.

— Je suis contente que tu sois là, murmura-t-elle à mon oreille, et après un longue étreinte réjouissante, je l'embrassai au son de l'océan qui semblait rugir d'approbation. Quand elle me rendit mon baiser, je compris instantanément qu'elle avait pris sa décision, et le cours de ma vie changea.

Ce n'était pas notre premier baiser, mais pour différentes raisons il resta mon préféré, ne serait-ce que parce qu'il était survenu au moment où j'en avais le plus besoin, marquant le début de l'une des deux périodes les plus belles et les plus déterminantes de ma vie.

*
* *

Ruth me sourit dans la voiture, belle et sereine dans sa robe estivale. Elle a le bout du nez légèrement rouge et les cheveux ébouriffés par la brise marine.

— J'aime bien ce souvenir, me dit-elle.

— Moi aussi, je l'aime bien.

— Oui, j'étais une jeune femme à l'époque. Des cheveux épais, pas de rides, rien qui pendouille.

— Tu n'as absolument pas changé.

— *Unsinn,* siffle-t-elle en rejetant mes paroles d'un geste. J'ai changé. J'ai vieilli, et ce n'est pas amusant d'être vieille. Tout ce qui était simple est devenu difficile.

— Tu parles comme moi, fais-je remarquer, et elle hausse les épaules, indifférente, alors que je lui révèle qu'elle n'est que le fruit de mon imagination. Au lieu de réagir, elle revient au souvenir de ma visite.

— J'étais si contente que tu aies pu nous rejoindre en vacances.

— Je regrette de ne pas avoir pu rester plus longtemps.

Elle ne répond qu'au bout d'un certain temps.

— Je crois, dit-elle, que ces deux semaines calmes et solitaires m'ont fait du bien. Mes parents semblaient en être conscients, eux aussi. Il n'y avait pas grand-chose à faire, hormis flâner sur la véranda, se balader sur la plage et siroter un verre de vin au coucher du soleil. J'ai pu prendre tout mon temps pour réfléchir. À moi. À nous.

— C'est pour cela que tu m'as sauté au cou quand je suis arrivé, dis-je pour la taquiner.

— Je ne t'ai pas sauté au cou, rétorque-t-elle avec indignation. Ta mémoire a tout déformé. J'ai descendu les marches, les bras tendus. J'ai reçu l'éducation d'une dame. Je suis simplement venue t'accueillir. Ton imagination a embelli l'instant.

Peut-être. Ou peut-être pas. Qui saurait le dire, après tant d'années ? Mais je suppose que ça n'a pas d'importance.

— Te souviens-tu de ce que nous avons fait ensuite ? m'interroge-t-elle.

Une partie de moi se demande si elle me teste.

— Bien sûr. Nous sommes entrés dans la maison pour que je salue tes parents. Ta mère tranchait des tomates à la cuisine et ton père faisait griller du thon à l'arrière de la maison. Il m'a dit qu'il l'avait acheté dans l'après-midi à un pêcheur amarré à la jetée. Il en était très fier. Il avait l'air différent près du barbecue, ce soir-là... détendu.

— C'était un bon été pour lui, confirme Ruth. À l'époque, il dirigeait la fabrique, les jours étaient meilleurs, et pour la première fois depuis longtemps, il avait les moyens de nous emmener en vacances. Et puis, surtout, l'idée de recommencer à enseigner le rendait fou de joie.

— Et ta mère était heureuse.

— La bonne humeur de mon père était contagieuse. (Ruth s'interrompt un instant.) Comme moi, elle avait fini par se sentir bien, ici. Greensboro ne sera jamais comme Vienne, mais elle avait appris à parler américain et elle s'était fait des amies. Elle avait également appris à apprécier la chaleur et la générosité des gens. En un sens, je pense qu'elle commençait à se sentir chez elle en Caroline du Nord.

Dehors, le vent fait tomber des paquets de neige des branches. Aucun ne touche la voiture, mais cela suffit à me rappeler exactement où je suis. Mais pour le moment, je m'en moque.

— Tu te souviens comme le ciel était dégagé pendant le dîner ? dis-je. Il y avait des millions d'étoiles.

— C'est parce que la nuit était très noire. Loin des lumières de la ville. Mon père a fait la même réflexion.

— J'ai toujours aimé les Outer Banks. On aurait dû y retourner tous les ans, dis-je.

— Je pense que la région aurait perdu de sa magie si on y était allés tous les ans, répond-elle. S'y rendre de temps en temps, comme nous l'avons fait, c'était parfait. Parce que chaque fois, nous avions l'impression que c'était nouveau et sauvage. Et puis quand y serions-nous allés ? En été, nous voyagions tout le temps. New York, Boston, Philadelphie, Chicago, et même la Californie. Et bien sûr, les Black Mountains. Nous avons eu de la chance de voir du pays, contrairement à la plupart des gens. Que demander de plus ?

*Rien*, me dis-je, en sachant au fond de moi qu'elle a raison. Mon domicile est rempli des souvenirs de tous nos voyages. Toutefois, et c'est étrange, à l'exception d'un coquillage que nous avons trouvé le lendemain matin, je n'ai aucun objet pour me rappeler cet endroit. Pourtant, son souvenir ne s'est jamais estompé.

— J'ai toujours aimé dîner avec tes parents. La culture de ton père semblait s'étendre à tous les sujets.

— C'était le cas, dit-elle. Son père avait été professeur, son frère était professeur. Ses oncles étaient professeurs. Mon père était issu d'une famille d'érudits. Mais il te trouvait intéressant, toi aussi, tes fonctions de navigateur de guerre le fascinaient, même s'il rechignait à en parler. Je pense que cette expérience a accru le respect qu'il te portait.

— Mais ta mère avait une autre opinion de moi.

Ruth ne dit rien, et je sais qu'elle choisit scrupuleusement ses mots. Elle joue avec une mèche de ses cheveux fouettés par le vent, et l'examine avant de répondre.

— À l'époque, elle s'inquiétait encore pour moi. Tout ce qu'elle savait, c'est que tu m'avais brisé le cœur quelques mois auparavant, et que même si nous nous fréquentions de nouveau, quelque chose me dérangeait.

Ruth faisait allusion aux effets secondaires des oreillons et aux conséquences probables sur notre avenir. Elle ne lui en avait fait part que plusieurs années plus tard, alors que la perplexité de sa mère s'était mue en tristesse, puis en anxiété devant l'absence de descendants. Ruth avait délicatement révélé que nous ne pouvions pas avoir d'enfants, veillant à ne pas m'accuser de tous les torts, même si cela aurait été plus simple. Une autre manifestation de sa gentillesse, pour laquelle je lui ai toujours été reconnaissant.

— Elle a peu parlé pendant le dîner, mais après coup, je me suis réjoui qu'elle m'ait souri.

— Elle a apprécié que tu proposes de faire la vaisselle.

— C'était le minimum. À ce jour, ça reste le meilleur repas de ma vie.

— C'était bon, hein ? se souvient Ruth. Dans la journée, ma mère avait trouvé un vendeur de légumes au bord de la route, et elle avait fait cuire du pain. Mon père s'était découvert un talent inné pour les grillades.

— Et après la vaisselle, nous sommes allés nous promener.

— Oui, dit-elle. Tu étais particulièrement hardi, ce soir-là.

— Je n'étais pas hardi. J'avais simplement demandé une bouteille de vin et deux verres.

— Oui, mais c'était une première. Ma mère ne connaissait pas cet aspect de ta personnalité. Ça l'a rendue nerveuse.

— Mais nous étions adultes.

— Justement. Tu étais déjà un homme, et les hommes ont des besoins, ce dont elle était consciente.

— Et pas les femmes ?

— Oui, bien sûr. Mais contrairement aux hommes, les femmes ne se laissent pas contrôler par leurs pulsions. Les femmes sont civilisées.

— C'est ta mère qui t'a appris ça ?

Mon scepticisme s'entend à ma voix.

— Je n'avais pas besoin de l'entendre. Je savais clairement ce que tu voulais. Tes yeux débordaient de désir.

— Si ma mémoire est bonne, dis-je avec une bienséance irréprochable, je me suis comporté en parfait gentleman, ce soir-là.

— Oui, mais ça restait excitant pour moi, de te voir essayer de contrôler tes pulsions. Surtout quand tu as étalé ta veste sur le sable et que nous nous sommes assis pour boire du vin. L'océan semblait absorber le clair de lune et je sentais que tu me désirais, même si tu t'efforçais de ne rien montrer. Tu as passé ton bras autour de moi, nous avons bavardé. Nous nous sommes embrassés et nous avons encore parlé, et je commençais à être pompette…

— Et tout était parfait, dis-je pour finir sa phrase.

— Oui, admet-elle. C'était parfait. (Elle a l'air nostalgique et un peu triste.) Je savais que je voulais t'épouser et j'étais certaine que nous serions toujours heureux ensemble.

Je me tais un instant, pleinement conscient de ce qu'elle a en tête, puis je reprends :

— Tu continuais à espérer que le docteur se soit trompé.

— Je crois avoir déclaré que la suite était entre les mains de Dieu.

— C'est un peu la même chose, non ?

— Peut-être, répond-elle avant de secouer la tête. Ce que je sais avec certitude, c'est que lorsque nous étions assis ensemble, cette nuit-là, j'ai eu l'impression que Dieu me disait que j'avais fait le bon choix.

— C'est alors que tu as vu l'étoile filante.

— Elle a flamboyé en traversant le ciel d'un bout à l'autre, dit-elle d'une voix qui reste, après tout ce temps, émerveillée. C'était la première fois que j'en voyais une aussi nettement.

— Je t'ai demandé de faire un vœu, dis-je.

— J'en ai fait un, admet-elle, en croisant mon regard. Et mon vœu s'est réalisé quelques heures plus tard.

*
* *

Il était tard, quand Ruth et moi rentrâmes à la maison, mais sa mère n'était pas couchée. Elle lisait près de la fenêtre, et dès que nous franchîmes la porte, je sentis ses yeux nous inspecter, à l'affût d'un bouton mal refermé, d'un pan de chemise mal rentré, de grains de sable dans nos cheveux. Son soulagement fut visible à l'instant où elle se leva pour venir à notre rencontre, bien qu'elle s'appliquât à le camoufler.

Elle papotait avec Ruth tandis que j'allai chercher ma valise dans la voiture. Comme la plupart des maisonnettes sur cette bande de sable, celle-ci comportait deux niveaux. Les chambres de Ruth et de ses parents se trouvaient au premier étage, tandis que la mienne donnait directement sur la cuisine, au rez-de-chaussée. Tous les trois, nous bavardâmes un moment dans la cuisine, puis Ruth bâilla. Sa mère bâilla à son tour, signalant ainsi la fin de la soirée. Ruth ne m'embrassa pas devant sa mère – nous n'osions pas encore, à ce stade de notre histoire – et après que Ruth fut sortie de la pièce, sa mère la suivit rapidement.

J'éteignis les lumières avant de me retirer sur la véranda à l'arrière de la maison, apaisé par le reflet de la lune sur l'eau et la brise marine dans mes cheveux. Je restai dehors un long moment, malgré la fraîcheur de la nuit, mes pensées passant de Ruth et moi à Joe Torrey, puis à mes parents.

J'essayais d'imaginer mon père et ma mère dans un endroit tel que celui-là, sans y parvenir. Pas une seule fois nous n'étions partis en vacances – le magasin nous avait toujours ancrés sur place – mais même si cela avait été possible, nos vacances n'auraient pas ressemblé à celles-ci. Je ne pouvais pas plus imaginer mon père au barbecue, un verre de vin à la main, que je ne l'imaginais au sommet de l'Everest, et en un sens, cela m'attristait. Mon père, compris-je alors, ne se détendait jamais. Il semblait avoir été, toute sa vie durant, préoccupé par le travail et les obligations. Les parents de Ruth, eux, étaient capables d'apprécier chaque instant. J'étais subjugué par leurs façons respectives de vivre l'après-guerre. Tandis que ma mère et mon père semblaient s'être retirés dans le passé, chacun à sa façon, ses parents allaient de l'avant, comme s'ils s'emparaient des perches que la vie leur tendait. Ils avaient choisi de profiter au mieux de la chance que leur avait offerte le destin, et ne cessèrent jamais d'être reconnaissants pour ce qu'ils avaient.

La maison était plongée dans le silence quand je me décidai à rentrer. Tenté par la présence de Ruth, je montai les marches sur la pointe des pieds. Il y avait une pièce de chaque côté du couloir, mais comme les portes étaient fermées, je ne savais pas laquelle ouvrait sur la chambre de Ruth. Je restai immobile, mon regard passant de l'une à l'autre, avant de faire demi-tour.

Une fois dans ma chambre, je me déshabillai et me glissai entre les draps. Le clair de lune filtrait à travers les fenêtres, diffusant un halo argenté sur la pièce. J'entendais les vagues rouler sur le sable, apaisantes dans leur monotonie, et au bout de quelques minutes, je m'étais senti dériver.

Plus tard dans la nuit, et bien que sur le moment je crus que je l'imaginais, j'entendis la porte s'ouvrir. J'ai toujours eu le sommeil léger, ce que la guerre n'a pas arrangé, et si je ne distinguai d'abord qu'une ombre, je sus que c'était Ruth. Dérouté, je m'assis sur le lit alors qu'elle entrait dans ma chambre et refermait la porte sans bruit derrière elle. Elle était vêtue d'un peignoir, et tout en s'approchant du lit, elle en dénoua la ceinture d'un mouvement fluide. Le vêtement tomba au sol.

Un instant plus tard, elle était dans le lit. Tandis qu'elle se lovait contre mon corps, sa peau sembla diffuser en moi des ondes électriques. Nos bouches se rencontrèrent et je sentis sa langue chercher la mienne, tandis que mes doigts se perdaient dans ses cheveux et le long de son dos. Nous ne savions que trop bien qu'il ne fallait pas faire de bruit, le silence rendant le moment plus excitant. Je l'allongeai sur le dos. J'embrassai sa joue et dessinai des chemins de baisers enflammés dans son cou, avant de remonter vers sa bouche, perdu dans sa beauté comme dans l'instant.

Nous fîmes l'amour, puis recommençâmes une heure plus tard. Dans l'intervalle, je la gardai lovée contre moi, murmurant à son oreille combien je l'aimais et qu'il n'y en aurait aucune autre. Ruth parla peu, mais dans ses yeux et sa façon de me toucher, je percevais l'écho de mes mots. Juste avant l'aube, elle m'embrassa tendrement avant d'enfiler son peignoir. En ouvrant la porte, elle fit volte-face.

– Moi aussi, je t'aime, Ira, chuchota-t-elle.

Puis elle sortit.

Je restai éveillé, dans mon lit, jusqu'à ce que le ciel s'illumine, revivant les heures que nous venions de partager. Je me demandais si Ruth dormait ou si, elle aussi, était allongée, les yeux ouverts. Je me demandais si elle pensait à moi. À travers la fenêtre, je vis le soleil se lever comme si l'océan le soulevait, et jamais de ma vie je n'ai assisté à une aurore aussi spectaculaire. Je ne sortis pas de la chambre quand je perçus les éclats de conversation dans la cuisine, les chuchotements de ses parents qui craignaient de me réveiller. Finalement, Ruth les rejoignit et je laissai passer un peu de temps avant de m'habiller et d'ouvrir la porte.

Sa mère s'affairait au comptoir et remplissait une tasse de café, tandis que Ruth et son père étaient à table. Sa mère se tourna vers moi, le sourire aux lèvres.

– Bien dormi ?

Je m'appliquai à ne pas regarder Ruth, mais du coin de l'œil, je crus apercevoir le plus discret des sourires animer sa bouche.

– J'ai fait de beaux rêves, répondis-je.

# 12

## Luke

Dans l'arène de Knoxville, où Luke n'avait pas concouru depuis six ans, les gradins étaient pratiquement pleins. Dans le couloir de sortie, alors qu'il éprouvait les effets de l'habituelle poussée d'adrénaline, il se sentit oppressé. La voix de l'animateur présentant les hauts et les bas de sa carrière lui sembla imperceptible, même quand la foule se tut.

Luke ne se sentait pas prêt. Ses mains tremblaient depuis peu, et la peur bouillonnait en lui au point de le déconcentrer. Le taureau sur lequel il était monté, nommé Crosshairs, s'agita et se cabra, si bien qu'il dut canaliser son attention sur l'instant. Des cow-boys le maîtrisèrent en serrant la corde qui passait sous son ventre, et Luke put ajuster la sangle de maintien. Il utilisait le même équipement depuis ses débuts, celui-là même qu'il avait fixé sur Big Ugly Critter. Alors qu'il finissait de s'installer, Crosshairs cala sa patte contre la palissade pour prendre son élan et se propulser de toutes ses forces vers l'avant. Les vachers tirèrent sur la corde pour ramener le taureau en arrière. Crosshairs se redressa et Luke mit aussitôt ses jambes en place. Après s'être orienté correctement, dès qu'il fut prêt, il déclara simplement : « C'est parti. »

Le portail du couloir s'ouvrit brusquement, et le taureau fonça sauvagement sur la piste, tête baissée, ses pattes arrière s'élançant vers le ciel. Crosshairs pivota soudain vers la gauche, et Luke s'appliqua à rester centré sur le dos de l'animal, un bras tendu sur le côté. Il le bloqua, anticipant le mouvement, et le taureau lança une ruade avant de brusquement changer de direction. N'ayant pas prévu ce revirement, il fut déstabilisé et faillit perdre l'équilibre, mais il tint bon. Il força sur ses avant-bras pour se redresser, s'accrochant à tout ce qui lui tombait sous la main. Crosshairs rua de nouveau et se remit à tourner sur lui-même au moment où la sonnerie retentit. Luke se libéra aussitôt de la sangle, juste avant de sauter à terre. Il atterrit à quatre pattes, et se releva instantanément pour se précipiter vers la sortie. Il s'assit sur la barrière et attendit son score alors que l'adrénaline se dissipait dans son organisme. La foule hurla à l'annonce des quatre-vingt-un points qui lui furent attribués, un résultat insuffisant pour se hisser dans les quatre premières places, mais assez bon pour rester en compétition.

Pourtant, même après avoir repris son souffle, il se demanda pendant quelques minutes s'il serait capable de remonter sur un autre taureau, car la peur le vrillait durement. Le taureau suivant sentit son angoisse, et au second tour, il fut éjecté à la moitié de sa performance. Projeté dans les airs, la panique l'envahit. Il retomba sur un genou et sentit des muscles claquer dans sa jambe, juste avant de s'abattre sur le flanc. Étourdi, il eut un bref temps d'arrêt, mais l'instinct prenant le dessus, il s'échappa sans mal.

Son premier score était à peine suffisant pour le placer dans les quinze premiers, et lors de l'épreuve de rapidité, la dernière du rodéo, il remonta sur un taureau et termina neuvième au classement général.

Quand tout fut terminé, il ne s'attarda pas. Après avoir envoyé un SMS à sa mère, il démarra le pick-up et sortit rapidement du parking, ce qui lui permit d'arriver au ranch un peu après quatre heures du matin. Voyant de la lumière aux fenêtres de la grande maison, il en conclut que sa mère s'était levée de très bonne heure ou, plus probablement, ne s'était pas couchée de la nuit.

Il lui envoya un second message après avoir coupé le moteur, sans attendre de réponse.

Comme d'habitude, il n'en reçut pas.

*

\* \*

Le matin, après deux heures d'un sommeil agité, Luke entra chez sa mère en boitillant au moment où elle éteignait le réchaud. L'odeur puissante des œufs, des saucisses et des pancakes emplissait la cuisine.

— Salut maman, dit-il en prenant une tasse. Il fit de son mieux pour aller chercher la cafetière sans boiter, songeant qu'il lui faudrait plus d'une tasse ou deux pour avaler l'ibuprofène qu'il cachait dans sa main.

Pendant qu'il se servait, sa mère l'observait.

— Tu es blessé, déclara-t-elle avec moins de colère que prévu. Et plus d'inquiétude.

— Rien de grave, dit-il en s'accoudant au comptoir, alors qu'il ravalait une grimace de douleur. Mon genou a enflé pendant le trajet, c'est tout. Il a juste besoin de repos.

Elle pinça les lèvres, se demandant à l'évidence si elle devait le croire, avant de hocher la tête.

— D'accord, dit-elle, et après avoir reposé la poêle, elle l'enlaça pour la première fois depuis des semaines. L'étreinte dura plus longtemps que d'habitude, comme si elle cherchait à rattraper le temps perdu. Quand elle le lâcha, il remarqua ses yeux cernés, et comprit qu'elle avait aussi peu dormi que lui. Elle tapota son torse.

— Va t'asseoir, dit-elle. Je vais te servir ton petit déjeuner.

Il se déplaça lentement pour éviter de renverser son café. Le temps qu'il allonge sa jambe sous la table dans une position confortable, sa mère avait déjà posé une assiette devant lui. Elle amena la cafetière sur la table, puis s'assit à côté de lui. Son assiette contenait la moitié de la quantité de nourriture de celle de Luke.

— Je savais que tu te lèverais tard, alors j'ai donné à manger aux bêtes et fait le tour du bétail ce matin.

Comme il s'y attendait, elle n'admit pas qu'elle l'avait attendu toute la nuit sans dormir, pas plus qu'elle ne se plaignit d'être fatiguée.

— Merci, dit-il. Tu as eu du monde, hier ?

— Environ deux cents personnes, mais il a plu dans l'après-midi, alors il devrait y avoir plus de passage aujourd'hui.

— Je dois remplir le stock ?

Elle opina.

— José en a ramené pas mal avant de rentrer, mais il va sûrement nous falloir plus de citrouilles.

Il mangea quelques bouchées en silence.

— J'ai été éjecté, dit-il. C'est comme ça que je me suis fait mal au genou. Je suis mal retombé.

Elle fit taper sa fourchette contre le bord de l'assiette.

— Je sais, dit-elle.

— Comment pourrais-tu le savoir ?

— Liz, la fille du bureau de l'arène, m'a appelée. Elle m'a brièvement raconté tes performances. On se connaît depuis longtemps, tu sais ?

Pris au dépourvu, il ne sut pas quoi dire. Au lieu de répondre, il coupa un morceau de saucisse et le mâcha, désireux de changer de sujet.

— Avant de partir, hier soir, je t'ai dit que Sophia venait aujourd'hui, je crois ?

— Oui, pour le dîner, confirma-t-elle. J'ai envie de faire une tarte aux myrtilles pour le dessert.

— Tu n'as pas besoin de te donner du mal.

— Elle est déjà prête, annonça-t-elle en pointant sa fourchette vers le plan de travail.

Dans un coin, sous les placards, il remarqua son plat à tarte préféré, des ruisseaux de jus de myrtille coulant sur les côtés.

— Quand l'as-tu préparée ?

— Hier soir, dit-elle. J'ai eu le temps après le départ des derniers clients. Tu veux que je fasse mijoter un ragoût ?

— Non, ne t'embête pas, dit-il. Je pensais faire griller des steaks au barbecue.

— Alors il faut une purée, ajouta-t-elle, pensant déjà à la suite du repas. Et des haricots verts. Je vais aussi préparer une salade.

— Tu n'as pas besoin d'en faire autant.

— Bien sûr que si. C'est une invitée. De plus, j'ai déjà goûté à ta purée de pommes de terre, et si tu tiens à ce qu'elle revienne, il vaut mieux que ce soit moi qui la prépare.

Il sourit à belles dents. Au même moment, il remarqua qu'en plus d'avoir préparé une tarte elle avait rangé la cuisine. Et probablement toute la maison.

— Merci, dit-il. Mais ne sois pas trop dure avec elle.

— Je ne suis dure avec personne. Et redresse le dos quand tu me parles.

Il rit.

— Si je comprends bien, tu as fini par me pardonner ?

— Pas du tout, dit-elle. Je t'en veux toujours de continuer à participer à ces événements, mais je n'y peux rien. Et puis la saison est terminée. Je me suis dit que tu reviendrais à la raison d'ici au mois de janvier. Il t'arrive peut-être de te comporter sottement, mais j'aime croire que je t'ai suffisamment bien élevé pour que tu ne sois pas indéfiniment stupide.

Il ne dit rien, préférant étouffer la dispute dans l'œuf.

— Sophia va te plaire, dit-il pour changer de sujet.

— J'en suis certaine. C'est la première fille que tu invites à la maison.

— Angie venait souvent.

— Maintenant, elle est mariée. Et puis tu n'étais qu'un gamin. Ça ne compte pas.

— Je n'étais pas un gamin. J'étais en terminale.

— C'est ce que je dis.

Il découpa un morceau de pancake et l'enroba de sirop d'érable.

— Même si je ne suis pas d'accord avec toi, je suis content qu'on se reparle.

Elle planta sa fourchette dans ses œufs.

— Moi aussi.

Le restant de la journée de Luke prit une étrange tournure. D'ordinaire, après le petit déjeuner, il se mettait à l'ouvrage sans tarder et s'appliquait à rayer le plus de travaux possible de sa liste, toujours par ordre de priorité. Certaines tâches ne pouvaient pas attendre, comme préparer les citrouilles avant l'arrivée des clients ou soigner un animal blessé.

En règle générale, il ne voyait pas le temps passer. Il enchaînait les activités, et rapidement l'heure de déjeuner sur le pouce sonnait. L'après-midi se déroulait globalement comme la matinée. La plupart du temps, frustré de ne pas être venu à bout d'une besogne, il surgissait dans la maison au moment où le dîner était servi, se demandant comment le temps avait pu lui échapper à ce point.

C'était un jour comme un autre, et, comme sa mère l'avait prédit, il y eut plus de monde que la veille. Les voitures, les camionnettes et les minivans étaient alignés de chaque côté de l'allée, rejoignant presque la grand-route, et les gosses envahissaient l'espace. Ignorant sa douleur lancinante au genou, il charriait les citrouilles, aidait les parents à retrouver leurs enfants dans le labyrinthe et gonflait des centaines de ballons à l'hélium. Ces ballons étaient la nouveauté de l'année, tout comme les hot dogs, les chips et les sodas, servis à une table tenue par sa mère. Mais tout en cumulant les fonctions, il se surprenait à penser à Sophia. De temps à autre, il consultait sa montre, certain que plusieurs heures s'étaient écoulées alors que les aiguilles n'avaient avancé que de vingt minutes.

Il brûlait d'envie de la revoir. Il lui avait parlé au téléphone vendredi et samedi, et chaque fois qu'il l'avait appelée, il avait attendu qu'elle décroche avec nervosité. Il était conscient de ses sentiments pour elle ; en revanche, il ignorait s'ils étaient réciproques. Quand il composait son numéro, il l'imaginait aisément répondre avec un enthousiasme réservé. Et même si elle se montrait joyeuse et bavarde, après avoir raccroché, il se remémorait leur conversation, assailli par les doutes quant aux véritables sentiments de Sophia.

C'était l'expérience la plus étrange de sa vie. Il n'avait rien d'un adolescent obsessionnel. Il n'avait jamais été comme ça, et pour la première fois de sa vie, il s'interrogeait sur le comportement à adopter. Tout ce qu'il savait avec certitude, c'était qu'il voulait passer du temps avec elle et qu'il avait hâte d'être au dîner.

# 13

## Sophia

— Tu te rends compte de ce que ça veut dire ? Dîner avec sa mère ? lança Marcia.

Tout en parlant, elle grignotait des raisins secs dont Sophia savait qu'ils feraient office de petit déjeuner, de déjeuner et de dîner. Marcia, comme la plupart des filles de la maison, se réservait pour compenser les calories des cocktails qu'elle boirait plus tard ou qu'elle avait ingurgités la veille.

Sophia attacha une pince dans ses cheveux, prête à partir.

— Je crois que ça veut dire que nous allons manger.

— Tu recommences à être évasive, fit remarquer Marcia. Tu ne m'as même pas raconté ce que vous aviez fait jeudi soir.

— Je t'ai dit que nous avions changé d'avis et que nous étions finalement allés au restaurant japonais. Et qu'après, nous sommes allés au ranch.

— Waouh, j'arrive presque à t'y voir, tellement tu me donnes de détails, se moqua-t-elle.

— Que veux-tu que je te dise ? fit Sophia, exaspérée.

— Je veux des détails. Précis. Et puisque tu fais des mystères, je pars du principe que la nuit a été chaude.

Sophia termina d'arranger ses cheveux.

— Non, pas du tout. Mais ça m'amène à me demander pourquoi ça t'intéresse autant…

— Oh, là, là ! je n'en sais rien. Peut-être à cause de ta façon de virevolter dans la chambre ? Parce que vendredi, quand nous sommes allées à la soirée, tu es restée calme même quand tu as vu Brian ? Et pendant le match de football, quand ton cow-boy a appelé, tu es sortie pour lui parler, alors que l'équipe était sur le point de marquer un but. Si tu veux mon avis, on dirait que c'est déjà sérieux entre vous.

— On s'est rencontrés le week-end dernier. Ce n'est pas encore sérieux.

Marcia secoua la tête.

— Non. Je ne te crois pas. Ce gars te plaît bien plus que tu ne veux bien l'admettre. Mais j'aime autant te prévenir que ce n'est pas une bonne idée.

Quand Sophia se tourna vers elle, Marcia versa les derniers raisins dans sa main et froissa l'emballage. Elle le lança vers la poubelle et manqua son but, comme toujours.

— Tu viens tout juste de rompre. Tu es encore sous le coup d'une déception amoureuse. Et quand on rencontre quelqu'un dans ces périodes, ça ne marche jamais, affirma-t-elle avec assurance.

— Je ne suis plus sous le coup de la déception. Ça fait un moment que j'ai rompu avec Brian.

— C'est encore tout frais. Et autant que tu saches qu'il n'a pas tourné la page. Même après ce qui s'est passé le week-end dernier, il compte toujours te récupérer.

— Et alors ?

— J'essaie juste de te rappeler que Luke est le premier garçon que tu fréquentes depuis ta rupture. Ce qui veut dire que tu n'as pas encore eu le temps de réfléchir à ce que tu recherches. Tu n'es pas encore vraiment disponible. Tu te souviens de ta réaction, le week-end dernier ? Tu as pété les plombs parce que Brian se trouvait à la soirée. Et maintenant, alors que tu es dans cet état émotionnel, tu rencontres un autre garçon. C'est ce qu'on appelle un contrecoup, et les relations que l'on base sur ces contrecoups ne fonctionnent pas, parce qu'on n'est pas dans le bon état d'esprit. Luke n'est pas Brian. J'ai bien compris. Mais tout ce que je veux dire, c'est que d'ici à quelques mois, tu chercheras peut-être plus qu'un garçon « qui n'est pas Brian ». Et entre-temps, si tu ne fais pas attention, tu pourrais souffrir. Ou bien lui.

— Je vais juste dîner chez eux, protesta Sophia. Il n'y a pas de quoi en faire tout un plat.

Marcia ingurgita les derniers raisins.

— Si tu le dis.

*

\* \*

Par moments, Sophia ne supportait pas sa colocataire. Comme en cet instant, alors qu'elle roulait vers le ranch. Elle était de bonne humeur depuis trois jours, s'était amusée à la soirée de vendredi, et même pendant le match de football. Dans la journée, elle avait rédigé une grande partie de son essai pour le cours d'art de la Renaissance, qu'elle ne devait rendre que mardi. Tout compte fait, c'était un excellent week-end, et alors qu'elle s'apprêtait à le boucler en beauté, Marcia avait ouvert sa grande bouche pour lui mettre ces idées idiotes dans la tête. Parce que si elle était certaine d'une chose, c'est qu'elle n'était plus sous le coup de sa rupture.

Plus du tout ?

Le fait est qu'elle n'avait pas seulement tourné la page, mais qu'elle s'en réjouissait. Depuis le printemps dernier, sa vie amoureuse lui donnait l'impression d'être Jacob Marley, le fantôme d'*Un chant de Noël*[1] qui devait traîner éternellement les chaînes qu'il s'était forgées lui-même. Après que Brian l'avait trompée pour la deuxième fois, une partie d'elle avait tiré sa révérence, même si elle n'avait pas rompu tout de suite. Elle l'aimait encore au moment de le quitter, mais plus de cette façon aveugle, innocente et dévorante. Une partie d'elle savait qu'il ne changerait jamais, et cette certitude n'avait fait que se confirmer au cours de l'été, jusqu'à ce qu'elle ait la preuve que

---

1. Film d'animation tiré d'un conte de Charles Dickens, dont le héros est un vieil avare qui prend conscience de ses erreurs le jour de Noël.

son instinct avait raison. Quand ils s'étaient enfin séparés, elle avait eu l'impression que tout était déjà fini depuis longtemps.

Certes, elle devait admettre que cette rupture l'avait bouleversée. Qui ne l'aurait été ? Ils étaient sortis ensemble pendant près de deux ans ; ç'aurait été étrange de n'éprouver aucune tristesse. Mais ce qui l'avait vraiment énervée, c'étaient les appels, les messages, et sa façon de l'épier sur le campus. Pourquoi Marcia refusait-elle de le comprendre ?

Satisfaite d'avoir tout réglé dans sa tête, Sophia approcha de l'embranchement menant au ranch, se sentant un peu mieux. Marcia ne savait pas de quoi elle parlait. Sophia allait très bien sur le plan émotionnel, et elle avait tourné la page. Luke était un garçon gentil et ils apprenaient à se connaître. Après tout, ce n'était pas comme si elle allait tomber amoureuse de lui. Cette idée ne lui était même pas passée par la tête.

N'est-ce pas ?

*

\* \*

Alors que Sophia s'engageait dans l'allée, elle s'efforçait encore d'étouffer la voix agaçante de sa colocataire. Elle se demanda si elle devait se garer devant chez Luke ou poursuivre jusqu'à la maison principale. La nuit tombait, et un léger brouillard se formait. Malgré les phares, elle dut coller le nez au pare-brise pour distinguer la route. Elle roula lentement, se demandant si Chien allait surgir pour la guider. Au même instant, il apparut devant elle au détour d'un virage.

Chien trottina devant sa voiture, se retournant de temps à autre, jusqu'à ce qu'ils atteignent la maisonnette de Luke. Elle s'arrêta et se gara au même endroit que la fois précédente. La maison était éclairée et Luke apparut à la fenêtre de ce qui devait correspondre à la cuisine. Le temps qu'elle coupe le moteur et descende de voiture, il était dehors et venait à sa rencontre. Il portait un jean, des bottes et une chemise blanche dont il avait roulé les manches jusqu'aux coudes, mais pas de chapeau. Elle inspira longuement pour se calmer, regrettant d'avoir parlé à Marcia. Malgré l'obscurité, elle distingua son sourire.

— Salut, miss, dit-il.

Une fois devant elle, il se pencha pour l'embrasser, et l'odeur de son shampooing et de son savon lui parvint. Ce fut rapide, rien qu'un baiser de bienvenue, mais il dut percevoir son hésitation.

— Quelque chose ne va pas ? s'enquit-il.

— Tout va bien, démentit-elle en lui décochant un rapide sourire, mais sans parvenir à le regarder en face.

Il ne dit rien mais hocha la tête.

— Très bien, dit-il. Je suis content que tu sois là.

Malgré son regard inébranlable, elle ne savait pas ce qu'il avait précisément à l'esprit.

— Moi aussi.

Il recula d'un petit pas, puis enfonça la main dans sa poche.

— Tu as fini de rédiger ton essai ?

La distance l'aida à réfléchir.

— Pas entièrement, répondit-elle. Mais j'ai bien avancé. Comment ça s'est passé, ici ?

— Bien. Nous avons vendu presque toutes les citrouilles. Celles qui restent ne sont bonnes que pour les tartes, de toute façon.

Elle remarqua pour la première fois que ses cheveux étaient encore humides.

— Qu'allez-vous en faire ?

— Ma mère va les mettre en conserve. Et puis, pendant l'année, elle en fera les meilleures tartes et pains à la citrouille du monde.

— Il y a de quoi monter une autre entreprise.

— Ça m'étonnerait. Pas parce qu'elle n'en serait pas capable, mais parce qu'elle n'aimerait pas passer ses journées aux fourneaux. Elle est plus heureuse dehors.

— J'imagine que ça vaut mieux.

Le silence s'installa, et pour la première fois depuis qu'elle le connaissait, elle se sentit mal à l'aise.

— Tu es prête ? demanda-t-il en indiquant la maison de sa mère. J'ai allumé le barbecue il y a quelques minutes.

— Je suis prête, confirma-t-elle.

Tandis qu'ils cheminaient côte à côte, elle se demanda s'il allait lui prendre la main, mais il n'en fit rien. Il la laissa à ses pensées pendant qu'ils contournaient le bois. Le brouillard s'épaississait, surtout dans le lointain, et les pâturages disparaissaient. La grange était réduite à une ombre, et la maison, avec ses fenêtres éclairées, ressemblait à une citrouille de Halloween.

Les graviers crissaient sous ses pieds.

— Au fait, je ne sais pas comment s'appelle ta mère. Je dois l'appeler « madame » Collins ?

La question le laissa perplexe.

— Je ne sais pas. Je l'appelle maman.

— Quel est son prénom ?

— Linda.

Dans sa tête, Sophia essaya différentes façons de s'adresser à sa mère.

— Madame Collins, je pense que c'est mieux, comme c'est la première fois que je la vois. J'ai envie de faire bonne impression.

Il lui fit face et la surprit en lui prenant la main.

— Je sais que tu vas lui plaire.

*
* *

Avant même qu'ils n'aient eu le temps de refermer la porte de la cuisine, Linda Collins éteignait le robot mixeur et posait d'abord les yeux sur Luke, avant d'examiner Sophia et de reporter son regard sur son fils. Elle posa l'appareil sur le plan de travail, les lames recouvertes de purée, et s'essuya les mains sur son tablier. Comme Luke l'avait prédit, elle était en jean et chemisette, mais avait troqué ses bottes contre des chaussures de randonnée. Ses cheveux grisonnants étaient attachés en queue-de-cheval souple.

— Alors voici la jeune femme que tu me cachais ?

Elle ouvrit les bras pour offrir une accolade à Sophia.

— Ça me fait plaisir de te rencontrer. Appelle-moi Linda.

Son visage reflétait ses nombreuses années de travail sous le soleil, même si sa peau était moins tannée que Sophia ne l'avait imaginé. Son étreinte trahissait une force sous-jacente, celle d'une musculature forgée à la tâche.

— Je suis ravie de vous rencontrer. Moi c'est Sophia.

Linda sourit.

— Je suis contente que Luke se soit enfin décidé à t'inviter à la maison. J'ai cru qu'il était gêné de présenter sa vieille mère.

— Tu sais que c'est faux, dit Luke, et sa mère lui adressa un clin d'œil avant de l'embrasser.

— Tu veux bien mettre les steaks à cuire ? Ils marinent dans le frigo, et comme ça, Sophia et moi allons pouvoir faire connaissance.

— Très bien. Mais n'oublie pas que tu m'as promis d'être gentille avec elle.

Linda ne put réprimer son envie de rire.

— Honnêtement, je ne sais pas pourquoi il dit une chose pareille, je ne suis pas méchante. Je peux t'offrir un rafraîchissement ? J'ai préparé du thé glacé cet après-midi.

— Avec plaisir, dit Sophia. Merci.

Luke la regarda d'un air qui semblait lui souhaiter bonne chance, puis disparut sous le porche, tandis que Linda préparait un verre de thé glacé qu'elle tendit à Sophia. Son verre était posé sur le comptoir et elle retourna devant le réchaud, où elle ouvrit un bocal de haricots verts qui devaient provenir du jardin.

Linda les versa dans la poêle, les sala, les poivra et ajouta du beurre.

— Luke m'a dit que tu étais étudiante à Wake Forrest ?

— Je suis en dernière année.

— D'où viens-tu ? demanda-t-elle en baissant le feu. J'ai cru comprendre que tu n'es pas de la région.

Elle lui posait des questions de la même façon que Luke, le soir de leur rencontre, avec curiosité, mais sans juger. Sophia

201

répondit à Linda en lui résumant sa vie dans les grandes lignes. À son tour, Linda partagea quelques anecdotes de son existence au ranch, et la conversation se déroula aussi naturellement qu'avec Luke. À en croire Linda, il était clair qu'elle et Luke étaient interchangeables dans l'accomplissement des tâches courantes. L'un et l'autre savaient tout faire, bien que Linda se chargeât principalement de la comptabilité et des repas, et que Luke s'occupât plutôt des travaux d'extérieur et des réparations mécaniques, plus par préférence que pour d'autres raisons.

Dès que les plats furent prêts, Linda l'invita à s'asseoir à table. Au même moment Luke reparut. Il se servit du thé glacé et repartit suivre la cuisson des steaks.

— Il y a des moments où je regrette de ne pas avoir poursuivi mes études, reprit Linda. Ou au moins de ne pas avoir suivi quelques cours du soir.

— Qu'auriez-vous aimé étudier ?

— La comptabilité. Et peut-être quelques cours d'agriculture et de gestion du bétail. J'ai dû apprendre sur le tas, et j'ai commis beaucoup d'erreurs.

— On dirait pourtant que tout se passe bien, fit remarquer Sophia.

Linda ne releva pas et prit simplement son verre pour boire une gorgée de thé.

— Tu as des sœurs cadettes, c'est bien ça ?

— Trois, précisa Sophia.

— Quel âge ont-elles ?

— Dix-neuf et dix-sept ans.

— Des jumelles ?

— Ma mère raconte que deux enfants lui suffisaient, mais que mon père avait très envie d'avoir un fils, alors elle a essayé une dernière fois. Elle a failli avoir une attaque quand le médecin lui a annoncé la nouvelle.

Linda reprit son verre.

— Ça devait être amusant de grandir dans une maison avec autant de sœurs.

— J'ai grandi en appartement. D'ailleurs, ils y vivent toujours. Mais c'était amusant, même si on manquait de place. J'aimais bien partager ma chambre avec ma sœur Alexandra. Nous avons dormi dans la même pièce jusqu'à mon départ pour l'université.

— Vous devez être proches.

— Oui, c'est vrai, admit Sophia.

Linda l'observait avec la même intensité que Luke, par moments.

— Mais ?

— Mais… c'est différent, maintenant. C'est toujours ma famille et nous serons toujours proches, mais tout a changé depuis que j'ai quitté la région pour Wake. Alexandra, même si elle va à Rutgers, rentre souvent à la maison le week-end, et Branca et Dalena vivent toujours chez nos parents. Elles vont au lycée et travaillent à l'épicerie. De mon côté, je suis ici huit mois par an. L'été, quand j'ai l'impression que tout commence à redevenir comme avant, c'est l'heure de repartir.

De son ongle, elle gratta la table en bois brut.

— Le fait est que je ne sais pas comment faire pour retrouver ma place dans la maison. Mes études se terminent dans quelques mois, et à moins de décrocher un emploi à New York ou dans le New Jersey, je ne sais pas si je rentrerai souvent à la maison. Et que se passera-t-il, alors ?

Sophia sentait le regard de Linda peser sur elle, et prit conscience qu'elle formulait ses craintes à haute voix pour la première fois. Elle ne savait pas bien pourquoi. Peut-être parce que les propos de Marcia l'avait déstabilisée, ou peut-être parce que Linda lui inspirait confiance. Toutefois, alors qu'elle prononçait ces mots, elle comprit à quel point elle avait attendu d'être face à une oreille compréhensive pour exprimer son inquiétude.

Linda se pencha vers elle et lui tapota le plat de la main.

— C'est difficile, oui, mais ça arrive dans toutes les familles. Les enfants quittent leurs parents pour faire leur vie, les frères et les sœurs s'éloignent les uns des autres parce que la vie suit son cours. Mais souvent, au bout d'un certain temps, ils se rapprochent de nouveau. C'est ce qui est arrivé à Drake et à son frère…

— Drake ?

— Mon mari, dit-elle. Le père de Luke. Lui et son frère étaient très proches, et puis Drake s'est lancé dans le rodéo et ils se sont à peine parlé pendant des années. Et quand Drake s'est retiré des concours, ils se sont progressivement rapprochés. C'est la différence entre la famille et les amis. La famille est toujours là, quoi qu'il arrive, même quand ses membres n'habitent pas la porte à côté. Ça veut dire que tu trouveras le moyen de garder le contact. D'autant plus que tu as conscience que c'est important.

— Oui, c'est important, affirma Sophia.

Linda soupira.

— J'ai toujours eu envie d'avoir des frères et sœurs, confessa-t-elle. Je me disais que ce serait amusant. Avoir quelqu'un avec qui jouer, parler. Je demandais tout le temps à ma mère de jouer avec moi, et elle répondait : « Peut-être tout à l'heure. » Ce que je n'ai appris que plus tard, c'est que ma mère avait fait plusieurs fausses couches et… (Sa voix se brisa. Puis elle reprit :) Elle n'a pas pu en avoir d'autres. Parfois, les choses ne se passent pas comme prévu.

À sa façon de parler, Sophia eut la nette impression que Linda avait, elle aussi, subi plusieurs fausses couches. Mais Linda repoussa sa chaise et mit un terme à la discussion.

— Je vais couper des tomates pour la salade, annonça-t-elle. Les steaks seront prêts d'ici peu.

— Je peux vous aider ?

— Tu peux mettre la table, si tu veux, accepta-t-elle. Les assiettes sont ici, et les couverts dans ce tiroir, expliqua-t-elle en indiquant chaque emplacement.

Sophia sortit la vaisselle et mit la table. Linda coupa les tomates et le concombre en dés, essora la laitue, puis plaça les ingrédients dans un saladier coloré au moment où Luke apportait les steaks.

— Il faut les laisser refroidir une ou deux minutes, les informa Luke en posant le plat de viande sur la table.

— Tu arrives pile au bon moment, dit sa mère. Je n'ai plus qu'à mettre les haricots et les pommes de terre dans un plat, et le dîner est prêt.

Luke prit place à table.

— Alors, de quoi avez-vous discuté ? De l'extérieur, j'ai eu l'impression que vous étiez plongées dans une conversation sérieuse.

— Nous parlions de toi, dit sa mère en se retournant, un saladier dans chaque main.

— J'espère que non. Je ne suis pas aussi fascinant que ça.

— Ça peut encore venir, plaisanta sa mère, faisant rire Sophia.

Le dîner se déroula dans une ambiance décontractée, ponctuée de rires et d'anecdotes. Sophia leur rapporta les ragots qui couraient au foyer, entre autres qu'il fallait remplacer la plomberie car il y avait trop de boulimiques dans la maison et que cela détraquait la tuyauterie. Luke évoqua des événements hauts en couleur qui l'avaient amusé lors des rodéos. Un ami — qu'il ne nomma pas — avait dragué une femme dans un bar, qui s'était révélée être… pas tout à fait ce qu'il avait imaginé. Linda les régala d'histoires de l'adolescence de Luke, de ses déboires de lycéen, mais sans verser dans l'excès. Comme la plupart des gosses que Sophia avait connus au lycée, il avait eu des ennuis. Mais elle apprit aussi qu'il avait gagné le championnat d'État de lutte en plus des premiers prix de rodéo, à la fois en première et en dernière année. Pas étonnant que Brian ne l'ait pas intimidé.

Pendant tout ce temps, Sophia observait et écoutait, les avertissements de Marcia s'étiolant un peu plus chaque minute. Dîner avec Linda et Luke lui paraissait naturel. Ils écoutaient et parlaient de la même façon décontractée et animée que sa propre famille — à l'opposé des relations sociales ampoulées de Wake.

À la fin du repas, Linda servit la tarte qui se révéla le meilleur dessert que Sophia eût jamais goûté. Ensuite, ils rangèrent la cuisine tous ensemble : Luke lavait la vaisselle, pendant que Sophia l'essuyait et que Linda rangeait les restes au réfrigérateur.

Ce schéma similaire à celui de sa famille était réconfortant, si bien que Sophia en vint à penser à ses proches, et pour la première fois, elle se demanda ce que ses parents penseraient de Luke.

Avant de sortir, Sophia embrassa Linda sur la joue, comme le fit Luke, et remarqua une fois de plus la musculature affirmée de ses bras quand elle la serra contre elle et lui adressa un clin d'œil.

— Je sais que vous allez faire un tour tous les deux, mais Sophia a cours demain. Il ne faut pas qu'elle se couche trop tard. Et toi aussi, tu dois te lever tôt.

— Je ne me lève jamais tard.

— Tu ne t'es pas levé de bonne heure ce matin, je crois ? (Puis elle se tourna vers Sophia.) Je suis enchantée d'avoir fait ta connaissance, Sophia. Reviens me voir bientôt, d'accord ?

— Avec plaisir, promit la jeune femme.

Luke et Sophia s'enfoncèrent dans la fraîcheur de la nuit. Le brouillard, plus épais, rendait le paysage irréel. La respiration de Sophia formait de petits nuages de vapeur, et elle glissa son bras sous celui de Luke tandis qu'ils marchaient vers sa maison.

— J'aime bien ta mère, dit-elle. Elle n'est pas du tout comme tu me l'avais décrite.

— Qu'avais-tu imaginé ?

— Je m'attendais à ce qu'elle me fasse peur. Ou qu'elle n'exprime aucune sorte d'émotion. Je rencontre rarement des gens qui se cassent le poignet et qui arrivent à faire comme si de rien n'était durant toute une journée.

— Elle était dans d'excellentes dispositions, expliqua Luke. Tu peux me croire. Elle n'est pas toujours comme ça.

— Quand elle est en colère contre toi, par exemple ?

— Quand elle est colère contre moi, confirma-t-il. Et en d'autres occasions aussi. Si tu la voyais marchander avec les fournisseurs ou négocier le prix du bétail au marché, tu verrais comme elle peut être inflexible.

— C'est ton point de vue. Je la trouve gentille, intelligente, et marrante.

— Tant mieux. Tu lui as plu, toi aussi. Ça se voyait.

— Ah, oui ? À quoi ?

— Elle ne t'a pas fait pleurer.

Elle lui asséna un coup de coude.

— Sois gentil avec ta mère ou je file lui dire comment tu me parles d'elle.

— Je suis gentil avec ma mère.

— Pas toujours, dit-elle, en plaisantant à moitié. Sinon, elle ne serait pas remontée contre toi, par moments.

*<br>* *

Quand ils arrivèrent devant chez lui, il l'invita à entrer pour la première fois. Il se rendit directement au salon, devant la cheminée, où des bûches et du petit bois étaient empilés dans le foyer. Après avoir pris une boîte d'allumettes sur le manteau, il s'accroupit pour enflammer le petit bois.

Pendant qu'il s'occupait du feu, Sophia survola le salon, puis la cuisine du regard, sans rien rater de la décoration éclectique. Des canapés bas en cuir marron à la ligne moderne entouraient une table basse rustique installée sur une peau de vache. Des lampes en fer forgé étaient disposées sur des tables d'appoint dépareillées. Au-dessus de la cheminée, une tête de cerf était accrochée au mur. La pièce était fonctionnelle et sans prétentions, vide de trophées, de prix ou d'articles de presse encadrés. Bien qu'elle remarquât quelques photos de Luke à dos de taureau, elles étaient prises en sandwich entre des clichés plus traditionnels : un de sa mère et de son père le jour de leur anniversaire de mariage, selon toute vraisemblance ; un autre représentant Luke jeune et son père brandissant un poisson fraîchement pêché ; une image de sa mère et d'un cheval, sa mère souriant au photographe.

Sur le côté, la cuisine était plus difficile à interpréter. Comme dans celle de la mère du jeune homme, une table se trouvait au centre, mais tout était rangé dans les placards en érable.

Un petit couloir menait du salon à la salle de bains, et à ce qui devait être les chambres. Alors que les bûches s'embrasaient, Luke se releva en se frottant les mains sur son jean.

– Qu'en penses-tu ?

Elle s'approcha de la cheminée.

– C'est plus douillet.

Ils restèrent devant le feu, s'imprégnant de sa chaleur, avant de s'installer sur le canapé. Alors qu'elle s'asseyait près de Luke, elle sentit ses yeux sur elle.

– Je peux te poser une question ? demanda Luke.

– Bien sûr.

Il hésita.

– Est-ce que ça va ?

– Pourquoi ça n'irait pas ?

– Je ne sais pas. Quand tu es arrivée, tout à l'heure, j'ai eu l'impression que quelque chose te tracassait.

Sophia resta silencieuse un instant, se demandant si elle devait répondre. Puis elle se dit : *Pourquoi pas ?* Elle se pencha vers lui et lui souleva le poignet. Comprenant son geste, il passa un bras sur son épaule et la laissa s'abandonner contre lui.

– C'est quelque chose qu'a dit Marcia.

– Sur moi ?

– Pas vraiment. C'était plutôt sur moi. Elle pense que nous allons trop vite, et que d'un point de vue émotionnel, je ne suis pas prête. Elle est convaincue que je suis encore sous le choc de la rupture.

Il se recula pour mieux l'observer.

– C'est le cas ?

– Je n'en ai aucune idée, avoua-t-elle. C'est nouveau pour moi.

Il rit avant de reprendre son sérieux. Il la serra contre lui et déposa un baiser dans ses cheveux.

– Oui, bah, si ça peut t'aider, c'est nouveau pour moi aussi.

*
* *

La soirée s'étirait, et installés devant la cheminée, ils bavardaient aussi naturellement que depuis leur rencontre. De temps à autre, le feu faisait crépiter le bois et projetait des étincelles dans l'âtre, diffusant une lueur douce et intime dans la pièce.

Sophia se dit qu'en compagnie de Luke, non seulement tout était simple, mais qu'également elle se sentait à sa place. Avec lui, elle pouvait être elle-même, elle avait l'impression de pouvoir tout lui dire et qu'il le comprendrait intuitivement. Dans cette proximité physique, elle s'émerveilla de constater que leurs corps s'imbriquaient spontanément.

C'était différent avec Brian. Avec lui, elle se souciait constamment de ne pas être à la hauteur ; pire encore, il lui arrivait de douter de vraiment le connaître. Elle avait toujours eu le sentiment qu'il jouait un rôle et qu'elle n'avait pas réussi à briser la façade. Elle était partie du principe qu'elle était la fautive et qu'elle avait involontairement dressé des barrières entre eux. Mais avec Luke, ce n'était pas pareil. Elle avait l'impression de le connaître depuis toujours, et cette aisance instinctive mettait en lumière tout ce qu'elle avait raté.

Devant le feu qui brûlait sans faiblir, les mots de Marcia se dissipaient pour finalement ne plus être perceptibles du tout. Que tout aille trop vite ou non entre eux, elle aimait bien Luke et elle appréciait chaque minute en sa compagnie. Elle n'était pas amoureuse de lui, mais alors qu'elle sentait le rythme synchrone de leur respiration, elle s'imagina sans peine développer des sentiments plus forts dans un avenir proche.

Plus tard, quand ils se rendirent à la cuisine pour creuser la citrouille, l'idée que la soirée touchait à sa fin lui serra le cœur. Debout à côté de Luke, littéralement captivée, elle l'observa tandis qu'il donnait vie à sa lanterne de Halloween, lentement mais sûrement, selon un modèle plus sophistiqué que ceux de son enfance. Sur le comptoir, il y avait des couteaux de plusieurs tailles, chacun ayant un usage précis, et elle le vit graver le grand sourire de la citrouille, ne touchant qu'à l'écorce, pour former les lèvres et les dents. De temps en temps, il prenait de la distance pour jauger son travail. Les yeux apparurent alors, et là aussi, il ne creusa que l'enveloppe, sculptant le détail des pupilles avant de découper le reste. Il grimaça en plongeant la main dans la citrouille pour la vider.

– Je déteste ce truc gluant, dit-il, faisant glousser Sophia. Enfin, il lui tendit le couteau pour lui proposer de prendre la relève. Luke lui montra l'endroit à inciser, lui expliquant ce qu'elle devait faire, la chaleur de son corps contre le sien faisant trembler ses mains. Par magie, le nez de la lanterne se révéla très réussi, mais l'un de ses sourcils était de travers, ce qui ajoutait une touche de folie à son expression.

Quand la lanterne fut entièrement sculptée, Luke y inséra une petite bougie et l'alluma, avant de la porter sur la véranda. Ils s'installèrent dans les rocking-chairs et bavardèrent tranquillement à l'abri de ce sourire approbateur. Quand Luke rapprocha sa chaise, Sophia s'imagina tout naturellement assise avec lui, comme ça, ensemble, durant des milliers d'autres soirées comme celle-ci. Plus tard, quand il la raccompagna à sa voiture, elle eut le sentiment qu'il avait eu la même vision qu'elle. Après avoir déposé la citrouille sur le siège passager, il lui prit la main et l'attira délicatement contre lui. Elle perçut son désir et sentit à sa façon de l'étreindre à quel point il voulait qu'elle reste. Quand leurs lèvres s'unirent, elle sut qu'elle n'avait pas envie de s'en aller. Mais elle n'allait pas rester. Pas ce soir. Elle n'était pas encore prête à franchir le pas, mais elle sentit dans leurs derniers baisers fougueux la promesse d'un avenir qu'elle avait hâte de voir débuter.

# 14

## Ira

Le soleil entame sa descente derrière l'horizon et la tombée imminente de la nuit devrait m'inquiéter. Mais une pensée domine ma conscience.

De l'eau, sous n'importe quelle forme. De la glace. Des lacs. Des rivières. Des cascades. Coulant d'un robinet. N'importe quoi qui atténue le caillot qui s'est formé dans ma gorge. Pas une grosseur, mais un caillot venu d'ailleurs qui s'est installé là, une boule qui n'est pas à sa place. J'ai l'impression qu'il grossit à chaque respiration.

J'admets que j'ai rêvé. Pas au sujet du tas de ferraille. Ça, l'épave, c'est réel et je le sais. C'est la seule chose réelle. Je ferme les yeux pour me concentrer, rappeler les détails à ma mémoire. Mais dans cet état brumeux provoqué par la soif, j'ai du mal à reconstituer ce qui m'est arrivé. J'ai préféré éviter de prendre la grand-route qui relie les États, car les gens conduisent trop vite, et sur une carte que j'ai trouvée dans le tiroir de la cuisine, j'ai surligné mon trajet en suivant principalement les routes nationales à voie unique. Je me souviens d'avoir quitté l'autoroute pour faire le plein, puis de m'être demandé quelle direction prendre. Je me rappelle vaguement avoir traversé la petite ville de Clemmons. Par la suite, quand je me suis aperçu que j'avais emprunté la mauvaise direction, j'ai longé un chemin de terre pour déboucher sur une autre grand-route, la 421. J'ai vu des panneaux indiquant la ville de Yadkinville. Le ciel commençait à virer au gris, mais j'avais trop peur pour m'arrêter. Je ne reconnaissais rien, mais j'ai continué à suivre les tours et les détours de la nationale, jusqu'au moment où j'ai débouché sur une autre grand-route, une qui filait droit vers les montagnes. Je n'en connaissais pas le numéro, mais ça n'avait pas d'importance, parce que la neige commençait à tomber dru. Et il faisait noir, si noir que je n'ai pas vu le virage. J'ai traversé le parapet et entendu le métal se tordre avant que la voiture ne plonge dans le talus.

Et maintenant je suis seul et personne ne m'a retrouvé. Je rêve de ma femme depuis près de vingt-quatre heures, pris au piège dans ma voiture. Ruth a disparu. Elle est morte dans notre chambre il y a longtemps et elle n'est pas assise à côté de moi. Elle me manque. Elle me manque depuis neuf ans, et j'ai passé la majeure partie de ces années à regretter de ne pas être parti le premier. Seule, elle s'en serait mieux sortie que moi, elle aurait réussi à aller de l'avant. Elle a toujours été plus forte, plus intelligente, meilleure en tout, et je me dis une fois de plus qu'en ce qui nous concerne, j'ai fait le bon choix il y a bien longtemps. Je ne sais toujours pas pourquoi elle m'a choisi. Elle était exceptionnelle, alors que je suis banal, un homme dont la plus grande réussite fut de l'aimer sans retenue, et cela ne changera jamais. Mais je suis fatigué, j'ai soif, et je sens mes forces me quitter. Il est temps d'arrêter de lutter. Il est temps de la rejoindre. Je ferme les yeux en me disant que si je m'endors, je serai avec elle pour toujours…

— Tu n'es pas en train de mourir, dit Ruth en interrompant brusquement mes pensées. (Sa voix est pressante et crispée.) Ira, ton heure n'a pas encore sonné. Tu voulais retourner à Black Mountain, tu te souviens ? Il te reste encore une chose à faire.

— Je m'en souviens, dis-je, alors que murmurer représente un défi en soi.

Ma langue semble trop grosse pour ma bouche, et ma gorge ne m'en paraît que plus obstruée. J'éprouve des difficultés à inspirer. J'ai besoin de boire de l'eau, d'humidifier ma bouche, n'importe quoi qui m'aide à déglutir, car j'ai besoin de déglutir au plus vite. C'est presque impossible de respirer. J'essaie d'inspirer, mais l'air qui entre est insuffisant et mon cœur tambourine subitement dans ma poitrine.

Les vertiges commencent à distordre ma vue et les sons qui me parviennent. *Je pars*, me dis-je. Mes yeux sont fermés et je suis prêt…

— Ira, crie Ruth en se penchant vers moi et en m'empoignant le bras. Ira ! Je te parle ! Reviens, je suis là ! ordonne-t-elle.

C'est lointain, mais je perçois de la peur dans sa voix, même si elle s'applique à me la cacher. Je sens vaguement qu'elle me secoue le bras, mais il reste paralysé, un autre signe qu'elle n'est pas réelle.

— De l'eau, dis-je d'une voix rauque.

— Nous allons trouver de l'eau, m'assure-t-elle. Pour l'instant, tu dois respirer, et pour ça, tu dois déglutir. Un caillot de sang se forme dans ta gorge depuis l'accident. Il obstrue tes voies respiratoires. Tu étouffes.

Sa voix est faible et distante, je ne réponds pas. Je me sens ivre, au bord de l'évanouissement. J'ai l'esprit embrouillé, la tête sur le volant, et tout ce que je veux, c'est dormir. M'éteindre…

Ruth recommence à me secouer le bras.

— Tu ne dois pas penser que tu es coincé dans la voiture ! hurle-t-elle.

— Mais je suis coincé, je marmonne.

Malgré ma confusion, je sais que mon bras n'a pas du tout bougé, et que ses mots ne sont que le fruit de mon imagination.

— Tu es à la plage !

Son souffle balaie mon oreille, car soudain, elle se fait aguicheuse : une autre tactique. Son visage est si près, j'imagine le contact de ses longs cils, la chaleur de son haleine.

— Nous sommes en 1946. Tu te rappelles ? C'est le matin, et nous avons fait l'amour pour la première fois pendant la nuit, dit-elle. Si tu avales ta salive, tu seras de nouveau là-bas. Tu seras à la plage avec moi. Tu te souviens du moment où tu es sorti de ta chambre ? Je t'ai servi un verre de jus d'orange et je te l'ai tendu. Je te l'offre en ce moment même…

— Tu n'es pas là.

— Je suis là, et je te donne le verre ! insiste-t-elle.

Quand j'ouvre les yeux, je le vois dans sa main.

– Tu dois le boire tout de suite.

Elle porte le verre à mes lèvres.

– Avale ! ordonne-t-elle, ça ne fait rien si tu en renverses dans la voiture !

C'est fou, mais c'est sa dernière phrase sur la peur de renverser qui me touche. Mieux que n'importe quel autre commentaire, elle me rappelle Ruth et l'autorité avec laquelle elle me demandait de faire quelque chose d'important. Je tente de déglutir, et au début, je ne sens que du papier de verre dans ma gorge, et puis… autre chose, quelque chose qui bloque entièrement ma respiration.

Et brièvement, il n'y a plus que la panique.

L'instinct de survie est puissant, et je ne suis pas plus maître de la suite que je ne contrôle les battements de mon cœur. Sur le moment, je déglutis automatiquement, puis je recommence, et la douleur cède la place à un goût cuivreux et acide. Je continue d'avaler même après que le goût est passé dans mon estomac.

Pendant tout ce temps, ma tête reste appuyée sur le volant, et je halète comme un chien qui a trop chaud jusqu'à ce que ma respiration recouvre un rythme normal. À mesure que je reprends mon souffle, les souvenirs ressurgissent.

*
* *

Ruth et moi avions pris notre petit déjeuner avec ses parents, puis passé le restant de la matinée à la plage, tandis qu'ils lisaient sur la véranda. Des bandes de nuages se formaient à l'horizon, et le vent avait gagné en force depuis la veille. Alors que l'après-midi tirait à sa fin, ses parents étaient descendus voir si nous aurions aimé nous joindre à leur expédition à Kitty Hawk, où Orville et Wilbur Wright étaient entrés dans l'Histoire en effectuant le premier vol en avion. J'y étais allé enfant, et j'étais malgré tout disposé à y retourner, mais

Ruth secoua la tête. Elle préférait passer sa dernière journée à se détendre, leur dit-elle.

Une heure plus tard, ils étaient partis. Entre-temps, le ciel avait viré au gris, et nous étions retournés dans la maison. Une fois dans la cuisine, je la pris dans mes bras et nous restâmes enlacés devant la fenêtre. Puis, sans un mot, je lui pris la main et l'entraînai dans ma chambre.

Bien que je voie trouble, je parviens à distinguer Ruth assise à côté de moi. Peut-être que je prends mes désirs pour des réalités, mais je serais prêt à jurer qu'elle porte le même peignoir que la nuit où nous avons fait l'amour pour la première fois.

— Merci, dis-je. De m'avoir aidé à reprendre mon souffle.

— Tu savais ce qu'il fallait faire, dit-elle. Je ne suis là que pour te le rappeler.

— Je n'aurais pas réussi sans toi.

— Mais si, dit-elle avec certitude. Puis, jouant avec l'encolure de son peignoir, elle reprend d'une voix presque tentatrice :

— Tu étais très entreprenant ce jour-là, sur la plage. Avant qu'on soit mariés. Quand mes parents sont allés à Kitty Hawk.

— Oui, dois-je admettre. Je savais que nous avions quelques heures devant nous.

— Eh bien… j'étais surprise.

— Je ne vois pas pourquoi, dis-je. Nous étions seuls et tu étais belle.

Elle tire sur les pans de son peignoir.

— J'aurais dû le prendre comme un avertissement.

— Un avertissement ?

— Pour la suite, dit-elle. Avant ce week-end, je ne savais pas trop si tu étais… fougueux. Mais après ce week-end, il m'est arrivé d'avoir envie de retrouver l'Ira d'avant. Le timide, tout en retenue. Surtout quand je voulais dormir.

— J'étais si terrible que ça ?

— Non, dit-elle en rejetant la tête en arrière pour m'observer sous ses paupières lourdes. Au contraire.

Nous avions passé l'après-midi emmêlés dans les draps, à faire l'amour encore plus passionnément que la nuit précédente. Il faisait chaud dans la chambre, nos corps luisaient de transpiration, et ses cheveux étaient mouillés à la racine. Ensuite, Ruth s'était douchée, il avait commencé à pleuvoir et, assis dans la cuisine, j'avais écouté les gouttes tambouriner sur le toit de tôle, plus comblé que jamais.

Ses parents revinrent peu après, trempés de pluie. À leur arrivée, Ruth et moi étions dans la cuisine où nous préparions le dîner. Devant un repas simple de spaghettis agrémentés d'une sauce à la viande, nous nous étions réunis autour de la table et son père avait raconté leur journée, la conversation suivant un cours naturel comme c'était souvent le cas dès qu'il était question d'art. Il avait évoqué le fauvisme, le cubisme, l'expressionnisme et le futurisme – des termes que j'entendais pour la première fois – et j'avais été frappé non seulement par les subtiles distinctions qu'il présentait, mais aussi par l'appétit avec lequel Ruth dévorait ses paroles. Pour être honnête, tout cela me dépassait et ses connaissances n'étaient pas à ma portée, mais ni Ruth ni lui ne semblaient le remarquer.

Après le dîner, alors que la pluie s'était calmée et que le soir s'installait, Ruth et moi étions allés nous promener sur la plage. L'humidité nous collait à la peau, et le sable s'agglutinait sous nos pieds, tandis que je caressais délicatement le dos de sa main de mon pouce. J'avais levé la tête vers l'étendue marine. Les sternes plongeaient dans les vagues, et au-delà des déferlantes, une formation de marsouins nageaient et bondissaient. Ruth et moi les avions admirés jusqu'à ce qu'ils disparaissent dans la brume. Alors seulement je me tournai vers elle.

– Tes parents vont déménager en août, lui dis-je enfin.

Elle me serra la main.

– Ils vont à Durham la semaine prochaine, pour chercher une maison.

– Et tu vas enseigner à partir de septembre ?

– À moins que je ne les suive, confirma-t-elle. Dans ce cas, je devrai chercher du travail là-bas.

Derrière son épaule, la maison s'était éclairée.

– Alors on dirait que nous n'avons pas le choix, lui dis-je.

Je donnai un coup de pied dans un bloc de sable mouillé, le temps de trouver le courage nécessaire, puis je plongeai mes yeux dans les siens.

— Nous devons nous marier en août.

\*

\* \*

À l'évocation de ce souvenir, je souris, mais la voix de Ruth coupe court à ma rêverie, et sa déception est flagrante.

— Tu aurais pu être plus romantique, dit-elle, boudeuse.

Sur le moment, je suis perdu.

— Tu veux dire… en faisant ma demande ?

— De quoi d'autre veux-tu que je parle ?

Ses mains s'agitent.

— Tu aurais pu te mettre à genoux ou me raconter quelque chose sur ton amour éternel. Tu aurais pu me demander ma main de manière plus formelle.

— Je l'avais déjà fait, dis-je. La première fois que je t'ai demandée en mariage.

— Mais après, tu as rompu nos fiançailles. Tu aurais dû tout reprendre de zéro. J'aurais aimé garder le souvenir d'une demande comme celles que l'on trouve dans les romans.

— Voudrais-tu que je le fasse maintenant ?

— C'est trop tard, dit-elle sans même l'envisager. Tu as raté l'occasion.

Mais elle est si ouvertement provocatrice que j'ai hâte de replonger dans le passé.

\*

\* \*

Nous signâmes le *ketubah*[1] peu après notre retour de la plage, et j'épousai Ruth en août 1946. La cérémonie eut lieu sous la

---

1. Accord prénuptial juif qui définit les engagements et les droits moraux des futurs époux.

217

*chuppah*[1], comme le veut la tradition juive, mais en présence de peu d'invités. S'il s'agissait principalement des amis de ma mère que nous connaissions de la synagogue, c'était aussi ce que Ruth et moi souhaitions. Elle avait l'esprit trop pratique pour un mariage extravagant, et même si les affaires étaient bonnes, ce qui signifie que j'avais des revenus confortables, nous voulions tous deux économiser pour constituer un apport et acheter une maison. Quand je cassai le verre sous mon pied et vis nos mères applaudir, je sus qu'épouser Ruth représentait le plus grand tournant dans ma vie.

Pour notre lune de miel, nous partîmes vers l'ouest. Ruth ne s'était jamais rendue dans cette partie de l'État, et nous avions décidé de loger dans la station touristique de Grove Park Inn, à Asheville. C'était – et c'est toujours – l'une des stations les plus légendaires du Sud, et notre chambre donnait sur les montagnes de Blue Ridge. De là, nous pouvions emprunter des pistes de randonnée, mais aussi profiter des courts de tennis et d'une piscine qui apparaissait dans tous les magazines.

Toutefois, Ruth n'exprima que peu d'intérêt pour ces activités. Peu après notre arrivée, elle désira se rendre en ville. J'étais si follement amoureux que ce que nous faisions m'importait peu, tant que nous étions ensemble. Je ne connaissais pas mieux qu'elle cette partie de la Caroline, mais je savais qu'Asheville était de longue date une ville d'eaux prisée par les plus aisés durant la saison estivale. L'air était vivifiant et le climat agréable, raison pour laquelle, au cours de l'âge d'or, George Vanderbilt y avait fait construire le domaine de Biltmore, la plus grande demeure privée du monde à l'époque. D'autres Américains fortunés l'avaient suivi, si bien qu'Asheville devint célèbre dans tout le Sud pour son art et sa cuisine. Les restaurants engagèrent des chefs européens et des galeries d'art s'ouvrirent dans la rue principale.

Lors de notre deuxième visite de la ville, Ruth se lança dans une conversation avec l'un des galeristes, et c'est là que

---

1. Dais qui symbolise le foyer que construiront les mariés.

j'entendis parler de Black Mountain, une petite ville presque rurale, au bout de la route nationale qui partait de l'endroit où nous séjournions pour notre lune de miel.

Pour être précis, j'y découvris l'existence de Black Mountain College.

Bien qu'ayant toujours vécu dans cet État, je n'avais jamais entendu parler de cette université. À ce moment-là, cette école n'évoquait rien à personne, même aux habitants de Caroline du Nord. À présent, plus d'un demi-siècle après sa fermeture, quelques rares personnes se souviennent encore de l'existence de l'école de Black Mountain. Mais l'année 1946 correspond à sa période prestigieuse. Peut-être la plus magnifique qu'ait jamais connue une université parmi toutes les écoles de tous les temps. Quand nous sortîmes de la galerie, je vis à son expression que Ruth la connaissait de nom. Et quand, au cours du dîner, je l'interrogeai à ce sujet, elle m'expliqua que son père avait passé un entretien dans cette université au début du printemps et qu'il ne tarissait pas d'éloges à son propos. Je fus particulièrement étonné d'apprendre que c'était l'une des raisons pour lesquelles elle avait souhaité venir en lune de miel dans cette région.

Tout en dînant, elle me présenta avec enthousiasme Black Mountain College comme une école d'art libérale fondée en 1933, qui comptait des grands noms de l'art moderne parmi ses enseignants. Tous les étés se tenaient des ateliers dirigés par des artistes en résidence dont les noms ne me disaient rien, et pendant qu'elle m'en dressait la liste, elle semblait de plus en plus exaltée à l'idée de profiter de notre séjour pour aller visiter l'établissement.

Comment aurais-je pu dire non ?

Le lendemain matin, sous un ciel d'un bleu étincelant, nous roulâmes jusqu'à Black Mountain et suivîmes les panneaux indiquant l'université. Le hasard voulut, et j'ai toujours cru qu'il s'agissait d'un hasard, car Ruth me jura qu'elle n'en avait pas eu vent, qu'une exposition, débordant sur la pelouse, fût présentée dans le bâtiment principal. Elle était ouverte au public, mais les visiteurs étaient relativement rares, et à peine avions-nous franchi la porte que Ruth resta sans voix. Sa main se resserra autour de la mienne, tandis qu'elle dévorait l'espace des yeux. J'observai sa réaction avec curiosité, cherchant à comprendre ce qui la captivait. À mes yeux, ceux d'un novice en matière d'art, les œuvres présentées là et celles des nombreuses galeries que nous visitions depuis des années se ressemblaient.

— Mais il y avait une différence, s'exclame Ruth, et j'ai le sentiment qu'elle se demande encore comment j'ai pu être aussi aveugle. Dans la voiture, elle porte la même robe à col de chemise que le jour de notre première visite à Black Mountain. Sa voix résonne d'un émerveillement similaire qu'à ce moment-là.

— Ces œuvres… Je n'avais jamais rien vu de tel. Ce n'était pas comme les surréalistes. Ni même Picasso. C'était… nouveau. Révolutionnaire. Un bond dans l'imaginaire, une vision. Et songer que tout était réuni là, dans une petite école perdue au milieu de nulle part ! C'était comme dénicher…

Elle laisse sa phrase en suspens, incapable de trouver le mot juste. Voyant sa détresse, je termine à sa place.

— Un coffre au trésor ?

Elle relève vivement la tête.

— Oui, s'exclame-t-elle vivement. C'était comme découvrir un trésor dans un lieu inattendu. Mais sur le moment, tu n'as rien compris.

— À l'époque, la plupart des œuvres d'art que je voyais n'étaient pour moi qu'un assortiment de couleurs et de lignes ondulées.

— C'était de l'expressionnisme abstrait.

— C'est la même chose, dis-je pour la taquiner, mais Ruth est perdue dans le souvenir de ce jour.

— Nous avons dû y passer trois heures, à flotter d'une œuvre à l'autre.

— Je dirais plutôt cinq.

— Et tu voulais t'en aller, en plus, me reproche-t-elle.

— J'avais faim. Nous n'avions pas déjeuné.

— Comment pouvais-tu penser à manger, alors que nous avions de telles merveilles devant les yeux ? demande-t-elle. Alors que nous avions l'occasion de parler à des artistes aussi incroyables ?

— Je n'ai pas compris un traître mot de ce que tu leur as dit. Toi et ces artistes, vous parliez chinois pour moi. Vous bavardiez avec passion et abnégation, tout en balançant des mots comme futurisme, bauhaus et cubisme synthétique. Pour le vendeur de costumes que j'étais, c'était du charabia.

— Alors que mon père t'avait tout expliqué ? demande Ruth, exaspérée.

— Ton père a essayé de m'expliquer. Ce n'est pas pareil.

Elle sourit.

— Alors, pourquoi ne m'as-tu pas forcée à partir ? Pourquoi ne m'as-tu pas prise par le bras pour m'entraîner vers la voiture ?

C'est une question qu'elle s'était souvent posée, et dont elle n'a jamais pleinement compris la réponse.

— Parce que, dis-je comme à chaque fois, je savais que pour toi, c'était important de rester.

Insatisfaite par cette réponse, elle poursuit néanmoins :

— Tu te souviens de qui nous avons rencontré le premier jour ? demande-t-elle.

— Elaine, dis-je immédiatement. Je n'ai peut-être rien compris à l'art, mais les gens et les visages sont à ma portée. Et bien sûr, nous avons aussi rencontré son mari, mais nous ne savions pas encore qu'un jour il enseignerait dans cette université. Et puis plus tard, dans la journée, nous avons aussi fait la connaissance de Ken, Ray et Robert. Ils étaient étudiants — ou, dans le cas de Robert, futur étudiant — mais tu as passé pas mal de temps avec eux.

Elle est visiblement contente.

— Ils m'ont appris beaucoup de choses, ce jour-là. Après avoir discuté avec eux, je comprenais mieux leurs influences premières, et ça m'a aidée à mieux cerner l'avenir de l'art.

— Mais tu les appréciais aussi en tant que personnes.

– Bien sûr. Ils me fascinaient. Chacun était un génie à sa façon.

– Et c'est donc pour cela que nous y sommes retournés tous les jours jusqu'à la fermeture de l'exposition.

– Je ne pouvais pas passer à côté d'une telle opportunité. Je me sentais privilégiée en leur présence.

Avec le recul, je comprends qu'elle a raison. Mais sur le moment, tout ce qui comptait pour moi, c'était que sa lune de miel soit aussi mémorable et satisfaisante que possible.

– Ils t'appréciaient beaucoup, eux aussi, fais-je remarquer. Elaine et son mari aimaient dîner avec nous. Et le soir de la fermeture, nous avons été conviés à la fête privée au bord du lac.

Ruth se remémore en silence ces moments précieux. Au bout d'un moment, quand elle plonge ses yeux dans les miens, je n'y vois que de la sincérité.

– C'était la plus belle semaine de ma vie, déclara-t-elle.

– À cause des artistes ?

– Non, répond-elle en secouant imperceptiblement la tête. Grâce à toi.

\*

\* \*

Au cours du cinquième et dernier jour de l'exposition, Ruth et moi ne passâmes que peu de temps ensemble. Non pas que nous fussions fâchés, mais parce qu'elle désirait rencontrer d'autres membres de la faculté, tandis que de mon côté, j'étais heureux de flâner dans les salles et de bavarder avec les artistes que nous avions déjà eu la chance de rencontrer.

Et puis ce fut la fin. Après la fermeture de l'exposition, nous consacrâmes les quelques jours suivants à des activités plus typiques d'une lune de miel. Le matin, nous empruntions des sentiers de découverte, et l'après-midi, nous lisions au bord de la piscine et nagions. Chaque soir, nous découvrions un nouveau restaurant. Et le dernier jour, je m'absentai pour passer un coup de fil et charger nos bagages dans le coffre, puis nous montâmes dans la voiture, plus détendus que jamais.

Le trajet du retour nous amenait à passer devant Black Mountain une toute dernière fois, et alors que nous approchions de la sortie, je regardai Ruth à la dérobée. Son désir d'y retourner était manifeste. Je bifurquai délibérément au croisement. Ruth me regarda en haussant les sourcils.

— Un petit arrêt rapide, dis-je. J'aimerais te montrer quelque chose.

Je traversai la ville, avant de tourner au carrefour qui lui était devenu familier. Exactement comme alors, Ruth me sourit.

— Tu m'as ramenée au lac, près du bâtiment principal, dit-elle. À l'endroit où avait eu lieu la soirée de fermeture de l'exposition. Au lac Eden.

— La vue était si jolie. J'avais envie de la revoir.

— Oui, acquiesce-t-elle. C'est ce que tu as affirmé à l'époque, et je t'ai cru. Mais ce n'était pas la vérité.

— Tu n'aimais pas la vue ? dis-je innocemment.

— Nous n'y sommes pas retournés pour la vue, précise-t-elle. Mais pour ce que tu as fait pour moi.

Cette fois, c'est mon tour de sourire.

À l'université, je demandai à Ruth de fermer les yeux. Elle accepta avec réticence, et je la pris par le bras pour la guider sur un chemin de gravier qui débouchait sur le poste d'observation idéal. La matinée était nuageuse et fraîche, et la vue moins dégagée que lors du cocktail de fermeture, mais c'était sans importance. Après avoir posté Ruth à l'endroit voulu, je lui demandai d'ouvrir les yeux.

Là, installés sur des chevalets, se trouvaient six tableaux créés par les artistes que Ruth admirait plus particulièrement. C'était avec eux qu'elle avait passé le plus de temps – Ken, Ray, Elaine, Robert et le mari d'Elaine.

— Sur le moment, me dit Ruth, je n'ai pas compris. Je ne savais pas que tu les avais placés là pour moi.

— Parce que je voulais que tu voies leurs peintures à la lumière naturelle.

— Les œuvres que tu as achetées, tu veux dire.

Bien sûr, je m'étais occupé de les acquérir pendant que Ruth rencontrait les membres de la faculté ; l'appel téléphonique que j'avais passé avant notre départ avait pour but de m'assurer que les peintures avaient été disposées au bord du lac.

— Oui, dis-je. Les œuvres d'art que j'ai achetées.

— Tu sais ce que tu as fait, quand même ?

Je pèse chacun de mes mots.

— Je t'ai rendue heureuse ?

— Oui, dit-elle. Mais tu vois ce que je veux dire.

— Ce n'est pas pour cela que je les ai achetées. Je les ai achetées parce qu'elles te passionnaient.

— Et pourtant… dit-elle, voulant me forcer à le dire.

— Et pourtant, elles ne m'ont pas coûté si cher que ça, dis-je avec fermeté. Ils n'étaient pas encore ceux qu'ils sont devenus par la suite. Ils n'étaient que de jeunes artistes.

Elle se penche vers moi, pour me défier de poursuivre.

— Et…

Je soupire, ne sachant que trop bien ce qu'elle veut m'entendre avouer.

— Je les ai achetées parce que je suis un égoïste.

*
* *

Ce n'est pas un mensonge. Bien que je les aie acquis pour Ruth parce que je l'aimais, et parce qu'elle affectionnait ces tableaux, je les avais aussi négociés pour moi.

C'est simple, l'exposition avait changé Ruth en une semaine. Je l'avais accompagnée dans un nombre incalculable de galeries, mais durant nos visites à Black Mountain College, quelque chose s'était éveillé en elle. D'une étrange manière, sa sensualité s'était affirmée, tout comme son charisme naturel. Quand elle examinait une toile, son regard s'aiguisait, sa peau rougissait, son corps entier reflétant une concentration et un engagement si intenses que personne ne pouvait passer à côté d'elle sans le remarquer. Pour sa part, elle était totalement inconsciente de sa transformation. C'était pour cela, avais-je fini par comprendre, que les artistes réagissaient si ardemment en sa présence. Comme moi, elle les attirait comme un aimant, et c'est aussi pour cette raison qu'ils avaient accepté de me céder leurs œuvres.

Cette aura électrique, d'une vive sensualité, la suivait longtemps après que nous avions quitté l'exposition et que nous étions rentrés à l'hôtel. Pendant le dîner, ses yeux semblaient pétiller de cette sensibilité exacerbée, et ses mouvements étaient empreints d'une grâce inédite. J'attendais avec impatience le moment de remonter dans la chambre, où elle se révélait plus audacieuse et passionnée que jamais. Je me souviens de m'être dit que si j'ignorais ce qui la stimulait à ce point, je ne voulais pas que ça cesse.

En d'autres termes, comme je viens de l'affirmer, j'étais égoïste.

*<br>* *

— Tu n'es pas égoïste, me dit-elle. Tu es l'homme le moins égoïste que j'aie jamais connu.

À mes yeux, elle est aussi époustouflante que ce dernier matin de notre lune de miel au bord du lac.

— J'ai bien fait de ne pas t'avoir autorisée à rencontrer un autre homme. Tu aurais changé d'avis.

Elle éclate de rire.

— Ah, ça oui, tu as toujours aimé plaisanter. Mais je vais te dire une chose, ce n'est pas l'art qui m'a changée.

— Tu n'en sais rien. Tu ne t'es pas vue.

Elle s'esclaffe à nouveau, puis se tait. Si elle devient soudain sérieuse, c'est pour attirer mon attention sur la suite.

— Voici ce que je pense. Oui, j'aimais les œuvres d'art. Mais surtout, j'aimais constater que tu étais disposé à consacrer du temps à ma passion. Peux-tu comprendre pourquoi c'était si important pour moi ? De savoir que l'homme que j'avais épousé pouvait faire ça ? Tu penses que ce n'est rien, mais laisse-moi te dire une chose : peu d'hommes passeraient cinq ou six heures par jour, pendant leur lune de miel, à discuter avec des inconnus devant des tableaux, en particulier sans y connaître grand-chose.

— Où veux-tu en venir ?

— J'essaie de te faire comprendre que ce n'était pas grâce à l'art. C'était *ta* façon de *me* regarder pendant que je contemplais ces tableaux qui m'a changée. C'est toi, autrement dit, qui as changé.

Nous avons souvent eu cette conversation au fil des années, et à l'évidence, nos points de vue divergent. Je ne modifierai pas sa lecture des faits, pas plus que je ne changerai la mienne, mais je suppose que ça n'a pas d'importance. Quoi qu'il en soit, cette lune de miel a marqué le début d'une tradition estivale que nous allions respecter pendant la plus grande partie de notre vie. Et au bout du compte, après la parution de cet article décisif dans le *New Yorker*, la collection allait, de différentes façons, nous définir en tant que couple.

Ces six toiles — que j'avais roulées et rangées sans précaution sur le siège arrière de la voiture — furent les premières de dizaines, puis de centaines, et enfin de plus de mille œuvres que nous avons rassemblées au final. Alors que tout le monde avait entendu parler de Van Gogh, Rembrandt et Léonard de Vinci, Ruth et moi concentrions notre collection sur l'art moderne américain du XX$^e$ siècle, et la plupart des artistes que nous avons été amenés à rencontrer année après année ont produit des œuvres que les musées et les collectionneurs convoitèrent plus tard. Des artistes comme Andy Warhol, Jasper Johns et Jackson Pollock sont peu à peu devenus célèbres, mais d'autres, moins connus, comme Rauschenberg, De Kooning et Rothko sont aussi à l'origine de créations qui seront un jour mis en vente dans les salles de Sotheby et Christie, à dix millions de dollars, et parfois même plus. *Woman III,* de Willem De Kooning, s'est vendu à cent trente-sept millions de dollars en 2006, mais tant d'autres, dont les travaux d'artistes comme Ken Noland et Ray Johnson, ont atteint des prix de vente de l'ordre de plusieurs millions.

Bien sûr, tous les artistes modernes n'ont pas accédé à la célébrité, et toutes les peintures que nous avons acquises n'ont pas pris de la valeur, mais ça n'a jamais été un facteur déterminant lors de nos achats. En ce moment, la peinture que je chéris le plus ne vaut rien du tout. Elle a été réalisée par un ancien élève de Ruth et est accrochée au-dessus de la cheminée, mais ce travail d'amateur revêt une valeur particulière à mes yeux. La journaliste du *New Yorker* l'a complètement ignorée, et je ne me suis pas donné la peine de lui préciser que je l'adore, parce que je savais qu'elle ne comprendrait pas. Après tout, elle n'a rien compris quand je lui ai expliqué que la valeur marchande de l'art m'importait peu. Tout ce qui l'intéressait, c'était de savoir comment nous avions aussi justement sélectionné nos acquisitions, et mes commentaires n'ont pas semblé la satisfaire.

— Pourquoi n'a-t-elle rien compris ? me demande soudainement Ruth.

— Je ne sais pas.

— Tu lui as dit ce que nous répétons depuis toujours ?

— Oui.

— Alors, pourquoi a-t-elle eu autant de mal à comprendre ? J'aurais expliqué en quoi l'œuvre me touchait…

— Et que je me contentais de t'observer pendant que tu parlais, dis-je à sa place, pour savoir si je devais l'acheter.

Ce n'était pas une méthode scientifique, mais elle s'était révélée efficace, bien que cette explication ait frustré la journaliste. Et durant notre lune de miel, elle avait fonctionné à la perfection, même si nous n'allions en comprendre les conséquences que cinquante ans plus tard.

Après tout, ce n'est pas donné à tous les couples de rapporter des tableaux de Ken Noland et Ray Johnson de leur lune de miel. Pas plus qu'une peinture d'Elaine, la nouvelle amie de Ruth, dont les créations sont désormais exposées dans les plus grands musées du monde, le Metropolitan Museum of Art, par exemple. Et, bien sûr, il est presque inconcevable que Ruth et moi ayons pu mettre la main non seulement sur une œuvre spectaculaire de Robert Rauschenberg, mais aussi sur deux toiles du mari d'Elaine, Willem De Kooning.

# 15

## Luke

Si Sophia avait accaparé ses pensées dès leur première rencontre, ça vira tout bonnement à l'obsession le jour suivant le repas. Alors qu'il réparait le grillage dans un champ éloigné, et remplaçait des poteaux qui pourrissaient au pied, il se surprit de temps en temps à sourire en pensant à elle. Même la pluie, une averse froide et automnale qui le trempa jusqu'aux os, ne parvint pas à la chasser de son esprit. Plus tard, quand il dîna avec sa mère, le petit sourire en coin qu'elle afficha sans vergogne l'informa qu'elle savait quel effet Sophia produisait sur lui.

Après le repas, il lui téléphona et ils bavardèrent pendant une heure. Les trois jours suivants se déroulèrent de la même façon. Le jeudi soir, il se rendit à Wake Forest et eut enfin l'occasion de faire le tour du campus à pied. Elle lui montra Wait Chapel et Reynolds Hall, et ils traversèrent les places Hearn et Manchester main dans la main. Le calme régnait sur le campus, les étudiants ayant libéré les salles depuis un moment. Les feuilles, tombées en abondance, recouvraient le pied des arbres. Dans la résidence universitaire, toutes les lumières étaient allumées et il perçut les échos lointains d'une musique, signe que les étudiants se préparaient à un nouveau week-end de fête.

Le samedi, Sophia retourna au ranch. Ils firent une courte promenade à cheval, puis il se remit au travail et elle l'aida de son mieux. Ils dînèrent de nouveau chez sa mère avant de terminer la soirée chez lui, devant un feu de cheminée aussi accueillant que la semaine précédente. Comme si c'était devenu une habitude, elle retourna au foyer de l'université dès que la flambée faiblit – elle n'était pas encore prête à passer la nuit avec lui – mais le jour suivant, ils partirent ensemble à Pilot Mountain State Park. Ils passèrent l'après-midi à escalader le Big Pinnacle, où ils pique-niquèrent en admirant la vue. Ils avaient raté d'une semaine le spectacle des couleurs de l'automne, mais sous le ciel limpide, l'horizon s'étirait jusqu'en Virginie.

Dans la semaine qui suivit Halloween, Sophia invita de nouveau Luke au foyer de la sororité. Les locataires organisaient une fête le samedi soir. L'originalité de sa profession et la nature de leur relation avaient dû perdre de leur attrait depuis sa première visite, puisque personne ne s'intéressa à lui. Il resta sur ses gardes, craignant de voir Brian surgir à tout instant, mais on ne le vit pas de la soirée. Au moment de partir, il lui en fit la réflexion.

– Il est allé voir un match de football à Clemson, lui apprit Sophia. C'était la soirée idéale pour que tu viennes.

Le lendemain matin, il passa la prendre à la résidence, et ils allèrent se promener dans Old Salem. Ils en apprécièrent tous les attraits avant de rentrer au ranch et de dîner avec sa mère pour le troisième week-end d'affilée. Plus tard, au moment de lui souhaiter bonne nuit devant sa voiture, il lui demanda si elle serait libre le week-end suivant. Il projetait de l'emmener là où il allait en vacances quand il était enfant, un endroit d'où ils pourraient emprunter des sentiers parmi des paysages à couper le souffle.

Alors, Sophia l'embrassa et sourit.

– Ça m'a l'air tout simplement parfait.

\*

\* \*

Quand Sophia arriva au ranch, Luke avait déjà chargé les chevaux dans la remorque et rangé les bagages dans le coffre. Quelques minutes plus tard, ils filaient vers l'ouest, et Sophia tripotait les boutons de la radio. Elle s'arrêta sur une station hip-hop, et poussa le volume à fond, jusqu'à ce qu'il craque et passe à de la country.

— Je me demandais combien de temps tu allais tenir, gloussa-t-elle.

— Cette musique correspond mieux au moment, c'est tout. Avec les chevaux et tout ça.

— Je crois plutôt que tu n'as jamais cherché à apprécier d'autres genres de musique.

— J'écoute d'autres genres musicaux.

— Ah, tiens ? Lesquels ?

— Du hip-hop. J'en ai écouté pendant la dernière demi-heure. Mais heureusement, j'ai changé de radio. L'envie de danser commençait à me démanger, et ça m'ennuierait de perdre le contrôle du véhicule.

Elle pouffa.

— Je te crois. Tu sais quoi ? J'ai acheté des bottes, hier. Ma première paire. Regarde un peu.

Elle leva les pieds pour les lui faire admirer.

— Je les ai remarquées quand j'ai rangé ton sac dans le coffre.

— Et ?

— Aucun doute, tu deviens une fille de la campagne. Tu vas voir que bientôt tu vas attraper des bêtes au lasso comme une pro.

— Ça m'étonnerait, dit-elle. On ne croise pas beaucoup de vaches dans les musées, pour autant que je sache. Mais tu vas peut-être m'apprendre ce week-end ?

— Je n'ai pas mon lasso. En revanche, je n'ai pas oublié de prendre un chapeau pour toi. C'est l'un de mes plus beaux. Je l'ai porté lors du championnat du monde des PBR.

Elle le regarda.

— D'où me vient l'impression que tu essaies de me transformer ?

— Je cherche seulement à… t'améliorer.

— Tu devrais faire attention, sinon je vais tout répéter à ma mère. Jusque-là, je l'ai laissée croire que tu étais un gentil garçon, et tu as intérêt à la garder comme alliée.

Il rit.

— Je vais tâcher de m'en souvenir.

— Bon, parle-moi de l'endroit où nous allons. Tu t'y rendais souvent quand tu étais petit, c'est ça ?

— C'est ma mère qui a découvert ce coin. Elle s'est rendue dans cette région en démarchant, un peu par hasard. C'était un camp d'été, mais il était peu fréquenté, et quand il a été vendu, les nouveaux propriétaires se sont mis en tête de l'ouvrir aux promeneurs à cheval pour remplir leurs chambres toute l'année. Ils ont réaménagé les cabanes en chalets et ajouté des stalles pour les chevaux derrière chaque logement. Ma mère est tombée amoureuse de cet endroit. Tu comprendras dès qu'on arrivera.

— J'ai hâte. Mais comment as-tu fait pour convaincre ta mère de t'accorder tout un week-end de congé ?

— J'ai presque tout fait avant de partir, et proposé un supplément à José pour qu'il l'aide en mon absence. Tout ira bien.

— Je croyais que tu avais dit qu'il y avait toujours quelque chose à faire.

— C'est vrai. Mais rien dont ma mère ne puisse se charger. Aucune urgence en cours.

— Elle a souvent l'occasion de s'éloigner du ranch ?

— Tout le temps. Elle essaie de rendre visite à nos clients au moins une fois par an, et ils sont dispersés dans tout l'État.

— Lui arrive-t-il de partir en vacances ?

— Ce n'est pas son truc.

— Tout le monde a besoin de faire une pause de temps en temps.

— Je sais. J'ai déjà essayé de le lui dire. Je lui ai même offert une croisière.

— Est-elle partie ?

— Elle s'est fait rembourser le billet. La semaine où elle était censée embarquer, elle est allée voir un taureau à vendre en Géorgie, et l'a acheté avec cet argent.

– Pour le monter ?

– Non. Pour la reproduction. Il est toujours chez nous, d'ailleurs. Une sacrée bête. Mais il fait son boulot.

Elle prit le temps d'assimiler l'information.

– A-t-elle des amis ?

– Quelques-uns. Elle leur rend visite, parfois. À un moment, elle avait rejoint un club de bridge organisé par quelques dames de la ville. Mais depuis quelque temps, elle est préoccupée par le projet de multiplier le nombre de bêtes, et ça lui prend beaucoup de temps. Elle souhaiterait ajouter cent nouvelles paires, mais comme nos herbages ne sont pas assez vastes, elle cherche un endroit où les mettre.

– Pourquoi ? Elle trouve qu'elle n'est pas assez occupée comme ça ?

Il déplaça ses mains sur le volant, puis soupira.

– Dans l'immédiat, dit-il, nous n'avons pas le choix.

Il sentit le regard interrogateur de Sophia, mais comme il n'avait pas envie d'en parler, il changea de sujet.

– Tu vas passer Halloween en famille ?

– Oui, dit-elle. Si ma voiture arrive à destination. Il y a un bruit au démarrage, une sorte de couinement. On dirait que le moteur pousse des gémissements.

– Sûrement une courroie qui va lâcher.

– Oui, mais c'est probablement cher à remplacer, et mon budget est serré.

– Si tu veux, je devrais pouvoir m'en occuper.

Elle se tourna vers lui.

– Pourquoi est-ce que ça ne m'étonne pas ?

*

* *

Il leur fallut un peu plus de deux heures pour atteindre le campement, le ciel se chargeant lentement de nuages qui s'étiraient jusqu'aux sommets bleutés des montagnes à l'horizon. À mesure qu'ils gagnaient de l'altitude, la côte s'accentuait et l'air devenait plus vif. Ils s'arrêtèrent devant une épicerie pour faire quelques emplettes et rangèrent leurs provisions dans la glacière à l'arrière de la camionnette.

Luke quitta la nationale dès la sortie de la ville, et suivit une route en courbes qui semblait creusée dans la montagne. Le dénivellement était abrupt du côté de Sophia, si bien qu'elle pouvait apercevoir la cime des arbres. Par chance, la route était peu fréquentée, mais dès qu'ils croisaient un véhicule, Luke devait agripper le volant à deux mains pour contrôler les roues de la remorque qui menaçaient de déraper vers le bas-côté.

N'étant pas venu depuis plusieurs années, il ralentit, à la recherche du bon tournant, et alors qu'il commençait à croire qu'il l'avait dépassé, il le repéra au détour d'un virage. C'était un chemin de terre, encore plus escarpé par endroits que dans ses souvenirs. Poussant le moteur à plein régime, il roula lentement entre les arbres qui envahissaient le sentier de part et d'autre.

Quand il déboucha dans le camp, sa première pensée fut que rien n'avait vraiment changé, les douze chalets bâtis en demi-cercle rejoignaient toujours le magasin de première nécessité qui servait également de bureau. Derrière l'épicerie, l'eau du lac était d'un bleu cristallin comme on n'en voit qu'en montagne.

Après s'être enregistré à l'accueil, Luke déchargea les glacières et remplit l'abreuvoir des chevaux pendant que Sophia se rendait jusqu'au ravin. Elle admira la vallée qui s'étalait sur plus de trois cents mètres sous ses pieds, puis Luke la rejoignit, et ensemble ils laissèrent leurs regards planer entre les montagnes. Sous leurs pieds se dessinaient quelques fermes et des chemins de gravier bordés de chênes et d'érables. Tout apparaissait en miniature, comme dans un diorama.

Il remarqua qu'elle était aussi émerveillée que lui chaque fois qu'il était revenu au cours de son enfance.

— Je n'ai jamais rien vu de pareil, murmura-t-elle, frappée d'admiration. C'est à couper le souffle.

Il la regarda avec intensité, se demandant comment elle avait pu prendre autant d'importance dans sa vie en si peu de temps. Admirant son profil gracieux, il eut la certitude de n'avoir jamais rien vu de plus beau qu'elle.

— Je me disais exactement la même chose.

# 16

## Sophia

Ils restèrent dans le chalet juste le temps que Sophia range quelques produits au réfrigérateur et remarque la baignoire sur pattes. Pourtant, sa première impression fut celle d'une maison douillette, épurée mais agréable, assez confortable pour une parenthèse d'une nuit. De son côté, Luke s'occupa de préparer des sandwichs pour accompagner les fruits, les chips et les bouteilles d'eau qu'ils avaient pris au magasin.

Luke glissa leurs déjeuners dans les sacoches des selles, puis ils empruntèrent l'un des dix sentiers qui s'entrecroisaient sur le domaine. Comme d'habitude, il monta sur Cheval et elle sur Demon qui, s'imaginait-elle, s'habituait lentement mais sûrement à elle. Il lui avait fourré le bout de son nez dans la main en hennissant joyeusement pendant que Luke le sellait et, peut-être parce qu'il était en terrain inconnu, un léger mouvement de rênes suffisait à le diriger.

La piste grimpait et serpentait entre les arbres, si denses par moment, qu'elle doutait que quiconque soit passé par là avant eux. À d'autres endroits, le sentier débouchait sur des paysages de cartes postales. Ils traversèrent des prés verdoyants semés d'herbes hautes, et Sophia les imagina remplis de fleurs et de papillons en été. Elle se félicita de porter un blouson et un chapeau de cow-boy, car les arbres ombrageaient de leurs longues silhouettes la majeure partie de la piste, et plus ils gagnaient en altitude, plus il faisait frais.

Là où la piste se rétrécissait au point de les obliger à avancer en file indienne, Luke l'invitait à ouvrir la marche. Elle s'imaginait alors pionnière poursuivant sa route vers l'Ouest, seule au milieu de vastes étendues sauvages.

Ils se promenèrent pendant deux heures avant de s'arrêter dans une clairière près du sommet. Au point d'observation, ils déjeunèrent assis sur des rochers, tout en observant deux faucons qui volaient en cercles au-dessus de la vallée. Après le pique-nique, ils reprirent la piste pendant trois heures, empruntant parfois le sentier qui longeait des précipices profonds, et le danger exacerbait les sens de Sophia.

Ils revinrent au chalet une heure avant le coucher du soleil et brossèrent les chevaux, ajoutant des pommes à leur nourriture habituelle. Quand ils eurent pris soin des animaux, la lune était levée, pleine, d'une blancheur laiteuse, et les premières étoiles émergeaient.

– Je prendrais bien un bain avant le dîner, dit-elle.

– Ça t'ennuie si je prends une douche rapide avant ?

– Si tu me promets de ne pas vider l'eau chaude.

– Je me dépêche, promis.

Laissant la salle de bains à Luke, elle ouvrit le réfrigérateur. Elle hésita entre la bouteille de chardonnay et le pack de Sierra Nevada Pale Ale qu'ils avaient achetés dans la matinée, puis se lança à la recherche d'un tire-bouchon.

Il n'y avait pas de verres à vin dans les placards, mais elle trouva un bocal à confiture. Ça ferait l'affaire, se dit-elle. Elle déboucha la bouteille d'une main experte et se versa du vin.

Elle fit tournoyer le chardonnay au fond du bocal, et se fit l'effet d'une gamine qui joue aux grands. À bien y songer, elle avait souvent cette impression, alors qu'elle arrivait en fin d'études. Elle n'avait jamais loué un appartement, par exemple. Elle n'avait jamais vraiment travaillé pour quelqu'un d'autre que pour sa famille. Elle n'avait jamais eu de facture d'électricité à régler, et même si elle avait quitté le foyer familial, Wake n'était pas le monde réel. L'université, ce n'était pas la vraie vie. C'était un univers à part, elle le savait, entièrement différent de celui qu'elle aurait à affronter dans quelques mois. Contrairement aux horaires d'un emploi, ses cours ne commençaient qu'à dix heures du matin et se terminaient généralement vers quatorze heures. De plus, les nuits et les week-ends étaient presque entièrement dédiés à l'amusement, à la vie sociale et au dépassement des limites. Ce n'était en rien semblable à l'existence de ses parents, pour autant qu'elle puisse juger.

Si elle avait apprécié cette période, elle avait l'impression que sa vie était en attente depuis plusieurs années. Ce n'était qu'au contact de Luke qu'elle avait pris conscience de ne rien avoir appris d'essentiel à l'école.

Contrairement à elle, Luke avait tout d'un adulte. Il n'avait pas fait d'études, mais il comprenait la vraie vie : les autres, les relations amoureuses, le travail. Il avait atteint le sommet dans son domaine, le rodéo à dos de taureau, et sans doute y parviendrait-il à nouveau. Il était capable de tout réparer et avait construit sa maison de ses propres mains. À tous égards, il maîtrisait de nombreux aspects de la vraie vie, et dans l'immédiat, il lui parut inconcevable de prétendre l'égaler, même dans des domaines totalement différents, avant trois bonnes années. Qui pouvait dire si elle parviendrait au moins à décrocher un travail dans son milieu de prédilection, un travail rémunéré…

En revanche, elle savait qu'ici, au côté de Luke, elle avait enfin le sentiment d'avancer pour de bon, d'une certaine façon. Car ce qu'ils partageaient était ancré dans la réalité, et pas dans la bulle chimérique de la vie universitaire. Luke était l'être le plus réel qu'elle eût jamais rencontré.

Les conduites d'eau émirent un bruit sourd quand il ferma les robinets, rompant le cours de ses pensées. Son pot de vin à la main, elle entreprit de faire le tour du chalet. La cuisine était petite et fonctionnelle, équipée de placards bon marché. Le plan de travail s'écaillait et des auréoles de rouille tachaient l'évier, mais ça sentait le propre. Les sols venaient d'être lavés et les surfaces dépoussiérées.

Le petit salon, doté d'un parquet en pin brut et de murs en lambris de cèdre, offrait juste assez de place pour accueillir un canapé recouvert d'un plaid à franges et deux rocking-chairs. Des rideaux bleus encadraient la fenêtre, et la seule lampe de la pièce était posée dans un coin. Sophia traversa le salon pour l'allumer et s'aperçut qu'elle n'éclairait pas mieux que l'unique ampoule de la cuisine. Ce qui expliquait sans doute la présence de bougies et d'allumettes sur la table basse. Sur une étagère, face aux fenêtres, était rangé un assortiment disparate de livres qui avaient dû être oubliés par les visiteurs précédents, ainsi que des leurres de chasse – des canards – et un écureuil en peluche. Un petit téléviseur aux antennes en oreilles de lapin trônait au milieu de l'étagère, et même si elle ne se donna pas la peine de l'allumer, elle doutait de pouvoir capter plus d'une ou deux chaînes, au mieux.

Elle entendit de nouveau l'eau couler, et quand la porte de la salle de bains s'ouvrit en grinçant, Luke surgit, propre et revigoré dans son jean et sa chemise blanche dont il avait retroussé les manches. Il était pieds nus et semblait s'être peigné avec les doigts. De l'autre bout de la pièce, elle distingua une petite cicatrice blanche sur sa joue qu'elle n'avait jamais vue auparavant.

— C'est à toi, dit-il. Je t'ai ouvert les robinets.

— Merci, dit-elle. Elle l'embrassa rapidement en passant devant lui. Je pense en avoir pour trois quarts d'heure.

— Prends ton temps, je vais m'occuper du dîner.

— Une autre de tes spécialités ? demanda-t-elle de la salle de bains, où elle avait emporté son sac de voyage.

— Je trouve ça bon.

— Ça plaît à quelqu'un d'autre ?

— C'est une bonne question. On ne va pas tarder à le savoir, non ?

Comme promis, la baignoire se remplissait. L'eau était trop chaude, et elle ouvrit l'eau froide à fond, tout en regrettant de ne pas avoir emporté de bain moussant ou d'huile parfumée.

En se déshabillant, elle prit conscience d'avoir les jambes et le bas du dos en compote. Elle espéra ne pas être trop courbaturée pour se balader le lendemain.

Son verre de vin à la main, elle se glissa dans l'eau avec la sensation de vivre un moment de luxe en dépit de la modestie des lieux.

La salle de bains disposait d'une cabine de douche séparée, et Luke avait posé sa serviette mouillée sur la tringle. Le fait qu'il se soit trouvé nu dans cette pièce quelques minutes plus tôt fit naître des picotements dans son bas-ventre.

Elle savait ce qui allait se passer pendant le week-end. Pour la première fois, elle ne lui dirait pas au revoir devant sa voiture ; elle ne rentrerait pas au foyer de la sororité. Mais avec Luke, c'était naturel. Elle se sentait à sa place, même si, elle devait l'admettre, elle manquait d'expérience. Brian avait été le premier et le seul garçon avec qui elle ait couché. Ça s'était passé lors du gala de Noël, alors qu'ils se fréquentaient depuis deux mois. Elle n'avait pas prévu de se donner à lui cette nuit-là, mais comme tout le monde, emportée par l'esprit de fête, elle avait trop bu, et quand il l'avait entraînée dans une chambre, ils s'étaient embrassés sur le lit. Brian s'était montré insistant, la tête lui tournait, et arriva ce qui devait arriver. Au réveil, elle était confuse. Et Brian ne l'avait pas aidée à y voir plus clair. Elle se souvenait vaguement de l'avoir entendu parler avec des copains, la veille au soir, et décider de prendre un bloody mary au petit déjeuner dans l'une de leurs chambres. Elle s'était glissée sous la douche en titubant, avec une migraine aussi grosse que le Wisconsin, et pendant que l'eau rebondissait sur sa peau, tout s'entrechoquait dans sa tête. Elle était soulagée d'avoir enfin franchi le pas – comme tout le monde, elle se demandait depuis longtemps quel effet ça faisait – et se réjouissait que ça se soit produit avec Brian, dans un lit et pas sur la banquette arrière d'une voiture, ou dans un autre recoin tout aussi inconfortable. Mais sans savoir pourquoi, elle se sentait triste, aussi. Elle imaginait la réaction de sa mère – ou, quelle horreur, de son père – et honnête-ment, elle avait cru que ce serait plus... *marquant* ? Éloquent. Romantique. Mémorable. À dire vrai, elle avait surtout envie de rentrer au campus.

Par la suite, Brian se comporta comme la plupart des garçons, selon elle. Dès qu'ils étaient seuls, il recherchait le contact physique, et probablement qu'elle aussi, pendant un certain temps. Mais ensuite, elle avait eu l'impression que plus rien d'autre ne l'intéressait, et cela avait commencé à l'ennuyer avant même qu'il ne la trompe.

Et à présent, elle était là pour la nuit, seule avec un garçon, pour la première fois depuis Brian. Elle se demanda pourquoi elle n'était pas nerveuse, mais c'était un fait. Elle se savonna et se frotta au gant, en imaginant Luke à la cuisine. Pensait-il à elle, dans son bain ? Peut-être l'imaginait-il sans ses vêtements, et elle éprouva de nouveaux frétillements dans le bas-ventre.

Elle en avait envie, prit-elle alors conscience. Elle voulait tomber amoureuse d'un garçon en qui elle ait confiance. Et elle avait confiance en Luke. Pas une seule fois il ne l'avait poussée à agir contre sa volonté ; pas une seule fois, il ne s'était comporté autrement qu'en parfait gentleman. Plus elle passait de temps avec lui, plus elle était convaincue qu'il était le jeune homme le plus sexy qu'elle ait rencontré. Qui d'autre, dans son entourage, était aussi habile de ses mains ? Qui la faisait autant rire ? Qui était intelligent et charmant, autonome et tendre ? Et qui d'autre l'emmènerait faire du cheval dans l'un des plus beaux endroits de la Terre ?

Dans son bain, alors qu'elle sirotait son vin, elle eut l'impression, pour la première fois de sa vie, d'être plus âgée qu'elle ne l'était. Elle termina nonchalamment le bocal, jouissant de ce moment de bien-être, et quand l'eau se refroidit, elle sortit de la baignoire et se sécha. Elle chercha son jean dans son sac, mais se rendit compte qu'elle n'avait jamais porté d'autre tenue en sa présence. Changeant d'avis, elle le troqua contre une jupe, des collants et un haut moulant. Une fois habillée, elle se coiffa, se réjouissant d'avoir pensé à prendre son fer à friser et son sèche-cheveux. Ensuite, elle se maquilla ; elle appliqua plus de mascara et d'ombre à paupières que d'ordinaire, essuyant régulièrement le vieux miroir qui se couvrait de buée. Elle ajouta à l'ensemble des anneaux dorés que sa mère lui avait offerts au Noël dernier. Quand elle fut parée, elle s'examina d'un œil critique, puis inspira profondément avant de sortir de la salle de bains, son pot vide à la main. Luke était dans la cuisine et remuait le contenu d'une marmite posée sur la gazinière. À côté de lui, sur le plan de travail, elle remarqua une boîte de biscuits salés et une bière dont il but une longue gorgée.

Il ne l'avait pas entendue sortir, et pendant un moment elle put l'observer à loisir, admirer ses formes soulignées par son jean, ses gestes lents et fluides tandis qu'il cuisinait. Sans bruit, elle se dirigea vers le guéridon et s'accroupit pour allumer les bougies. Considérant l'éclairage d'un bref regard, elle préféra éteindre la lampe. La pièce s'obscurcit, et les petites flammes dansantes créèrent instantanément une ambiance plus intime.

Luke, remarquant le changement de luminosité, tourna la tête.

– Tiens, tu es là, dit-il en la voyant. Je ne m'étais pas aperçu que tu étais sortie de…

Il s'interrompit au moment où elle émergeait de l'obscurité et se présentait à la lumière jaune de la cuisine. Pendant un long moment, il se délecta de son image, discernant de l'espoir et du désir dans les beaux yeux qui se perdaient dans les siens.

– Sophia, murmura-t-il d'une voix si douce qu'elle l'entendit à peine.

Mais dans son nom résonnait tout ce qu'il n'avait pas pu dire, et en cet instant elle comprit qu'il était sincèrement amoureux d'elle. Et peut-être n'était-ce qu'illusion, mais elle sentit également qu'il le serait toujours, quoi qu'il arrive, de toutes ses forces.

– Je suis désolé de te fixer de cette façon, chuchota Luke. Tu es tellement belle…

Elle sourit en se rapprochant de lui, et quand il se pencha pour l'embrasser, elle sut que si elle n'était pas encore tombée amoureuse de lui, c'était désormais chose faite.

\*

\* \*

241

Ce baiser la déstabilisa, et elle sentit que Luke était lui aussi perturbé. Il fit volte-face et baissa le feu de la cuisinière avant de prendre sa bière, pour s'apercevoir qu'il l'avait terminée. Il reposa la bouteille vide près de l'évier et, en allant en chercher une autre au réfrigérateur, il remarqua le bocal qu'elle tenait à la main.

— Je te ressers du chardonnay ? demanda-t-il.

Elle hocha la tête, préférant éviter d'ouvrir la bouche, et lui tendit son verre de fortune. Leurs doigts se frôlèrent, provoquant une secousse agréable dans toute sa main. Il déboucha la bouteille et versa du vin dans son pot.

— Nous pouvons manger tout de suite, si tu veux, dit-il en lui tendant son verre. Mais ce serait mieux de laisser mijoter pendant trente minutes supplémentaires. J'ai coupé des tranches de fromage, si tu as faim.

— Ça me va, dit-elle. Allons plutôt nous asseoir sur le canapé.

Il rangea le vin au frais et prit une autre bière, ainsi que l'assiette de fromage. Il l'avait agrémentée de grains de raisin et s'empara des biscuits salés avant de la rejoindre sur le canapé.

Il posa l'assiette sur la table basse, mais garda sa bière à la main, et ils s'assirent côté à côte. Luke déplia son bras pour l'inviter à se blottir contre lui, le dos contre son torse. Elle sentit son bras s'enrouler autour d'elle, juste au ras de ses seins, et elle reposa son bras sur le sien. Son torse se soulevait au rythme régulier de sa respiration, et les bougies faiblissaient lentement.

— C'est tellement calme, fit-elle remarquer quand il posa sa bière sur la table basse pour l'enlacer de ses deux bras. Je n'entends aucun bruit de l'extérieur.

— Tu vas probablement entendre les chevaux, plus tard, dit-il. Ce ne sont pas des animaux silencieux, et ils sont juste devant la chambre. Parfois, il arrive que des ragondins montent sur la véranda et renversent tout.

— Pourquoi ne viens-tu plus ici ? demanda-t-elle. Est-ce à cause de ton père ?

Luke répondit d'une voix feutrée :

— À la mort de mon père, beaucoup de choses ont changé. Ma mère s'est retrouvée seule, et je voyageais beaucoup pour participer aux rodéos. Quand j'étais à la maison, j'avais toujours l'impression que nous étions tellement en retard… mais je pense que ce n'était qu'un prétexte. Pour ma mère, c'était leur endroit à eux. Je passais tellement de temps à l'extérieur à monter, nager et jouer, que je tombais de sommeil juste après le dîner. Mes parents avaient du temps pour profiter ensemble de l'endroit. Plus tard, quand je suis entré au lycée, il leur arrivait de venir ici sans moi… Mais maintenant, elle ne veut plus venir. Je lui ai proposé, mais elle se contente de secouer la tête. Je pense qu'elle préfère rester sur ses vieux souvenirs. Ceux de l'époque où il était encore avec nous.

Sophia but une gorgée de vin.

– Tout à l'heure, je réfléchissais à tout ce que tu as déjà traversé. En un sens, c'est comme si tu avais déjà vécu une vie entière.

– J'espère que non, dit-il, ça m'ennuierait que tu me voies comme un vieillard.

Elle sourit et, consciente du contact de leurs corps, s'efforça de ne pas penser à la suite de la soirée.

– Tu te souviens du premier soir ? Quand nous avons discuté, et que tu m'as emmenée voir les taureaux ?

– Bien sûr.

– Aurais-tu imaginé un seul instant qu'on se retrouverait ici ensemble ?

Il prit sa bière et but une gorgée avant de la poser sur le canapé à côté d'elle. La bouteille était fraîche contre sa cuisse.

– Sur le moment, ça m'a étonné que tu me parles.

– Pourquoi ?

Il déposa un baiser sur ses cheveux.

– Tu as vraiment besoin que je te réponde ? Tu es parfaite.

– Je ne suis pas parfaite, protesta-t-elle. Loin de là. (Elle fit tourbillonner le vin dans le fond du bocal.) Tu n'as qu'à demander à Brian.

– Ce qui s'est passé avec lui n'a rien à voir avec toi.

– Peut-être pas, dit-elle. Mais…

Luke n'intervint pas pour lui laisser le temps de réfléchir à la suite de sa phrase. Elle lui fit face et plongea ses yeux dans les siens.

— Je t'ai dit qu'au printemps dernier j'étais dans un sale état ? Et que j'avais perdu beaucoup de poids parce que je n'arrivais plus à manger ?

— Oui, tu m'en as parlé.

— Tout ça est vrai. Mais j'ai omis de préciser que pendant une période, j'ai même pensé au suicide. Pas au point de faire une tentative. C'était plutôt le concept qui m'attirait. Je m'y raccrochais pour me sentir mieux. Quand je me réveillais, tout m'était égal, je n'arrivais pas à me nourrir, et puis d'un coup, je me disais que le seul moyen d'arrêter de souffrir, c'était de mettre fin à mes jours. Je savais que c'était de la folie, et comme je te l'ai dit, je n'ai jamais envisagé sérieusement de passer à l'acte. Mais savoir qu'il y avait cette option me donnait l'impression de contrôler la situation. Et c'était ce dont j'avais le plus besoin à ce moment-là. Croire que j'étais maîtresse de mon destin. Petit à petit, j'ai réussi à reprendre le dessus. C'est pour ça que, quand Brian m'a trompée à nouveau, j'ai pu le quitter aussi facilement.

Elle ferma les yeux, et le souvenir de ces jours passés plana sur son visage comme une ombre.

— Tu dois te dire que tu t'es trompé à mon sujet, reprit-elle.

— Pas du tout, dit-il.

— Même maintenant que tu sais que je suis folle ?

— Tu n'es pas folle. Tu as dit toi-même que tu n'avais jamais été sur le point de passer à l'acte.

— Mais alors, pourquoi me suis-je raccrochée à cette possibilité ? Pourquoi l'idée de me suicider m'est-elle venue à l'esprit ?

— Tu y penses toujours ?

— Jamais, répondit-elle. Plus du tout depuis le printemps.

— Alors il n'y a rien d'inquiétant. Tu n'es pas la première à y avoir pensé. Il y a tout un monde entre l'envisager et faire une tentative.

Elle considéra sa remarque et comprit où il voulait en venir.

— Tu abordes la question sous l'angle de la logique.

— C'est probablement parce que je ne sais pas de quoi je parle.

Elle serra son bras.

— Au fait, personne n'est au courant. Ni ma mère, ni mon père, ni même Marcia.

— Je ne le dirai à personne, promit-il. Mais si ça t'arrive encore, tu devrais songer à en parler avec un interlocuteur plus intelligent que moi. Quelqu'un qui saura te répondre et t'aidera à traverser cette épreuve.

— J'en ai l'intention. Mais j'espère que ça n'arrivera plus.

Le silence les enveloppa, et Sophia sentit la chaleur du corps de Luke contre le sien.

— Je continue néanmoins à te trouver parfaite, reprit-il en la faisant rire.

— Espèce de beau parleur, le taquina-t-elle avant de relever la tête pour l'embrasser sur la joue. Je peux te poser une question ?

— Tout ce que tu veux.

— Tu m'as dit que ta mère voulait doubler la taille du troupeau, et quand je t'ai demandé pourquoi, tu m'as répondu qu'elle n'avait pas le choix. Qu'entendais-tu par là ?

Il lui caressa le plat de la main.

— C'est une longue histoire.

— Encore ? Alors, réponds simplement à cette question : y a-t-il un rapport avec Big Ugly Critter ?

Elle sentit le corps de Luke se raidir machinalement, même si sa réaction fut brève.

— Qu'est-ce qui te fait dire ça ?

— Une intuition, dit-elle. Cette histoire-là non plus, tu ne l'as pas terminée, alors je me suis dit qu'elles devaient être liées. (Elle hésita.) C'est le cas, non ?

Il inspira profondément et prit le temps d'expirer.

— Je pensais connaître son tempérament, se lança Luke, et au début, ça s'est bien passé. Mais à la moitié de la performance, j'ai commis une erreur. Je me suis trop penché en avant, juste au moment où Big Ugly Critter a rejeté la tête en arrière, et je me suis évanoui sous le choc. Je me suis abattu sur le sol, et il m'a traîné tout autour de l'arène. Il m'a déboîté l'épaule, mais il y a eu plus grave.

Luke se gratta la joue puis reprit d'une voix neutre, presque distante.

— J'étais inerte dans la poussière, et le taureau est revenu à la charge. C'était assez horrible. J'ai passé pas mal de temps en soins intensifs… Mais les médecins ont fait un travail remarquable, et j'ai eu de la chance. Après mon réveil, j'ai récupéré bien plus vite que prévu. Mais j'ai quand même dû rester longtemps à l'hôpital. Après, il y a eu les mois de rééducation. Et ma mère…

Il s'interrompit, et malgré la froideur avec laquelle il racontait son histoire, Sophia sentit son cœur à elle s'emballer à l'idée des blessures qu'il avait endurées.

— Ma mère… a agi comme n'importe quelle mère, je pense. Elle s'est pliée en quatre pour que je reçoive les meilleurs soins possible. Mais le fait est que je n'avais pas de mutuelle — quand on monte des taureaux, ça nous est interdit, car c'est une activité trop dangereuse. Enfin, à l'époque, en tout cas. Le championnat garantit une protection minimum, mais c'était loin de couvrir le coût de l'hospitalisation. Alors elle a dû hypothéquer le ranch. (Il se tut, l'air soudain plus vieux.) Les conditions du contrat n'étaient pas géniales, et les taux vont être réévalués à la hausse l'été prochain. Le ranch ne génère pas suffisamment de bénéfices pour couvrir les traites à venir. Aujourd'hui, on y arrive déjà à peine. Nous avons tout fait, cette année, pour augmenter les revenus fournis par nos terres, mais les rentrées restent insuffisantes. On est très loin du compte.

— Qu'est-ce que ça veut dire ?

— Que nous allons devoir vendre le ranch. Sinon, la banque le saisira. Et c'est le seul mode de vie envisageable pour ma mère. Elle gère toutes les affaires, et elle a passé toute sa vie là-bas…

Il soupira bruyamment, avant de reprendre.

— Elle a cinquante-cinq ans. Où irait-elle ? Que ferait-elle ? Moi, je suis jeune. Je peux vivre n'importe où. Mais elle, tout perdre à cause de moi ? Je ne peux pas lui faire ça. Je ne le permettrai pas.

— C'est pour cette raison que tu as repris la compétition, conclut Sophia.

— Eh oui, admit-il. Ça couvrira les paiements, et si les prochaines années sont bonnes, je pourrai proposer un remboursement anticipé partiel, afin de réduire le taux à un niveau raisonnable.

Sophia ramena ses genoux sur sa poitrine.

— Alors, pourquoi ne veut-elle pas que tu remontes sur un taureau ?

Luke sembla peser ses mots.

— Elle a peur que je sois de nouveau blessé. Mais ai-je le choix ? Je n'ai même plus envie de monter... Ce n'est plus pareil pour moi. Mais je ne sais pas quoi faire d'autre. Pour autant que je sache, on arrivera à tenir jusqu'en juin, peut-être juillet. Mais ensuite...

Son sentiment de culpabilité et son angoisse étaient si évidents que Sophia sentit sa poitrine se serrer.

— Vous allez peut-être trouver les pâturages dont vous avez besoin.

— Peut-être, dit-il sans conviction. Enfin bref, voilà où en est le ranch. Ça n'a rien de gai. C'est en partie pour cela que j'ai eu envie de t'amener ici. Parce qu'ici, avec toi, je pense à autre chose. Je ne m'inquiète plus. Depuis notre arrivée, je suis seulement ravi que tu sois avec moi.

Comme il l'avait prédit, l'un des chevaux hennit. La température de la pièce avait chuté, l'air frais de la montagne s'infiltrant par les fenêtres et les murs.

— Je devrais aller voir notre dîner, dit-il. Vérifier que ça ne brûle pas.

À contrecœur, Sophia se redressa pour permettre à Luke de se lever. Le sentiment de culpabilité qu'il éprouvait en décrivant l'état financier du ranch était si profond, si palpable, qu'elle ne put que le suivre. Elle avait besoin de lui montrer qu'il pouvait compter sur son soutien, non pas parce qu'il en avait besoin, mais parce qu'elle en avait envie. L'amour qu'elle lui portait modifiait tout, et elle tenait à le lui faire sentir.

Il remuait le chili quand elle surgit derrière son dos et passa les bras autour de sa taille. Il se raidit, et elle resserra légèrement son étreinte avant de le lâcher. Il se retourna et la prit dans ses bras. Leurs corps s'emboîtèrent naturellement quand elle se lova contre lui. Ils restèrent ainsi pendant un long moment.

Elle se sentait merveilleusement bien contre lui. Elle percevait les battements de son cœur dans sa poitrine, le rythme délicat de sa respiration. Elle enfouit son visage dans son cou, respira son odeur, et une vague de désir la submergea, plus violente que celles qu'elle avait connues jusqu'à ce jour. Elle embrassa lentement son cou, et son souffle s'accéléra.

— Je t'aime, Sophia, murmura-t-il.

— Je t'aime, Luke, répondit-elle en lui offrant son visage.

Au moment où ils s'embrassèrent, elle souhaita que rien ne nuise jamais à leur bien-être. D'abord hésitants, leurs baisers gagnèrent en fougue, et en rouvrant les yeux, elle était consciente d'afficher ouvertement son désir. Elle le voulait tout entier, plus qu'elle n'avait jamais désiré personne, et après lui avoir donné un autre baiser, elle tendit la main derrière son dos pour éteindre la cuisinière. Sans le quitter des yeux, elle lui prit la main et l'entraîna à petits pas vers la chambre.

# 17

## Ira

Un soir de plus et je suis toujours là. Lové dans le silence, inhumé dans le froid cinglant de l'hiver, incapable de bouger.

J'ai tenu plus d'un jour entier. À mon âge, dans une situation aussi critique, ça se fête. Mais je faiblis. Seules la souffrance et la soif me semblent réelles. Mon corps me lâche, et je dois redoubler d'efforts pour garder les yeux ouverts. Ils vont finir par se refermer, et au fond de moi, je me demande s'ils s'ouvriront à nouveau. Je fixe Ruth du regard, me demandant pourquoi elle ne dit rien. Elle ne me regarde pas. D'ailleurs, je la vois de profil. À chaque battement de paupières, elle semble changer. Elle est jeune, vieille puis de nouveau jeune, et je me demande ce qu'elle pense à chaque transformation.

Je l'aime de tout mon cœur, mais je dois admettre qu'elle est toujours restée une énigme à mes yeux. Le matin, alors que nous étions attablés devant notre petit déjeuner, il m'arrivait de surprendre son regard qui se perdait par la fenêtre. Dans ces moments, elle était comme en cet instant, et mes yeux suivaient souvent les siens. Nous restions silencieux, à observer les oiseaux qui voletaient de branche en branche, les nuages dont les mouvements composaient des formes. Parfois, c'était elle que j'observais pour tenter de m'infiltrer dans ses pensées, mais elle ne m'offrait qu'un sourire discret, pleinement satisfaite de me laisser dans l'ignorance.

Elle me plaisait aussi pour ça. J'aimais la touche de mystère qu'elle ajoutait à ma vie. J'aimais nos silences ponctuels, car ils étaient confortables. C'était un silence passionné, dont les racines étaient ancrées dans le bien-être et le désir. Je me suis souvent demandé si cela nous rendait uniques ou si tous les couples en partageaient de similaires. Ça m'attristerait d'apprendre que nous étions exceptionnels, mais je suis sur Terre depuis suffisamment longtemps pour conclure que ce qui me reliait à elle était une bénédiction peu commune.

Et Ruth ne dit toujours rien. Peut-être qu'elle aussi revit les jours que nous avons jadis partagés.

\*
\* \*

Quand nous rentrâmes de notre lune de miel, nous entreprîmes de créer notre vie à deux. Sur ces entrefaites, ses parents étaient partis vivre à Durham, et Ruth et moi habitâmes chez les miens, le temps de trouver une maison à acheter. Si de nombreux quartiers résidentiels se construisaient dans Greensboro, nous recherchions une maison de caractère. Nous passions l'essentiel de notre temps à déambuler dans le vieux quartier de la ville, et c'est là que nous avons trouvé une demeure du style reine Anne, érigée en 1886, avec un pignon en façade, une tour ronde et des porches qui ornaient le devant et l'arrière. À première vue, elle me sembla trop grande pour nous, trop spacieuse pour nos besoins. De plus, des rénovations importantes étaient à prévoir. Mais Ruth aimait ses moulures et ses détails architecturaux, et moi je l'aimais elle, alors, quand elle déclara qu'elle me laissait décider, je fis une offre le jour suivant.

Le temps que le dossier de prêt soit finalisé – nous dûmes attendre un mois avant d'emménager –, je recommençai à travailler au magasin, tandis que Ruth se lançait dans sa carrière d'enseignante. J'avoue que j'étais anxieux pour elle. L'école rurale qui l'avait engagée accueillait principalement des élèves issus de familles de fermiers. Plus de la moitié d'entre eux n'avaient pas l'eau courante, et la plupart ne changeaient jamais de vêtements. Deux sont arrivés en classe pieds nus le premier jour. Seuls quelques enfants semblaient désireux d'apprendre, et les illettrés étaient nombreux. Même leur pauvreté était nouvelle pour elle, moins d'ordre matériel, ils manquaient surtout de rêves. Au cours des premiers mois, je vis Ruth plus éreintée que jamais, mais heureusement cela ne dura pas. Un professeur doit donner du temps, mais aussi avoir de l'expérience pour construire un programme de cours et se sentir à l'aise, même dans les meilleures écoles, et je vis souvent Ruth travailler tard le soir à la petite table de la cuisine, alors qu'elle cherchait différents moyens d'éveiller l'intérêt de ses élèves.

Si la tâche l'accapara pendant le premier semestre, il devint évident que faire la classe à de tels élèves, encore plus que la collection d'œuvres d'art que nous avons développée par la suite, était non seulement sa vocation, mais sa grande passion. Elle traitait son travail avec une détermination farouche qui me surprit. Elle souhaitait que ses élèves s'instruisent, mais surtout, elle tenait à ce qu'ils chérissent autant le savoir qu'elle. Face à des enfants aussi défavorisés, c'était un défi de taille, mais cela ne fit qu'accentuer son enthousiasme. Au dîner, elle me parlait d'eux et me rapportait ses « petites victoires » qui lui donnaient le sourire pendant plusieurs jours. Car c'est ainsi qu'elle les décrivait. Elle annonçait de but en blanc : *Ira, l'un de mes élèves a remporté une petite victoire en classe, aujourd'hui,* puis elle m'exposait précisément l'événement. Je savais quand un élève l'avait surprise en acceptant de prêter son stylo, ou quand l'écriture d'un autre s'améliorait, ou encore quand une élève avait fait sa fierté en lisant son premier livre. Mais surtout, elle était attentive. Dès que l'un d'eux était triste elle remarquait, et lui parlait comme une mère. Quand elle apprit que certains n'avaient pas les moyens d'apporter un déjeuner à l'école, elle décida de préparer des sandwichs supplémentaires le matin. Et lentement, mais sûrement, ses élèves réagirent positivement à ses bons soins, comme de jeunes plantes au soleil et à l'eau.

Elle avait craint que les enfants ne l'acceptent pas. Parce qu'elle était juive dans une école presque exclusivement chrétienne, parce qu'elle venait de Vienne et avait un accent allemand, elle avait peur d'être traitée en étrangère. Elle ne me l'avait jamais dit directement, mais je le savais depuis qu'un jour de décembre, je l'avais retrouvée en pleurs dans la cuisine en fin de journée. Ses yeux gonflés et irrités m'effrayèrent. Je crus qu'un malheur était arrivé à ses parents, ou peut-être qu'elle avait eu un accident. Puis je remarquai que la table était jonchée d'objets artisanaux. Elle me confia alors que chacun de ses élèves lui avait apporté des cadeaux pour Hanoukka. Elle ne sut jamais comment cette idée leur était venue : elle n'avait jamais évoqué cette tradition, et il était clair qu'aucun des enfants ne connaissait le sens de cette fête. Plus tard, elle me dit qu'elle avait surpris l'un de ses élèves en train d'expliquer à un autre que « Hanoukka est la façon dont les juifs célèbrent la naissance de Jésus », mais la vérité comptait moins que leur geste. La plupart des cadeaux étaient simples, des cailloux peints, des cartes fabriquées à la main, un bracelet de coquillages, mais ils étaient empreints d'amour, et c'est à ce moment, me suis-je dit plus tard, que Ruth avait finalement accepté Greensboro, en Caroline du Nord, comme sa ville.

*
* *

Malgré sa charge de travail, nous réussîmes tout doucement à aménager notre maison. Nous passâmes de nombreux week-ends de cette première année à chiner des antiquités. De la même façon qu'elle avait l'œil pour repérer le talent artistique, elle avait un don pour choisir le mobilier qui ferait de notre demeure un lieu à la fois accueillant et d'une beauté unique.

Les rénovations étaient prévues pour l'été suivant. La maison avait besoin d'un toit neuf, et la cuisine et les salles de bains, bien que fonctionnelles, n'étaient pas au goût de Ruth. Les sols devaient être poncés et la plupart des fenêtres remplacées.

En achetant la maison, nous avions décidé d'attendre les beaux jours pour commencer les réparations, c'est-à-dire quand Ruth aurait le temps de superviser les ouvriers.

J'étais soulagé qu'elle souhaite endosser cette responsabilité.

Dans l'intervalle, mes parents avaient encore réduit le nombre d'heures qu'ils passaient à la boutique, alors que les clients s'étaient multipliés au cours de l'année où Ruth avait commencé à enseigner. Comme mon père pendant la guerre, je pris le local voisin en location. En développant le magasin, j'embauchai trois employés supplémentaires. Malgré tout, j'avais du mal à tenir le rythme. À l'instar de Ruth, je travaillais souvent tard le soir.

Les travaux durèrent plus longtemps que prévu, ce qui multiplia les frais, et il va sans dire qu'ils nous incommodèrent grandement. Le mois de juillet 1947 touchait à sa fin quand le dernier ouvrier rangea sa caisse à outils dans sa camionnette. Mais grâce aux changements – certains subtils, d'autres drastiques – nous nous sentions finalement chez nous dans cette maison, au point que j'y vis depuis plus de soixante-cinq ans. Contrairement à moi, la demeure tient raisonnablement bien debout. L'eau s'écoule sans encombre dans les canalisations, les placards s'ouvrent sans opposer de résistance et les sols sont aussi lisses qu'une table de billard, alors que moi, je ne peux plus changer de pièce sans mon déambulateur. Si je devais émettre une réserve, j'ai l'impression que la maison est pleine de courants d'air, mais en même temps, j'ai froid depuis si longtemps que j'ai oublié ce que ça fait d'avoir chaud. Pour moi, ce logis est plein d'amour, et à ce stade de ma vie, ça suffit à me combler.

— Pour être pleine, elle est pleine, raille Ruth. Je parle de la maison.

Je détecte de la désapprobation dans sa voix et lui décoche un regard en biais.

— Elle me plaît comme elle est.

— Elle est dangereuse.

— Elle n'est pas dangereuse.

— Non ? Et s'il y avait le feu ? Comment ferais-tu pour sortir ?

— S'il y avait le feu, j'aurais du mal à sortir, même si la maison était vide.

— C'est une mauvaise excuse.

— Je suis vieux. Je dois être sénile.

— Tu n'es pas sénile. Tu es têtu.

— J'aime les souvenirs. Ce n'est pas la même chose.

— Ce n'est pas bon pour toi. Les souvenirs te rendent triste, parfois.

— Peut-être, dis-je en la regardant droit dans les yeux. Mais mes souvenirs sont tout ce qu'il me reste.

*

* *

Bien évidemment, Ruth a raison au sujet des souvenirs. Mais elle a également raison au sujet de la maison. Elle est pleine. Pas de vieilleries, mais d'œuvres d'art de notre collection. Pendant des années, nous avons conservé les peintures dans des unités de stockage climatisées que je louais au mois. Ruth préférait cette solution — elle a toujours eu peur qu'un feu se déclare — mais après sa mort, j'ai engagé deux ouvriers pour qu'ils ramènent tout à la maison. Maintenant, chaque mur est un kaléidoscope de peintures, et les toiles remplissent quatre des cinq chambres. Le salon et la salle à manger ont été inutilisables pendant des années à cause des tableaux qui s'entassaient dans les moindres recoins. Des centaines d'œuvres étaient encadrées, mais la plupart ne l'étaient pas. Celles-ci sont séparées par des feuilles de papier sans acide et rangées dans une multitude de caissons plats en chêne étiquetés de l'année à laquelle je les ai fait fabriquer par un charpentier de la ville. Je dois admettre que la maison est encombrée à outrance et peut rendre claustrophobe — la journaliste qui est venue chez nous est passée d'une pièce à l'autre, la bouche ouverte —, mais c'est propre. Une femme de ménage vient à la maison deux fois par semaine, et les pièces que j'utilise sont impeccables. Même si peu de ces aides ménagères, si ce n'est aucune, ne parlaient anglais, je sais que Ruth aurait été contente que je les aie engagées. Elle a toujours détesté la poussière et le fouillis.

Le fatras ne me dérange pas. Au contraire, il me rappelle les jours heureux de notre vie commune dont, en particulier, nos voyages à Black Mountain College. Après les rénovations, alors que nous avions tous deux besoin de vacances, nous fêtâmes notre premier anniversaire de mariage à Grove Park Inn, l'hôtel où nous avions séjourné durant notre lune de miel. Nous retournâmes à l'université, mais cette fois, des amis nous accueillirent. Elaine et Willem n'étaient pas là, mais Robert et Ken étaient présents, et ils nous présentèrent à Susan Weil et Pat Passlof, deux artistes extraordinaires dont les œuvres sont exposées dans de nombreux musées. Cette année-là, nous rentrâmes avec quatorze nouvelles peintures.

Cependant, aucun de nous deux ne songeait encore à devenir collectionneur. Après tout, nous n'étions pas riches, et pour acheter ces œuvres, il nous fallut faire quelques sacrifices, surtout après les travaux. De la même façon, nous ne les accrochâmes pas toutes au mur. Ruth préférait les déplacer de pièce en pièce au gré de ses humeurs, et en rentrant chez moi, la maison me paraissait à la fois familière et différente. En 1948 et 1949, nous prîmes encore le chemin d'Asheville et du Black Mountain College. Nous acquîmes de nouvelles peintures, et à notre retour, le père de Ruth nous suggéra de prendre notre hobby plus au sérieux. Comme ma femme, il percevait la qualité des œuvres que nous possédions, et sous son impulsion, l'idée germa dans nos têtes : rassembler une véritable collection qui puisse un jour être accueillie par un musée. Ce projet fascinait manifestement Ruth. Sans vraiment prendre de décision, nous commençâmes à économiser presque intégralement son salaire, et elle passa beaucoup de temps à écrire aux artistes de notre connaissance, à les consulter à propos d'autres artistes qu'ils pensaient que nous aimerions. En 1950, après un séjour aux Outer Banks, nous nous rendîmes pour la première fois à New York. Pendant trois semaines, nous visitâmes toutes les galeries de la ville, rencontrant les galeristes et les artistes avec lesquels nos amis nous avaient mis en contact.

Cet été-là, nous bâtîmes les fondations d'un réseau qui irait se développant pendant quatre décennies. À la fin de l'été, nous retournâmes au point de départ de cette aventure, un peu comme si nous ne pouvions pas faire autrement.

Je ne sais plus quand nous parvinrent les premières rumeurs au sujet de la fermeture du Black Mountain College, en 1952 ou 1953, je crois. Mais, de même que les artistes et enseignants que nous considérions comme des amis proches, nous préférions les ignorer. Toutefois, en 1956, nos craintes se matérialisèrent, et quand Ruth eut vent de la nouvelle, elle pleura sur ce qui représentait la fin d'un chapitre de notre existence.

Cet été-là, nous partîmes en voyage dans le Nord-Est, et même si je savais que ce ne serait pas comme avant, nous terminâmes nos vacances par un passage à Asheville pour notre anniversaire de mariage. Comme toujours, nous nous rendîmes à l'université, mais une fois devant le lac Eden et les bâtiments vides, je ne pus m'empêcher de me demander si notre histoire en ce lieu n'avait pas été qu'un rêve.

Alors, nous marchâmes jusqu'à l'endroit où nos six premières peintures avaient été exposées. Près des eaux silencieuses, je me dis que le lac portait bien son nom. Pour nous, après tout, cet endroit avait constitué un Eden. Où que puissent nous conduire nos pas, nous n'oublierions jamais ce lieu. Surprenant Ruth, je lui offris une lettre que j'avais rédigée la veille au soir. C'était la première missive que je lui écrivais depuis la guerre, et après l'avoir lue, Ruth me prit dans ses bras. En cet instant, je sus ce qu'il me restait à faire pour que cet endroit continue à vivre dans nos cœurs. L'année suivante, pour notre onzième anniversaire de mariage, je lui écrivis une autre lettre, qu'elle lut sous les mêmes arbres, sur la berge du lac Eden. Et c'est ainsi qu'une tradition fut initiée au sein de notre couple.

Au total, Ruth reçut quarante-cinq lettres et les conserva toutes. Elle les rangeait dans une boîte qui trônait sur le dessus de sa commode. Parfois, je la surprenais à les relire, et son sourire me disait qu'elle revivait un instant oublié depuis longtemps. Ces textes tenaient un peu le rôle d'un journal intime pour elle, et le temps passant, elle avait commencé à les parcourir de plus en plus fréquemment, au point de lire l'ensemble d'une traite, certains après-midi.

Ces missives semblaient l'apaiser, et je pense que c'est pour cela que, bien plus tard, elle décida de m'écrire. Je ne trouvai sa lettre qu'après sa disparition, mais elle me sauva la vie de bien des façons. Elle savait que j'en aurais besoin, car elle me connaissait mieux que moi-même.

Mais Ruth ne lut pas toutes mes lettres. Elle ne put pas. Je les écrivais pour elle, mais aussi pour moi, après tout, et après son décès, j'avais placé une autre boîte à côté de la première. Dans cette caissette se trouvent celles que j'ai écrites d'une main tremblante, des lettres marquées de mes larmes, pas des siennes. Ce sont des mots écrits pour ce qui aurait dû être nos anniversaires de mariage suivants. Parfois, j'ai envie de les lire, comme elle en avait l'habitude, mais ça me fait de la peine de songer qu'elle n'en a jamais eu l'occasion. Alors je préfère les enfermer dans cette boîte, et quand le chagrin devient trop violent, j'erre dans la maison et je contemple les peintures. Et parfois, dans ces moments, j'aime imaginer que Ruth est venue me rendre visite, exactement comme dans la voiture, parce qu'elle sait, même encore maintenant, que je ne peux pas vivre sans elle.

*
* *

— Tu peux vivre sans moi, déclare Ruth.

Dehors, le vent s'est calmé et la nuit paraît moins opaque. C'est à cause du clair de lune, me dis-je, avant de me rendre compte que le temps s'améliore enfin. D'ici à demain soir, si je tiens le coup jusque-là, les éclaircies s'imposeront, et dès mardi la neige fondra. Le temps d'un instant, cela me donne de l'espoir, mais l'étincelle s'éteint aussitôt. Je ne tiendrai pas aussi longtemps.

Je suis faible, si faible que distinguer Ruth avec netteté m'est pénible. L'intérieur de la voiture tourne sur lui-même, et j'ai envie de lui prendre la main pour que cela cesse, mais je sais que c'est impossible. Je préfère essayer de me remémorer le contact de sa peau, même si la sensation m'échappe.

— Tu m'écoutes ? demande-t-elle.

Je ferme les yeux dans l'espoir de calmer mes vertiges, mais ça ne fait que les empirer, et des spirales colorées explosent derrière mes paupières.

— Oui, dis-je enfin dans un souffle rauque comme s'il jaillissait des cendres volcaniques de ma gorge.

La soif me griffe avec une cruauté vengeresse. C'est pire qu'avant. Infiniment pire. Je n'ai rien bu depuis plus de vingt-quatre heures, le désir de me désaltérer me ronge et redouble de force à chaque respiration.

— La bouteille d'eau est là, me dit soudain Ruth. Je crois qu'elle est par terre, près de mes pieds.

Sa voix douce me berce comme une mélodie, et je tente de me raccrocher à sa sonorité pour fuir l'évidence.

— Comment le sais-tu ?

— Je n'en suis pas sûre. Mais où pourrait-elle être ? Elle n'est pas sur le siège.

Elle a raison, me dis-je. Il y a des chances pour qu'elle ait roulé par terre, mais je n'ai aucun moyen de l'attraper.

— Peu importe, dis-je enfin, désespéré.

— Comment ça ? Tu dois trouver une solution pour t'emparer de cette bouteille.

— Je ne peux pas. Je ne suis plus assez fort.

Elle semble digérer mes paroles en silence. Dans la voiture, j'ai l'impression de l'entendre respirer avant de me rendre compte que c'est moi qui émets des sifflements. Ma gorge recommence à se bloquer.

— Te souviens-tu de la tornade ? demande-t-elle soudain.

À sa voix, je sens qu'elle m'implore de me concentrer, et je cherche à comprendre à quoi elle fait allusion. La tornade. Au début ça ne me dit rien, mais lentement, le souvenir prend forme et se pare de sens.

J'étais rentré du travail depuis une heure quand, tout à coup, le ciel avait viré à un gris verdâtre de mauvais augure. Ruth avait mis le nez dehors pour l'examiner, mais je me souviens de l'avoir rattrapée de justesse pour l'entraîner dans la salle de bains, au cœur de la maison. C'était la première tornade de sa vie, et si notre maison n'a pas été touchée, dans notre rue, un arbre s'est écrasé sur la voiture d'un voisin.

— C'était en 1957, dis-je. En avril.

— Oui, confirme-t-elle. C'est bien ça. Ça ne m'étonne pas que tu t'en souviennes. Tu n'oublies jamais la météo, même quand ça remonte à loin.

— Je m'en souviens parce que j'ai eu peur.

— Mais aujourd'hui aussi, tu te souviens de la météo du jour.

— Je regarde la chaîne Météo.

— C'est bien. Ils passent beaucoup d'émissions intéressantes. On apprend des choses, parfois.

— Pourquoi parlons-nous de ça ?

— Parce que, me dit-elle, d'une voix pressante, il y a quelque chose dont tu dois te souvenir. Il y a autre chose.

Je ne sais pas de quoi elle parle, et je suis si épuisé que tout m'est égal. Le sifflement empire, je ferme les yeux et me laisse flotter dans une mer noire, flottant sur les vagues. Vers un horizon incertain, loin d'ici. Loin d'elle.

— Tu as vu quelque chose d'intéressant, récemment ! crie-t-elle.

Mais je dérive. En dehors de la voiture. Voilà que je vole. Sous la lune et les étoiles. La nuit est plus claire, le vent est tombé, et je suis si fatigué que je sais que je vais dormir pour l'éternité. Je sens mes membres se détendre, se libérer de leur poids.

— Ira ! hurle-t-elle dans un regain de panique. Il y a quelque chose que tu dois te remémorer ! C'est passé sur la chaîne Météo !

Sa voix me semble distante, presque comme un écho.

— Un homme, en Suède ! crie-t-elle. Il n'avait rien à manger, rien à boire !

Bien que je l'entende à peine, ses mots résonnent dans ma tête. *Oui*, me dis-je, et ce souvenir, comme la tornade, commence à prendre forme. *Umeå. Cercle arctique. Soixante-quatre jours.*

— Il a survécu ! s'exclame-t-elle.

Sa main s'avance vers moi et se pose sur ma jambe.

Alors, je cesse de dériver. Quand j'ouvre les yeux, je suis de retour dans la voiture.

*Enterré dans sa voiture, sous la neige. Rien à manger, rien à boire.*

*Pas d'eau.*

*Pas d'eau…*

Ruth se penche vers moi, si près que je sens les délicates notes de rose de son parfum.

— Oui, Ira, dit-elle avec gravité. Il n'avait pas d'eau. Alors, comment a-t-il survécu ? Tu dois t'en souvenir !

Je bats des paupières, et mes yeux me semblent squameux comme ceux d'un reptile.

— La neige, dis-je. Il a mangé de la neige.

Alors qu'elle soutient mon regard, je sais qu'elle me met au défi de tourner la tête.

— Ici aussi, il y a de la neige, reprend-elle. Il y a de la neige juste devant ta vitre.

À ses mots, un élan monte en moi, dominant ma faiblesse, et bien que j'aie peur de bouger, je lève lentement le bras gauche. Je le ramène centimètre par centimètre sur ma cuisse, puis je le soulève pour le poser sur l'accoudoir. Je viens d'accomplir un effort colossal, et je prends le temps de reprendre mon souffle. Mais Ruth a raison. Il y a de l'eau tout près, et je tends le doigt en direction du bouton. J'ai peur que la vitre ne s'ouvre pas, mais j'avance néanmoins le doigt. Une impulsion primaire me pousse à poursuivre. *J'espère que la batterie n'est pas à plat. Elle ne l'était pas, il y a peu*, me dis-je. *Ça marchait après l'accident.* Mon index atteint enfin le bouton, et j'appuie.

Et comme par miracle, un froid cinglant envahit brusquement l'habitacle. Le refroidissement est brutal et quelques flocons atterrissent sur ma main. C'est si proche, mais je suis tourné du mauvais côté. Je dois soulever ma tête. Ça me semble insurmontable, mais il m'est impossible d'ignorer l'appel de l'eau.

Je relève la tête, et mon bras, mon épaule et ma clavicule explosent. Tout est blanc, puis devient noir, mais je continue.

Mon visage est boursouflé, et je crains brièvement de ne pas y arriver. J'ai envie de reposer ma tête. Je veux que la douleur cesse, pourtant, ma main gauche avance vers moi. La neige fond déjà, je sens l'eau couler, et ma main progresse.

Soudain, alors que je suis sur le point de renoncer, ma main touche ma bouche. La neige est délicieuse et mes lèvres reprennent vie. C'est humide sur ma langue. C'est froid, piquant et délicieux, je sens chaque goutte d'eau se frayer un chemin dans ma gorge. Le miracle m'enhardit et je m'empare d'une seconde poignée de neige. J'avale d'autres flocons et les picotements disparaissent. Soudain, ma gorge est aussi jeune que Ruth, et bien qu'il fasse très froid dans la voiture, je ne le sens pas. Je saisis une autre poignée de neige et l'épuisement que j'éprouvais il y a peu se dissipe. Je suis fatigué et faible, mais c'est infiniment plus tolérable, en comparaison. Quand je regarde Ruth, je la distingue nettement. Elle a une trentaine d'années, l'âge où elle était la plus belle, et elle est radieuse.

— Merci, dis-je enfin.

— Il n'y a pas de quoi me remercier. (Elle hausse les épaules.) Mais tu devrais fermer la vitre, maintenant. Avant que tu ne prennes froid.

J'obtempère sans la quitter des yeux.

— Je t'aime, Ruth, dis-je d'une voix rauque.

— Je sais, dit-elle avec tendresse. C'est pour ça que je suis là.

*

\* \*

L'eau m'a revigoré, à un point qui semblait impensable il y a quelques heures encore. Je veux surtout parler de mon esprit. Mon corps est resté à l'état de loque et j'ai toujours aussi peur de bouger, mais Ruth semble rassurée de me voir récupérer. Elle écoute paisiblement le fil de mes pensées. Ce qui me préoccupe le plus, c'est de savoir si quelqu'un va finir par me retrouver…

Dans ce monde, en fin de compte, je suis devenu plus ou moins invisible. Même quand j'ai fait le plein de ma voiture

– suite à quoi je me suis perdu, d'ailleurs –, la caissière a gardé le regard rivé, par-dessus mon épaule, sur un jeune homme en jean. Je suis désormais ce que les jeunes redoutent de devenir, un membre de la vieillesse anonyme, un homme vieux et usé qui n'a plus rien à offrir. Mes jours sont sans importance, composés de moments simples et de plaisirs encore plus simples. Je mange, je dors et je pense à Ruth ; je traîne dans la maison, je m'attarde devant les peintures et, le matin, je nourris les pigeons qui se rassemblent dans le jardin. Mon voisin s'en plaint. Il voit ces oiseaux comme une nuisance ravagée par la maladie. Il n'a peut-être pas tort, mais il a par ailleurs fait abattre un magnifique érable qui s'élevait à cheval sur nos deux propriétés, uniquement parce qu'il était las de ratisser les feuilles mortes, alors je ne me fie pas trop à son jugement. De toute façon, j'aime ces oiseaux. J'aime leurs petits roucoulements, et le mouvement de leurs têtes quand ils suivent le chemin de graines que je laisse pour eux.

Je sais que la plupart des gens me considèrent comme un reclus. C'est ainsi que m'a décrit la journaliste. Si je méprise ce terme et tout ce qu'il sous-entend, il y a une part de vérité dans son article. Je suis veuf depuis des années, un homme sans enfant et, à ma connaissance, aucun parent vivant. Mes amis, à l'exception de mon avocat, Howie Sanders, ont disparu depuis longtemps, et depuis la tempête médiatique – celle qu'a déclenchée l'article du *New Yorker* –, je quitte rarement la maison. C'est plus facile ainsi, mais je me demande souvent si j'aurais dû commencer par discuter avec la journaliste. Probablement pas, mais quand Janice ou Janet, ou peu importe son nom, avait frappé à ma porte sans prévenir, ses cheveux noirs et ses yeux pétillants d'intelligence m'avaient rappelé Ruth, et sans me laisser le temps de réfléchir, elle s'était faufilée dans le salon. Elle n'était repartie que six heures plus tard. Comment elle avait entendu parler de la collection, je l'ignore. Sûrement par un galeriste du Nord – ils peuvent être plus bavards que des étudiantes – mais malgré tout, je ne lui reproche pas les conséquences de son article. Elle n'a rien fait de plus que son boulot, et j'aurais pu lui demander de s'en aller, après tout, mais j'avais répondu à ses questions et l'avais autorisée à prendre des photos. Après son départ, je l'avais aussitôt chassée de mon esprit. Puis, quelques mois plus tard, un jeune homme à la voix aiguë, qui se présenta comme chargé de vérifier les faits pour le magazine, téléphona. Naïvement, je lui fournis les réponses qu'il voulait, et je reçus un petit colis par la poste plusieurs semaines plus tard. La journaliste avait eu la gentillesse de m'envoyer un exemplaire du numéro dans lequel était paru l'article. Inutile de dire que sa lecture me mit en rage. Je le jetai sitôt après, mais quand je recouvrai mon sang-froid, je retournai le chercher dans la poubelle pour relire son texte. Avec le recul, je compris que ce n'était pas sa faute si elle n'avait pas saisi mes explications. En fait, à ses yeux, la collection était l'intégralité de l'histoire.

Cette histoire remonte à six ans et a chamboulé ma vie. Des barreaux ont été posés aux fenêtres et une clôture autour du jardin. J'ai fait installer un système de sécurité, et la police ne manque pas de passer devant chez moi deux fois par jour minimum. J'ai été inondé d'appels téléphoniques. Des reporters. Des producteurs. Un scénariste qui m'a promis d'adapter l'histoire au cinéma. Trois ou quatre avocats. Deux inconnus qui se sont présentés comme des cousins éloignés du côté de Ruth. Des étrangers dans une mauvaise passe en quête d'un coup de main. Au bout du compte, j'ai fini par débrancher le téléphone, car les uns comme les autres – y compris la journaliste – n'envisageaient l'art qu'en termes d'argent.

Ce qu'aucun d'eux n'a compris, c'est qu'il n'était pas question d'argent, mais des souvenirs que ces œuvres renferment. De son côté, Ruth gardait mes lettres, et moi j'avais les tableaux et les souvenirs. Devant les De Kooning, les Rauschenberg et les Warhol, je vois Ruth me donner la main au bord du lac ; devant le Jackson Pollock, je revis notre premier voyage à New York, en 1950. Nous avions parcouru la moitié du trajet quand, sur un coup de tête, nous avions poussé jusqu'à Springs, un hameau près d'East Hampton, à Long Island. C'était une magnifique journée d'été, et Ruth portait une robe jaune. Elle avait vingt-huit ans et devenait chaque jour plus belle, ce que Pollock n'avait pas manqué de remarquer. Je suis convaincu que c'est grâce à son élégance qu'il autorisa deux étrangers à pénétrer dans son atelier. Ça explique également pourquoi il accepta de vendre à Ruth une peinture qu'il venait de terminer, ce qu'il ne faisait que très rarement, peut-être même jamais. Plus tard, dans l'après-midi, Ruth et moi nous étions arrêtés dans un petit café de Water Mill. C'était un endroit charmant au parquet abîmé, aux fenêtres baignées de soleil, et le propriétaire nous avait proposé une table branlante en terrasse. Ruth avait commandé du vin blanc léger et sucré, et nous l'avions dégusté en admirant la vue sur le Sound. La brise était douce et la journée chaude, et quand un bateau était passé dans le lointain, nous nous étions demandé où il pouvait aller.

À côté de cette peinture est accrochée une œuvre de Jasper Johns. Nous l'avons acquise en 1952, l'été où la longueur des cheveux de Ruth a atteint son maximum. Les premières ridules commençaient à se creuser au coin de ses yeux, n'ajoutant que plus de féminité à son visage. En début de matinée, nous étions montés au sommet de l'Empire State Building, et plus tard, dans le calme de notre chambre d'hôtel, Ruth et moi avions fait l'amour pendant des heures avant qu'elle ne s'endorme dans mes bras. Je n'avais pas réussi à dormir ce jour-là. J'avais passé mon temps à la regarder, à observer les légers mouvements de sa poitrine, sa peau chaude contre la mienne. Dans la pièce faiblement éclairée, alors que ses cheveux étaient étalés sur l'oreiller, je m'étais demandé si j'étais le seul au monde à avoir autant de chance.

C'est pour cela que je flâne dans la maison tard le soir, pour cela que la collection reste intacte, pour cela que je n'ai jamais vendu une seule toile. Comment le pourrais-je ? Dans les huiles et les pigments sont entreposés mes souvenirs de Ruth ; chaque toile me renvoie à un chapitre de notre vie de couple. Rien n'est plus précieux à mes yeux. Cette collection est tout ce qu'il me reste de l'épouse que j'ai aimée plus que tout au monde, et je continuerai à m'attarder devant ces œuvres et à me souvenir jusqu'à ce que je ne le puisse plus.

Avant de mourir, Ruth se joignait parfois à mes errances tardives, car elle aussi aimait à remonter le temps. Elle aussi aimait raconter nos vieilles histoires, même si elle ne s'est jamais rendu compte qu'elle en était l'unique héroïne. Elle me donnait la main et nous allions de pièce en pièce, nous délectant tous deux du passé qui reprenait vie.

Mon mariage m'a apporté beaucoup de bonheur, mais ces derniers temps, ma vie n'est plus que tristesse. Je comprends que l'amour et la tragédie aillent de pair, puisque l'un n'existe pas sans l'autre, mais je me demande tout de même si la négociation est juste. Un homme devrait mourir comme il a vécu : dans ses derniers instants, il devrait être entouré et réconforté par ceux qu'il a toujours aimés. Mais je sais d'ores et déjà que mes derniers instants, je les vivrai seul.

# 18

## Sophia

Sophia vécut les semaines suivantes comme un interlude rare et merveilleux sans heurts ni tracas. Ses cours étaient stimulants, ses notes excellentes, et même si elle n'avait pas eu de nouvelles du musée de Denver, son référent la recommanda pour un stage au musée d'Art moderne de New York. Elle devait y passer un entretien pendant les vacances de Noël. Ce n'était pas rémunéré, et pour s'y rendre depuis chez elle, il fallait prendre le train, mais c'était le MoMA. Même dans ses rêves les plus fous, elle n'aurait jamais cru cela possible.

Malgré le peu de temps qu'elle passa au foyer de la sororité, elle remarqua que l'allure de Marcia se faisait de plus en plus altière, comme chaque fois qu'elle jetait son dévolu sur quelqu'un. Elle était perpétuellement de bonne humeur, mais niait que ce soit en rapport avec un garçon. À la même période, Mary-Kate déchargea Sophia d'une grande partie de ses responsabilités, et à l'exception des inévitables réunions, celle-ci fut globalement exempte d'obligations collectives. Bon, ce n'était probablement que la conséquence de son peu d'implication, mais elle s'en réjouit. Et pour couronner le tout, elle ne croisait plus Brian sur le campus, pas plus qu'elle ne recevait de message ou de coup de fil de sa part, à tel point qu'elle oublia totalement qu'ils avaient un jour formé un couple. Et puis, évidemment, il y avait Luke.

Pour la première fois, elle avait le sentiment de comprendre le sens de l'amour. Depuis leur week-end au chalet – hormis pour Thanksgiving, qu'elle avait fêté en famille –, ils passaient toutes les nuits du samedi ensemble, au ranch, principalement enlacés. Entre deux baisers, au contact de sa peau nue qui l'électrisait, elle se délectait du son de sa voix qui lui répétait inlassablement qu'il l'adorait et qu'il tenait à elle. Dans l'obscurité, elle suivait le contour de ses cicatrices du bout du doigt, et à l'occasion en découvrait une qu'elle n'avait jamais remarquée jusqu'alors. Ils discutaient jusqu'aux premières heures du jour, ne s'interrompant que pour refaire l'amour. Leur passion était enivrante, entièrement différente de ce qu'elle avait partagé avec Brian. Leur connexion transcendait l'acte physique. Elle appréciait la discrétion de Luke, qui se levait tôt le dimanche matin pour aller nourrir les animaux et faire le tour du troupeau, en veillant à ne pas troubler son sommeil. En général, elle se rendormait aussitôt et ne se réveillait que plus tard, lorsqu'il ressurgissait auprès d'elle, une tasse de café à la main. Parfois, ils flânaient sur la véranda pendant une heure ou deux, ou préparaient tout simplement le petit déjeuner ensemble. Presque systématiquement, ils partaient à cheval, parfois tout l'après-midi. Le froid de l'hiver faisait rougir ses joues et lui piquait les mains, néanmoins, elle se sentait intimement liée à Luke et au ranch, si bien qu'elle se demandait pourquoi il lui avait fallu autant de temps pour le trouver.

Alors que les fêtes de fin d'année approchaient, la sapinière occupa l'essentiel de leurs week-ends. Luke se chargeait de couper, transporter et ligoter les sapins de Noël, tandis que Sophia tenait la caisse. Elle profitait des accalmies pour préparer les examens à venir.

De plus, Luke avait sérieusement repris l'entraînement sur le taureau mécanique. Parfois, elle le regardait, perchée sur le capot d'un tracteur mangé par la rouille, dans la grange délabrée. Le taureau était installé dans une arène de fortune recouverte d'un épais tapis de mousse destiné à amortir les chutes. En général, il commençait lentement, le temps d'échauffer ses muscles, puis passait peu à peu à la vitesse supérieure.

Le taureau pirouettait, plongeait la tête puis changeait brusquement de sens, mais Luke parvenait à rester centré, en gardant sa main libre levée à l'écart de son corps. Il remontait trois ou quatre fois avant de la rejoindre, le temps de reprendre son souffle. Puis il retournait sur la piste, et la séance pouvait durer deux heures. S'il ne se plaignait jamais, elle remarquait qu'il souffrait à sa façon de grimacer dès qu'il changeait de position, ou à sa démarche inégale. Le dimanche soir, dans la chambre éclairée par des bougies, Sophia malaxait ses muscles pour soulager ses multiples douleurs.

Ils fréquentaient peu le campus ensemble, mais il leur arrivait de se retrouver pour dîner ou aller au cinéma. Une fois, ils se rendirent dans un bar country pour écouter le groupe qui avait joué le soir de leur rencontre, et Luke lui enseigna les danses en ligne. Il rendait le monde plus vivant, plus réel, et dès qu'elle était seule, elle songeait inévitablement à lui.

La deuxième semaine de décembre apporta un front froid précoce, et une tempête arriva du Canada. Ce fut la première neige de la saison, et si le lendemain après-midi elle avait en grande partie fondu, toute la matinée, Sophia et Luke admirèrent le ranch dans son manteau blanc avant d'aller à pied à la sapinière, où ils connurent le jour le plus fructueux du mois.

Plus tard, comme c'était devenu une habitude, ils se rendirent chez sa mère. Tandis que Luke changeait les plaquettes de freins de son pick-up, Linda apprit à Sophia à faire de la pâtisserie. Luke n'avait pas menti au sujet des tartes de sa mère, et elles passèrent un après-midi agréable à discuter et plaisanter, leurs tabliers couverts de farine.

En compagnie de Linda, la jeune femme pensait inévitablement à ses parents, et à tous les sacrifices qu'ils avaient faits pour elle. Quand Luke et sa mère se taquinaient, elle se demandait si, un jour, elle entretiendrait le même genre de rapports avec sa famille. La petite fille qu'ils avaient connue n'existait plus ; à sa place, ils découvriraient non seulement leur enfant devenue grande, mais peut-être aussi une amie. En prenant part à la vie de Luke, elle se sentait plus adulte. Il ne restait plus qu'un semestre avant la fin de ses études, et il n'y avait plus lieu de s'interroger sur l'intérêt de sa vie universitaire. Les hauts et les bas, les rêves et les combats, tout cela avait fait partie du voyage, comprenait-elle, un périple qui l'avait conduite à un ranch, près de la ville de King, où elle était tombée amoureuse d'un cow-boy.

*<br>* *

— Encore ? geignit Marcia.

Elle croisa les jambes sur le lit et rabattit son pull démesuré sur ses cuisses.

— Quoi ? Douze semaines d'affilée dans un ranch, ça ne te suffit pas ?

— Tu exagères.

Sophia leva les yeux au ciel, et ajouta la touche finale à son brillant à lèvres. À côté d'elle, son petit sac de voyage était prêt.

— Bien sûr, j'exagère. Mais c'est notre dernier week-end avant les vacances de Noël. Nous partons mercredi, et je t'ai à peine vue ce semestre.

— Nous sommes tout le temps ensemble, protesta Sophia.

— Non, nia Marcia. Avant, nous étions tout le temps ensemble. Maintenant, tu passes tous tes week-ends au ranch avec lui. Tu n'es même pas allée à la fête de Noël, le week-end dernier. *Notre* fête de Noël.

— Tu sais très bien que ces événements ne m'intéressent pas.

— Tu ne veux pas plutôt dire que c'est lui que ça n'intéresse pas ?

Sophia pinça les lèvres et craignit de paraître sur la défensive, malgré l'agacement qu'elle ressentait dans la voix de Marcia.

— Nous n'avions envie d'y aller ni l'un ni l'autre, d'accord ? Il avait du travail et besoin que je l'aide.

Marcia se passa la main dans les cheveux, manifestement exaspérée.

— Je ne sais pas comment te le dire sans que tu m'en veuilles.

— Dire quoi ?

— Tu fais une bêtise.

— De quoi parles-tu ?

Sophia posa son tube de brillant à lèvres pour se tourner vers son amie.

Marcia agita les mains.

— Réfléchis un peu, imagine ce que tu dirais si les rôles étaient inversés. Disons que je sors avec quelqu'un depuis deux ans…

— Peu probable, l'interrompit Sophia.

— D'accord, je sais que c'est difficile, mais imagine. Je fais ça pour toi. Disons que je viens d'endurer une rupture difficile, et que je passe des semaines enfermée dans ma chambre, puis tout à coup, je rencontre un type. On discute, je vais chez lui le lendemain, on se téléphone et je retourne le voir pendant le week-end. Rapidement, je me comporte comme s'il n'y avait plus que lui au monde et je passe tout mon temps libre avec lui. Qu'en penserais-tu ? Que j'ai rencontré l'homme parfait juste après une horrible rupture ? Enfin, combien y a-t-il de chances que ce soit le cas ?

Sophia sentit son sang bouillonner dans ses veines.

— Je ne vois pas où tu veux en venir.

— Je te dis juste qu'il se peut que tu fasses une bêtise. Et si tu ne fais pas attention, ça pourrait mal finir.

— Ce n'est pas une bêtise, répondit sèchement Sophia, en fermant son sac. Et ça ne va pas mal finir. J'aime passer du temps avec Luke.

— Je sais, dit Marcia en se radoucissant avant de tapoter le lit, à côté d'elle. Viens t'asseoir, supplia-t-elle. S'il te plaît.

Sophia hésita avant de la rejoindre sur le lit. Marcia lui fit face.

— J'ai compris qu'il te plaisait, reprit-elle. Vraiment. Et je suis contente qu'il te rende heureuse. Mais où va cette histoire, à ton avis ? Si c'était moi, je serais contente de prendre du bon temps avec un type, de voir où ça va, de vivre au jour le jour sans me prendre la tête. Mais je ne me laisserais jamais aller à croire que je vais passer ma vie avec lui.

— Ce n'est pas ce que je pense.

Marcia tira sur son pull.

— Tu en es sûre ? Parce que ce n'est pas l'impression que tu donnes.

Elle se tut, et devint presque triste.

— Tu n'aurais pas dû tomber amoureuse de lui. Et chaque fois que tu le rejoins, tu ne fais qu'aggraver ton cas.

Les joues de Sophia s'empourprèrent.

— Pourquoi tu fais ça ?

— Parce que tu n'as pas les idées claires, répondit Marcia. Sinon, tu te dirais que tu es en dernière année à l'université, future diplômée d'histoire de l'art, venue du New Jersey, quand même, alors que Luke monte des taureaux et vit dans un ranch en Caroline du Nord. Tu te demanderais ce qui va se passer dans six mois, quand tu auras obtenu ton diplôme.

Elle se tut pour obliger Sophia à se concentrer sur le but de son explication.

— Tu t'imagines vivre dans un ranch pendant les cinquante années à venir ? Faire du cheval, mener des troupeaux de vaches et nettoyer des stalles pour le restant de tes jours ?

Elle secoua la tête.

— Non…

— Ah, l'interrompit Marcia. Alors, peut-être que tu imagines Luke installé à New York pendant que tu travailleras dans un musée ? Peut-être que tu te vois avec lui, le dimanche matin, prendre un brunch dans un café branché, siroter des cappuccinos en lisant le *New York Times* ? C'est comme ça que tu imagines votre avenir ?

Comme Sophia ne répondait pas, Marcia lui serra la main.

— Je sais que tu tiens beaucoup à lui, poursuivit-elle. Mais vos vies ne suivent pas le même chemin, elles ne se déroulent pas sur le même continent. Et ça veut dire que tu vas devoir protéger ton cœur à partir de maintenant, car sinon il va finir en mille morceaux.

*
**

— Tu ne dis pas grand-chose ce soir, commenta Luke entre deux gorgées de chocolat chaud.

Assise sur le canapé, Sophia tenait sa tasse à deux mains, le regard perdu dans les tourbillons de neige, les secondes chutes de la saison qui, cette fois, avaient des chances de tenir. Comme d'habitude, Luke avait lancé une flambée, mais elle n'arrivait pas à se réchauffer.

– Désolée, dit-elle. C'est la fatigue.

Elle sentait qu'il l'observait, mais ce soir, bizarrement, ça la mettait mal à l'aise.

– Tu veux savoir ce que je crois ? demanda-t-il. Je crois que Marcia t'a dit quelque chose qui t'a perturbée.

Sophia ne répondit pas immédiatement.

– Qu'est-ce qui te fait dire ça ? demanda-t-elle d'une voix faible qui la surprit elle-même.

Il haussa les épaules.

– Quand je t'ai appelée pour te dire que j'allais venir te chercher, j'ai eu du mal à raccrocher, tellement tu étais bavarde. Mais le temps que j'arrive, plus rien, le silence. Sans compter que j'ai remarqué vos petits coups d'œil. J'ai eu l'impression que vous veniez d'échanger des confidences et qu'elles ne vous mettaient pas en joie.

La chaleur de la tasse lui réchauffa les mains.

– Tu es très perspicace pour un garçon qui peut passer une journée entière sans dire un mot, dit-elle en le regardant à la dérobée.

– C'est justement pour cette raison que je suis perspicace.

En effet, ce trait de caractère leur avait permis de devenir très proches en très peu de temps. Quant à savoir s'il y avait lieu de s'en réjouir, c'était une autre question.

– Voilà que tu replonges dans tes réflexions, gronda-t-il. Et là, ça commence à m'inquiéter.

Malgré la tension, elle rit.

– Où allons-nous, à ton avis ? demanda-t-elle soudain, en reprenant la question de Marcia.

– Nous deux, tu veux dire ?

– J'aurai mon diplôme au printemps. Dans quelques mois. Que se passera-t-il ensuite ? Quand je retournerai vivre chez moi ? Ou si je décroche un emploi ailleurs, loin d'ici ?

Il se pencha et posa sa tasse sur la table avant de se tourner lentement vers elle.

— Je ne sais pas, dit-il.

— Tu ne sais pas ?

Son visage était impassible.

— Je ne peux pas plus prédire l'avenir que toi.

— Ça ressemble à une mauvaise excuse.

— Je ne cherche pas d'excuses, dit-il. Je m'efforce simplement d'être honnête.

— Mais tu ne réponds pas ! s'exclama-t-elle, détestant le désespoir qu'elle percevait dans sa voix.

Luke garda son calme.

— Dans ce cas, que dis-tu de ça ? Je t'aime. J'ai envie de rester avec toi. Nous trouverons un moyen de rester ensemble.

— Tu y crois vraiment ?

— Je ne l'aurais pas dit, sinon.

— Même si, pour qu'on reste ensemble, tu devais aller vivre dans le New Jersey ?

Les flammes n'éclairaient que la moitié de son visage.

— Tu veux m'emmener vivre dans le New Jersey ?

— Qu'est-ce qui ne te plaît pas, dans le New Jersey ?

— Rien, dit-il. Je t'ai dit que j'y étais allé une fois et que j'avais bien aimé Jersey City.

— Mais ?

Pour la première fois, il baissa les yeux.

— Je ne peux pas quitter le ranch tant que ma mère n'est pas en sécurité, déclara-t-il sur un ton sans appel.

Elle comprenait, mais…

— Alors tu veux que je reste ici, conclut-elle. Après mes études.

— Non, dit-il en secouant la tête. Je ne te demanderai jamais ça.

Elle ne parvint pas à cacher son exaspération.

— Alors, qu'allons-nous faire ?

Il posa ses mains sur ses genoux.

— Nous ne sommes pas le premier couple dans ce cas. D'après moi, si ça doit se faire, nous trouverons une solution. Non, je n'ai pas les réponses, et non, je ne peux pas te dire comment nous allons nous y prendre. Si tu devais partir aujourd'hui, je serais réellement inquiet. Mais il nous reste six mois, et les choses auront changé d'ici là… Peut-être que je vais remporter les concours de rodéo et que je n'aurai plus à m'inquiéter pour le ranch, ou peut-être qu'en changeant l'un des poteaux de la clôture, je vais trouver un trésor. Ou peut-être qu'en fin de compte, nous allons perdre le ranch et que je serai forcé de déménager. Ou peut-être que tu vas trouver du travail à Charlotte, ou dans une ville assez proche pour faire l'aller-retour tous les jours. Je ne sais pas.

Il s'approcha d'elle dans l'espoir d'appuyer ses propos.

– Tout ce dont je suis sûr, c'est que si nous le voulons tous les deux, nous trouverons une solution pour rester ensemble.

Elle savait qu'il n'était pas en mesure d'être plus précis, mais la question de leur avenir la troublait toujours. Toutefois, elle n'en dit rien. Elle préféra se lover contre lui et le laisser l'entourer de son bras pour mêler la chaleur de leurs corps. Elle respira longuement, en regrettant de ne pas pouvoir arrêter le temps. Ou au moins le ralentir.

– D'accord, murmura-t-elle.

Il planta un baiser sur le sommet de son crâne, puis posa le menton sur sa tête.

– Je t'aime, tu sais.

– Je sais, chuchota-t-elle. Moi aussi, je t'aime.

– Tu vas me manquer pendant les vacances.

– Toi aussi.

– Mais je suis content que tu passes du temps avec ta famille.

– Moi aussi.

– Peut-être que je te ferai la surprise de venir dans le New Jersey.

– Je suis désolée, dit-elle. C'est impossible.

– Pourquoi ?

– Ce n'est pas que tu ne sois pas le bienvenu. Seulement, ce ne sera pas une surprise. Tu as déjà trop parlé.

Il réfléchit à sa remarque.

– On dirait bien, hein ? Alors, peut-être que je te ferai la surprise de ne pas venir ?

— Tu as intérêt à venir. Mes parents souhaitent faire ta connaissance. Ils n'ont jamais rencontré de vrai cow-boy, et je sais qu'ils t'imaginent avec un revolver à six coups, à marmonner devant la porte : « Salut, les gars de la ville ! »

Il éclata de rire.

— Je risque de les décevoir.

— Non, dit-elle. Je suis sûre que non.

Cela fit sourire Luke.

— Et si je venais pour le réveillon du jour de l'an ? Tu as des projets ?

— Je ne sais pas. C'est à toi de me le dire.

— Alors, je t'annonce que tu es prise.

— Parfait. Mais tu ne peux pas débarquer le soir. Tu vas être obligé de passer du temps avec mes parents.

— Ça me va, dit-il.

Il indiqua l'angle de la pièce du menton.

— Tu as envie de m'aider à décorer le sapin ?

— Quel sapin ?

— Je l'ai posé derrière la maison. Je l'ai choisi hier, mais je l'ai ramené ce soir. Il est assez petit et clairsemé, et j'avais peu de chances de le vendre, mais j'ai pensé qu'il serait bien ici. Juste pour que tu voies ce que tu vas rater.

Elle se pencha vers lui.

— Je sais déjà ce que je vais rater.

*
* *

Une heure plus tard, Sophia et Luke admiraient leur travail.

— Ça ne va pas, se plaignit Luke en croisant les bras devant le sapin paré de guirlandes. Il manque quelque chose.

— On ne peut rien ajouter de plus, dit Sophia en arrangeant une guirlande lumineuse. Les branches croulent déjà sous le poids des décorations.

— Ce n'est pas ça. C'est... attends. Je reviens tout de suite. Je sais exactement ce qui lui manque.

Il disparut dans la chambre et reparut avec un paquet cadeau de taille moyenne fermé par un ruban. Il le déposa au pied du sapin, avant de la rejoindre.

— C'est bien mieux, dit-il.

Elle leva les yeux vers lui.

— C'est pour moi ?

— En fait, oui.

— Ce n'est pas juste. Je n'ai rien pour toi, moi.

— Je ne veux rien.

— Peut-être, mais je suis gênée.

— Il ne faut pas. Tu pourras te rattraper un autre jour.

Elle l'examina longuement.

— Tu savais ce que j'allais répondre ?

— Ça fait partie de mon plan.

— Qu'y a-t-il à l'intérieur ?

— Vas-y, la pressa-t-il. Ouvre.

Elle s'approcha du sapin et s'empara du paquet. À sa légèreté, elle devina son contenu avant même de dénouer le ruban et de soulever le couvercle. Elle le sortit de la boîte et le brandit à bout de bras pour mieux le regarder. En paille teinte en noir, il était décoré de perles et d'un bandeau qui retenait une petite plume.

— Un chapeau de cow-boy ?

— Un joli, dit-il. Pour fille.

— Y a-t-il une différence ?

— Eh bien, je ne porterais jamais de plumes ni de perles. Et puisque tu viens souvent, tu as besoin d'avoir ton propre chapeau.

Elle s'approcha pour l'embrasser.

— Il est parfait. Merci.

— Joyeux Noël !

Elle plaça son chapeau sur sa tête et le regarda par en dessous avec coquetterie.

— Comment je suis ?

— Belle, dit-il. Mais de toute façon, tu es toujours belle.

# 19

## Luke

Étant donné que la saison allait démarrer dans moins d'un mois et que Sophia se trouvait dans le New Jersey, Luke accéléra le rythme de son entraînement. Dans les jours qui précédèrent Noël, il parvint non seulement à passer plus de temps sur le taureau mécanique, en augmentant la durée de cinq minutes par jour, mais il ajouta la musculation à son programme. Il n'avait jamais été amateur d'haltérophilie, mais en plus de ses activités de la journée – qui, ces derniers temps, tournaient autour de la vente des derniers sapins – il s'échappait toutes les heures pour effectuer cinquante pompes, atteignant un total de quatre à cinq cents par jour. Et enfin, il ajouta des tractions et des exercices quotidiens pour renforcer sa ceinture abdominale et ses lombaires. Le soir, il s'écroulait sur son lit et s'endormait en quelques secondes.

En dépit des courbatures et de l'épuisement, il se remettait à niveau. Son sens de l'équilibre s'améliorait, ce qui l'aidait à rester fermement assis. Son instinct aussi s'aiguisait, à tel point qu'il parvenait à anticiper les mouvements inversés et plongés. Mais l'animal mécanique ne lui suffisait plus pour progresser. Il connaissait le propriétaire d'une salle d'entraînement sur place, et bien que ses taureaux ne soient pas de première qualité; quatre jours après Noël, il alla monter des taureaux vivants à Henderson County. Les bêtes étaient imprévisibles, et malgré son casque et son gilet de protection, il se sentait aussi nerveux qu'en octobre à McLeansville.

Il repoussait ses limites avec un regain de détermination. La saison commençait à la mi-janvier, et il avait besoin de démarrer en force. Il devait se classer parmi les premiers s'il voulait cumuler assez de points pour se hisser en première division avant le mois de mars. En juin, tout serait joué.

Sa mère, consciente de ses efforts, se renferma peu à peu sur elle-même. Elle était manifestement en colère, mais triste aussi, et il regretta que Sophia ne soit pas là pour apaiser le malaise grandissant. De toute façon, elle lui manquait, tout simplement. Elle était dans le New Jersey pour toute la période des fêtes, et le réveillon de Noël n'eut rien de remarquable. Le jour de Noël fut tout aussi morose. Il n'était arrivé chez sa mère qu'en début d'après-midi, et la tension était palpable.

Il pouvait toutefois se réjouir de ne plus avoir à s'occuper des sapins de Noël. Le bilan des ventes était encourageant, mais Luke avait dû consacrer un mois à la sapinière, et, dans l'intervalle, les dégradations s'étaient multipliées dans le domaine, d'autant plus que la météo n'arrangeait rien. La liste des travaux à accomplir s'allongeait à un point inquiétant, sans compter qu'il allait passer du temps sur les routes au cours de l'année à venir. Son absence ne ferait qu'aggraver la situation de sa mère.

À moins, bien sûr, qu'il ne gagne dès le premier tournoi.

Il en revenait toujours au même problème. Malgré la vente des sapins, qui avait permis à sa mère d'ajouter sept paires de têtes au troupeau, les bénéfices n'allaient pas suffire à honorer les paiements.

Obnubilé par cette idée, Luke allait s'entraîner à la grange en traînant les pieds, et comptait les jours qui le séparaient de la Saint-Sylvestre, quand il reverrait enfin Sophia.

*

\* \*

Il prit la route de bonne heure le matin, et arriva à Jersey City quelques minutes avant midi. Après avoir passé l'après-midi avec la famille de Sophia, ni Luke ni elle n'eurent envie d'affronter la foule à Times Square pour la fête du nouvel an. Ils optèrent pour un dîner tranquille dans un restaurant thaïlandais sans prétention, avant de rentrer à l'hôtel où séjournait Luke.

Peu après minuit, Sophia était allongée sur le ventre, et Luke traçait des petits cercles dans le bas de son dos.

— Arrête, dit-elle en se trémoussant. Tu n'y arriveras pas.

— À quoi ?

— Tu sais que je ne vais pas pouvoir rester. J'ai un couvre-feu à respecter.

— Tu as vingt et un ans, protesta-t-il.

— Mais je loge chez mes parents, et ils ont leur règlement. D'ailleurs, ils font une entorse en m'autorisant à rentrer à deux heures. En général, je dois rentrer avant une heure.

— Que se passerait-il si tu restais toute la nuit avec moi ?

— Ils croiraient qu'on a couché ensemble.

— Nous avons couché ensemble.

Elle tourna la tête vers lui.

— Ils n'ont pas à le savoir. Et je n'ai pas l'intention de le leur dire.

— Mais je ne suis là que pour une seule nuit. Je dois repartir demain après-midi.

— Je sais, mais le règlement, c'est le règlement. Et puis il vaut mieux éviter que mes parents ne changent d'avis à ton sujet. Tu leur as plu. Sauf à mes sœurs, qui sont déçues que tu ne sois pas venu avec ton chapeau de cow-boy.

— J'avais envie d'être accepté.

— Oh, ça a marché. Surtout quand tu as évoqué le programme 4-H. Tu as remarqué qu'ils ont eu la même réaction que moi quand ils ont appris que vous vendiez les cochons à l'abattoir après les avoir élevés comme des animaux de compagnie ?

— Ça me rappelle que je voulais te remercier d'avoir lancé le sujet.

— Je t'en prie, dit Sophia avec malice. Tu as remarqué la moue de Dalena ? J'ai cru que les yeux allaient lui sortir de la tête. Au fait, comment va ta mère ?

— Ça va.

— On dirait qu'elle est toujours en colère.

— Tu peux le dire.

— Ça va passer.

— Je l'espère.

Il se pencha pour l'embrasser. Elle lui rendit son baiser, mais posa les mains sur son torse pour le repousser gentiment.

— Tu peux m'embrasser autant que tu veux, je vais quand même devoir rentrer à la maison.

— Tu pourrais me faire entrer dans ta chambre en cachette.

— Non, il y a mes sœurs. Ça ferait bizarre.

— Si j'avais su que tu ne passerais pas la nuit avec moi, je ne serais pas venu.

— Je ne te crois pas.

Il éclata de rire, puis redevint sérieux.

— Tu m'as manqué.

— Ce n'est pas vrai. Tu étais trop occupé pour penser à moi. Chaque fois que tu appelles, tu as un truc à faire. Entre le travail et l'entraînement, je n'ai pas dû te manquer beaucoup.

— Tu m'as manqué, répéta-t-il.

— Je sais. Toi aussi, tu m'as manqué. (Elle posa la main sur son visage.) Mais malheureusement, nous allons devoir nous rhabiller. Tu te souviens que tu es invité pour le brunch, demain ?

*
* *

Dès qu'il rentra en Caroline du Nord, Luke décida de doubler l'entraînement. Le premier événement de la saison allait avoir lieu dans moins de deux semaines. Au cours de son bref séjour dans le New Jersey, son corps avait pu se reposer, et il se sentait bien pour la première fois depuis des semaines. Le seul problème était que les températures étaient aussi basses que dans le New Jersey, et il redoutait le froid de la grange.

Il venait d'allumer les lumières du hangar et s'étirait avant de monter sur le taureau quand la porte s'ouvrit. Se retournant, il vit sa mère surgir de l'ombre.

— Salut, maman, dit-il, surpris.

— Salut, répondit-elle. Je suis passée chez toi, mais comme tu n'y étais pas, je me suis dit que je te trouverais ici.

Il ne répondit pas. En silence, sa mère entra dans l'arène, et ses pieds s'enfoncèrent dans le tapis de mousse à chaque pas, jusqu'à l'autre côté du taureau. Contre toute attente, elle passa la main sur la bête mécanique.

— Je me souviens du jour où ton père l'a ramené à la maison, dit-elle. C'était à la mode, à l'époque. Tout le monde en voulait un à cause du film de John Travolta, et on en trouvait dans presque tous les bars country. Mais au bout d'un an ou deux, c'est tombé en désuétude. L'un de ces bars a été démoli et ton père a proposé de racheter ce taureau. Ça ne coûtait pas cher, mais à l'époque, nous n'en avions pas les moyens, et je lui en ai voulu de dépenser de l'argent. Il était dans l'Iowa ou le Kansas, je ne sais plus, et il est revenu exprès pour le déposer, avant de repartir au Texas pour d'autres rodéos. Ce n'est qu'à son retour qu'il s'est rendu compte qu'il était cassé. Il a dû le remonter presque entièrement, et il lui a fallu un an pour le faire fonctionner correctement. Mais entre-temps, tu es né et il avait pris sa retraite. Il est resté dans la grange, à prendre la poussière jusqu'à ce qu'il te fasse monter dessus... tu devais avoir deux ans. Ça aussi, ça m'a mise en colère, même si la machine bougeait à peine. Je savais que tu finirais par lui emboîter le pas. Le fait est que je ne voulais pas que tu montes des taureaux. Je trouvais que c'était un moyen insensé de gagner sa vie.

Dans sa voix, il retrouva l'habituelle note d'amertume.

— Pourquoi n'en as-tu rien dit ?

— Qu'aurais-je pu dire ? Ça t'obsédait autant que ton père. Tu t'es cassé le bras à cinq ans en tombant d'un veau. Mais ça ne t'a pas arrêté pour autant. Tu étais juste énervé de ne pas pouvoir remonter pendant plusieurs mois. Que pouvais-je faire ?

Elle n'attendait pas de réponse et soupira.

— Pendant longtemps, j'ai espéré que ça te passe. Je devais être la seule mère au monde à rêver que son adolescent s'intéresse aux voitures, aux filles ou à la musique, mais ça n'est jamais arrivé.

— Je m'intéresse aussi à tout ça.

— Peut-être. Mais le rodéo, c'était toute ta vie. C'est ce que tu as toujours voulu faire. Ça faisait déjà partie de tes rêves, et…

Elle ferma les yeux, comme si elle battait des paupières au ralenti.

— Tu avais l'étoffe d'une star. Même si ça me déplaisait, dans le fond, je savais que tu avais les capacités, le désir et la motivation nécessaires pour devenir le meilleur du monde. Et j'étais fière de toi. Mais malgré tout, ça me brisait le cœur. Non pas parce que je ne croyais pas en toi, mais parce que je savais que tu étais prêt à tout pour réaliser ton rêve. J'ai assisté à toutes tes chutes, à toutes les fois où tu es remonté, encore et encore, malgré tes blessures.

Elle se raidit.

— Ce que tu ne dois jamais oublier, c'est que tu seras toujours mon enfant, et que je t'ai serré dans mes bras dès que tu es venu au monde.

Luke gardait le silence, submergé par une honte familière.

— Dis-moi, reprit sa mère en observant sa réaction. As-tu l'impression de ne pas pouvoir t'en passer ? As-tu toujours le désir d'être le meilleur ?

Il garda le regard rivé sur ses bottes, puis il leva la tête à contrecœur.

— Non, admit-il.

— C'est ce que je pensais, dit-elle.

— Maman…

— Je sais pourquoi tu te donnes autant de mal. Aussi bien que tu sais pourquoi je ne suis pas d'accord. Tu es mon fils, mais je ne peux pas t'en empêcher, et je le sais, ça aussi.

Il inspira longuement, remarqua sa lassitude. La résignation enveloppait sa mère comme un linceul déchiqueté.

— Pourquoi es-tu venue, maman ? demanda-t-il. Ce n'est pas pour me dire ça.

Elle eut un sourire mélancolique.

— Non, en fait je suis venu voir comment tu vas. Et aussi pour que tu me racontes ton voyage.

Il y avait autre chose, et il le savait, mais il répondit :

— Le voyage s'est bien passé. C'était rapide. J'ai l'impression d'avoir passé plus de temps à conduire qu'avec Sophia.

— C'est sûrement le cas. Et avec sa famille ?

— Ils sont gentils. Très liés. Beaucoup de rires à table.

Elle hocha la tête.

— Tant mieux.

Elle croisa les bras en se frottant les manches.

— Et Sophia ?

— Elle va très bien.

— Je vois comment tu la regardes.

— Ah ?

— Tes sentiments sont assez clairs, affirma sa mère.

— Ah ? répéta-t-il.

— C'est bien, dit-elle. Sophia est différente de la plupart des filles. J'ai passé de bons moments avec elle. Tu penses que vous allez rester ensemble ?

Il se dandina d'un pied sur l'autre.

— Je l'espère.

Sa mère le considéra avec gravité.

— Alors, tu devrais le lui dire.

— Elle le sait.

— Non, pas ça, dit sa mère en secouant la tête.

— Lui dire quoi, alors ?

— L'avis des médecins, insista-t-elle sans mâcher ses mots. Tu devrais lui dire que si tu continues à monter des taureaux, tu seras probablement mort dans moins d'un an.

# 20

## Ira

– Quand tu lambines dans la maison, la nuit, intervient brusquement Ruth, ça ne se passe pas comme tu le racontes.

– Comment ça ?

Je suis stupéfait d'entendre sa voix rejaillir après un si long silence.

– Les toiles ne sont pas comparables au journal intime que tu m'as constitué. Je pouvais relire toutes mes lettres, mais tu ne peux pas appréhender toutes les peintures d'un coup. Pour la plupart, elles sont empilées les unes sur les autres dans des pièces surchargées, et tu ne les as pas vues depuis des années. Et celles que tu as rangées dans les caisses en chêne, tu ne les regardes jamais. Ces derniers temps, tu n'arrives plus à les ouvrir.

C'est la vérité.

– Je devrais peut-être faire venir quelqu'un, dis-je. Je pourrais remplacer celles qui sont accrochées. Comme tu le faisais parfois.

– Oui, mais je savais les ordonner de façon à les mettre en valeur. Tu n'as aucun goût. Tu t'es contenté de demander aux ouvriers de remplir les espaces vides.

– J'aime bien cette ambiance éclectique.

– Ce n'est pas éclectique. C'est de mauvais goût et encombré, sans parler du risque d'incendie.

Je souris.

— Heureusement que personne ne vient jamais à la maison.

— Non, ce n'est pas une bonne chose, dit-elle. Tu es peut-être timide, mais les autres te donnent de la force.

— C'est toi qui me donnais de la force.

Malgré l'obscurité, je la vois lever les yeux au ciel.

— Je te parle de tes clients. Tu savais t'y prendre avec eux. C'est pour toi qu'ils revenaient toujours. Et c'est pour cette raison que l'affaire a fait faillite quand tu l'as vendue. Les nouveaux propriétaires ne pensaient qu'à l'argent, au point d'oublier d'offrir un bon service.

Ruth a peut-être raison, mais je me demande parfois si l'évolution du marché n'est pas à l'origine de la débâcle. Même avant mon départ à la retraite, les clients se faisaient plus rares d'année en année. Des grands magasins, au choix plus vaste, avaient ouvert dans d'autres quartiers de Greensboro, sans compter que les gens avaient commencé à quitter la ville pour s'installer en banlieue, et que les commerces du centre-ville luttaient pour survivre. J'avais prévenu le nouveau propriétaire, mais il était déterminé à racheter la boutique, alors j'avais vendu la conscience tranquille. Même si le magasin ne m'appartenait plus, j'ai éprouvé de la peine quand il a mis la clé sous la porte, après plus de quatre-vingt-dix ans d'existence. Les vieilles merceries, comme celle que j'ai tenue pendant plusieurs décennies, ont connu le même sort que les wagons couverts, les calèches et les téléphones à cadran.

— Mon travail n'a jamais été aussi important pour moi que le tien l'était pour toi, dis-je finalement. Je ne l'aimais pas autant que tu aimais le tien.

— J'étais en vacances tout l'été.

Je secoue la tête. Enfin, dans mon imagination.

— C'était pour les enfants, dis-je. Tu les as sûrement inspirés, mais ils t'ont nourrie en retour. Même si nos étés étaient mémorables, à la fin des vacances, tu avais hâte de retourner en classe. Les enfants te manquaient. Leurs rires, leur curiosité, leur regard innocent sur le monde te manquaient.

Elle me regarde en haussant les sourcils.

– Et comment le sais-tu ?

– Parce que tu me l'as dit.

*
\* \*

Ruth était enseignante en CE2, et selon elle, c'était l'une des périodes charnières du parcours scolaire. La plupart de ses élèves avait huit ou neuf ans, un âge qu'elle a toujours trouvé déterminant en termes d'éducation. Les enfants sont alors assez grands pour comprendre des concepts qui leur échappaient un an plus tôt, mais encore assez jeunes pour accepter les conseils des adultes avec une confiance quasi aveugle.

C'était également, d'après Ruth, l'année où certains commencent à se démarquer des autres sur le plan scolaire. Quelques-uns excellaient, tandis que d'autres restaient à la traîne ; si les raisons de cette différenciation étaient nombreuses, dans cette école, dans cette région, la plupart de ses élèves – et leurs parents – s'en moquaient éperdument. Ils allaient en classe jusqu'en troisième, puis arrêtaient l'école pour travailler à la ferme à plein temps. Même pour Ruth, ce défi était difficile à surmonter. Ces gosses l'empêchaient de dormir la nuit, elle s'inquiétait pour eux à longueur de temps et bricolait son programme de façon à les impliquer, eux et leurs parents. Elle leur faisait planter des graines dans des bocaux qu'elle étiquetait pour les encourager à lire ; elle leur demandait d'attraper des insectes et les nommait aussi, dans l'espoir d'éveiller leur curiosité intellectuelle à la nature. Dans ses contrôles de mathématiques, elle glissait des problèmes liés à la ferme et à l'argent : *Si Joe remplit quatre paniers avec les pêches de chaque arbre, et qu'il y a six rangées de cinq arbres, combien de paniers de pêches Joe pourra-t-il vendre ?* Ou : *Si vous avez 200 dollars et que vous achetez pour 120 dollars de graines, combien vous reste-t-il ?* C'était un univers qui avait de l'importance aux yeux des élèves, et le plus souvent, elle parvenait à aiguiser leur curiosité. Si, malgré tout, certains abandonnaient leurs études, il leur arrivait de venir la trouver des années plus tard pour la remercier de leur avoir appris à lire, à écrire et à maîtriser les bases des mathématiques qui leur permettaient de faire leurs courses.

Elle en était fière, tout comme, bien évidemment, de ceux qui poussaient jusqu'à l'université. Mais de temps à autre, l'un de ces enfants la renvoyait à ses motivations premières. Et cela me ramène à la peinture accrochée au-dessus de la cheminée.

*

* *

— Tu penses à Daniel McCallum, déclare-t-elle.

— Oui. Ton préféré.

Elle s'anime, et je sais que son image de lui est aussi vive que le jour de leur première rencontre. À l'époque, elle enseignait depuis quinze ans.

— C'était un élève difficile.

— C'est ce que tu disais.

— C'était un vrai sauvage, au début. Sa salopette était tout le temps sale et il ne tenait pas en place. Tous les jours, je devais le sermonner.

— Mais tu lui as appris à lire.

— Je leur ai appris à lire à tous.

— Mais lui, c'était différent.

— Oui, dit-elle. Il était plus grand que les autres garçons, et il frappait les autres pendant la récréation. C'est à cause de Daniel McCallum que j'ai eu mes premiers cheveux blancs.

Je me souviens encore de l'avoir entendue se plaindre de lui, mais ses mots, comme à présent, ont toujours été empreints de tendresse.

— Il n'était jamais allé à l'école. Il ne comprenait pas les règles.

— Il connaissait le règlement. Mais au départ, il s'en fichait. Il s'asseyait derrière une jolie fille, Abigail, et lui tirait constamment les cheveux. Alors, je lui disais « il ne faut pas faire ça », mais il recommençait quand même. J'ai dû le faire asseoir devant pour garder l'œil sur lui.

— Et c'est comme ça que tu as compris qu'il ne savait ni lire ni écrire.

— Oui.

Même maintenant, sa voix est morose.

— Et quand tu es allée parler à ses parents, tu as découvert qu'ils étaient morts. C'est son demi-frère et son épouse qui élevaient Daniel, et ni l'un ni l'autre n'étaient d'accord pour qu'il aille à l'école. Tu as constaté qu'ils vivaient tous les trois dans une sorte de cabane.

— Tu le sais parce que tu m'as accompagnée chez lui.

Je hoche la tête.

— Tu n'as pas décroché un seul mot pendant le trajet du retour.

— Ça m'attristait de penser que, dans ce pays riche, des gens vivaient comme eux. Et ça m'affligeait que personne ne se soucie de lui.

— Alors tu as décidé de continuer à lui faire classe, mais aussi de lui donner des cours particuliers. Avant et après les cours.

— Il était assis au premier rang, dit-elle. S'il n'avait rien appris, ça aurait fait de moi un mauvais professeur.

— Mais tu étais triste pour lui, aussi.

— Bien sûr ! Il avait une vie difficile. Et pourtant, je me suis aperçue qu'il y avait de nombreux enfants comme Daniel.

— Non, dis-je. Pour nous deux, il était unique.

*
* *

Début octobre, Daniel vint pour la première fois chez nous. C'était un échalas aux cheveux filasse, avec les manières grossières typiques d'un garçon de la campagne, et une timidité qui me surprit. Lors de cette première visite, il ne me serra pas la main, pas plus qu'il ne croisa mon regard. Il resta debout, les mains dans les poches, la tête baissée. Ruth lui avait déjà donné des cours de soutien après la classe, mais elle retravailla avec lui ce soir-là à la table de la cuisine, alors que j'écoutais la radio au salon. Ensuite, elle insista pour qu'il reste dîner avec nous.

Daniel n'était pas le premier élève qu'elle ait invité à dîner à la maison, mais ce fut le seul à venir régulièrement. C'était en partie dû à sa situation familiale, m'avait expliqué Ruth. Le demi-frère de Daniel et sa femme parvenaient à peine à maintenir la ferme à flot et ils en voulaient au shérif de les avoir contraints à scolariser Daniel. En fait, ils n'avaient pas l'air de vouloir garder le garçon chez eux. Le jour où Ruth les avait rencontrés, ils fumaient des cigarettes sur la véranda et avaient répondu à ses questions avec indifférence, par monosyllabes. Le matin suivant, Daniel était arrivé en classe avec des bleus sur la joue et un œil aussi rouge qu'une pivoine. L'état de son visage avait brisé le cœur de Ruth et n'avait fait qu'accroître sa détermination à l'aider.

Mais ce n'étaient pas seulement les signes évidents d'abus qui la touchaient. Quand elle l'aidait à faire ses devoirs, après la classe, elle entendait son ventre gargouiller, même s'il niait avoir faim. Quand, enfin, Daniel avoua qu'il lui arrivait de ne rien manger pendant plusieurs jours, sa première réaction fut de contacter le shérif. Daniel la supplia de ne pas l'appeler, ne serait-ce que parce qu'il n'avait pas d'autre endroit où aller. C'est ainsi qu'elle l'invita à dîner à la maison.

Après cette première visite, Daniel prit l'habitude de manger avec nous deux ou trois fois par semaine. Il se sentit de plus en plus à l'aise avec nous, et sa timidité finit par disparaître pour laisser place à une politesse quasi cérémonieuse. Il me serrait la main, m'appelait « monsieur Levinson », et mettait un point d'honneur à me demander si j'avais passé une bonne journée. Son sérieux m'attristait et m'impressionnait à la fois, peut-être parce que son comportement semblait être le fruit d'une vie prématurément difficile. Mais je le pris en affection dès le premier jour et m'étais attaché à lui au fil du temps. De son côté, Ruth avait fini par l'aimer comme un fils.

Je sais que, de nos jours, il est inconvenant de décrire ainsi des liens qui unissent un professeur à son élève, et peut-être que c'était déjà le cas à l'époque. Mais son amour était d'ordre maternel, né de l'affection et de l'inquiétude, et grâce à la bienveillance de Ruth, Daniel s'est épanoui. Encore et encore, je l'entendais lui répéter qu'elle croyait en lui, et qu'il pouvait devenir tout ce qu'il voulait, rendre ce monde meilleur pour lui-même et les autres, et il semblait la croire. Mais avant tout, il avait l'air de vouloir lui faire plaisir, et il arrêta de mal se comporter en classe. Il travailla dur pour devenir un meilleur élève, et il progressa avec une facilité qui surprit Ruth. S'il n'avait aucune éducation, il était brillant, et dès le mois de janvier, il savait aussi bien lire que ses camarades de classe. En mai, il avait presque deux ans d'avance, non seulement en lecture mais dans toutes les autres matières. Il avait une mémoire remarquable ; c'était une véritable éponge, et il absorbait tout ce que Ruth et moi lui disions.

Comme s'il avait envie de mieux connaître Ruth, il manifesta de l'intérêt pour les œuvres accrochées à nos murs, et après le dîner, Ruth lui proposait souvent de faire le tour de la maison pour lui présenter les peintures de notre collection. Il lui donnait la main, et l'écoutait décrire les toiles, son attention passant des tableaux à son visage. Il finit par connaître le nom de tous les artistes, ainsi que leurs styles respectifs, et c'est ainsi que je réalisai qu'il s'était autant attaché à Ruth qu'elle s'était liée à lui. Une fois, Ruth me demanda de les prendre en photo. Dès qu'elle la lui offrit, il la prit dans sa main, ne la lâcha pas de la journée, et je le surpris à plusieurs reprises à l'observer avec un émerveillement flagrant. Quand Ruth le raccompagnait chez lui, il n'oubliait jamais de la remercier pour le temps qu'elle lui avait accordé. Et le dernier jour d'école, avant qu'il ne parte rejoindre ses camarades en courant, il lui avait dit qu'il l'aimait.

À ce moment-là, elle envisageait sérieusement de proposer à Daniel de venir vivre avec nous. Nous en avions parlé, et en vérité, l'idée ne me déplaisait pas. C'était un vrai plaisir d'avoir Daniel à la maison. Mais à la fin de l'année scolaire, Ruth n'avait pas trouvé le moyen d'aborder le sujet avec lui. Elle se demandait si Daniel serait d'accord, ou même s'il en avait envie, et surtout elle ne savait pas comment le présenter à son demi-frère. Rien ne garantissait que ce soit légalement possible, alors, pour toutes ces raisons, elle s'était abstenue ce dernier jour de classe. Elle fit le choix de reporter le problème à la rentrée. Mais pendant nos voyages, nous évoquions souvent Daniel. Nous décidâmes donc de faire tout ce que nous pouvions pour rendre cet arrangement possible. Cependant, à notre retour à Greensboro, nous trouvâmes la cabane vide, apparemment abandonnée depuis plusieurs semaines. Daniel ne revint pas à l'école à la rentrée, pas plus que ne fut déposée de demande de transfert pour son dossier. Personne ne savait où il était, ni ce qu'il était advenu de sa famille. Les élèves et les autres professeurs l'oublièrent rapidement, mais pour Ruth, ce fut différent. Elle pleura pendant des semaines quand elle comprit que non seulement il n'était plus là, mais qu'il était vraisemblablement parti pour toujours. Elle s'appliqua à frapper à la porte de toutes les fermes des environs dans l'espoir de découvrir où la famille s'était installée. À la maison, elle triait le courrier d'une main tremblante, souhaitant trouver une lettre de lui, et elle n'arrivait jamais à cacher sa déception alors que jour après jour, aucun courrier de lui n'arrivait. Daniel avait rempli un vide dans le cœur de Ruth que je ne pouvais pas combler ; il avait été l'être qui manquait à notre mariage. Au cours de cette année, il était devenu l'enfant qu'elle avait toujours voulu, celui que je n'avais jamais pu lui donner.

J'aimerais pouvoir dire que Ruth et Daniel se retrouvèrent ; que plus tard, il la contacta, ne fût-ce que pour lui donner des nouvelles. Elle s'inquiéta pour lui pendant des années, mais avec le temps, Ruth mentionna son nom de moins en moins souvent, jusqu'à ne plus jamais l'évoquer. Cependant, je sais qu'elle ne l'a jamais oublié, et qu'une partie d'elle ne cessa jamais de le chercher. C'était Daniel qu'elle recherchait quand nous roulions sur les routes de campagne, devant des fermes délabrées ; c'était Daniel qu'elle espérait voir à la rentrée tous les ans, après avoir passé l'été à visiter des ateliers et des galeries d'art. Une fois, elle crut l'apercevoir dans les rues de Greensboro, au cours d'un défilé de vétérans, mais le temps qu'elle se faufile dans la foule, il avait disparu, si toutefois il s'était bien trouvé là.

Après Daniel, nous n'invitâmes plus d'élève chez nous.

*
* *

Il fait un froid de canard dans la voiture, sans doute parce que j'ai ouvert la vitre tout à l'heure. Le givre étincelle sur le tableau de bord, et quand je respire, un nuage se forme devant ma bouche. Bien que je n'aie plus soif, ma gorge et mon ventre sont toujours gelés à cause de la neige. Le froid est à l'intérieur, à l'extérieur, partout, et je grelotte continuellement.

À mes côtés, Ruth regarde dehors, et je vois les étoiles briller par la vitre. Il ne fait pas encore jour, mais le clair de lune répand une lumière argentée sur la neige qui recouvre les arbres, et je constate que le temps s'améliore. Ce soir, la neige sur la voiture va durcir avec le gel, mais demain ou après-demain, la température va remonter et le monde sera débarrassé de l'étreinte de l'hiver dès que la neige commencera à fondre.

C'est à la fois une bonne et une mauvaise nouvelle. Ma voiture sera peut-être plus visible de la route, ce qui est un point positif, mais j'ai besoin de la neige pour vivre, et d'ici à un jour ou deux, elle aura complètement disparu.

— Pour l'instant, tu vas très bien, affirme Ruth. Ne t'inquiète pas du lendemain tant que ce n'est pas nécessaire.

— Facile à dire pour toi, fais-je d'un ton boudeur. C'est moi qui suis en mauvaise posture.

— Oui, mais c'est ta faute. Tu n'aurais pas dû prendre la voiture.

— On remet ça sur le tapis ?

Elle se tourne vers moi, un sourire au coin des lèvres. Elle a une quarantaine d'années et les cheveux courts. Elle porte une robe simple, dans les tons clairs qu'elle affectionnait, avec des boutons démesurés et des poches élégantes. Comme toutes les femmes dans les années soixante, Ruth admirait Jacqueline Kennedy.

— C'est toi qui as recommencé à en parler.

— Pour obtenir ta compassion.

— Tu te plains. Ça t'arrive de plus en plus souvent avec l'âge. Comme avec le voisin qui a abattu l'arbre. Et la fille de la station-service qui a cru que tu étais invisible.

— Je ne me plains pas. C'était une simple remarque. C'est différent.

— Tu ne devrais pas te plaindre. Ce n'est pas séduisant.

— Ça fait des années que je n'ai plus rien de séduisant.

— Non, me contredit-elle. Tu as tort sur ce point. Ton cœur est resté beau. Tes yeux débordent de gentillesse, et tu es un homme bon et honnête. C'est assez pour que tu restes toujours beau.

— Serais-tu en train de me draguer ?

Elle hausse les sourcils.

— Je ne sais pas. Tu crois ?

Je pense que oui. Pour la première fois depuis l'accident, et même si ça ne dure pas, j'ai chaud.

\*

\* \*

C'est bizarre, je trouve, le tour que prennent nos vies. Certaines circonstances, quand elles sont par la suite combinées à des décisions conscientes, à des actions et à une cargaison d'espoir, peuvent en fin de compte forger un avenir qui semble prédestiné. Ce genre de situation s'est présenté quand j'ai rencontré Ruth pour la première fois. Je ne mentais pas quand j'ai dit à Ruth que j'avais su au premier regard qu'un jour nous nous marierions.

Pourtant, l'expérience m'a appris que le destin peut parfois être cruel et que même une cargaison d'espoir ne suffit pas toujours. Pour Ruth, c'était devenu clair quand Daniel était entré dans nos vies. Elle avait quarante ans passés et j'étais encore plus vieux. C'était aussi pour cette raison qu'elle avait tant pleuré quand Daniel était parti. À cette époque, la pression sociale était différente, et nous savions tous les deux que nous étions trop vieux pour adopter un enfant. Quand Daniel sortit de nos vies, je ne pus m'empêcher d'en venir à la conclusion que le destin avait conspiré contre elle pour la toute dernière fois.

Même si je lui avais parlé des conséquences des oreillons et qu'elle m'avait épousé en connaissance de cause, je savais que Ruth s'était toujours raccrochée au secret espoir que le docteur se soit trompé. Après tout, il n'y avait aucune preuve tangible, et je dois admettre que moi aussi, je gardais un brin d'espoir. Mais j'aimais si profondément ma femme que cette pensée me traversait rarement l'esprit. Nous faisions fréquemment l'amour durant les premières années de notre mariage, et même si, tous les mois, Ruth se voyait rappeler le sacrifice qu'elle avait fait en m'épousant, au départ, ça ne la dérangeait pas. Je pense qu'elle croyait que la volonté seule, son profond désir d'enfant, suffirait à concrétiser son vœu. Au fond d'elle, elle pensait que notre heure viendrait, et c'est pour cette raison, je crois, que nous n'avons jamais envisagé d'adopter un enfant.

Ce fut une erreur. Je le sais maintenant, mais à l'époque, je l'ignorais. Les années cinquante passèrent et notre domicile se remplissait lentement d'œuvres d'art. Ruth enseignait, je tenais le magasin, et même si elle prenait de l'âge, une partie d'elle continuait d'y croire. Et puis, comme la réponse tant attendue à une prière, Daniel était arrivé. Il était d'abord devenu son élève avant d'être le fils qu'elle avait toujours espéré avoir. Mais quand l'illusion s'était brusquement brisée, il n'était plus resté que moi. Et ce n'était pas tout à fait suffisant.

Les années qui suivirent furent difficiles pour nous. Elle me le reprochait, et je me le reprochais aussi. Le ciel bleu de notre union vira au gris et à l'orage, puis l'ambiance devint maussade et froide. Les conversations prirent une tournure affectée, et nos premières disputes éclatèrent. Par moments elle semblait mal supporter ma présence. Elle passait souvent le week-end chez ses parents à Durham – la santé de son père se détériorait – et il nous arrivait de ne pas nous adresser la parole pendant plusieurs jours. La nuit, l'espace qui nous séparait dans le lit semblait aussi vaste que le Pacifique, tel un océan impossible à traverser à la nage. Comme elle n'avait pas envie de me rejoindre, et que j'avais peur d'essayer, nous avons continué à nous éloigner l'un de l'autre. À une certaine période, elle s'était même demandé si elle voulait rester ma femme, et le soir, quand elle était couchée, je restais au salon à déplorer de ne pas être un autre, un homme qui aurait pu lui donner ce qu'elle voulait.

Mais je ne pouvais pas changer. J'étais brisé. La guerre m'avait privé de la seule chose qu'elle ait jamais désirée. J'étais triste pour elle, en colère contre moi, et je détestais ce qui nous arrivait. J'aurais donné mon existence entière pour lui rendre la joie de vivre, mais je ne savais pas comment m'y prendre ; et alors que les criquets chantaient les chaudes soirées d'automne, j'enfouissais mon visage dans mes mains et je pleurais, pleurais et pleurais toutes les larmes de mon corps.

– Je ne t'aurais jamais quitté, m'assure Ruth. Je suis désolée de t'avoir laissé croire une telle absurdité.

Ses mots sont plombés de regret.

– Tu l'as quand même envisagé.

– Oui, dit-elle, mais pas comme tu le crois. Pas sérieusement. Il arrive à toutes les femmes mariées d'y songer un jour ou l'autre. Aux hommes aussi.

– Pas à moi.

– Je sais, dit-elle. Mais tu n'es pas comme les autres.

Elle sourit et me tend la main. Elle s'empare de la mienne, en caresse les imperfections et les os.

– Je t'ai vu une fois, me dit-elle. Au salon.

– Je sais.

– Tu te souviens de ce qui s'est passé ensuite ?

– Tu t'es approchée et tu m'as serré dans tes bras.

– Je ne t'avais pas revu pleurer depuis la première fois, dans le parc, après la guerre, dit-elle. Ça m'a fait très peur. J'ignorais ce qui t'arrivait.

– C'était nous. Je ne savais pas quoi faire. Je ne savais plus quoi faire pour te rendre heureuse.

– Tu ne pouvais rien faire pour moi, déclare-t-elle.

– Tu étais tellement… en colère contre moi.

– J'étais triste, c'est différent.

– Est-ce important ? Dans tous les cas, tu n'étais pas heureuse avec moi.

Elle me serre la main, sa peau est douce.

– Tu es un homme intelligent, Ira, mais parfois, je trouve que tu ne comprends pas très bien les femmes.

Sur ce point, je sais qu'elle a raison.

– J'étais anéantie quand Daniel est parti. J'aurais tellement aimé qu'il fasse partie de notre vie. Et oui, j'étais triste que nous n'ayons pas eu d'enfant. Mais j'étais également triste d'avoir la quarantaine, même si tu ne peux pas le comprendre. La trentaine, ça ne m'a pas perturbée. C'est à cette période que j'ai commencé à me sentir adulte. Mais pour les femmes, après quarante ans, ce n'est pas toujours évident. Le jour de mon anniversaire, je ne pouvais pas m'empêcher de me dire que j'avais déjà vécu la moitié de ma vie, et quand je fixais le miroir, ce n'était plus une jeune femme qui me renvoyait mon regard. C'était de la vanité, je sais, mais ça me bouleversait. Mes parents aussi vieillissaient. C'est pour cela que j'allais les voir aussi souvent. Mon père était à la retraite à ce moment-là, et sa santé était mauvaise, comme tu le sais. Ma mère avait du mal à s'occuper de lui. Autrement dit, c'était difficile de m'aider à me sentir mieux pendant cette période. Même si Daniel était resté avec nous, ces années auraient quand même été dures.

Je m'interroge. Elle m'a déjà dit la même chose auparavant, mais parfois je me demande si elle est complètement honnête.

– Ça a beaucoup compté pour moi, que tu me serres dans tes bras, ce soir-là.

– Que pouvais-je faire d'autre ?

– Tu aurais pu faire demi-tour, retourner te coucher.

– Je n'aurais jamais pu. Ça m'a fait de la peine de te voir dans cet état.

– Tes baisers ont chassé mes larmes, dis-je.

– Oui.

– Et puis nous sommes allés nous enlacer dans notre lit. Ça faisait des lustres.

– Oui, répète-t-elle.

– Et tout a commencé à s'arranger entre nous.

– Il était temps, soupire-t-elle. J'en avais assez d'être triste.

– Alors, tu as su à quel point je t'aimais encore.

– Oui, dit-elle. Mais je l'ai toujours su.

\*

\* \*

En 1964, lors de notre voyage à New York, Ruth et moi vécûmes une sorte de seconde lune de miel. Ce n'était pas prévu, et d'ailleurs nous ne fîmes rien de particulier : c'était plutôt comme si nous fêtions au quotidien le fait d'avoir réussi à surmonter la période la plus noire de notre histoire. Nous nous tenions la main dans les galeries d'art et recommençâmes à rire. Son sourire, je continue à le croire, ne fut jamais plus contagieux qu'au cours de cet été, tant il était joyeux. Ce fut également l'été d'Andy Warhol.

Son art, ouvertement commercial tout en restant unique, ne me parlait pas. Je trouvais peu d'intérêt à ses représentations de boîtes de soupe. Ruth aussi, mais Andy Warhol la subjugua dès les premiers instants. Je crois que c'est la seule fois où elle acheta une œuvre rien que pour la personnalité de l'artiste. Elle sut intuitivement qu'il deviendrait l'un de ceux qui définiraient les années soixante, et nous acquîmes donc quatre lithographies originales. À ce moment-là, son travail coûtait déjà cher – c'est relatif, bien sûr, surtout si l'on songe à sa valeur actuelle – et après cela, nous fûmes à court d'argent. Au bout d'une semaine dans le Nord, nous dûmes rentrer en Caroline du Nord, mais nous nous rendîmes dans les Outer Banks, où nous louâmes une maisonnette sur la plage. Ruth arbora un Bikini pour la toute première fois, même si elle refusa de le porter ailleurs que sur la véranda derrière la maison, et qu'elle coinça des serviettes contre la rampe pour bloquer la vue. Après notre séjour à la mer, nous retournâmes à Asheville, comme toujours. Je lui lus la lettre que j'avais écrite au bord du lac, et les années s'enchaînèrent. Lyndon Johnson fut élu président, et la loi sur les droits civiques adoptée. La guerre du Vietnam prit de l'ampleur, tandis qu'à la maison nous entendions beaucoup parler de la guerre contre la pauvreté. Les Beatles faisaient fureur, et les femmes entrèrent en force dans le monde du travail. Ruth et moi étions conscients de tout cela, mais c'était notre vie domestique qui comptait le plus à nos yeux. Nous menions notre vie comme nous l'avions toujours fait, travaillant et collectionnant des œuvres d'art que nous achetions l'été, prenant nos petits déjeuners à la cuisine, échangeant des anecdotes au dîner. Nous achetâmes des tableaux de Victor Vasarely et d'Arnold Schmidt, de Frank Stella et d'Ellsworth Kelly. Nous appréciions le travail de Julian Stanczack et de Richard Anuszkiewicz, et leur prîmes également des tableaux. Et je n'oublierai jamais le visage de Ruth au moment de choisir chacune de ces œuvres.

C'est à cette époque que nous commençâmes à nous servir de notre appareil photo. Avant cela, bizarrement, la photographie ne fut pas l'une de nos priorités, et sur la longue période que couvrent nos vies, nous n'avons rempli que quatre albums. Mais c'est suffisant pour nous voir vieillir d'une page à l'autre. Il y a un cliché que Ruth a pris de moi le jour de mes cinquante ans, en 1970, et un autre d'elle en 1972, quand elle a à son tour fêté son demi-siècle. En 1973, nous louâmes la première unité de stockage pour y déposer une partie de notre collection, et en 1975, Ruth et moi embarquâmes à bord du *QE2* en direction de l'Angleterre. Même alors, je ne m'imaginais pas prendre l'avion. Nous passâmes trois jours à Londres, et deux autres à Paris avant de prendre le train pour Vienne, où nous restâmes deux semaines. Pour Ruth, ce fut nostalgique et douloureux de retourner dans la ville qui avait été la sienne ; alors qu'en général j'arrivais à discerner ses sentiments, je passai la majeure partie de ce séjour à m'interroger sur ce que je devais dire.

En 1976, Jimmy Carter fut élu président contre Gerald Ford, qui avait succédé à Richard Nixon. L'économie était au plus bas, et les files d'attente s'allongeaient devant les stations-service. Pourtant, Ruth et moi prêtâmes à peine attention à la situation, car nous tombâmes amoureux d'un nouveau mouvement, l'abstraction lyrique, qui découlait de Pollock et de Rothko. Cette année-là – celle où Ruth arrêta de se teindre les cheveux – nous célébrâmes notre trentième anniversaire de mariage. Ça me coûta une petite fortune et je dus contracter un emprunt, mais je lui offris les seules peintures que j'aie achetées seul : deux petits Picasso, un de la période bleue, et l'autre de la rose. Elle les accrocha le soir même dans la chambre, et après avoir fait l'amour, nous les admirâmes depuis notre lit pendant des heures.

En 1977, alors qu'à la boutique les affaires étaient au point mort, je commençai à construire des volières à partir de kits que j'avais dénichés dans un magasin de loisirs. Cette phase ne dura pas très longtemps, peut-être trois ou quatre ans, et ma maladresse ne s'arrangeant pas, je finis par abandonner, juste au début de l'ère Reagan. Même si aux informations, on m'affirmait que l'endettement n'était pas un vrai problème, je remboursai le prêt qui m'avait permis d'acquérir les Picasso. Ruth se foula la cheville et dut marcher avec des béquilles pendant un mois. En 1985, je vendis la boutique et commençai à toucher mes indemnités de retraite ; en 1987, après avoir passé quarante ans dans sa salle de classe, Ruth m'imita. L'école et la ville organisèrent une fête en son honneur. Au cours de sa carrière, elle avait été nommée « Professeur de l'année » à trois reprises. Et à cette époque, mes cheveux passèrent du noir au gris, puis au blanc, se raréfiant un peu plus au fur et à mesure que nos rides se creusaient, et l'un comme l'autre, nous admîmes que nous ne pouvions plus voir de loin ni de près sans lunettes. En 1990, j'eus soixante-dix ans, et en 1996, pour notre cinquantième anniversaire de mariage, j'offris à Ruth la plus longue de mes lettres. Elle la lut à haute voix, et pendant qu'elle parlait, je me rendis compte que j'entendais mal. Deux semaines plus tard, on m'ajustait un appareil auditif. Mais je l'acceptai avec sérénité.

Il était temps. Je devenais vieux. Bien que Ruth et moi n'ayons plus connu d'autres périodes aussi sombres qu'après la disparition de Daniel, tout n'était pas rose. Son père mourut en 1966, et deux ans plus tard, sa mère succomba à une crise cardiaque. Dans les années 1970, Ruth sentit une boule dans son sein, et le temps de faire une biopsie et qu'elle soit déclarée bénigne, elle craignit d'avoir un cancer. Mes parents moururent à un an d'intervalle à la fin des années 1980, et devant leurs tombes, nous prîmes conscience, Ruth et moi, que nous étions les derniers survivants de nos deux familles.

Je ne pouvais pas prévoir l'avenir, mais qui le peut ? Je ne sais pas ce que j'attendais des années qu'il nous restait à partager. Je suis parti du principe que notre vie se poursuivrait de la même façon, car c'était la seule que je connaissais. Peut-être moins de voyages – les transports et la marche nous étaient devenus pénibles – mais en dehors de ça, aucune différence. Nous n'avions ni enfants ni petits-enfants à aller voir, aucun besoin de partir à l'étranger. Ruth choisit de se consacrer au jardinage, et je me mis à nourrir les pigeons. Nous n'eûmes plus beaucoup d'appétit et commençâmes à prendre des suppléments vitaminés. Avec le recul, j'aurais dû accorder plus d'importance au fait qu'en atteignant nos noces d'or, Ruth avait déjà dépassé l'âge de ses deux parents au moment de leur mort, mais je craignais de songer aux implications. Je ne pouvais imaginer ma vie sans elle, et je n'en avais pas le désir, mais Dieu avait d'autres plans. En 1998, comme sa mère, Ruth fit une attaque qui affaiblit tout le côté gauche de son corps. Si elle arrivait encore à se déplacer dans la maison, nos jours de collectionneurs se trouvaient derrière nous, et nous n'achetâmes plus de nouvelles œuvres d'art. Deux ans plus tard, par un froid matin de printemps, alors que nous étions assis à la table de la cuisine, elle s'interrompit au milieu d'une phrase sans parvenir à trouver ses mots, et je compris qu'elle venait de subir une autre attaque. Elle passa trois jours à l'hôpital, principalement pour subir des examens, et bien qu'elle soit rentrée à la maison, nous n'eûmes plus jamais de conversation fluide.

Le côté gauche de son visage perdit encore en souplesse, et elle commença à oublier des mots usuels. Cela l'agaçait plus que moi ; à mes yeux, elle restait aussi belle qu'au premier jour. Moi, je n'étais certainement plus l'homme que j'avais été. Mon visage s'était ridé, décharné, et quand je croisais mon reflet dans le miroir, la taille de mes oreilles ne cessait jamais de m'étonner. Notre quotidien devint encore plus simple, et les jours se succédèrent. Je lui préparais son petit déjeuner le matin et nous mangions ensemble, tout en parcourant le journal. Ensuite, nous allions nous asseoir dans le jardin pour donner à manger aux pigeons. Nous faisions une sieste en fin d'après-midi et passions le restant de la journée à lire ou à écouter de la musique, et parfois nous nous rendions à l'épicerie. Une fois par semaine, je l'emmenais en voiture à l'institut de beauté, où une coiffeuse lavait et peignait ses cheveux, et ça la rendait heureuse. Et puis, quand août approchait, je passais des heures à mon bureau, à composer une lettre pour elle. Et je prenais la voiture pour nous emmener à Black Mountain le jour de notre anniversaire de mariage, près du lac, comme nous l'avions toujours fait, pour qu'elle y lise ce que j'avais écrit.

À cette époque, nos aventures étaient loin derrière nous, mais pour moi c'était plus que suffisant, puisque le plus beau de tous les chemins se poursuivait. Même alors, quand nous étions couchés, je tenais Ruth contre moi, et je m'estimais heureux d'avoir cette vie bénie, cette femme. Dans ces moments, je priais égoïstement pour être le premier à partir, car je sentais déjà l'inévitable arriver.

Au cours du printemps 2002, une semaine après la pleine floraison de nos azalées, nous occupions la matinée de la même façon que d'habitude, quand, dans l'après-midi, nous décidâmes brusquement de dîner au restaurant. Cela nous arrivait rarement, mais nous étions d'humeur à sortir et je me souviens d'avoir réservé par téléphone. Dans l'après-midi, nous étions allés nous promener. Pas loin, juste au bout du pâté de maisons. Ruth ne sembla pas remarquer la fraîcheur de l'air. Nous avions échangé quelques mots avec un voisin – pas l'homme hargneux qui a coupé l'arbre –, et après que nous fûmes rentrés à la maison, le restant de la journée s'était déroulé normalement jusqu'à un certain point. Ruth n'avait fait allusion à aucun éventuel mal de tête, mais en début de soirée, avant le dîner, elle s'était dirigée lentement vers la chambre. Je n'y avais pas prêté attention, je lisais dans le fauteuil relax et je dus m'assoupir pendant quelques minutes. Quand je m'étais réveillé, Ruth n'était toujours pas revenue au salon et je l'avais appelée. Elle n'avait pas répondu et je m'étais levé. J'avais encore crié son nom tout en traversant le couloir. Quand je l'avais découverte recroquevillée près du lit, mon cœur avait bondi dans ma poitrine. *Elle vient de faire une autre attaque*, avais-je immédiatement pensé. Mais c'était plus grave, et alors que je tentais de la ramener à la vie, j'avais sentis mon âme se faner.

Les secours étaient arrivés quelques minutes plus tard. Je les avais entendus frapper, puis tambouriner à la porte. Je tenais Ruth dans mes bras et je ne voulais pas la lâcher. Je les avais entendus entrer puis demander s'il y avait quelqu'un ; j'avais répondu, et ils s'étaient introduits en trombe dans la chambre, où ils avaient trouvé un vieil homme enlaçant la femme qu'il aimait depuis toujours.

Ils étaient très gentils, et l'un d'eux m'avait parlé d'une voix posée tout en m'aidant à me relever tandis qu'un autre s'était occupé d'examiner Ruth. Je les avais suppliés de l'aider, tentant de leur arracher la promesse qu'elle allait s'en remettre. Ils l'avaient placée sous oxygène et allongée sur un brancard, avant de me proposer de monter dans l'ambulance nous conduisant à l'hôpital.

Quand le docteur était venu me trouver dans la salle d'attente, il m'avait abordé avec douceur. Il m'avait pris par le bras et nous avions fait quelques pas dans le couloir. Le carrelage était gris, et les néons fluorescents me faisaient mal aux yeux. J'avais demandé si ma femme allait bien ; j'avais demandé quand je pourrais la voir. Mais il n'avait pas répondu. Sans rien dire, il m'avait emmené dans une chambre vide et avait refermé la porte derrière lui. Il avait l'air grave, et quand il avait baissé les yeux, j'avais su précisément ce qu'il allait dire.

– Je suis désolé de devoir vous dire ça, monsieur Levinson, mais nous n'avons rien pu faire…

À ces mots, je m'étais agrippé à la barrière d'un lit pour m'empêcher de tomber. La chambre rétrécissait à mesure que le docteur parlait, ma vision se rétrécissant jusqu'à ce que je ne distingue plus que son visage. Sa voix semblait s'échapper d'un haut-parleur et ses mots étaient dénués de sens, mais ça n'avait pas d'importance. L'expression de son visage était sans équivoque, j'étais arrivé trop tard. Ruth, ma tendre Ruth, était morte par terre pendant que je somnolais dans la pièce voisine.

Je ne me rappelle pas avoir quitté l'hôpital, et les jours qui suivirent sont flous. Mon avocat Howie Sanders, notre cher ami, à Ruth et moi, m'aida à organiser les obsèques, une petite messe privée. Ensuite, j'allumai les bougies, disposai les coussins au sol dans la maison, et je m'assis pour la Shiva[1] durant une semaine. Des gens allaient et venaient, ceux que nous avions rencontrés au fil des années. Des voisins, dont l'homme qui avait abattu l'érable. Des clients du magasin. Trois galeristes venus exprès de New York. Six ou sept artistes. Des femmes de la synagogue venaient tous les jours cuisiner et faire le ménage.

---

1. Dans le judaïsme, période de deuil de sept jours pendant laquelle on interrompt toute activité quotidienne pour rester assis : cette position symbolise l'état émotionnel d'être « tiré vers le bas ». Les proches du défunt peuvent venir partager leur chagrin et des souvenirs du disparu.

Et chacun de ces jours, j'espérais me réveiller de ce cauchemar qu'était désormais ma vie.

Puis, peu à peu, les gens s'éloignèrent, jusqu'à ce qu'il ne reste plus personne. Il n'y avait personne à appeler, personne à qui parler, et la maison s'enfonça dans le silence. Je ne savais pas comment vivre ainsi, et le temps était devenu impitoyable. Les jours passaient lentement. Je ne pouvais plus me concentrer. Je lisais le journal, et aussitôt j'oubliais tout. Je restais assis pendant des heures avant de m'apercevoir que j'avais laissé la radio allumée. Même les oiseaux ne parvenaient pas à me réconforter : je les regardais fixement en me disant que Ruth aurait dû être à mes côtés et que nos mains auraient dû se frôler dans le sac de graines.

Plus rien n'avait de sens, et je n'envisageais pas d'en trouver à quoi que ce soit. Mes journées se déroulaient dans l'agonie silencieuse de mon cœur en peine. Les soirées n'étaient pas meilleures. Tard le soir, alors que j'étais allongé dans un lit à moitié vide, incapable de dormir, je sentais mes joues se couvrir de larmes. J'essuyais mes yeux, pour être frappé de plus belle par le caractère définitif de l'absence de Ruth.

# 21

## Luke

Tout tournait autour de Big Ugly Critter.

C'est lui qu'il voyait dans ses cauchemars, et c'était à cause de lui qu'il n'avait pas pu pénétrer dans l'arène pendant dix-huit mois. Il avait parlé à Sophia du jour où il l'avait monté, et brièvement évoqué ses blessures.

Mais il n'avait pas tout dit. Dans la grange, après que sa mère l'eut laissé seul, Luke s'appuya sur le taureau mécanique et revécut le passé qu'il s'était appliqué à oublier.

On ne lui avait rapporté les événements qu'au bout de huit jours. Il savait qu'il avait été blessé parce qu'il avait insisté pour en savoir plus, mais il n'avait qu'un vague souvenir de l'accident et ignorait qu'il avait frôlé la mort. Il était loin de se douter qu'en plus de lui avoir infligé des fractures au crâne, le taureau lui avait brisé la vertèbre C1, provoquant la formation d'un caillot de sang dans son cerveau.

Il avait tu que les os de son visage n'avaient été remis en place qu'au bout d'un mois, de crainte de provoquer un nouveau traumatisme. De même, il n'avait pas précisé que les docteurs s'étaient rassemblés à son chevet pour lui annoncer qu'il ne se remettrait jamais complètement de ses lésions et qu'une plaque de titane avait été insérée dans son crâne. Ils avaient ajouté qu'un autre choc similaire, avec ou sans casque, suffirait à le tuer. La plaque qu'ils avaient greffée à sa boîte crânienne était trop proche de son tronc cérébral pour le protéger convenablement.

Cette première réunion avait soulevé des réflexions inattendues. Il avait d'emblée décidé d'abandonner le rodéo, et annoncé la nouvelle à son entourage. Il savait que ça lui manquerait, et que toute sa vie il regretterait de ne pas avoir remporté le championnat. Mais il n'avait jamais eu de tendances suicidaires, et à l'époque, il croyait qu'il lui restait pas mal d'argent en banque.

Or il en avait, mais pas assez. Sa mère avait hypothéqué le ranch pour garantir l'emprunt qu'elle avait contracté dans le but de payer les énormes frais médicaux. Elle lui répétait continuellement que l'avenir du domaine lui importait peu, mais il savait qu'au fond d'elle elle en souffrait. Le ranch était toute sa vie, elle ne connaissait rien d'autre, et depuis l'accident, son comportement n'avait fait que confirmer son attachement à ses terres. Au cours de l'année passée, elle avait travaillé jusqu'à épuisement afin de parer à l'inévitable. Malgré le discours de sa mère, Luke connaissait la vérité.

Il pouvait sauver le ranch. Non, il ne gagnerait pas assez d'argent dans l'année, ni même dans les trois années à venir, pour rembourser le crédit, mais il était assez bon cavalier pour empocher de quoi couvrir les traites, même s'il ne concourait que lors de quelques événements. Il admirait les efforts de sa mère pour vendre les sapins de Noël, les citrouilles et développer le troupeau, mais ils savaient aussi bien l'un que l'autre que ça ne suffirait pas. Il l'avait suffisamment vue rechigner à réparer ceci ou cela pour savoir que même dans les périodes fastes, leur budget était serré.

Alors, qu'était-il censé faire ? Il avait le choix entre faire semblant de croire que tout allait s'arranger, ce qui était impossible, et chercher une solution. Et il savait où était la solution. Tout ce qu'il lui restait à faire, c'était de briller à dos de taureau.

Cependant, à dos de taureau, même en brillant, il risquait de mourir.

Luke était conscient des risques. Pour cette raison, ses mains tremblaient dès qu'il s'apprêtait à entrer en piste. Ce n'était pas parce qu'il était rouillé ou assailli par une nervosité compréhensible. C'était le fait que chaque fois qu'il attachait la sangle et acceptait les liens suicidaires qui l'unissaient au taureau, il se demandait si ce serait la dernière fois.

Offrir une belle performance la peur au ventre relevait de l'impossible. À moins que, bien sûr, comme dans son cas, l'enjeu ne soit pas la victoire mais le ranch. Et sa mère. Il était hors de question qu'elle perde tout à cause de lui.

Il secoua la tête, il ne voulait pas penser à ça. Il avait assez de mal à trouver la confiance dont il avait besoin pour s'accrocher et gagner, tout au long de la saison. La dernière chose dont il avait besoin était de se demander s'il en était capable.

*Ou bien si la mort l'attendait au tournant…*

Il n'avait pas menti en déclarant au médecin qu'il arrêtait. Il savait tout ce que subit un homme qui consacre sa vie au rodéo ; il avait vu son père grimacer et se lever péniblement le matin, et avait lui-même enduré des douleurs similaires. Il avait supporté l'entraînement et donné le meilleur de lui-même, mais ça n'avait pas marché. Cependant, dix-huit mois plus tôt, il en acceptait encore le prix.

Mais maintenant, alors qu'il se tenait à côté du taureau mécanique, il savait qu'il n'avait pas d'autre alternative. Il enfila son gant, puis inspira longuement avant de grimper sur la machine. L'appareil de commande était accroché à une corne, et il s'en empara de sa main libre. Mais peut-être parce que la saison allait bientôt démarrer, ou peut-être parce qu'il n'avait pas dit toute la vérité à Sophia, il n'arriva pas à appuyer sur le bouton. Pas encore en tout cas.

Il se répéta qu'il savait ce qu'il risquait et tenta de se convaincre qu'il était prêt. Il était prêt à monter, s'y préparait durement malgré les conséquences probables. Il était monteur de taureau. Il l'était depuis toujours et continuerait de l'être. Il allait participer à ces rodéos parce qu'il était doué, et tous les problèmes seraient réglés.

Sauf s'il retombait mal et mourait.

Tout à coup, ses mains se mirent à trembler. Mais, se ressaisissant, il appuya quand même sur le bouton.

*
* *

En rentrant du New Jersey, Sophia fit un détour par le ranch avant de retourner au campus. Luke l'attendait, il avait rangé la maison et la véranda avant son arrivée.

Il faisait noir quand elle se gara devant chez lui. Il accourut pour l'accueillir, se demandant si quelque chose avant changé depuis la dernière fois qu'il l'avait vue. Ses inquiétudes s'évaporèrent dès qu'elle descendit de voiture pour se précipiter vers lui.

Elle lui sauta au cou, et il sentit ses jambes s'enrouler autour de lui. La serrant contre lui, il se délecta de ce moment de bien-être, de la force de son attachement pour elle, en s'interrogeant néanmoins sur ce que l'avenir leur réservait.

*
* *

Ils firent l'amour ce soir-là, mais Sophia ne pouvait pas rester dormir chez lui. Le semestre allait commencer, et elle avait cours de bonne heure. Quand ses feux arrière eurent disparu au bout de l'allée, Luke partit une fois de plus en direction de la grange. Il n'était pas d'humeur à s'entraîner, mais la première compétition avait lieu dans moins de deux semaines et il devait encore progresser.

En chemin, il prit la décision de réduire la durée de la séance à une heure maximum. Il était fatigué, il faisait froid et Sophia lui manquait déjà.

Dans la remise, il s'échauffa rapidement, puis sauta sur le dos du taureau. En réparant la machine, son père l'avait modifiée de façon à intensifier le mouvement en vitesse supérieure, et manipulé le boîtier pour que Luke puisse le tenir dans sa main libre. Par habitude, il gardait le poing à moitié fermé quand il montait de vrais taureaux, et on ne l'avait jamais interrogé sur ce point. Peut-être que personne ne l'avait remarqué.

Quand il fut prêt, il démarra la machine en vitesse moyenne, juste assez pour s'échauffer. Il fit un tour à cette vitesse et un à vitesse moyenne supérieure. Pendant ses séances d'entraînement, il accélérait toutes les seize secondes, soit le double de temps dont il avait besoin dans l'arène. Son père avait calibré la machine de façon à allonger la durée de l'action, afin que par comparaison il trouve l'exercice facile sur un vrai taureau. C'était peut-être le cas. Mais c'était deux fois plus violent pour le corps.

Après chaque tour, il prenait une pause qu'il allongeait tous les trois tours. En général, dans ces moments, il avait l'esprit vide, mais ce soir, des images de lui sur le dos de Big Uggly Critter l'assaillaient. Il ne savait pas pourquoi ces souvenirs lui revenaient mais c'était plus fort que lui, et quand son regard tomba sur le taureau mécanique, il en eut les nerfs à vif. Il était temps de passer à la vitesse supérieure. Son père avait réglé le taureau pour que cinquante mouvements différents se succèdent au hasard, afin que Luke ne sache jamais à quoi s'attendre. Cela l'avait longtemps aidé, mais en cet instant, il regretta de ne pas pouvoir anticiper les tours.

Quand les muscles de sa main et de son avant-bras eurent récupéré, il remonta sur le taureau mécanique. Il effectua une série de trois, puis une autre. Et une troisième. Sur ces neuf tours, il tint jusqu'au bout sept fois. En comptant le temps de récupération, il s'entraînait depuis plus de quarante-cinq minutes. Il décida alors de faire trois dernières séries de trois tours avant de rentrer chez lui.

Il n'arriva pas au bout.

Au cours du second tour de sa seconde série, il sentit qu'il perdait le contrôle. Ça ne l'inquiéta pas particulièrement. Il avait été éjecté des milliers de fois, et contrairement à l'arène des rodéos, celle de la grange était recouverte de mousse. Même quand il fut projeté dans les airs, il n'eut pas peur, et il pivota sur lui-même afin de retomber prudemment : soit sur ses pieds, soit à quatre pattes.

Il parvint à atterrir sur ses pieds, et la mousse absorba le choc, mais bizarrement, il perdit l'équilibre et tituba, tentant instinctivement d'éviter de tomber. Il esquissa trois pas rapprochés avant de s'écrouler la tête la première, de sorte que son buste dépassa du revêtement en mousse et que son front heurta le sol dur.

Son cerveau vibra comme une corde de guitare ; des tranches de lumière dorée s'entrecroisèrent devant ses yeux quand il essaya de concentrer son attention. La pièce se mit à tourner autour de lui, avant de disparaître dans un trou noir pour s'éclairer de nouveau. Alors la douleur éclata, d'abord intense, puis de plus en plus. Plus généralisée. Virant lentement à l'insoutenable. Il lui fallut une minute pour trouver la force de se redresser en s'accrochant à un vieux tracteur pour prévenir son chancèlement. La peur l'envahit alors qu'il portait délicatement la main à son front, où il rencontra une bosse.

C'était gonflé, mais en tâtant le reste de son visage, il parvint à se convaincre que les dégâts s'arrêtaient là. Il n'avait rien de cassé, il en était certain. Les autres parties de sa tête étaient intactes, d'après ce qu'il palpait. Redressant le dos, il se dirigea d'un pas prudent vers la porte.

Une fois dehors, son ventre se contracta brusquement et il vomit. De nouveaux vertiges l'assaillirent pendant qu'il rendait. Une seule vague, mais suffisamment violente pour l'inquiéter. Il lui était déjà arrivé de vomir suite à une commotion, et ce n'en était sûrement qu'une nouvelle. Il n'avait pas besoin de consulter un spécialiste pour savoir qu'il lui recommanderait d'interrompre l'entraînement pendant une semaine, peut-être plus.

*Ou, plus exactement, qu'il lui ordonnerait de ne plus jamais monter sur une bête en mouvement.*

Tout compte fait, il allait bien. Il avait eu chaud, très chaud, mais il avait survécu. Il allait marquer une pause de quelques jours, même si la saison approchait, et alors qu'il rentrait chez lui en boitant, il tenta de donner un tour positif aux événements. Il s'était beaucoup entraîné, et un moment de répit lui serait sûrement profitable. Quand il reprendrait, il serait plus fort que jamais.

Mais il avait beau tout faire pour se rassurer, il n'arrivait pas à se débarrasser du sentiment d'effroi qui accompagnait chacun de ses pas.

Et qu'allait-il dire à Sophia ?

\*

\*\*

Deux jours plus tard, il se posait toujours la question. Il alla lui rendre visite à Wake, et pendant leur balade sur les chemins secondaires du campus, à une heure tardive, Luke garda son chapeau sur la tête pour cacher son hématome. Il envisagea de lui parler de l'accident, mais craignit les questions qu'elle lui poserait et ce à quoi elles les mèneraient. Il n'avait pas de réponses à ces questions. Finalement, quand elle lui demanda pourquoi il était aussi silencieux, il invoqua la fatigue, ses longues journées au ranch… Ce qui était vrai, sa mère ayant décidé de conduire le troupeau au marché avant le début du championnat. Ils avaient passé deux jours exténuants à attraper des bêtes au lasso pour les faire grimper dans les camions.

Mais il soupçonnait Sophia de le connaître suffisamment bien pour sentir qu'il n'était pas dans son assiette. Quand elle apparut au ranch, le week-end suivant, portant le chapeau qu'il lui avait offert et un blouson chaud, elle sembla le jauger pendant qu'ils préparaient les chevaux, même si elle n'en dit rien sur le moment. Ils refirent le parcours qu'ils avaient suivi lors de leur première sortie à cheval, et traversèrent les bois pour rejoindre la rivière. Tout à coup, elle fit volte-face pour s'adresser à lui.

— Bon, ça suffit, lança-t-elle. Je veux savoir ce qui te tracasse. Toute la semaine, je t'ai trouvé… ailleurs.

— Je suis désolé, dit-il. Je suis encore un peu fatigué.

Le franc soleil lui faisait l'effet de lames de couteau enfoncées dans son crâne, et décuplait le mal de tête permanent qui le tenaillait depuis sa dernière chute.

— Je sais comment tu es quand tu es fatigué. Il y a quelque chose d'autre, mais je ne peux pas t'aider si je ne sais rien.

— Je pensais au week-end prochain. Tu sais, le premier rodéo de l'année, tout ça.

— En Floride ?

Il acquiesça d'un geste.

— À Pensacola.

— Il paraît que c'est joli, là-bas. Des plages de sable blanc.

— Probablement. Je n'en verrai pas grand-chose. Je reprendrai la route juste après le rodéo, le samedi.

Il repensa à sa séance d'entraînement de la veille, la première depuis l'accident. Elle s'était plutôt bien déroulée – son sens de l'équilibre semblait intact – mais la douleur lui martelait tant le crâne qu'il avait dû s'arrêter au bout de quarante minutes.

— Tu rentreras tard.

— La compétition a lieu l'après-midi. Je devrais être rentré vers deux heures.

— Alors… on pourra se voir dimanche ?

Il se tapa la cuisse.

— Si tu viens ici. Mais je serai sûrement crevé.

Elle le considéra sans relever le bord de son chapeau.

— Hé, cache ta joie.

— J'ai envie de te voir. Mais je ne veux pas que tu te sentes obligée de venir jusqu'ici.

— Tu préfères me rejoindre sur le campus ? Tu préfères qu'on se voie à la sororité ?

— Pas vraiment.

— Alors veux-tu qu'on se retrouve en ville ?

— On dîne avec ma mère, tu te souviens ?

— Alors je viendrai chez toi.

Elle attendit sa réponse, et son silence la frustra. Finalement, elle se retourna pour le regarder dans les yeux.

— Qu'est-ce qui t'arrive ? On dirait que tu es en colère contre moi.

C'était l'occasion idéale de tout lui raconter. Il chercha ses mots, sans savoir par où commencer. *Je voulais te dire que je risque de mourir si je continue à monter des taureaux.*

— Je ne suis pas en colère contre toi, se déroba-t-il. Je pensais juste à la saison qui m'attend, et à tout ce que je dois faire.

— Tu penses à ça maintenant ? demanda-t-elle sans le croire.

— J'y pense tout le temps. Et je vais y penser jusqu'à la fin de la saison. Et il faut que tu saches que je vais voyager beaucoup à compter du week-end prochain.

— Je sais, répliqua-t-elle avec une dureté inhabituelle. Tu me l'as déjà dit.

— Quand les rodéos se déplacent à l'ouest, il arrive que je ne rentre pas de la semaine, ou pas avant le dimanche dans la nuit.

— En somme, tu es en train de me dire que nous allons moins nous voir, et que dans les moments où nous serons ensemble, tu ne penseras qu'à ça ?

— Peut-être, dit-il en haussant les épaules. C'est probable.

— Pas très réjouissant.

— Que puis-je faire d'autre ?

— Peut-être que tu pourrais éviter de penser au concours du week-end prochain pour l'instant ? Et si on essayait de passer un bon moment ensemble ? Puisque après, tu seras souvent absent, puisque je vais moins te voir. C'est peut-être notre dernière journée ensemble avant un moment.

Il secoua la tête.

— Ça ne marche pas comme ça.

— Qu'est-ce qui ne marche pas comme ça ?

— Je ne peux pas ignorer ce qui va se passer, dit-il en haussant le ton. Ma vie n'est pas comme la tienne. Elle ne se résume pas à aller en classe, à traîner avec mes copines, à bavarder avec Marcia. Je vis dans le monde de la réalité. J'ai des responsabilités.

Elle parut choquée, mais il poursuivit, plus moralisateur à chaque mot :

— Mon métier est dangereux. Je suis rouillé, et j'aurais dû m'entraîner plus dur cette semaine. Mais je vais devoir faire mes preuves dès le week-end prochain, envers et contre tout, sinon ma mère et moi allons tout perdre. Alors, évidemment que j'y pense, et oui, je risque d'avoir la tête ailleurs.

Elle battit des paupières, prise de court.

— Waouh ! On dirait que tu es de mauvaise humeur, aujourd'hui.

— Je ne suis pas de mauvaise humeur, répliqua-t-il.

— Tu aurais pu faire semblant.

— Je ne sais pas ce que tu cherches à me faire dire.

Pour la première fois son visage se durcit, et il vit qu'elle s'efforçait de rester calme.

— Tu aurais pu dire que tu avais envie de me voir dimanche, même si tu es fatigué. Tu aurais pu dire que même si tu as la tête ailleurs, ce n'est pas à cause de moi. Tu aurais dû t'excuser et dire : « Tu as raison, Sophia. Passons une bonne journée. » Mais au lieu de ça, tu déclares que ce que tu fais dans le monde réel, ce n'est pas comme aller à l'université.

— L'université n'est pas le monde réel.

— Tu crois que je ne le sais pas ? cria-t-elle.

— Alors, pourquoi tu te mets en colère ? la défia-t-il.

Elle tira sur les rênes, forçant Démon à s'arrêter.

— Tu veux rire ? Parce que tu te comportes comme un connard ! Parce que tu insinues que tu as des responsabilités, et pas moi. Tu t'entends parler ?

— Je n'ai fait que répondre à ta question.

— En m'insultant ?

— Je ne t'ai pas insultée.

— Mais tu penses malgré tout que ce tu fais est plus important que ce que je fais ?

— C'est plus important.

— Pour toi et ta mère ! s'exclama-t-elle. Crois-le ou non, mais ma famille est importante pour moi aussi ! Mes parents sont importants ! Faire des études, c'est important ! Et oui, j'ai des responsabilités. Je subis des pressions, et je ne peux pas échouer, moi non plus. J'ai des rêves, moi aussi !

— Sophia…

— Quoi ? C'est maintenant que tu te radoucis ? Tu sais quoi ? Ne te donne pas cette peine. Parce qu'en fin de compte, je suis venue jusqu'ici pour passer du temps avec toi, et tout ce que tu trouves à faire, c'est t'en prendre à moi !

— Je ne m'en prends pas à toi, marmonna-t-il.

Mais elle ne l'écoutait plus.

— Pourquoi joues-tu à ce petit jeu avec moi ? demanda-t-elle avec autorité. Pourquoi te comportes-tu de cette façon ? Qu'est-ce qui t'arrive ?

Il ne répondit pas. Il ne savait pas quoi dire, et Sophia le regarda longuement avant de secouer la tête, déçue. Puis elle fouetta Démon de ses rênes et le poussa au galop. Tandis qu'elle disparaissait en direction des écuries, Luke resta au milieu des arbres, à se demander ce qui l'empêchait de trouver le courage de lui révéler la vérité.

# 22

## Sophia

— Alors tu es partie au galop, et tu l'as laissé sur place ? demanda Marcia.

— Je ne savais pas quoi faire d'autre, rétorqua Sophia en calant son menton dans ses mains.

Marcia était assise à côté d'elle sur le lit.

— Il était dans une colère noire, j'arrivais à peine à le regarder.

— Mmmm. J'imagine que ça m'aurait mise en rogne, moi aussi, compatit Marcia avec exagération. Enfin, toi et moi, nous savons que les étudiants d'histoire de l'art sont très critiques envers le fonctionnement de la société moderne. Si ce n'est pas une sérieuse responsabilité, je ne sais pas ce que c'est.

Sophia la considéra d'un air renfrogné.

— Tais-toi.

Marcia ignora sa réplique.

— En particulier s'ils doivent encore décrocher un boulot qui leur permette de gagner un peu d'argent.

— Je ne viens pas de te dire de te taire ?

— Je te taquine, dit Marcia, en lui donnant un coup de coude.

— Ouais, bah, je ne suis pas d'humeur.

— Oh, ça va. C'était juste pour bavarder. Je suis contente que tu sois là. Je m'étais déjà résignée à passer la journée toute seule. Et une bonne partie de la nuit aussi.

— J'essaie de parler avec toi !

— Je sais. Nos discussions m'ont manqué. Ça fait des siècles que nous n'avons plus l'occasion de bavarder.

— Et si tu continues sur ce ton, on risque de ne plus papoter du tout. Tu me rends les choses encore plus difficiles.

— Que veux-tu que je fasse ?

— Que tu m'écoutes. Que tu m'aides à comprendre.

— Je t'écoute, dit-elle. J'ai écouté tout ce que tu as dit.

— Et ?

— Eh bien, franchement, je suis contente que vous ayez eu votre première dispute. Il était temps. J'ai tendance à croire qu'une relation n'est pas sérieuse tant qu'on ne se dispute pas. Jusqu'à présent, vous étiez en phase de lune de miel. Après tout, on ne peut pas savoir si des liens sont forts avant de les mettre à l'épreuve. Je l'ai lu un jour dans un gâteau de riz chinois, dit-elle avec un clin d'œil.

— Un gâteau chinois ?

— Ça reste vrai. Et c'est bien pour toi. Parce qu'une fois que vous aurez surmonté ça, votre couple sera plus fort. Et ensuite, quand on se réconcilie, au lit, c'est toujours génial.

Sophia fit la grimace.

— Tout tourne autour du sexe, avec toi.

— Pas toujours. Mais avec Luke ? (Elle eut un sourire lascif.) Si j'étais toi, j'essaierais d'arranger les choses le plus rapidement possible. C'est un homme très séduisant.

— Arrête d'essayer de changer de sujet. Tu dois m'aider à comprendre ce qui se passe !

— À ton avis, je fais quoi ?

— Tout ton possible pour m'énerver ?

Marcia la considéra avec gravité.

— Tu sais ce que je pense ? demanda-t-elle. En me basant sur ce que tu m'as dit ? Je pense que ce qui se passe entre vous le rend nerveux. Il va s'absenter presque tous les week-ends, mais le temps va passer vite, bientôt tu auras ton diplôme, et il craint que tu ne quittes la région. Alors, il commence à prendre ses distances.

*Peut-être*, songea Sophia. Il y avait une part de vérité là-dedans, mais…

317

— Il n'y a pas que ça, dit-elle. Je ne l'ai jamais vu dans cet état. Quelque chose se prépare.

— M'aurais-tu caché quelque chose ?

*Il risque de perdre le ranch.* Elle ne l'avait pas raconté à Marcia et comptait garder le secret. Luke s'était confié à elle, et elle ne trahirait pas sa confiance.

— Je sais qu'il subit une forte pression, préféra-t-elle dire. Il veut obtenir de bons scores. Il est nerveux.

— La voilà, ta réponse, déclara Marcia. Il est nerveux, sous pression, et toi tu lui demandes de penser à autre chose. Alors il s'est mis sur la défensive, et il s'en est pris à toi parce que dans son esprit tu ne sais pas ce qu'il traverse en ce moment.

*Peut-être*, se répéta Sophia.

— Tu peux me croire, insista Marcia. Il doit déjà regretter à l'heure qu'il est. Et je te parie qu'il va appeler d'une minute à l'autre pour s'excuser.

*<br>* *

Il ne téléphona pas. Pas ce soir-là, ni le lendemain ni le surlendemain. Le mardi, Sophia passa son temps tantôt à vérifier s'il avait laissé un message, tantôt à se demander si elle devait l'appeler. Bien qu'elle allât en cours et prît des notes, elle aurait été en peine de répéter les exposés de ses professeurs.

Entre ses cours, alors qu'elle changeait de bâtiment, elle décortiquait les propos de Marcia et finit par les trouver sensés. Pourtant, elle n'arrivait pas à chasser cette image de Luke… comment ? En colère ? Hostile ? Si elle ignorait quel était le mot juste, elle était convaincue qu'il avait cherché à la repousser.

Pourquoi, alors que tout avait toujours été simple et naturel entre eux depuis le début, tout devenait-il subitement complexe ?

Ça ne tenait pas debout. Elle n'avait qu'à prendre son téléphone pour découvrir le fin fond de l'histoire. En fonction du ton de Luke, elle saurait d'emblée si elle prenait cette dispute trop à cœur. Elle plongea la main dans son sac, s'empara de son portable, mais juste au moment d'ouvrir son répertoire, son regard survola le parc universitaire, le flux et le reflux de la vie du campus. Des étudiants portant des sacs à dos, un jeune homme à vélo qui roulait vers une destination inconnue, un groupe de futurs élèves en visite arrêté près des bureaux… et au loin, sous un arbre, une fille et un garçon qui se tenaient face à face.

Rien de tout cela n'était anormal, mais pour une raison ou pour une autre, quelque chose attira son attention et elle rangea son téléphone. Sans s'en rendre compte, elle se dirigea droit vers le couple. Ils riaient, front contre front, la fille caressant le bras du garçon. Même de loin, leur alchimie était palpable. Elle pouvait presque en ressentir les vibrations, mais en même temps c'était facile, puisqu'elle les connaissait bien. Il y avait plus que de l'amitié entre eux, ce qui se confirma quand ils s'embrassèrent.

Sophia était incapable de détourner la tête, chacun de ses muscles contractés à se rompre.

À sa connaissance, il ne venait jamais à la sororité, et elle n'avait jamais entendu quiconque associer leurs noms. Ce qui était presque impossible dans une zone close et dénuée de secret. Par conséquent, ils avaient tout fait pour le cacher jusqu'à maintenant – non seulement à elle, mais à tout le monde.

Mais quand même, Marcia et Brian ? Sa colocataire ne lui ferait jamais une chose pareille. D'autant qu'elle savait de quelle façon Brian l'avait traitée. Pourtant, à bien y réfléchir, Marcia l'avait mentionné à plusieurs reprises au cours des dernières semaines… N'avait-elle pas avoué qu'ils continuaient à se parler ? Qu'avait dit Marcia au sujet de Brian ? Même à l'époque où il suivait Sophia partout ? *Il est marrant, beau garçon et riche. Comment ne pas l'apprécier ?* Sans oublier qu'elle le faisait « craquer », comme Marcia aimait à le faire remarquer, avant que Sophia n'entre dans sa vie.

Sophia savait que cette révélation n'aurait pas dû la toucher. Elle ne voulait plus avoir de contacts avec Brian et avait tourné la page depuis longtemps. Marcia pouvait le prendre, si elle le souhaitait. Malgré tout, quand Marcia tourna la tête vers Sophia, sans pouvoir l'expliquer, elle sentit les larmes lui monter aux yeux.

*<br>* *

— J'avais l'intention de te le dire, affirma Marcia, honteuse comme jamais.

Elles étaient dans leur chambre et Sophia était postée devant la fenêtre, les bras croisés. Elle s'efforçait de garder son sang-froid et de s'exprimer posément.

— Ça fait longtemps que tu sors avec lui ?

— Non, répondit Marcia. Il est venu me voir chez moi pendant les vacances de Noël, et…

— Pourquoi lui ? Tu te souviens qu'il m'a fait souffrir, non ?

La voix de Sophia se brisa.

— Je croyais tu étais ma meilleure amie.

— Je n'avais pas prévu de sortir avec lui, se justifia Marcia d'une voix implorante.

— Mais tu l'as fait.

— Tu n'étais jamais là le week-end et je le croisais dans toutes les soirées. On discutait ensemble. De toi, en général…

— Tu veux dire que c'est ma faute ?

— Non, dit Marcia. Ce n'est la faute de personne. Je n'avais pas l'intention de le fréquenter. Mais à force de se parler, on a appris à mieux se connaître.

Sophia lui tourna le dos pour couper court à son explication, et son ventre se serra tant qu'elle grimaça. Quand le silence s'installa, elle reprit en s'appliquant à rester calme :

— Tu aurais dû m'en parler.

— Je l'ai fait. Je t'ai dit qu'on avait discuté. J'ai même ajouté que nous étions devenus amis. C'était tout, jusqu'à ces dernières semaines. Je te le jure.

Sophia se tourna vers elle et la toisa avec haine.

— C'est tellement… mal de faire ça, pour plusieurs raisons.

— Je croyais que tu avais tourné la page… marmonna Marcia.

Sophia était livide.

— J'ai tourné la page ! Je ne veux plus entendre parler de lui ! C'est de nous dont il est question ! Tu couches avec mon ex !

Elle se passa la main dans les cheveux.

— Marcia, les amis ne se font pas ça. Je ne vois pas comment tu pourrais te justifier sur ce point.

— Je suis toujours ton amie, se défendit-elle avec douceur. C'est pas comme si j'allais le faire monter dans la chambre quand tu es là, non plus…

Sophia avait du mal à croire ce qu'elle entendait.

— Il va te tromper, tu sais. Comme il m'a trompée.

Marcia secoua la tête avec véhémence.

— Il a changé. Je sais que tu ne vas pas me croire, mais il a vraiment changé.

À ces mots, Sophia comprit qu'il valait mieux qu'elle parte. Elle se dirigea vers la porte et attrapa son sac à main sur le bureau en passant. Une fois devant la porte, elle se retourna.

— Brian n'a pas changé, affirma-t-elle avec conviction. Je suis prête à le jurer.

*
* *

L'habitude et le désespoir la conduisirent au ranch. Comme toujours, Luke apparut sur la véranda au moment où elle descendait de voiture. Même de loin, il semblait savoir que ça n'allait pas, et bien qu'elle n'ait pas eu de ses nouvelles depuis plusieurs jours, il s'avança vers elle, les bras tendus.

Sophia plongea dans ses bras, et il la tint longuement contre lui pendant qu'elle pleurait.

*
* *

– Je ne sais toujours pas ce que je dois faire, dit-elle en s'adossant au torse de Luke. Je ne peux quand même pas lui interdire de sortir avec lui.

Assis sur le canapé, Luke la serrait contre lui, face à la cheminée. Depuis des heures, il la laissait déblatérer, acquiesçant de temps à autre, mais surtout il l'apaisait par son silence, sa présence réconfortante.

– Non, en convint-il. Tu ne peux pas.

– Mais que suis-je censée faire quand nous sommes ensemble ? Faire comme si j'ignorais tout ?

– Ce serait probablement mieux. D'autant que vous partagez la même chambre.

– Il va la faire souffrir, geignit Sophia pour la centième fois.

– Certainement.

– Au foyer, tout le monde ne va parler que de ça. Chaque fois que les filles me verront, elles vont soit chuchoter, soit pouffer, soit prendre un air exagérément inquiet, et je vais passer le reste du semestre à devoir supporter tout ça.

– Certainement.

Elle se tut un instant.

– Vas-tu continuer à acquiescer à tout ce que je dis ?

– Certainement, répondit-il en réprimant une envie de rire.

– L'essentiel, c'est que tu ne sois plus en colère contre moi.

– Je suis désolé, dit-il. Tu as bien fait de me remettre à ma place. J'étais de mauvaise humeur et je me suis énervé contre toi. J'ai eu tort.

– Ça arrive à tout le monde d'être de mauvaise humeur.

Il la serra fort sans rien ajouter. Mais plus tard, elle se rendit compte qu'il ne lui avait pas confié ce qui le tracassait ce jour-là.

*
* *

Après avoir passé la nuit au ranch, Sophia rentra au foyer de la sororité et prit son courage à deux mains avant de pousser la porte de la chambre. Elle n'était toujours pas prête à s'expliquer avec Marcia, mais un rapide survol de la pièce la rassura. Marcia n'était pas là et n'avait pas dormi dans son lit. Elle avait passé la nuit avec Brian.

# 23

## Luke

Quelques jours plus tard, Luke partit pour Pensacola l'esprit troublé, car il savait qu'il ne s'était pas suffisamment entraîné. Sa migraine permanente l'empêchait de réfléchir clairement, tout comme elle avait freiné sa pratique du taureau mécanique. Mais il s'était dit que s'il survivait aux préliminaires et décrochait un bon score, il aurait une chance de récupérer avant le rodéo suivant.

Il n'avait jamais entendu parler de Stir Crazy, le premier taureau qui lui fut attribué par tirage au sort à Pensacola. Il avait conduit longtemps, mal dormi à l'arrivée, et ses mains s'étaient remises à trembler. Son mal de tête s'était un peu calmé, mais ses oreilles bourdonnaient encore et cette vibration lui donnait l'impression qu'une créature vivante avait élu domicile sous son crâne. Il n'avait reconnu que quelques concurrents, et la moitié des autres étaient à peine en âge de conduire. Ils étaient tous nerveux, même s'ils s'efforçaient de garder leur sang-froid en s'accrochant tous au même rêve. Gagner ou bien se placer, se faire de l'argent et cumuler les points – et, quoi qu'il arrive, ne pas être trop grièvement blessé afin de pouvoir concourir la semaine suivante.

Comme à McLeansville, Luke resta à côté de son pick-up, préférant la solitude. Toutefois, il entendait la foule du parking, et quand ses acclamations lui parvinrent, suivies quelques secondes plus tard par la voix de l'animateur qui brailla « ça arrive à tout le monde », il comprit que le participant avait été éjecté du taureau. Il devait passer en quatorzième position, et si les performances se chronométraient en secondes, une pause de quelques minutes séparait chaque concurrent. Il calcula que son tour viendrait dans quinze minutes, si toutefois il gardait son calme jusque-là.

*Il n'avait pas envie d'être là.*

Cette idée lui apparut subitement comme une évidence, même si, au fond de lui, il le savait depuis le début. Cette conviction indéniable lui donna l'impression que la terre s'ouvrait sous ses pieds. Il n'était pas prêt. Et peut-être, seulement peut-être, ne serait-il jamais prêt.

Néanmoins, un quart d'heure plus tard, il se dirigea lentement vers l'arène.

\*

\* \*

Plus que tout, c'est l'odeur qui le bloquait. Puis s'imposèrent les réactions familières, devenues automatique au fil des années. Il se sentit oppressé. Il oublia le bruit de la foule et les paroles de l'animateur et se concentra exclusivement sur les jeunes dresseurs qui l'aidaient à se préparer. Des cordes furent nouées. Il ajusta le bandeau de soutien à sa main. Il se recentra sur le dos du taureau. Il attendit une seconde à peine, puis après s'être assuré que tout était en place, il adressa un signe au portier.

– On y va.

Stir Crazy bondit en ruant légèrement, puis rien qu'une seconde, juste avant de pivoter brusquement à droite, ses quatre pattes décolèrent du sol. Mais Luke s'y était préparé et resta fermement assis, de sorte qu'il ne perdit pas l'équilibre quand le taureau lança deux autres ruades avant de tournoyer sur place.

D'instinct, Luke s'adapta à chacun de ses mouvements, et dès que la cloche retentit, il détacha la sangle de sa main libre.

Il sauta à terre, atterrit sur ses deux pieds et courut jusqu'à la palissade. Il était hors de danger alors que le taureau ruait encore.

Les hurlements du public redoublèrent, et le présentateur leur rappela que par le passé, il s'était hissé à la troisième position du classement mondial. De son chapeau, il salua la foule avant de repartir vers son pick-up.

En chemin, son mal de tête ressurgit avec une violence infernale.

*<br>* *

Pour son deuxième passage, il monta Candyland. Il arriva quatrième.

Là aussi, il agit en pilote automatique, son sentiment d'oppression atteignant des sommets. Un taureau plus coriace, cette fois. Plus exubérant. Pendant sa performance, il entendait la foule crier son contentement. Victorieux, il s'enfuit de l'arène alors que le taureau piquait une crise.

Les points qu'il obtint le propulsèrent à la deuxième place.

Il passa l'heure suivante assis, derrière le volant de son pick-up, des élancements lui traversant le crâne à chaque battement de cœur. Il combina une poignée d'ibuprofène au Tylenol, mais le mélange n'atténua pas ses souffrances. Il se demanda si son cerveau gonflait, et refusa de penser à ce qui arriverait s'il se faisait éjecter.

Au dernier tour, il était en position de gagner. Toutefois, le meilleur score de la journée revenait à l'un des autres finalistes.

Dans le couloir de sortie, il n'angoissait plus. Non qu'il bénéficiât d'un soudain regain de confiance, mais parce que la douleur et l'épuisement l'abrutissaient.

Il voulait juste en finir. Arriverait ce qui devait arriver.

Quand il fut prêt, la porte de l'arène s'ouvrit. C'était un bon taureau, mais pas aussi rusé que le second. Plus stimulant que le premier taureau, tout de même, et cela se refléta dans son score.

La victoire se jouerait sur la performance du premier, lors du dernier passage. Mais le gagnant des deux premiers tours perdit rapidement l'équilibre, et ne réussissant pas à se rattraper, il s'affala dans la poussière.

Bien qu'il soit en seconde position avant le dernier tour, au final il remporta la victoire. C'était le premier concours de la saison, et il était premier, exactement ce dont il avait besoin.

Il empocha son prix et envoya un texto à sa mère et à Sophia pour annoncer son retour. Mais alors qu'il prenait la route et que ses élancements persistaient, il se demanda pourquoi, en toute honnêteté, il se moquait complètement de sa première place.

*
* *

— Tu as une mine atroce, dit Sophia. Ça va ?

Luke s'efforça de lui répondre d'un sourire rassurant. Après s'être effondré sur son lit à trois heures du matin, il s'était réveillé vers onze heures, sa tête et son corps hurlant de douleur à l'unisson. D'un geste automatique, il avait avalé plusieurs antalgiques avant de tituber jusqu'à la douche, où le jet chaud lui avait semblé s'infiltrer dans ses muscles courbatus.

— Très bien, affirma-t-il. La route était longue, et depuis que je suis levé, je répare une clôture.

— Tu en es sûr ?

L'inquiétude de Sophia reflétait son scepticisme à l'égard de ses paroles tranquillisantes. Depuis qu'elle était arrivée au ranch dans l'après-midi, elle l'examinait à la loupe, aussi anxieuse qu'une mère poule.

— On dirait pourtant que tu es en train de tomber malade.

— Je suis fatigué, c'est tout.

— Je sais. Mais tu as gagné, n'est-ce pas ?

— Ouais, dit-il. J'ai gagné.

– C'est formidable. Pour le ranch, je veux dire.

Le front de Sophia se plissa.

– Ouais, répéta-t-il d'une voix éteinte, c'est bien pour le ranch.

# 24

## Sophia

Luke avait de nouveau l'air ailleurs. Pas comme le week-end précédent, mais visiblement, il n'allait pas bien du tout. Et ce n'était pas seulement dû à l'épuisement. Il était pâle, presque blanc, et même s'il niait, elle savait qu'il souffrait plus qu'à l'accoutumée. Parfois, quand il amorçait un geste brusque, il grimaçait ou serrait les dents.

Le dîner chez sa mère fut tendu. Linda était contente de voir Sophia, mais Luke resta dehors près du barbecue, pendant que les deux femmes bavardaient, un peu comme s'il cherchait à les éviter. À table, la conversation fut remarquable par le nombre de sujets qu'ils évitèrent d'aborder. Luke n'évoqua pas sa souffrance évidente, sa mère ne fit pas allusion au rodéo et Sophia refusa de mentionner Marcia, Brian ou son abominable semaine sur le campus. Et pourtant, la semaine avait été infernale, l'une des pires depuis qu'elle vivait au sein de la sororité.

Dès qu'ils rentrèrent chez Luke, il fila dans sa chambre. Elle l'entendit secouer son flacon de pilules, puis le suivit jusqu'à la cuisine, où il fit passer une poignée de cachets avec un verre d'eau.

Inquiète, elle le vit se pencher au-dessus du plan de travail, les deux mains en appui sur le rebord, la tête penchée en avant.

— C'est si horrible que ça ? murmura-t-elle en posant les mains sur son dos. Ton mal de tête ?

Il s'accorda deux longues inspirations avant de répondre.

– Je vais bien, dit-il.

– Je vois bien que ça ne va pas. Combien en as-tu pris ?

– Deux de chaque, avoua-t-il.

– Mais je t'ai vu en prendre avant le dîner…

– Ça n'a pas suffi, à l'évidence.

– Si tu souffres à ce point, tu devrais voir un médecin.

– Ce n'est pas nécessaire, répondit-il d'une voix morne. Je sais ce que j'ai.

– Qu'as-tu ?

– Une commotion.

Elle battit des paupières.

– Comment ça ? Tu t'es cogné la tête en sautant du taureau ?

– Non, dit-il. J'ai fait une mauvaise chute en m'entraînant, il y a deux semaines.

– Deux semaines ?

– Oui, admit-il. Et j'ai commis l'erreur de remonter trop vite sur le taureau.

– Tu veux dire que tu as mal à la tête depuis deux semaines ?

Malgré la panique qui l'envahissait, Sophia n'en laissa rien paraître.

– Pas autant que maintenant. La douleur a empiré, hier, après le rodéo.

– Alors, pourquoi es-tu allé au championnat si tu as une commotion ?

Il garda le regard rivé au sol.

– Je n'ai pas le choix.

– Évidemment que tu as le choix. C'était idiot de ta part. Je vais t'emmener aux urgences…

– Non, dit-il.

– Pourquoi ? demanda-t-elle, sidérée. C'est moi qui vais conduire. Tu as besoin de consulter un médecin.

– J'ai déjà eu des migraines comme celles-ci, et je sais ce que le médecin me dirait. D'arrêter les rodéos, et ça, je ne peux pas.

– Si je comprends bien, tu comptes concourir le week-end prochain ?

— Il le faut.

Sophia tenta vainement de comprendre.

— Est-ce pour cela que ta mère est remontée contre toi ? Parce que tu agis bêtement ?

Il prit le temps de répondre et soupira.

— Elle n'est pas au courant.

— Tu ne lui as rien dit ? Pourquoi ?

— Parce que je ne veux pas qu'elle le sache. Ça ne servirait qu'à l'inquiéter.

Elle secoua la tête.

— Je n'arrive pas à comprendre pourquoi tu continues les rodéos, alors que tu sais que ça va aggraver ta commotion. C'est dangereux.

— J'ai arrêté de m'en faire pour ça, dit-il.

— Qu'entends-tu par là ?

Luke se redressa lentement et se tourna vers elle, affichant un air résigné, quelque chose qui ressemblait à des excuses.

— Parce que, dit-il enfin, même sans cette commotion, je ne devrais plus monter.

Elle n'était pas certaine de comprendre et battit des paupières à plusieurs reprises.

— Tu ne dois plus monter du tout sur un taureau ? Jamais ?

— D'après les thérapeutes, je prends un énorme risque à chaque fois.

— À cause de quoi ?

— De Big Ugly Critter, dit-il. Il ne m'a pas seulement éjecté et traîné dans l'arène. Je t'ai raconté qu'il m'avait piétiné, mais je n'ai pas précisé qu'il m'avait fracturé l'arrière du crâne, près du tronc cérébral. Ils m'ont posé une petite plaque de métal, mais si jamais je fais une mauvaise chute, elle ne suffira pas à me protéger.

En écoutant sa voix monocorde, elle fut parcourue d'un frisson. Ce n'était pas possible…

— Tu veux dire que tu risques de mourir ?

Elle n'attendait pas de réponse. La panique l'envahissait à mesure qu'elle absorbait la vérité.

– C'est bien ce que tu es en train de me dire ? Que tu vas mourir ? Et tu ne m'en as jamais parlé ? Comment as-tu pu me le cacher ?

Toutes les pièces du puzzle s'assemblèrent spontanément : pourquoi il l'avait emmenée voir ce taureau, le premier soir, pourquoi sa mère était en colère, sa préoccupation extrême à l'approche de la saison.

– Bon, OK, reprit-elle en réprimant son effroi. Tu ne monteras plus jamais, d'accord ? C'est fini. À partir de maintenant, tu es à la retraite.

Il ne répondit pas, mais à son attitude, elle comprit qu'elle n'avait pas fait mouche. Elle s'approcha pour passer ses bras autour de lui, le serrant de toute la force de son désespoir. Elle sentit les battements de son cœur, les muscles puissants de son torse.

– Je veux que tu arrêtes pour de bon. Tu ne peux pas continuer, d'accord ? Je t'en prie, dis-moi que c'est fini. Nous trouverons un autre moyen de sauver le ranch.

– Il n'y a pas d'autre solution.

– Il y a toujours une alternative !

– Non, dit-il. Il n'y en a pas.

– Luke, je sais que le ranch est important pour toi, mais ça ne l'est pas plus que ta propre vie. Tu le sais, quand même ? Tu repartiras de zéro. Tu trouveras un autre ranch. Ou tu travailleras pour quelqu'un…

– Je n'ai pas besoin d'un ranch, l'interrompit-il. Je le fais pour ma mère.

Elle se détacha de lui, sentant la colère gronder en elle.

– Mais elle ne veut pas que tu prennes autant de risques, elle non plus ! Parce qu'elle sait que c'est une mauvaise idée… Elle sait à quel point c'est stupide ! Parce que tu es son fils !

– Je fais ça pour elle.

– Non, c'est faux, le coupa Sophia. Tu le fais pour te déculpabiliser ! Tu te crois généreux, mais en réalité, c'est très égoïste de ta part ! C'est la chose la plus égoïste…

Le souffle court, elle laissa sa phrase en suspens.

– Sophia…

— Ne me touche pas ! cria-t-elle. Tu vas me faire mal, à moi aussi ! Tu ne comprends donc rien ? Tu ne prends même pas le temps de comprendre que je n'ai pas envie que tu meures ? Ni de t'interroger sur ce que je peux ressentir ? Non, parce que je ne compte pas dans cette histoire ! Pas plus que ta mère ! Il n'y a que toi et ta culpabilité !

Elle recula d'un pas.

— Quand je pense que tu m'as menti, murmura-t-elle.

— Je n'ai pas menti.

— Par omission, siffla-t-elle avec amertume. Tu m'as menti parce que tu savais que je ne te soutiendrais pas ! Parce que je risquais de te quitter à cause de ton comportement complète-ment… insensé. Et dans quel but ? Pour coucher avec moi ? Pour passer un bon moment ?

— Non… protesta Luke d'une voix faible, trop faible à son goût.

Elle sentit des larmes chaudes rouler sur ses joues, sans pouvoir les retenir.

— Je ne peux pas supporter ça en ce moment. Pas en plus du reste. J'ai passé une très mauvaise semaine, avec tous ces ragots et Marcia qui m'évite. J'avais besoin de toi, ces jours der-niers. J'avais besoin de quelqu'un à qui parler. Mais j'ai compris que tu avais besoin de te concentrer sur le championnat. Je l'ai accepté en me disant que c'était ton métier. Mais à présent… Maintenant que je sais que si tu n'étais pas là, c'était unique-ment parce que tu courais après ta propre mort…

Ses mots jaillissaient en une longue tirade accélérée, aussi rapide que ses pensées, et elle pivota sur ses talons et s'empara de son sac à main. Elle ne pouvait pas rester là. Avec lui. Pas maintenant.

— C'est trop pour moi.

— Attends !

— Ne me parle pas ! dit-elle. Ne cherche pas à m'expliquer en quoi mourir est important pour toi !

— Je ne vais pas mourir.

— Bien sûr que si ! Je ne te connais peut-être pas depuis suffi-samment longtemps pour savoir à quel point tu es en danger, mais ta mère le sait ! Les médecins aussi ! Et tu sais que tu ne devrais pas continuer, reprit-elle, la respiration saccadée. Quand tu reviendras à la raison, alors nous pourrons parler. Mais sans cela…

Sans terminer sa phrase, elle passa la bride de son sac sur son épaule et rejoignit précipitamment sa voiture. Après avoir démarré, elle manqua d'emboutir le porche en reculant, et écrasa la pédale d'accélérateur, même si ses larmes l'empêchaient de distinguer nettement le chemin.

*
\* \*

Sophia se sentait confuse.

Luke avait tenté de la joindre deux fois depuis qu'elle était rentrée à l'université, mais elle n'avait pas répondu. Elle était seule dans sa chambre et Marcia lui manquait, même si elle la savait avec Brian. Depuis leur dispute, Marcia passait toutes ses nuits chez lui, mais Sophia pensait que c'était dû à la honte qui l'empêchait de l'affronter, plutôt qu'à Brian.

Elle en voulait toujours à Marcia, elle trouvait son comportement minable et se sentait incapable de feindre l'indifférence. Une meilleure amie n'avait pas le droit de sortir avec un ex. Règle établie ou non, il n'était pas tolérable de se faire ça entre amis. Jamais. Bien que Sophia sache qu'elle aurait dû déclarer à Marcia qu'elles n'étaient plus amies, elle ne s'était pas résolue à franchir le cap, parce que dans le fond, sa colocataire n'avait pas agi sciemment. Elle n'avait rien prévu ni comploté contre elle, pas plus qu'elle n'avait eu l'intention de lui faire du mal. Ce n'était pas le genre de Marcia, et Sophia était bien placée pour savoir à quel point Brian pouvait être charmant quand il avait décrété qu'il arriverait à ses fins. Ce qui était probablement le cas. En revanche, c'était tout à fait le genre de Brian. Lui avait agi délibérément, et sortir avec Marcia était certainement tout ce qu'il avait trouvé pour atteindre Sophia. Il voulait lui infliger une ultime blessure en détruisant son amitié envers Marcia.

Et puis, bien sûr, il allait faire souffrir Marcia. Le chagrin allait lui montrer le vrai visage de ce garçon. Après cela, elle irait encore plus mal que maintenant. En un sens, ce serait mérité, mais en même temps…

Soudain, Sophia eut envie de parler à Marcia. Elle en avait besoin. De parler de Luke. Juste parler, rien de plus. Comme leurs sœurs le faisaient au salon et dans les couloirs. Leurs voix lui parvenaient aux oreilles à travers la porte.

Toutefois, elle ne voulait rien avoir à faire avec ces filles, parce que même si elles ne disaient rien, leurs moues étaient éloquentes. Ces derniers temps, dès qu'elle poussait la porte de la maison, le silence s'installait, et elle savait précisément ce qu'elles se disaient. *Tu crois qu'elle se sent comment, en ce moment ? Il paraît qu'elle ne voit plus Marcia ? Je suis triste pour elle. Ça doit être horrible de vivre un truc pareil.*

Elle n'avait pas envie de ça, et malgré leurs querelles, elle regrettait l'absence de sa colocataire. Car en cet instant, elle se sentait plus seule que jamais.

*
* *

Les heures passèrent. Dehors, le ciel s'emplissait de nuages lourds qui obscurcissaient le clair de lune. Étendue sur son lit, Sophia se remémorait les soirs où elle avait admiré la voûte céleste en compagnie de Luke. Les balades à cheval et leurs nuits d'amour, les dîners chez sa mère. Elle se souvenait de chaque détail de leur première soirée, quand ils s'étaient installés dans la benne du pick-up.

Pourquoi risquer sa vie ? Malgré ses efforts, elle n'arrivait pas à le comprendre. Elle savait que c'était la culpabilité qui le poussait à agir de la sorte, mais est-ce que ça valait la peine de mettre ses jours en péril ? Pas de son point de vue, ni de celui de sa mère. Mais il semblait déterminé à se sacrifier. C'est la partie qui lui échappait, et lorsqu'il appela pour la troisième fois, elle fut incapable de répondre.

Il était tard et le silence s'installait lentement mais sûrement dans la maison. Sophia était exténuée, mais elle ne dormirait pas. Alors qu'elle cherchait à comprendre l'attitude autodestructrice de Luke, elle s'interrogea sur ce qui s'était réellement passé le jour où il avait rencontré Big Ugly Critter. Il lui avait parlé de la plaque de métal qu'il portait à la tête, mais elle avait senti que c'était plus grave que ça. Lentement, elle se leva et ouvrit son ordinateur portable. L'appréhension se mêlant au besoin de tout savoir, elle entra son nom dans le moteur de recherche.

Sans surprise, elle vit apparaître une liste de réponses, dont une brève biographie sur Wikipédia. Après tout, il avait compté parmi les meilleurs cavaliers du monde. Mais sa biographie ne l'intéressait pas. Elle associa *Big Ugly Critter* à son nom et lança une nouvelle recherche.

Instantanément, un lien vers YouTube surgit en haut de l'écran. Sentant la panique l'envahir, elle se hâta d'agrandir l'image.

La vidéo ne durait que deux minutes, et elle constata avec chagrin qu'elle avait été visionnée par plus d'un demi-million de visiteurs. Sans être certaine d'avoir envie de la regarder, elle démarra la lecture. Dès les première images, elle reconnut Luke dans le couloir de sortie, assis sur le taureau, filmé d'en haut, probablement par une caméra de télévision. Les gradins étaient pleins à craquer, et derrière lui, des pancartes et des banderoles étaient dressées le long du mur de l'arène. Contrairement à McLeansville, l'événement se déroulait en intérieur, ce qui signifiait que ce lieu devait servir à toutes sortes de manifestations, à des matchs de basket-ball comme à des concerts. Luke portait un jean et une chemise rouge à manches longues sous son gilet de protection, ainsi que son chapeau. Le numéro 16 était épinglé dans son dos.

Elle le vit ajuster la sangle de maintien, pendant que des assistants resserraient la corde sous le ventre du taureau. Il dressa le poing, puis serra les jambes en se positionnant convenablement. Les présentateurs commentaient l'action d'une voix nasillarde.

*Luke Collins a terminé troisième du championnat mondial profes-*
*sionnel et est considéré comme l'un des meilleurs monteurs de taureaux*
*sauvages du monde, mais aujourd'hui, il va devoir maîtriser un taureau*
*qu'il ne connaît pas.*

*Peu de gens le connaissent. Big Ugly Critter n'a été monté que deux*
*fois, et l'an dernier il a été champion du monde des taureaux de cabrade*
*de la ligue professionnelle. Il est fort et terrifiant, et si Luke tient bon, il*
*est assuré de marquer quatre-vingt-dix points…*

*Il se prépare…*

Pendant qu'ils parlaient, Luke se figea brusquement, mais ça
ne dura pas. Le portail s'ouvrit et la foule rugit.

Le taureau surgit violemment, lança des ruades, ses membres
postérieurs fouettant l'air au point que sa tête touchait presque
le sol. Il pivota à gauche, donna d'autres coups de pattes, puis
bondit en faisant décoller ses quatre pattes avant de pivoter
dans l'autre sens.

Il ne s'était écoulé que quatre secondes, et le public se
déchaînait.

– *Il va y arriver !* s'exclama l'un des animateurs.

Alors Sophia vit Luke se pencher en avant et perdre l'équilibre au moment où la tête du taureau partait en arrière.

Le choc fut terrifiant ; la tête de Luke fut propulsée dans
l'autre sens, comme s'il n'avait pas de muscles…

*Mon Dieu !*

Soudain, le corps de Luke tomba sur le côté, inerte, mais la
sangle le retenait à l'animal.

Le taureau semblait dans une rage psychotique, un animal
incontrôlable, et il continua de ruer sauvagement et implaca-
blement. Luke était ballotté comme une poupée de chiffon,
secoué dans tous les sens. Quand le taureau se remit à pirouet-
ter sur lui-même, Luke fut contraint de le suivre, la pointe de
ses bottes creusant des sillons dans la poussière.

Des concurrents ainsi que d'autres hommes bondirent
dans l'arène pour tenter de le libérer, mais le taureau leur
échappait. Il ne s'arrêta de tourner que pour charger les
intrus qu'il menaça de ses cornes, et parvint à expulser un

cow-boy sur le côté comme s'il ne pesait rien. Un autre tenta de détacher le poignet de Luke de la sangle, en vain ; quelques secondes passèrent avant qu'un vacher ne parvienne à monter sur le dos de l'animal et à y rester suffisamment longtemps pour libérer la main de Luke, tout en s'adaptant à la course du taureau.

Alors, Luke s'effondra dans la poussière et resta immobile, sur le ventre, la tête tournée sur le côté, tandis que le cow-boy s'éloignait du taureau.

*Il est blessé ! Que quelqu'un appelle les secours!*

Mais le taureau n'en avait pas fini. Comme s'il avait pris conscience que le cow-boy n'était plus sur son dos, toujours en colère d'avoir été monté, l'animal fit demi-tour et ignora tous ceux qui cherchaient à accaparer son attention. Baissant la tête, il chargea Luke, cornes en avant, dans l'intention de le tuer. Des toreros surgirent pour le frapper et le fouetter, mais le taureau les ignora. Il continua de menacer le corps inerte de ses cornes avant de s'élancer furieusement vers lui, et une fois qu'il arriva au-dessus de Luke, il se remit à ruer.

Non, ce n'étaient pas des ruades. Il le piétinait. En tournant sur lui-même. Avec horreur, Sophia entendit le présentateur s'écrier :

*Vite, que quelqu'un dégage son corps !*

Les sabots du taureau s'écrasaient sur lui avec fureur, broyant Luke à chaque mouvement. Ils foulaient son dos, ses jambes, sa tête.

Sa tête…

Cinq personnes encerclaient désormais l'animal et s'acharnaient à mettre un terme au carnage, mais Big Ugly Critter poursuivait son attaque obstinée.

Il trépignait, écrasait chaque centimètre du corps de Luke…

Le présentateur hurla :

*Il faut arrêter ça !*

Le taureau semblait possédé.

Et puis, enfin – *enfin !* –, il se détacha de Luke pour s'énerver sur le sol, sans cesser ses ruades.

La caméra le suivit tandis qu'il s'éloignait, avant de zoomer sur la silhouette immobile de Luke, son visage ensanglanté et méconnaissable, et les hommes qui le prenaient en charge.

Mais Sophia avait déjà enfoui son visage dans ses mains, et sanglotait, choquée.

# 25

## Luke

Quand le mercredi arriva, Luke avait légèrement moins mal à la tête, mais il craignait néanmoins de ne pas être en état de concourir le week-end suivant à Macon, en Géorgie. Après cela, le prochain tournoi aurait lieu à Florence, en Caroline du Sud, et il se demanda s'il serait rétabli d'ici là. Ensuite, la tournée du championnat se poursuivrait au Texas, et il voulait avant tout éviter de commencer la saison avec un handicap physique grave.

En plus, l'aspect financier l'inquiétait. À partir de février, il serait contraint de prendre l'avion pour rejoindre chaque lieu de compétition. Ce qui impliquait de dormir à l'hôtel. De prendre ses repas sur place. De louer une voiture. Par le passé, quand il poursuivait son rêve, il concevait ces dépenses comme des frais professionnels nécessaires. Ça l'était toujours, mais maintenant, alors que les remboursements du crédit seraient multipliés par trois dans les six mois, il passait des heures sur Internet à la recherche des vols les moins chers, dont la plupart devaient être réservés des mois à l'avance. D'après ses estimations, la somme qu'il avait gagnée lors de la première compétition couvrirait les frais de transport des huit prochains événements. Par conséquent, aucun centime ne servirait à honorer les prochaines traites. Il n'était plus question de gagner pour réaliser son rêve. Il devait gagner régulièrement parce qu'il en avait besoin.

Cependant, au même instant, il entendit la voix de Sophia, en contradiction totale avec lui. Disant qu'il ne se démenait pas pour le ranch, ni même pour sa mère. Qu'il cherchait uniquement à fuir la culpabilité qui l'assaillait.

Son comportement était-il égoïste ? Avant d'entendre cette idée sortir de la bouche de la jeune femme, cette idée ne lui aurait même pas effleuré l'esprit. Mais ce n'était pas de lui dont il était question. Tout allait bien se passer. Il bataillait pour sa mère, son héritage familial, ses moyens de survie à un âge où elle n'avait que peu d'options. Il n'avait pas envie de concourir. Il se forçait parce que sa mère avait tout risqué pour le sauver, et il lui était redevable. Il ne pouvait pas rester les bras croisés, alors qu'elle était sur le point de tout perdre à cause de lui.

*Sinon, il se sentirait fautif. Ce qui ramenait son sentiment de culpabilité sur le tapis. Était-ce possible ?*

Il avait appelé Sophia par trois fois dans la soirée de dimanche, et autant le lundi. Deux fois mardi. Il avait envoyé des SMS aussi, un par jour, sans recevoir de réponse. Comme il se souvenait qu'elle avait mal supporté l'insistance de Brian, à l'époque où il la suivait partout, il se retint de la contacter le mercredi. Mais le jeudi, il ne supporta plus son silence. Il monta dans son pick-up, fila à Wake et se gara devant la maison de la sororité.

Deux filles en tenue identique étaient assises sous le porche, l'une d'elles parlant au téléphone et l'autre tripotant les touches du sien. Elles levèrent brièvement les yeux, puis, quand elles le virent s'avancer dans leur direction, le considérèrent avec plus d'attention. Quand il frappa à la porte, il perçut des rires à l'intérieur. Un instant plus tard, une jolie brune portant deux piercings à chaque oreille ouvrit la porte.

— Je vais dire à Sophia que tu es là, fut tout ce qu'elle dit avant de le faire entrer.

Dans le salon, trois filles assises sur le canapé se tordaient le cou pour l'apercevoir. Il conclut que c'étaient celles dont il avait perçu les rires, et qui restaient à présent bouche bée devant lui, la télévision braillant en fond sonore tandis que, dans l'entrée, il sentait qu'il n'était pas à sa place.

Quelques minutes plus tard, Sophia apparut en haut des marches, les bras croisés. Elle le toisa du palier, hésitant visiblement quant à l'attitude à adopter. Puis elle soupira et le rejoignit de mauvais gré. Consciente que l'attention de toutes les filles était portée sur eux, elle ne dit rien et préféra lui indiquer la porte. Luke la suivit à l'extérieur.

Elle traversa le porche et longea le trottoir, jusqu'à un point où aucune des locataires de la maison ne pourrait les voir. Là, elle fit volte face.

— Que veux-tu ? demanda-t-elle d'une voix neutre.

— Je voulais te dire que je suis désolé, dit Luke, les mains enfoncées dans les poches. De ne pas t'en avoir parlé plus tôt.

— Très bien.

Comme elle n'ajoutait rien, Luke se demanda quoi dire ensuite. Elle tourna la tête, fixant la maison du regard.

— J'ai visionné la vidéo de ta performance, dit-elle. Sur Big Ugly Critter.

Il donna des coups de pied dans les graviers, craignant d'affronter son regard.

— Je te l'avais dit, ça s'est plutôt mal passé.

Elle secoua la tête.

— C'était pire que ça…

Elle se tourna vers lui, l'observant en quête d'une réponse, et reprit :

— Je savais que c'était dangereux, mais je ne pensais pas que c'était une question de vie ou de mort. Je pense que je ne me rendais pas compte des risques que tu prends à chaque fois que tu entres dans l'arène. Et j'ai vu ce taureau, ce qu'il t'a fait. Il voulait te tuer…

Elle déglutit bruyamment, incapable de terminer sa phrase. Luke avait lui aussi visionné ce film une fois, six mois après l'accident. Sur le moment, il avait juré de ne plus monter sur un taureau. Sur le moment, il s'était senti chanceux d'avoir survécu.

— Tu as frôlé la mort, mais tu es toujours en vie, résuma Sophia. Tu as eu une seconde chance. En un sens, il t'a été accordé la chance de mener une vie normale. Et tu peux me dire tout ce que tu veux, je ne comprendrai jamais pourquoi tu cours le risque de tout perdre. Ça n'a pas de sens, à mes yeux. Je t'ai dit un jour que j'avais songé au suicide, mais je n'avais pas vraiment l'intention de passer à l'acte. Je savais que je ne ferais jamais rien de dangereux. Mais toi… on dirait que tu en as envie. Et tu vas continuer jusqu'à ce que tu arrives à tes fins.

— Je ne veux pas mourir, insista-t-il.

— Alors, arrête les rodéos. Parce que si tu continues, je ne peux plus faire partie de ta vie. Je ne vais pas faire semblant d'ignorer ton comportement suicidaire. Parce que j'aurais l'impression d'approuver tacitement, en un sens. Je ne peux pas faire ça.

Luke sentit sa gorge se serrer, au point qu'il eut du mal à parler.

— Tu es en train de me dire que tu ne veux plus me voir ?

À cette question, Sophia prit conscience que la tension des derniers jours l'avait exténuée, à tel point qu'elle était vide de larmes.

— Je t'aime, Luke. Mais je ne peux pas vivre ainsi. Je ne peux pas passer chaque minute de ma vie à tes côtés à me demander si tu survivras au week-end. Et je n'ose pas imaginer ce qui se passerait si ça tournait mal pour toi.

— Alors, c'est fini ?

— Oui, dit-elle. Si tu continues les rodéos, c'est fini.

*
* *

Le lendemain, Luke était assis à la table de sa cuisine, les clés du pick-up posées devant lui. C'était vendredi après-midi, et il arriverait au motel avant minuit. Ses affaires étaient déjà rangées dans sa camionnette.

Il avait toujours un peu mal à la tête, mais la vraie douleur provenait de Sophia. Il n'était pressé ni de prendre la route ni de concourir ; dans le fond, il souhaitait passer le week-end avec elle. Il espérait trouver une excuse pour ne pas y aller.

Il voulait l'emmener se promener à cheval sur le domaine, la prendre dans ses bras devant la cheminée.

Plus tôt, il avait croisé sa mère, mais leurs rapports restaient tendus. Comme Sophia, elle n'avait pas envie de lui parler. Quand ils devaient aborder des questions de travail, sa colère était palpable. Il percevait à quel point ses soucis – lui et le ranch – l'accablaient.

S'emparant de ses clés, il repoussa sa chaise et marcha vers son véhicule en se demandant s'il serait en état de le conduire au retour.

# 26

## Sophia

— Je m'attendais à te voir ce soir.

Sur le seuil de la ferme, Linda affichait une lassitude et une anxiété similaires à celles de Sophia. On était samedi, l'homme qu'elles adoraient entrerait dans l'arène au cours de la soirée, et peut-être même qu'il risquait sa vie en cet instant précis.

Linda l'invita à entrer et à s'asseoir à la table de la cuisine.

— Tu veux une tasse de chocolat chaud ? proposa-t-elle. J'étais sur le point d'en préparer.

Sophia accepta d'un signe de tête, incapable d'articuler le moindre mot, et remarqua le téléphone de Linda sur la table. Celle-ci dut surprendre son regard insistant.

— Il m'envoie toujours un SMS quand il a fini, expliqua Linda en s'affairant devant le réchaud. C'est une vieille habitude. Enfin, avant, il téléphonait. Il me racontait comment ça s'était passé, que ce soit bon ou mauvais, et on papotait un moment. Mais maintenant, il... (Elle secoua la tête.) Il m'envoie juste un SMS pour dire qu'il va bien. Et pendant que j'attends son message, je n'arrive pas à m'occuper. Je reste assise, là. Bien sûr, dans ces moments-là, le temps passe lentement. Ce soir, par exemple, j'ai l'impression de ne pas avoir dormi depuis une semaine. Mais en fait, même après avoir eu de ses nouvelles, je n'arrive pas à m'endormir. J'ai peur que même s'il dit que ça va, son cerveau ait subi de nouveaux dommages.

Sophia gratta le bois de la table de la pointe de son ongle.

— Il m'a raconté qu'il avait longuement séjourné en soins intensifs après l'accident.

— Il a été déclaré cliniquement mort quand il est arrivé à l'hôpital, précisa Linda, touillant le lait qui chauffait lentement. Même après qu'on l'eut réanimé, personne ne croyait qu'il allait survivre. L'arrière de son crâne était en miettes. Mais sur le moment, je l'ignorais. Je ne suis arrivée sur place que le lendemain, et quand j'ai pu entrer dans sa chambre, je ne l'ai même pas reconnu. Les coups lui avaient brisé le nez, broyé les orbites et les pommettes, son visage était tout gonflé et ravagé. Ils ne pouvaient pas y toucher à cause de l'état de son crâne. Sa tête était bandée, et il était ligoté pour éviter qu'il ne bouge.

Linda prit le temps de verser le lait chaud dans les tasses, puis ajouta deux cuillerées de chocolat en poudre.

— Il n'a pas ouvert les yeux pendant près d'une semaine, et quelques jours plus tard, ils ont dû le ramener en salle d'opération. Au final, il a passé un mois en soins intensifs.

Sophia accepta la tasse que lui tendit Linda et goûta au chocolat chaud.

— Il m'a dit qu'il avait une plaque dans la tête.

— Oui, une petite. Mais d'après le docteur, il se peut que les os de son crâne ne guérissent jamais, parce que certaines parties n'ont pu être sauvées. Il a décrit l'arrière de sa tête comme un vitrail qui tient à peine en place. Maintenant, c'est sûrement en meilleur état que l'été dernier, il a toujours été fort, mais…

Incapable de finir sa phrase, elle secoua la tête.

— Quand il s'est suffisamment rétabli pour endurer le voyage et quitter les soins intensifs, il a été transporté à l'hôpital de l'université de Duke. J'ai cru que le pire était passé, puisque je savais qu'il survivrait et qu'il avait des chances de se rétablir pleinement, dit-elle avec un soupir. Et c'est alors que les factures ont commencé à pleuvoir, mais il avait encore besoin de rester trois mois à Duke, le temps que toutes les parties de son corps guérissent, et de pratiquer les interventions de chirurgie reconstructive sur son visage. Et ensuite, il restait encore la rééducation…

— Il m'a parlé du ranch, dit Sophia avec délicatesse.

— Je sais. C'est sa façon de justifier son choix.

— Ça ne le justifie pas pour autant.

— Non, en convint Linda. Ça ne justifie rien.

— Vous pensez qu'il va bien ?

— Je ne sais pas, admit-elle en tapotant son téléphone. Tant qu'il n'envoie pas de SMS, je n'en sais rien.

*<br>* *

Les deux heures suivantes passèrent au ralenti, et les minutes s'étirèrent à l'infini. Linda servit des parts de tarte, mais elles n'avaient pas faim. L'une et l'autre picoraient des miettes de gâteau, et patientaient.

D'une certaine manière, Sophia avait cru que la compagnie de Linda apaiserait ses angoisses, mais en fin de compte, elle se sentait encore plus sombre qu'en arrivant. Visionner la vidéo lui avait déjà été pénible, mais entendre l'exposé détaillé de ses blessures lui avait donné la nausée.

Luke allait mourir.

Dans son esprit, il n'y avait aucun doute possible. Il allait chuter et le taureau lui assénerait un autre mauvais coup sur la tête. Ou Luke allait réussir sa performance mais au moment de quitter l'arène, le taureau le rattraperait…

Ses chances de survie étaient nulles tant qu'il continuait le rodéo. C'était une simple question de temps.

Elle se perdit dans ces pensées macabres jusqu'à ce que le téléphone de Linda vibre sur la table.

La mère de Luke tendit le bras sans attendre et ouvrit le message. Ses épaules se détendirent aussitôt, et elle poussa

347

un long soupir. Après avoir passé le téléphone à Sophia, elle enfouit son visage dans ses mains.

Sophia baissa les yeux sur l'écran : *Je vais bien, je rentre à la maison.*

# 27

# Luke

Son échec à Macon n'était pas dû à sa performance, mais plutôt au tempérament des taureaux. En réalité, la qualité des ruades représentait la moitié des points et chaque tour reposait sur le hasard.

Son premier taureau tournait platement. Luke avait tenu bon et le spectacle avait plu au public, mais à l'annonce des scores, il se retrouva en neuvième position. Le deuxième taureau n'était pas plus vif, mais il avait réussi à s'accrocher jusqu'au bout, alors que les concurrents qui le précédaient dans le classement avaient été éjectés, ce qui lui permit de remonter à la sixième place. Ensuite, il tomba sur un taureau convenable et son score le hissa à la quatrième place. La compétition n'avait rien d'inoubliable, mais elle avait suffi à confirmer sa place en tête du classement général.

Il aurait dû s'en réjouir. Si le week-end suivant était bon, sa place dans le grand tour était assurée, même s'il ne brillait pas lors des rodéos suivants. Malgré son manque d'entraînement et sa commotion, il avait atteint son but.

Bizarrement, il ne pensait pas que l'action ait aggravé sa commotion. Sur la route, il s'attendait à voir sa migraine redoubler de force, mais ce ne fut pas le cas. Le mal de tête resta léger, comme un bourdonnement discret, rien de comparable aux douleurs qu'il avait éprouvées en début de semaine. Finalement, il se sentait même mieux que dans la matinée, et avait presque l'impression que la douleur aurait disparu au réveil.

Un bon week-end, en somme. Tout se passait comme prévu.

Sauf, bien sûr, avec Sophia.

*
* *

Il arriva chez lui une heure avant l'aube et dormit jusqu'à près de midi. Ce ne fut qu'après avoir pris sa douche qu'il constata qu'il n'avait pas encore eu recours aux antalgiques. Son mal de tête, comme il l'avait espéré, avait disparu.

De la même façon, ses courbatures étaient moins vives qu'après le premier rodéo. Ses lombaires lui faisaient mal comme d'habitude, mais rien d'insupportable. Après s'être habillé, il sella Cheval et alla contrôler le bétail. Le vendredi matin, avant qu'il ne parte pour Macon, il avait soigné un veau qui s'était blessé sur du fil de fer barbelé, et il voulait surveiller l'avancée de sa guérison.

Il passa le dimanche après-midi et le lundi à s'occuper du système d'irrigation et à réparer les fuites provoquées par le froid. Puis, le mardi, il se reposa, et les deux jours suivants il remplaça une à une les tuiles du toit de sa mère.

Ce fut une bonne semaine, physique, simple et efficace, et quand le vendredi arriva, il aurait dû être satisfait d'avoir abattu autant de travail. Mais non. Au lieu de ça, Sophia lui manquait terriblement. Il ne l'avait pas contactée, elle non plus, et son absence lui faisait l'effet d'un trou béant à la place d'un organe vital. Il souhaitait que tout redevienne comme avant ; il voulait savoir qu'à son retour de Florence, il pourrait passer la journée avec elle.

Mais alors qu'il rassemblait ses affaires pour se rendre en Caroline du Sud, il réalisa qu'elle n'accepterait jamais son choix, et que, contrairement à sa mère, elle pouvait sortir de sa vie.

*

\* \*

Le samedi après-midi, à Florence, Luke se tenait devant l'arène où il examinait les taureaux, quand il s'aperçut que pour la première fois ses mains ne tremblaient pas.

Dans d'autres circonstances, il aurait pris cela comme un bon signe, la preuve qu'il était moins nerveux. Pourtant, il n'arrivait pas à se défaire du sentiment qu'il commettait une erreur. Une heure plus tôt, il était arrivé en redoutant ce qui allait se passer, et ses idées noires n'avaient fait que s'affirmer, tels des murmures lui intimant de faire demi-tour. Avant qu'il ne soit trop tard.

Il n'avait été dans cet état ni à Pensacola ni à Macon. S'il était évident qu'il n'avait pas eu plus envie de participer à ces deux tournois qu'à celui-ci, c'était essentiellement parce qu'il doutait d'être prêt à reprendre la compétition. Mais l'effroi qui l'assaillait en cet instant était d'un autre ordre.

Il se demanda si Big Ugly Critter était capable de le ressentir.

Le taureau était là, à Florence, en Caroline du Sud, ce qui était aussi insensé qu'à McLeansville en octobre. Ce taureau n'avait pas sa place dans les compétitions de qualification. Il appartenait au monde des plus grands, où il aurait certainement toutes ses chances de décrocher un autre premier prix de cabrade. Luke comprenait mal pourquoi son propriétaire le faisait participer aux épreuves de la ligue inférieure. L'organisateur avait probablement proposé une contrepartie avantageuse, en accord avec le concessionnaire de la ville. C'était devenu très courant dans ce milieu – des offres telles que *Si vous arrivez à tenir sur son dos, vous repartirez au volant d'un nouveau camion !* Si la foule adorait ce défi supplémentaire, Luke n'hésiterait pas à se désister si l'occasion se présentait. Il était loin d'être disposé à le monter une nouvelle fois, pas plus que ne l'étaient les autres participants présents. Le problème n'était

351

pas de le monter. Ni d'être éjecté. C'était la réaction de Big Ugly Critter après coup.

Il l'observa pendant près d'une heure, en se répétant *ce taureau ne devrait pas être ici*.

*<br>* *

Les épreuves commencèrent à l'heure où le soleil était assez haut dans le ciel pour réchauffer l'air, ne serait-ce que légèrement. Dans les gradins, les spectateurs portaient blousons et gants, et la file d'attente, devant le stand des chocolats chauds et des cafés, s'allongeait à vue d'œil. Comme toujours, Luke resta dans son pick-up, chauffage à fond. Des dizaines de camionnettes l'entouraient sur le parking, et chacun des vachers cherchait également à se réchauffer.

Il s'aventura une fois à l'extérieur, avant l'heure de son passage, comme la plupart des concurrents d'ailleurs, pour voir Trey Miller tenter de dominer Big Ugly Critter. Dès que la porte du couloir s'ouvrit, le taureau baissa la tête et donna des coups de pattes en virevoltant ; Miller n'avait pas l'ombre d'une chance. Quand il retomba à terre, le taureau fit volte-face, comme avec Luke, et fonça sur lui, cornes en avant. Par chance, Miller parvint à bondir sur la barrière à temps.

Le taureau, comme s'il était conscient de jouir de toute l'attention des spectateurs, s'immobilisa pour pousser un puissant mugissement. Sans bouger, il regarda Miller s'éloigner, l'air froid donnant l'impression que ses naseaux recrachaient des nuages de fumée.

Au tirage au sort, Luke était tombé sur Raptor, un jeune taureau qui ne concourait que depuis peu de temps. On le disait prometteur, et il ne déçut pas l'assistance. Il tournoya, se cabra et bondit, mais Luke le contrôla avec une facilité étonnante, si bien qu'il réalisa son meilleur score de la saison. De plus, quand il toucha terre, le taureau, contrairement à Big Ugly Critter, l'ignora.

** 

Comme les participants à ce troisième rodéo de la saison étaient plus nombreux, l'attente entre chaque passage s'en trouvait augmentée. Au deuxième tour, il se vit attribuer Locomotive, et s'il n'obtint pas autant de points qu'au premier tour, il resta en tête.

Cinq concurrents plus tard, ce fut au tour de Jake Harris de s'attaquer à Big Ugly Critter. Ce fut bref, mais il eut à la fois plus et moins de chance que Miller. Il ne fut éjecté qu'après avoir atteint le centre de l'arène, et là aussi, l'animal sauvage le chargea. Il n'y avait aucune issue. Un jeune cavalier aurait été perdu, mais Harris était un vétéran et il parvint à lui échapper à la dernière seconde, les cornes du taureau ne le manquant que de quelques centimètres. Deux dresseurs surgirent pour détourner l'attention de Big Ugly Critter, le temps que Harris atteigne la palissade. Il s'y hissa et passa ses jambes par-dessus au moment où le taureau enragé fonçait vers lui, prêt à le massacrer.

Alors le bovidé jeta son dévolu sur les dresseurs toujours présents dans l'arène. L'un parvint à atteindre la sortie de secours, mais l'autre dut sauter dans un tonneau. Big Ugly Critter s'élança vers lui, furieux d'avoir raté sa première proie. Il percuta le baril, l'envoya valser dans l'arène, puis le poursuivit tête baissée avant de l'épingler au mur, où il continua à s'acharner à coups de corne, hurlant comme une bête folle.

Luke observait la scène, la nausée au ventre, et se répéta une fois de plus que ce taureau n'était pas à sa place dans ce concours. Ni dans aucun autre. Un jour prochain, Big Ugly Critter allait tuer quelqu'un.

*
**

À la fin du deuxième tour, vingt-neuf cavaliers n'avaient plus qu'à rentrer chez eux. Il en restait quinze. Luke arrivant en tête de série dans la tournée du championnat, il clôturerait la journée. Il y eut une brève pause avant le dernier tour, et comme le ciel de l'hiver s'assombrissait, on avait allumé les projecteurs.

Ses mains ne tremblaient pas. Il était calme. Il avait bien concouru, et si ce jour laissait présager la suite, les performances suivantes seraient du même ordre – ce qui était étrange, étant donné l'état dans lequel il avait démarré cette journée. Toutefois, le sentiment d'effroi ne s'était pas entièrement dissipé, malgré ses petites victoires.

En réalité, il s'était renforcé depuis qu'il avait vu Big Ugly Critter s'en prendre à Harris. Les organisateurs de l'événement devaient pourtant avoir connaissance du parcours du taureau et être conscients du danger qu'il représentait. Ils auraient dû poster cinq dresseurs dans l'arène, pas deux. Même le passage de Miller ne leur avait rien appris. Ce taureau était dangereux. Psychotique, même.

Comme les autres finalistes, Luke rejoignit la file d'attente pour tirer au sort le dernier taureau de la journée, et un par un, il entendit le nom des taureaux attribués à chaque cavalier. Raptor passerait avec le troisième, Locomotive avec le septième, et plus la liste se poursuivait, plus son appréhension croissait. Incapable de regarder les autres concurrents, il ferma les yeux et se prépara à l'inévitable.

À la toute fin, comme il s'y était attendu au fond de lui, il fut associé à Big Ugly Critter.

\*
\* \*

Le temps ralentit lors du troisième tour. Les deux premiers cavaliers tinrent le temps nécessaire, mais les trois suivants furent éjectés. Tout se jouait sur les deux suivants.

Luke était assis dans son pick-up, écoutant la voix de l'animateur. L'adrénaline accélérait les battements de son cœur. Il tenta de se convaincre qu'il était prêt, disposé à relever le défi, mais c'était un mensonge. S'il n'avait pas été apte à le dominer alors qu'il était au summum de ses capacités, il l'était encore moins aujourd'hui.

Il n'avait pas envie de s'approcher de l'arène. Il n'avait pas envie d'entendre l'organisateur présenter le véhicule à gagner, et préciser que personne n'avait réussi à tenir sur le taureau en trois ans. Il ne voulait pas l'entendre annoncer au public que Big Ugly Critter était le taureau qui avait failli le tuer, ni introduire la performance à venir comme une sorte de revanche. Car ça n'en était pas une. Le taureau ne lui inspirait pas de rancune. Ce n'était qu'un animal, même si c'était le plus fou, le plus méchant des taureaux qu'il ait jamais rencontrés.

Il envisagea de se désister. Garder les scores de ses deux premiers tours et s'arrêter là. Il resterait dans les dix premiers, peut-être dans les cinq meilleurs, en fonction des performances des autres cavaliers. Il chuterait dans le classement général, mais il resterait en lice pour le grand tour…

Où Big Ugly Critter se trouverait certainement.

Mais qu'arriverait-il la prochaine fois ? S'il tirait ce taureau au sort dès le premier tour ? En Californie, par exemple ? Ou dans l'Utah ? Après avoir dépensé une petite fortune en motel et repas ? Serait-il prêt à se désister, là aussi ?

Il n'en savait rien. Pour l'instant, il était incohérent, traversé d'électricité statique, même si, quand il baissa les yeux, il constata que ses mains ne tremblaient pas. Bizarre, tout de même…

Au loin, les rugissements de la foule signalèrent un tour mené à bien. Même une excellente performance, à en croire leurs acclamations. *Tant mieux pour lui*, se dit Luke, sans savoir de qui il s'agissait. Ces temps-ci, il n'enviait aucune réussite. Lui, mieux que personne, connaissait les risques du métier.

C'était l'heure. Puisqu'il était temps d'y aller, il devait se décider. Rester ou partir, monter sur le taureau ou abandonner, sauver le ranch ou le céder aux créanciers.

Vivre ou mourir…

Il prit une profonde inspiration. Ses mains étaient toujours assurées. Il ouvrit la portière et posa le pied sur la boue durcie, les yeux levés vers le ciel sombre de l'hiver.

Vivre ou mourir. Tout se résumait en deux mots. S'armant de courage, il se dirigea vers l'arène en se demandant de quel côté la balance allait pencher.

# 28

## Ira

Dès que je me réveille, je sens mon corps plus faible. Il ne fait que s'affaiblir d'heure en heure. Le sommeil, au lieu de m'avoir redonné des forces, m'a dérobé quelques-unes des précieuses minutes qu'il me reste.

Le soleil du petit jour entre en biais par la vitre et la neige renvoie une lumière vive et incisive. Au bout d'un certain temps, je prends conscience que nous sommes samedi. Plus de soixante-six heures depuis l'accident. Qui aurait imaginé qu'une telle chose puisse arriver à un vieil homme comme moi ? Cette volonté de vivre. Mais j'ai toujours eu le tempérament d'un survivant, d'un homme qui rit à la face de la mort et crache dans l'œil du destin. Rien ne m'effraie, pas même souffrir. Il est temps que j'ouvre la portière et que j'escalade le talus, pour arrêter la première voiture qui passe. Puisque personne ne vient à moi, je vais devoir aller vers les autres.

Sérieusement ?

Je n'en suis pas capable. La douleur est si violente que je dois me concentrer ardemment pour me resituer dans le monde. Brièvement, je me sens étrangement dissocié de mon corps – je me vois avachi sur le volant, une épave. Pour la première fois depuis l'accident, je suis certain qu'il m'est définitivement impossible de bouger. Le glas sonne, et il ne me reste que peu de temps. Cela devrait me terrifier, mais ce n'est pas le cas. À grande échelle, j'attends la mort depuis neuf ans.

Je n'étais pas fait pour vivre seul. Je ne suis pas doué pour ce mode d'existence. Les années, depuis la disparition de Ruth, résonnent d'un silence dénué d'espoir que seuls les aînés connaissent. C'est un silence souligné par la solitude et la conscience que les bonnes années appartiennent au passé, qui se double des complications dues à l'âge.

Le corps n'est pas conçu pour tenir près d'un siècle. Et je parle en connaissance de cause. Deux ans après le décès de Ruth, j'ai eu une légère crise cardiaque – j'ai à peine réussi à appeler les secours avant de m'effondrer, inconscient. Deux ans plus tard, j'ai connu mes premières pertes d'équilibre et acheté un déambulateur, pour éviter de tomber à la renverse dans les rosiers, dès que je m'aventure à l'extérieur.

Soigner mon père m'a appris à m'attendre à ce genre de défis, et j'étais tout à fait capable de les surmonter. En revanche, je ne m'étais pas préparé à l'éventail de petits tourments, toutes ces petites choses autrefois simples, et désormais impossibles à faire. Je ne peux plus ouvrir un pot de confiture ; je demande à la caissière du supermarché de s'en charger avant de le ranger dans le sac. Ma main tremble tant que mon écriture est à peine lisible, ce qui complique le paiement des factures. Je ne peux lire que sous une lumière forte, et sans mon dentier, je ne peux avaler que de la soupe. Même la nuit, mon âge me torture. Il me faut une éternité pour trouver le sommeil, et les longues nuits ne sont plus que des mirages. Il y a aussi les médicaments – tellement de cachets que j'ai dû coller un tableau sur le réfrigérateur pour ne rien oublier. Les médicaments contre l'arthrite, l'hypertension et le cholestérol, certains à prendre en mangeant, d'autres en dehors des repas, et je dois garder des pilules de nitroglycérine dans ma poche en permanence, au cas où la douleur m'enserrerait de nouveau la poitrine. Avant que le cancer ne s'enracine en moi – un cancer qui va me grignoter jusqu'à ce que je n'aie plus que la peau sur les os – je me demandais quel affront me réservait l'avenir. Et Dieu, dans Sa sagesse, m'a fourni la réponse. *Pourquoi pas un accident ? Brisons-lui les os et enterrons-le sous la neige !* Parfois, je me dis que Dieu a un sens de l'humour particulier.

Si j'avais dit cela à Ruth, ça ne l'aurait pas amusée. Elle aurait répondu que je devrais Lui être reconnaissant, car tout le monde n'a pas la chance de vivre vieux. Elle m'aurait rappelé que je suis le seul responsable de l'accident. Et puis, dans un haussement d'épaules, elle aurait ajouté que si je suis toujours en vie, c'est parce que notre histoire n'est pas encore finie.

Que suis-je devenu ? Que va-t-il advenir de la collection ?

J'ai passé neuf ans à répondre à ces questions, et je pense que Ruth s'en serait réjouie. J'ai vécu ces années au cœur de la passion de Ruth ; entouré par elle. Tous les objets sur lesquels mes yeux se sont posés m'ont parlé d'elle, et tous les soirs, avant d'aller me coucher, je regarde longuement la peinture qui domine la cheminée, réconforté par l'idée que notre histoire connaîtra précisément la fin que Ruth aurait désirée.

*
* *

Le soleil est plus haut dans le ciel, et le moindre recoin de mon corps me fait mal. J'ai la gorge desséchée, et je ne demande qu'à fermer les paupières et à m'éteindre.

Mais Ruth ne me laissera pas faire. Par l'intensité de son regard, elle m'ordonne de lever les yeux vers elle.

– C'est de pire en pire, dit-elle. Tu te sens de plus en plus mal.

– Je suis juste fatigué, dis-je dans un murmure.

– Oui, mais ton heure n'a pas encore sonné. Il te reste des choses à me dire.

J'arrive à peine à distinguer ses mots.

– Pourquoi ?

– Parce que cette histoire est la nôtre, dit-elle. Et j'ai envie que tu me parles de toi.

La tête me tourne. Le côté de mon visage est douloureux à l'endroit qui repose contre le volant, et je remarque que mon bras cassé est bizarrement enflé. Il a viré au violet, et mes doigts ressemblent à des saucisses.

– Tu connais la fin.

– J'ai envie de l'entendre. De ta bouche.

– Non, dis-je.

– Après avoir observé la Shiva, tu es entré en dépression, poursuit-elle malgré mon refus. Tu te sentais très seul. Je ne voulais pas que tu vives ça.

Le chagrin s'est immiscé dans sa voix, et je ferme les yeux.

– C'était plus fort que moi, dis-je. Tu me manquais.

Elle reste silencieuse un certain temps. Elle sait que je cherche à fuir.

– Regarde-moi, Ira. Je veux voir tes yeux pendant que tu m'expliques ce qu'il s'est passé.

– Je n'ai pas envie d'en parler.

– Pourquoi ? insiste-t-elle.

L'écho de ma respiration irrégulière emplit la voiture tandis que je pèse mes mots.

– Parce que, dis-je finalement, j'ai honte.

– De ce que tu as fait, affirme-t-elle.

Elle connaît la vérité et je ne peux qu'acquiescer tant je redoute ce qu'elle pense de moi. À cet instant, je l'entends soupirer.

– J'étais très inquiète pour toi, poursuit-elle. Tu ne voulais pas manger après la Shiva, quand tout le monde est parti.

– Je n'avais pas faim.

– C'est faux. Tu avais tout le temps faim. Mais tu as choisi de l'ignorer. Tu t'es laissé mourir de faim.

– Ça n'a plus d'importance maintenant… dis-je d'une voix faible.

– Je souhaite que tu me dises la vérité, s'entête-t-elle.

– Je voulais être avec toi.

– Et qu'est-ce que ça veut dire ?

Trop fatigué pour argumenter, je me décide à ouvrir les yeux.

– Ça veut dire que j'avais l'intention de mourir.

*
* *

C'est le silence qui eut raison de moi. Le silence qui continue à m'entourer, un silence qui s'était installé dès le départ des visiteurs. À l'époque, je ne m'y étais pas habitué. C'était oppressant, étouffant – si calme que ça en devenait un vrombissement qui noyait tout le reste. Et lentement mais sûrement, ce vide sapa ma capacité à me prendre en charge.

L'épuisement et les habitudes conspirèrent aussi contre moi. Au petit déjeuner, je sortais deux tasses à café au lieu d'une, et ma gorge se serrait quand je rangeais celle en trop dans le placard. Dans l'après-midi, je criais pour la prévenir que j'allais chercher le courrier, puis je me souvenais qu'il n'y avait personne pour me répondre. J'avais constamment le ventre serré, et le soir, je me résignais à préparer un dîner que je ne partagerais avec personne. Il pouvait s'écouler plusieurs jours sans que j'avale quoi que ce soit.

Je ne suis pas médecin. Je ne sais pas si cet état dépressif était clinique ou simplement la conséquence du deuil, mais le résultat était le même. Je ne trouvais aucune raison de continuer à vivre. Je ne le souhaitais pas. Mais j'étais lâche, incapable d'agir en conséquence. Alors je ne fis rien, si ce n'est que je refusai de me nourrir correctement, mais de toute façon, le résultat restait le même. Je perdis du poids et ne fis que m'affaiblir, progressant sur un chemin prédestiné, et peu à peu mes souvenirs se mélangèrent. Quand je me rendis compte que c'était perdre Ruth une nouvelle fois, tout empira, et rapidement j'arrêtai complètement de manger. Bientôt, les étés que nous avions passés ensemble disparurent complètement de ma mémoire et je n'eus plus aucune raison de repousser l'inévitable. J'avais alors commencé à passer l'essentiel de mon temps au lit, le regard perdu dans le vague, la tête tournée vers le plafond, le passé et l'avenir vides.

*
* *

– Je ne pense pas que ce soit la vérité, dit-elle. Tu affirmes que tu ne mangeais pas parce que tu étais déprimé. Que tu ne mangeais plus parce que tu n'arrivais plus à te remémorer notre passé. Mais je crois que c'est parce que tu ne mangeais pas que tu n'arrivais plus à te souvenir. Et que tu n'avais pas la force de lutter contre la dépression.

– J'étais déjà vieux, dis-je. Ça fait longtemps que mes forces se sont envolées.

– Tu recommences à té chercher des excuses. Mais ce n'est pas le moment de blaguer. Je m'inquiétais beaucoup pour toi.

– C'est impossible. Tu n'étais pas là. C'était justement le problème.

Elle plisse les yeux et je sais que j'ai touché un point sensible. Elle penche la tête sur le côté, et la lumière matinale n'éclaire que la moitié de son visage.

– Pourquoi dis-tu cela ?

– Parce que c'est vrai.

– Alors comment pourrais-je être là maintenant ?

– Peut-être que tu n'es pas là.

– Ira…

Elle secoue la tête. Elle me parle sur le ton que, j'imagine, elle adoptait jadis en classe.

– Est-ce que tu me vois ? Est-ce que tu m'entends ?

Elle se penche vers moi et pose sa main sur la mienne.

– Est-ce que tu sens ma main ?

Chaude et douce, c'est une main que je connais encore mieux que la mienne.

– Oui, dis-je. Mais à ce moment-là, je ne sentais rien.

Elle sourit avec satisfaction, comme si elle venait de prouver qu'elle a raison.

– C'est parce que tu ne mangeais rien.

\*

\* \*

Une vérité émerge de tous les longs mariages, et c'est celle-ci : nos épouses nous connaissent parfois mieux que nous-mêmes.

Ruth ne faisait pas exception à la règle. Elle me connaissait. Elle savait à quel point elle allait me manquer, avec quelle force j'allais me languir d'avoir de ses nouvelles. Elle savait également que je serais celui de nous deux qui resterait seul. C'est la seule explication, sur toutes ces années, dont je n'aie jamais douté. Si elle a commis une seule erreur, c'est de ne pas s'être arrangée pour que je découvre sa surprise avant d'avoir les joues creuses et les bras aussi fins que des brindilles.

Je me souviens mal du jour où j'ai fait cette découverte. Les événements m'ont échappé, et ça n'a rien de surprenant. À ce moment-là, mes jours étaient devenus interchangeables, dénués de sens, et ce ne fut qu'à la nuit tombée que je me retrouvai face à la caissette de lettres posée sur la commode de Ruth. Je la voyais tous les soirs depuis sa disparition, mais elle lui appartenait entièrement, et dans ma façon de penser erronée, j'étais parti du principe que ces lettres ne feraient que renforcer mon malheur.

Elles me rappelleraient le manque, tout ce que j'avais perdu. Et cette éventualité m'était insupportable. Je n'arrivais pas à m'y résoudre. Pourtant, ce soir-là, peut-être parce que j'étais transi de chagrin, je m'étais péniblement levé et j'avais pris la boîte. J'avais envie de retrouver mes souvenirs, ne serait-ce que l'espace d'une nuit, même au prix de la douleur.

La caissette était étonnamment légère, et quand je soulevai le couvercle, je reçus une bouffée de la crème pour les mains que Ruth s'appliquait quotidiennement. C'était léger, mais c'était là, et tout à coup mes mains s'étaient mises à trembler. Comme un possédé, je m'étais emparé de la première lettre que je lui avais écrite pour un anniversaire de mariage.

L'enveloppe avait durci et jauni. J'avais inscrit son prénom de la main assurée qui me faisait désormais défaut, et une fois encore cela m'avait renvoyé à mon âge. Mais ça ne m'avait pas arrêté pour autant. J'avais sorti la lettre fragilisée par le temps hors de l'enveloppe, tout en me rapprochant de la lumière.

Au début, les phrases me parurent étrangères, comme si elles provenaient de quelqu'un d'autre, et je ne les reconnus pas. Je pris une pause puis les relus en me concentrant sur les mots. Ce faisant, j'avais senti la présence de Ruth s'imposer progressivement à mes côtés. Elle est là, m'étais-je dit ; et c'était son but. Mon cœur s'était emballé pendant que je poursuivais ma lecture, la chambre s'estompant autour de moi. J'étais de retour au lac et je sentais l'air frais de la fin de l'été à la montagne. Au loin se dressait l'université à l'abandon, les volets fermés, et Ruth lisait la lettre, les yeux baissés et brillants.

*Je t'ai amenée ici – à l'endroit où l'art a pris un autre sens pour moi – et même si ça ne sera plus jamais comme autrefois, ce sera toujours notre endroit. C'est ici que j'ai retrouvé les raisons pour lesquelles je suis tombé amoureux de toi ; c'est ici que nous avons commencé ensemble une nouvelle vie.*

Quand j'eus terminé de lire la lettre, je la glissai dans l'enveloppe et la mis de côté. Je lus la deuxième, puis la suivante et puis une troisième. Les mots coulaient avec fluidité d'une année à l'autre, me rapportant le souvenir des étés que, déprimé, je n'avais pas pu retrouver. Je m'arrêtai sur un passage rédigé pour notre seizième anniversaire de mariage.

*J'aimerais tant avoir le talent nécessaire pour peindre ce que j'éprouve pour toi, car mes mots ne suffisent pas. J'emploierais du rouge pour ta fougue et du bleu clair pour ta gentillesse ; du vert sapin pour évoquer la profondeur de ton empathie et du jaune vif pour ton indéfectible optimisme. Mais je me pose une question : la palette d'un artiste saurait-elle capturer la gamme de tout ce que tu représentes pour moi ?*

Plus tard, je tombai sur une missive remontant aux années sombres, après que nous ayons appris que Daniel avait quitté la ville.

*J'assiste à ton chagrin et je ne sais pas quoi faire, hormis regretter de ne pas être en mesure d'effacer les traces laissées par cette perte. Mon vœu le plus cher est que les choses s'arrangent, mais je me sens désarmé et je n'y parviens pas. J'en suis profondément navré. Je suis ton mari, je peux t'écouter et te serrer dans mes bras ; t'embrasser jusqu'à sécher tes larmes, si tu m'en donnes la chance.*

Ça continuait, toute une vie dans une boîte, une lettre après l'autre. Dehors, la lune s'était levée, avait dérivé puis quitté mon champ de vision, tandis que je poursuivais ma lecture. Chaque message répercutait et réaffirmait mon amour pour Ruth, patiné par nos longues années communes. Et Ruth, appris-je alors, m'avait aimé elle aussi, puisqu'elle m'avait laissé un cadeau sous la pile d'enveloppes.

Je dois l'admettre, je ne m'y attendais pas. Que Ruth puisse encore me surprendre, même depuis l'au-delà, me coupa le souffle.

Je gardai les yeux rivés sur la lettre reposant dans le fond de la boîte, tentant d'imaginer à quel moment elle l'avait rédigée, et pourquoi elle me l'avait cachée.

J'ai souvent relu cette lettre dans les années qui ont suivi ma découverte, tant de fois que je peux la réciter par cœur. Je sais désormais qu'elle l'avait gardée secrète en ayant la certitude que je la trouverais à l'heure où j'en aurais le plus besoin. Elle savait que je finirais par lire les mots que je lui avais adressés ; elle avait prédit que l'heure viendrait où je ne résisterais pas à leur attrait. Et en fin de compte, tout a fonctionné comme elle l'avait prévu.

Ce soir-là, cependant, je ne réfléchis pas. Je pris simplement la lettre d'une main tremblante, et la lus lentement.

*Mon très cher Ira,*

*Je t'écris cette lettre alors que tu dors dans la chambre et je me demande par où commencer. Nous savons tous les deux pourquoi tu la lis, et tout ce que ça implique. Je suis désolée de ce que tu dois endurer.*

*Contrairement à toi, je ne suis pas douée pour écrire et j'ai tant de choses à dire. Peut-être que si je la rédigeais en allemand, les mots me viendraient plus naturellement, mais alors tu ne la comprendrais pas, et où serait l'intérêt ? J'ai envie de t'écrire le genre de lettre que tu m'offrais. Malheureusement, contrairement à toi, je n'ai jamais été douée pour les mots. Mais j'ai* quand même envie d'essayer. Tu le mérites, pas seulement parce que tu es mon mari, mais pour l'homme que tu es.

Je me dis que je devrais commencer par quelque chose de romantique, un souvenir ou un geste qui symbolisent le genre de mari que tu as été pour moi : ce long week-end à la plage où nous avons fait l'amour pour la première fois, par exemple, ou notre lune de miel, quand tu m'as fait don des six tableaux. Ou peut-être devrais-je évoquer les lettres que tu m'as écrites, ou ton regard sur moi quand je me tenais devant une œuvre d'art qui me touchait. Et pourtant, en vérité, c'est dans les détails simples de notre vie commune que je trouve le plus de valeur. Ton sourire au petit déjeuner a toujours fait battre mon cœur, et chaque fois que tu m'as pris la main, je me suis sentie rassurée sur la conscience du monde. Alors tu vois, choisir quelques événements particuliers ne me satisfait pas. À la place, je préfère repenser à toi dans cent différentes galeries d'art et chambres d'hôtel ; revivre un millier de petits baisers et de nuits passées dans le confort de nos étreintes. Chacun de ces souvenirs mériterait sa propre lettre, pour le bien-être que tu m'as procuré dans chacune de ces situations. Pour cela, je t'ai aimé plus que tu ne le sauras jamais.

Je sais que tu traverses une période difficile, et je regrette tant de ne pas être là pour te réconforter. Il me paraît inconcevable de songer que ce ne sera plus jamais possible. Je te lance cet appel : malgré ta peine, n'oublie pas à quel point j'ai été heureuse avec toi ; n'oublie pas que j'ai aimé un homme qui m'a aimée en retour, et que c'est le plus beau cadeau que l'on puisse espérer.

Je souris en écrivant ces mots, et j'espère que tu trouveras la force de sourire en les lisant. Ne te noie pas dans le chagrin. Pense à moi avec joie, car c'est ainsi que j'ai toujours pensé à toi. C'est ce que je veux plus que tout. Je souhaite que tu souries dès que tu penses à moi. Et à travers ton sourire, je continuerai à vivre.

Je sais que je te manque horriblement. Toi aussi, tu me manques. Mais nous sommes toujours là l'un pour l'autre, car je fais partie — comme depuis toujours — de toi. Tu me portes dans ton cœur, tout comme je te porte dans le mien et ça ne changera jamais. Je t'aime, mon chéri, et tu m'aimes. Raccroche-toi à tes sentiments. Raccroche-toi à nous. Et peu à peu, tu trouveras la voie de la guérison.

*Ruth*

— Tu penses à la lettre que je t'ai laissée, me dit Ruth.

Mes paupières se soulèvent après quelques battements, et je plisse les yeux pour tenter de la distinguer plus nettement, déterminé à y parvenir. Elle a une soixantaine d'années, et la sagesse confère de la profondeur à sa beauté. Elle porte des petits clous d'oreilles en diamants, un cadeau que je lui ai offert quand elle a pris sa retraite. Je tente en vain d'humidifier mes lèvres.

— Comment le sais-tu ? dis-je d'une voix rauque.

— Ce n'est pas difficile, dit-elle en haussant les épaules. Il n'y a qu'à te regarder. Ton visage reflète toujours tes pensées. Heureusement que tu n'as jamais joué au poker.

— Je jouais au poker pendant la guerre.

— Peut-être, dit-elle. Mais ça m'étonnerait que tu aies gagné beaucoup d'argent.

J'accepte cette vérité avec un faible sourire.

— Merci pour ta lettre, dis-je malgré ma gorge irritée. Je ne sais pas si j'aurais survécu sans toi.

— Tu serais mort de faim. Tu as toujours été borné.

Les vertiges me reprennent et son image vacille. J'ai de plus en plus de mal à la retenir.

— J'avais mangé du pain grillé, ce soir-là.

— Oui, je sais. Toi et ton pain grillé. Un petit déjeuner en guise de dîner. Ça, je ne l'ai jamais compris. En plus, du pain grillé, ça ne suffit pas.

— C'était mieux que rien. Et puis j'étais plus près de l'heure du petit déjeuner, de toute façon.

— Tu aurais dû prendre des pancakes. Et des œufs. Ainsi, tu aurais eu assez de force pour traverser la maison. Tu aurais pu regarder les tableaux et te souvenir, comme avant.

— Je n'étais pas encore prêt à ça. Ç'aurait été trop pénible. De plus, il en manquait un.

— Il ne manquait pas, dit-elle.

Elle se tourne vers la vitre et me présente son profil.

– Il n'était pas encore arrivé. Il n'a été livré qu'une semaine plus tard.

Alors qu'elle replonge dans le silence, je sais qu'elle songe à la lettre. Elle ne pense pas à moi. Non, elle revit le coup donné à la porte. On avait frappé huit jours après son décès, et en ouvrant j'avais trouvé une inconnue sur le perron. Les épaules de Ruth s'affaissent, et sa voix se teinte de regret.

– J'aurais tellement aimé être là, murmure-t-elle d'une voix presque inaudible. J'aurais adoré lui parler. Il me reste tant de questions sans réponses.

Ses derniers mots jaillissent des profondeurs d'un puits de tristesse, et malgré ma situation critique, une peine inattendue m'envahit.

*<br>* *

La visiteuse était grande, belle, et les rides autour de ses yeux suggéraient qu'elle avait passé trop de temps au soleil. Ses cheveux blonds étaient négligemment attachés en queue-de-cheval, elle était vêtue d'un jean délavé et d'un haut simple à manches courtes. Mais sa bague et la BMW garée au bord du trottoir évoquaient une vie de nantie différente de la mienne. Sous son bras, elle tenait un paquet d'un format familier, enveloppé dans du papier kraft.

– Monsieur Levinson ? avait-elle demandé.

Me voyant acquiescer, elle avait souri.

– Je suis Andrea Lockerby. Vous ne me connaissez pas, mais votre femme – Ruth – a été l'institutrice de mon mari. C'était il y a longtemps et vous ne vous souvenez probablement pas de lui, mais il s'appelait Daniel McCallum. Auriez-vous une minute à m'accorder ?

L'espace d'un instant, la surprise m'avait empêché de parler, le nom se répétant en boucle dans ma tête. Sans être réellement conscient de ce que je faisais, je l'avais fait entrer et l'avais invitée à me suivre au salon. Je m'étais assis dans le fauteuil relax et elle s'était installée sur le canapé tout près de moi.

Je ne savais toujours pas quoi dire. Entendre le nom de Daniel au bout de presque quarante ans, à la suite de la disparition de Ruth, demeure le plus grand choc de ma vie.

Ma visiteuse s'était éclairci la gorge.

— Je tenais à venir vous présenter mes condoléances. Je sais que votre femme est récemment décédée, et je suis désolée.

J'avais cligné des paupières en cherchant mes mots, malgré l'afflux d'émotions et de souvenirs qui menaçait de me submerger. *Où est-il ?* avais-je envie de demander. *Pourquoi a-t-il disparu ? Et pourquoi n'a-t-il jamais contacté Ruth ?* Mais je ne pouvais pas poser ces questions. Je ne pus qu'articuler d'une voix grinçante :

— Daniel McCallum ?

Elle avait posé le paquet à côté d'elle en confirmant d'un signe de tête.

— Il a souvent fait allusion à ses visites chez vous. Votre femme lui donnait des cours de soutien.

— Et… c'est votre mari ?

Ses yeux s'étaient momentanément perdus dans le vague, avant de se poser sur moi.

— C'était mon mari. Je suis remariée. Daniel est mort il y a seize ans.

À cette annonce, quelque chose s'était figé en moi. Je voulus faire le compte, évaluer son âge au moment de son décès, sans y réussir. Tout ce que je savais avec certitude, c'est qu'il était beaucoup trop jeune et que ce n'était pas logique. Elle dut lire dans mes pensées, car elle avait expliqué :

— Il a été victime d'une rupture d'anévrisme. C'est arrivé brusquement, sans aucun signe avant-coureur. Mais c'était grave, et les docteurs n'ont rien pu faire.

Ma paralysie avait empiré au point que je ne pouvais plus bouger.

— Je suis désolé, avais-je dis.

Mais même à mes oreilles, mes mots semblaient trop faibles.

— Merci, avait-elle répondu dans un hochement de tête. Et une fois de plus, je suis désolée pour le décès de votre femme.

Le silence nous avait brièvement écrasés. Finalement, j'avais tendu les mains vers elle.

— Que puis-je faire pour vous, madame…

— Lockerby, m'avait-elle rappelé en s'emparant du paquet.

Elle l'avait fait glisser vers moi.

— Je voulais vous donner ça. C'était dans le grenier de mes parents depuis des années, et quand ils ont vendu la maison, il y a deux mois, je l'ai retrouvé dans les cartons qu'ils m'ont expédiés. Daniel en était très fier, et je ne pouvais pas le jeter.

— Un tableau ? avais-je demandé.

— Un jour, il m'a dit que cette peinture était la chose la plus importante qu'il ait jamais faite.

J'avais du mal à saisir pleinement le sens de ses propos.

— Vous voulez dire que Daniel a peint un tableau ?

Elle avait hoché la tête.

— Dans le Tennessee. Il m'a dit qu'il l'avait peint quand il était au foyer. Un artiste qui faisait du bénévolat dans ce lieu d'accueil l'a aidé.

— Excusez-moi, avais-je dit en levant la main. Je ne comprends rien. Pourriez-vous reprendre du début et me parler de Daniel ? Ma femme s'est toujours demandé ce qu'il était devenu.

Elle avait hésité.

— Je ne sais pas si j'ai grand-chose à vous apprendre. Nous ne nous sommes rencontrés qu'à l'université, et il ne m'a jamais beaucoup parlé de son enfance. Ça remonte à loin.

Je n'avais rien dit pour l'inviter à poursuivre. Elle semblait chercher ses mots, tout en tirant sur un fil de son chemisier.

— Je ne sais rien de plus que le peu qu'il m'en a dit, s'était-elle lancée. Il m'a raconté qu'à la mort de ses parents, il avait vécu avec son demi-frère et sa femme dans le coin, mais qu'ils avaient perdu la ferme et étaient partis vivre à Knoxville, dans le Tennessee. Ils ont vécu tous les trois dans le pick-up pendant un moment, jusqu'à ce que le demi-frère se fasse arrêter pour une raison que j'ignore, et que Daniel soit placé dans un foyer.

Il a vécu là un certain temps, et comme il travaillait bien à l'école, il a décroché une bourse d'études pour entrer à l'université de Tennessee… Nous sommes sortis ensemble en dernière année, et nous étions tous deux spécialisés dans les relations internationales. Quelques mois après la remise des diplômes, avant qu'on ne devienne bénévoles pour les Peace Corps[1], nous nous sommes mariés. Je n'en sais pas plus. Comme je vous l'ai dit, il parlait très peu de son passé. Il semblait avoir eu une enfance difficile, et je pense que c'était trop douloureux pour lui.

J'avais tenté d'assimiler ces informations, de reconstituer le parcours de Daniel.

— Comment était-il ? avais-je demandé.

— Daniel ? Il était… d'une intelligence et d'une bonté remarquables, mais une ombre persistait en lui. Pas vraiment de la colère. C'était plutôt comme s'il avait connu le pire de l'existence, et qu'il était déterminé à créer un monde meilleur. Il avait un certain charisme, un pouvoir de conviction qui donnait envie de le suivre. Nous sommes restés deux ans au Cambodge, avec les Peace Corps, et après cela il a accepté un poste à l'United Way[2], et j'ai travaillé dans un dispensaire. Nous avons acheté une petite maison et envisagé d'avoir des enfants, mais au bout d'un an, nous nous sommes rendu compte que nous n'étions pas prêts pour la vie de banlieue. Alors nous avons vendu tous nos biens et rangé nos affaires personnelles dans des cartons que nous avons stockés chez mes parents, et fini par travailler pour une organisation de défense des droits de l'homme basée à Nairobi. Nous y avons passé sept ans, et je crois que c'était la période la plus heureuse de sa vie. Il voyageait entre une douzaine de pays pour concrétiser des projets, et il avait l'impression de donner un vrai sens à son existence en aidant à changer le cours des choses.

---

1. Corps de la paix : agence indépendante américaine qui œuvre pour la paix et l'amitié dans le monde, en particulier dans les pays défavorisés.

2. Organisation de bienfaisance à but non lucratif, implantée en Virginie.

Elle avait regardé par la fenêtre et s'était brièvement enfoncée dans le silence. Quand elle avait repris la parole, ç'avait été avec un mélange de regret et d'émerveillement.

— Il était si intelligent et curieux de tout ! Il lisait beaucoup. Malgré son jeune âge, il avait été pressenti pour le poste de directeur général de l'organisation, et il aurait sûrement été nommé. Mais il est mort alors qu'il n'avait que trente-trois ans. Après cela, dit-elle en secouant la tête, je n'étais plus à ma place en Afrique. Alors, je suis rentrée.

Pendant qu'elle parlait, je m'étais efforcé de rapprocher son récit du petit campagnard sale qui faisait ses devoirs à la table de notre salle à manger. Dans le fond, je savais que Ruth aurait été fière de ce qu'il avait fait de sa vie.

— Et vous vous êtes remariée ?

— Depuis douze ans, dit-elle avec un sourire. J'ai deux enfants. Enfin, des beaux-enfants. Mon mari est chirurgien orthopédique. Je vis à Nashville.

— Et vous êtes venue jusqu'ici pour m'apporter cette peinture ?

— Mes parents ont emménagé à Myrtle Beach. En fait, nous allons les voir et votre ville est sur notre chemin. Mon mari m'attend dans un café en ville, alors je ne vais pas tarder. Je suis désolée d'être passée à l'improviste. Je sais que c'est une période difficile pour vous. Mais je ne me sentais pas le droit de jeter ce tableau, alors, sur un coup de tête, j'ai cherché le nom de votre femme sur Internet et découvert l'avis de décès. Je me suis rendu compte que votre maison était sur notre route, et que je pouvais y passer en allant voir mes parents.

Je ne savais pas à quoi m'attendre, mais après avoir déballé le paquet, ma gorge m'avait semblé se fermer. C'était un portrait de Ruth réalisé par un enfant d'une façon grossière. La perspective était fausse et ses traits disproportionnés, mais il était parvenu à retranscrire son sourire et ses yeux avec une dextérité étonnante. Dans cette reproduction, je percevais la ferveur et l'animation joyeuse qui la définissaient si bien ; j'y retrouvais aussi cette part de mystère qui m'a toujours subjugué, même après tant d'années de mariage. Du bout du doigt, j'avais suivi les coups de pinceau avec lesquels il avait formé ses lèvres et sa joue.

— Pourquoi… fut tout ce que je pus dire, tant j'en avais le souffle coupé.

— La réponse est au dos, avait-elle ajouté avec douceur.

En retournant le tableau, j'avais découvert la photographie que j'avais prise de Ruth et Daniel il y a si longtemps. Elle était jaunie par le temps et les coins étaient cornés. Je l'avais dégagée du cadre, et l'avais longuement examinée.

— Au dos, avait-elle répété en posant la main sur la mienne.

J'avais retourné la photographie, et là, écrite d'une main assurée, sa légende.

*Ruth Levinson,*
*Institutrice de CE2.*

*Elle croit en moi, et plus tard, je pourrai faire tout ce qui me plaît. Je peux même changer le monde.*

Je me souviens seulement que, sur le moment, je fus si bouleversé que je ne pus penser à rien. Je n'ai aucun souvenir de ce que nous nous sommes dit après cela, si toutefois nous avons continué à parler. Mais je me rappelle tout de même que juste avant de s'en aller, elle s'est tournée vers moi sur le seuil de la porte.

— Je ne sais pas où il le cachait au foyer, mais j'aimerais que vous sachiez qu'à la fac il avait accroché ce tableau au mur, juste au-dessus de son bureau. C'était le seul objet personnel de toute la pièce. Ensuite il l'a emporté au Cambodge, et ne l'a pas oublié quand nous sommes revenus aux États-Unis. Il craignait qu'il ne soit endommagé en Afrique, alors il ne l'a pas pris dans ses bagages. Mais dès notre arrivée, il l'a regretté. Il m'a dit que cette peinture avait plus de valeur à ses yeux que tout ce qu'il possédait. Ce n'est qu'après avoir découvert la photographie au dos que j'ai vraiment compris. Il ne parlait pas du tableau. Il parlait de votre femme.

\*
\* \*

Dans la voiture, Ruth est muette. Je sais qu'il lui reste des questions sans réponses au sujet de Daniel, mais sur le moment, je n'ai pas pensé à les poser. C'est un autre de mes nombreux regrets, car je n'ai plus jamais revu Andrea. Comme Daniel en 1963, elle est sortie de ma vie.

– Tu as suspendu le portrait au-dessus de la cheminée, dit-elle quand elle reprend enfin la parole. Et puis tu as récupéré les autres œuvres stockées, et tu les as accrochées dans toute la maison ou empilées dans les chambres.

– J'avais envie de les voir. Me souvenir une fois de plus. Je voulais te voir.

Ruth ne dit rien, mais je comprends. Son vœu le plus cher aurait été de revoir Daniel, ne serait-ce qu'au travers des yeux de sa femme.

*
* *

Au fil des jours, après avoir lu la lettre et accroché le portrait de Ruth, je me sentis de moins en moins déprimé. Je mangeais plus régulièrement. Il me fallut plus d'un an pour reprendre le poids que j'avais perdu, mais ma vie s'organisa selon une certaine routine. Et dans l'année qui suivi la mort de Ruth, un autre miracle – le troisième de cette année essentiellement tragique – m'aida à me remettre sur la bonne voie.

Comme Andrea, un autre visiteur inattendu vint frapper à ma porte. Cette fois, c'était une ancienne élève de Ruth qui voulait me présenter ses condoléances. Elle s'appelait Jacqueline, et je ne me souvenais pas d'elle, mais elle avait tout de même désiré me parler. Elle me raconta que Ruth lui avait beaucoup appris, et avant de partir, elle me montra un hommage qu'elle avait rédigé en l'honneur de Ruth, et qui allait être publié dans le journal local. C'était à la fois flatteur et révélateur, et sa parution sembla ouvrir les vannes. Dans les mois qui suivirent, le défilé des anciens élèves venant chez moi fut incessant. Lyndsay, Madeline, Eric et Pete, ainsi que d'innombrables autres visages, dont j'ignorais l'existence pour la plupart, surgirent à ma porte à l'improviste pour partager le récit des années de classe de ma femme.

À travers leurs propos, je pris conscience que Ruth avait été la clé leur permettant d'accéder au monde des possibles, et que je n'avais été que le premier d'une longue liste.

*
* *

Je me dis parfois que les années qui suivirent la mort de Ruth peuvent être divisées en quatre phases. La dépression et le rétablissement, juste après son décès, constituent la première partie ; la période pendant laquelle j'ai essayé d'aller de l'avant, tant bien que mal, est la deuxième. La troisième phase couvre les années qui ont suivi la venue de la journaliste, en 2005, quand j'ai fait poser des barreaux aux fenêtres. Ce n'est qu'il y a trois ans que j'ai réussi à décider du sort de la collection, événement qui marque le début de la quatrième et dernière période.

Organiser une succession n'est pas une mince affaire, mais globalement, le problème se résume à cette phrase : je devais décider de ce qu'il allait advenir de nos biens, si je ne voulais pas que l'État s'en charge. Howie Sanders nous adjurait depuis longtemps de prendre nos dispositions. Il nous avait demandé si nous nous sentions proches de certaines associations caritatives, ou si j'envisageais de léguer les tableaux à un musée en particulier. Préférais-je les vendre aux enchères et reverser les recettes à des organisations ou à des universités ? Après la parution de l'article, alors que la valeur potentielle de la collection était devenue un sujet de spéculation dans le monde de l'art, il est devenu plus insistant, même si, à ce moment-là, il n'y avait plus que moi pour l'entendre.

Ce n'est qu'en 2008 que je consenti à lui rendre visite dans son bureau.

Il avait organisé une réunion confidentielle en rassemblant des conservateurs de plusieurs musées : le Metropolitan Museum of Art de New York, le Museum of Art de

Caroline du Nord, et le Whitney, ainsi que des représentants de l'université de Duke, de Wake Forest et de celle de Caroline du Nord, à Chapel Hill.

Il y avait des gens de la Ligue antidiffamation[1] et de l'United Jewish Appeal[2], deux des organisations préférées de mon père, ainsi qu'un représentant de Sotheby's. On m'avait invité à entrer dans une salle de réunion et présenté à tout le monde, et chaque visage était animé d'une fervente curiosité, car ils se demandaient tous comment Ruth et moi, un mercier et une institutrice, avions réussi à constituer une collection privée d'art moderne aussi conséquente.

J'assistai, assis, à une série de présentations individuelles, et chacun m'assura que la partie de la collection que je souhaiterais lui remettre serait traitée à sa juste valeur – ou, pour le commissaire-priseur, estimée au maximum de son prix. Les associations caritatives promirent d'investir l'argent dans la cause à laquelle Ruth tenait le plus.

J'étais fatigué à la fin de la journée, et dès que je rentrai chez moi, je m'endormis presque immédiatement dans le fauteuil relax du salon. En me réveillant, j'avais ouvert les yeux sur la peinture de Ruth et m'étais longuement demandé ce qu'elle aurait voulu que je fasse.

– Je ne te l'avais pas dit, déclare paisiblement Ruth.

Elle n'a pas parlé depuis un long moment, et je la soupçonne d'économiser mes forces. Elle aussi sent que la fin est proche.

Je me contrains à ouvrir les yeux, mais son image est floue.

– Non, dis-je de ma voix éraillée et hésitante, quasi inintelligible. Tu ne voulais jamais en parler.

Elle me considère en inclinant la tête.

– J'avais confiance en ton jugement.

*
* *

---

Je me souviens du moment où je me décidai enfin. C'était en début de soirée, quelques jours après la réunion dans les bureaux de Howie. Il m'avait appelé une heure plus tôt pour me demander si j'avais des questions supplémentaires à poser ou si je souhaitais qu'il donne suite aux propositions d'un organisme en particulier. Après avoir raccroché, et en m'aidant du déambulateur, je m'étais rendu sur la véranda à l'arrière de la maison.

Un coin poussiéreux et à l'abandon, avec deux rocking-chairs encadrant une petite table. Quand nous étions plus jeunes, Ruth et moi aimions nous asseoir là pour bavarder, tout en regardant les étoiles émerger de la nuit qui s'installait lentement. Plus tard, alors que nous avions pris de l'âge, ces soirées sur la véranda s'étaient raréfiées, car nous étions tous les deux devenus plus sensibles à la température. Le froid de l'hiver et la chaleur de l'été rendaient le porche impraticable la moitié de l'année ; ce n'était qu'au printemps et à l'automne que nous nous aventurions à l'extérieur.

Mais cette nuit-là, malgré la chaleur et l'épaisse couche de saleté qui recouvrait les sièges, je m'étais installé comme avant. J'avais réfléchi à la réunion, à tout ce qui avait été dit, et il m'était clairement apparu que Ruth avait raison, personne ne pouvait comprendre.

Pendant un moment, j'avais jonglé avec l'idée de léguer toute la collection à Andrea Lockerby, uniquement parce qu'elle aussi avait aimé Daniel. Mais je ne la connaissais pas vraiment, sans compter que Ruth ne l'avait jamais rencontrée. De plus, j'admets que j'ai toujours été déçu que, en dépit de l'influence que Ruth avait eue sur la vie de Daniel, il n'ait jamais cherché à la joindre. Ça, je ne pouvais pas le comprendre, ni le pardonner complètement, parce que Ruth en avait eu le cœur irrémédiablement brisé.

La réponse n'était pas simple, parce que pour nous l'art n'a jamais été lié à l'argent. Comme la journaliste, ces conservateurs et collectionneurs, ces experts et ces vendeurs ne comprenaient pas. En gardant les mots de Ruth à l'esprit, j'avais senti que la solution prenait forme.

Une heure plus tard, j'avais appelé Howie à son domicile. Je l'avais informé que je souhaitais vendre l'intégralité des œuvres aux enchères, et comme un bon soldat, il n'avait pas discuté. Et il n'avait pas plus posé de questions quand j'avais ajouté que la vente aurait lieu à Greensboro. Cependant, quand je lui décrivis de quelle façon devait être organisée cette liquidation, stupéfait, il avait longuement gardé le silence, au point que j'avais cru qu'il avait raccroché. Finalement, après s'être raclé la gorge, il m'avait présenté la procédure en détail. Et j'avais précisé que le secret était ma priorité absolue.

Au cours des mois suivants, tout fut arrangé. Je retournai au bureau de Howie à deux reprises et je rencontrai les représentants de Sotheby's. Je revis les directeurs de plusieurs associations caritatives juives ; à l'évidence, la somme qu'ils recevraient dépendait de l'argent réuni grâce à la collection. Dans ce but, les experts passèrent des mois à cataloguer et à photographier chaque pièce de la collection, à en estimer la valeur et à en établir la provenance. Finalement, un catalogue fut soumis à mon approbation. La valeur estimée de la collection était hallucinante, même pour moi, mais ça n'avait pas d'importance.

Quand tous les arrangements pour la vente initiale et les suivantes furent pris — il était impossible de tout vendre en une seule journée — j'ai convoqué Howie et les responsables concernés de Sotheby's pour leur souligner leurs responsabilités et leur faire signer une multitude de documents légaux destinés à m'assurer qu'aucun changement ne puisse être apporté à mon plan. Je voulais parer à toute éventualité, et quand tout fut enfin prêt, je signai mon testament devant quatre témoins. Il y était précisé que mes volontés étaient définitives et ne sauraient être modifiées sous aucun prétexte.

De retour chez moi, après avoir tout finalisé, je m'étais assis au salon pour fixer longuement le portrait de Ruth, fatigué et satisfait. Elle me manquait, peut-être plus en cet instant que jamais, mais j'avais néanmoins souri et prononcé les mots qu'elle aurait désiré entendre :

— Ils vont comprendre, Ruth. Ils vont enfin comprendre.

C'est l'après-midi, et je me sens m'étioler comme un château de sable érodé par les vagues. À mes côtés, Ruth me dévisage avec inquiétude.

— Tu devrais faire une autre sieste, dit-elle tendrement.

— Je ne suis pas fatigué.

Ruth sait que c'est un mensonge, mais elle fait semblant de me croire, et papote avec une feinte insouciance.

— Je pense que mariée à un autre homme, je n'aurais pas été une bonne épouse. Je crois que je suis trop bornée par moments.

— C'est vrai, dis-je avec un sourire. Tu as de la chance que j'aie réussi à te supporter.

Elle lève les yeux au ciel.

— J'essaie de parler sérieusement, Ira.

Je la fixe du regard, regrettant de ne pas pouvoir la prendre dans mes bras. Bientôt j'irai la rejoindre. J'ai du mal à continuer à parler, mais je m'oblige à répondre.

— Si nous ne nous étions pas rencontrés, je crois que toute ma vie, je me serais senti incomplet. Et j'aurais parcouru le monde pour te trouver, même sans savoir qui je cherchais.

Ses yeux s'illuminent, et elle tend le bras pour passer la main dans mes cheveux d'un geste apaisant et délicat.

— Tu m'as dit la même chose, une fois. J'ai toujours aimé cette réponse.

Je ferme les yeux avec le sentiment que c'est définitif. Mais quand je m'efforce de les ouvrir à nouveau, Ruth est plus floue, quasi transparente.

— Je suis fatigué, Ruth.

— L'heure n'a pas encore sonné. Je n'ai pas encore lu ta lettre. La nouvelle, celle que tu voulais me remettre. Tu te souviens de ce que tu as écrit ?

En me concentrant, je me rappelle quelques bribes, mais rien de plus.

— Pas assez, dis-je en marmonnant.

— Dis-moi de quoi tu te rappelles. Tout ce qui te vient à l'esprit.

Il me faut un certain temps pour rassembler mes forces. Je respire posément, conscient du léger sifflement que provoque ce laborieux va-et-vient de l'air. Je ne sens plus les parois sèches de ma gorge. Cette sensation a été remplacée par un épuisement général.

— Si le paradis existe, nous nous retrouverons, puisqu' il ne peut y avoir de paradis sans toi.

Je me tais, car ces quelques mots suffisent à me faire haleter.

Je crois qu'elle est émue, mais je ne peux pas en être sûr. Bien que je la regarde, elle a presque disparu. Mais j'éprouve sa tristesse, son regret, et je sais qu'elle s'en va. Ici et maintenant, elle n'existe pas sans moi.

Elle semble le savoir, et bien qu'elle continue de s'évaporer, elle se rapproche de moi. Elle passe sa main dans mes cheveux et dépose un baiser sur ma joue. Elle a seize, vingt, trente et quarante ans, tous les âges à la fois. Sa beauté est telle que mes yeux s'emplissent de larmes.

— J'aime ce que tu m'as écrit, murmure-t-elle. Je veux entendre la suite.

— Je ne pense pas, dis-je dans un souffle, et je sens l'une de ses larmes éclabousser ma joue.

— Je t'aime, Ira, susurre-t-elle. (Son haleine me réchauffe l'oreille, comme les chuchotements d'un ange.) N'oublie pas à quel point tu as toujours compté pour moi.

— Je n'oublie pas…, dis-je avant de m'interrompre, alors qu'elle m'embrasse à nouveau et que mes yeux se ferment pour ce que je pense être la toute dernière fois.

# 29

## Sophia

Le samedi soir, pendant que tout le campus était encore en fête pour le week-end, Sophia rédigeait un devoir dans la bibliothèque lorsque son téléphone vibra. Bien que l'usage des portables ne fût autorisé que dans des zones appropriées, Sophia vérifia qu'elle était seule et s'empara du sien, fronçant les sourcils dès qu'elle découvrit le message et l'expéditrice.

*Appelle-moi,* avait écrit Marcia. *C'est urgent.*

C'était minimaliste, mais plus développé que tous leurs échanges depuis leur dispute, et Sophia se demanda comment réagir. Répondre par texto ? Demander ce qui se passait ? Ou se plier à la requête de Marcia et lui téléphoner ?

Sophia tergiversa un instant. Franchement, elle n'avait aucune envie de lui parler. Comme les autres filles de la sorority, elle devait se trouver dans un bar ou à une soirée. Elle avait dû boire, ce qui laissait présager une querelle avec Brian, et Sophia préférait rester à l'écart de ce genre de situation. Elle n'avait pas envie d'entendre Marcia pleurnicher sur ce salopard, d'autant qu'elle n'était pas disposée à réconforter une camarade qui l'évitait soigneusement.

Et pourtant, elle demandait à Sophia de l'appeler. Pour un motif urgent.

Ce mot était particulièrement sujet à interprétations, se dit-elle. Elle hésita quelques secondes avant de se décider, puis enregistra son document avant de fermer son ordinateur portable. Elle le glissa dans son sac à dos, enfila son blouson et se dirigea vers la sortie. En poussant la porte, elle eut la surprise d'être accueillie par une bourrasque de vent glacé et une couche de neige recouvrant le sol. La température avait dû chuter de vingt degrés en quelques heures. Elle allait arriver au foyer frigorifiée…

Mais elle n'en était pas là. De mauvais gré, téléphone en main, elle retourna s'abriter dans le hall. Marcia décrocha dès la première sonnerie. En fond, elle perçut de la musique et la cacophonie d'une centaine de conversations.

– Sophia ? Je suis contente que tu m'appelles !

Tendue, Sophia prit une longue inspiration.

Les bruits de fond s'éloignèrent, alors que Marcia devait chercher un endroit plus tranquille. Un claquement de porte, et son interlocutrice devint plus audible.

– Tu dois rentrer tout de suite au foyer, dit Marcia d'une voix angoissée.

– Pourquoi ?

– Luke est là-bas. Il est garé juste devant. Ça fait vingt minutes qu'il poireaute. Tu dois filer au foyer.

La gorge serrée, Sophia déglutit péniblement.

– Nous avons rompu, Marcia. Je n'ai pas envie de le voir.

– Oh, fit Marcia sans chercher à cacher sa confusion. C'est terrible. Tu tenais beaucoup à lui…

– C'est tout ? demanda Sophia. Il faut que je te laisse.

– Non, attends ! s'écria Marcia. Je sais que tu m'en veux et que je le mérite, mais ce n'est pas pour ça que je voulais te parler. Brian sait que Luke est là-bas. Mary-Kate le lui a dit il y a quelques minutes. Brian boit depuis des heures et il est remonté à bloc. Il est en train de réunir sa bande pour lui coller une raclée. J'ai essayé de l'en dissuader, mais tu le connais. Il va attaquer Luke par surprise. Même si vous êtes séparés, je pense que tu n'as pas envie qu'il lui arrive malheur…

Mais Sophia l'entendait à peine, les bourrasques glacées couvrant la voix de Marcia tandis qu'elle se précipitait vers le foyer.

*
* *

Traversant le campus désert, elle emprunta tous les raccourcis possibles dans l'espoir d'arriver à temps. Tout en courant, elle réitérait ses appels à Luke, qui ne décrochait pas. Elle tapa un bref message sans plus de succès.

Ce n'était pas loin, mais l'air vif de février lui piquait les oreilles et les joues, et ses pieds dérapaient dans la neige fraîche. Elle n'avait pas chaussé ses bottes, et la neige fondue infiltrait ses semelles, lui trempant les orteils. Elle continuait de tomber, tourbillonnante et épaisse, d'un genre qui se change instantanément en verglas et rend les routes dangereuses.

Elle accéléra le pas et rappela Luke, mais sans résultat. Elle sortit du campus et s'enfonça dans sa rue. Sur Greek Row, les étudiants étaient agglutinés derrière les fenêtres éclairées. Quelques passants flânaient sur le trottoir en allant d'une soirée à l'autre, selon le rituel désinvolte et excessif du samedi soir. La maison de la sororité se trouvait au bout de la rue, et en plissant les yeux pour percer l'obscurité rendue floue par les flocons de neige, elle distingua vaguement le pick-up de Luke.

Au même instant, plusieurs garçons surgirent d'une maison, trois portes plus bas, de l'autre côté de la rue. Ils étaient cinq ou six, et à leur tête se tenait un jeune homme de haute stature. *Brian.* Quelqu'un se trouvait sur ses talons, et bien que cette silhouette ne fût éclairée que le temps de traverser le porche et de descendre les marches, Sophia reconnut sa camarade de chambre. La voix de Marcia, lointaine et étouffée par le vent, intimait à Brian de s'arrêter.

Pendant cette course folle, son sac lui battait le dos et ses pieds dérapaient, si bien qu'elle se sentait horriblement inefficace. Elle se rapprochait, mais pas assez vite. Brian et ses amis encerclaient déjà le pick-up. À quatre maisons d'eux, il lui était toujours impossible de déterminer si Luke se trouvait effectivement dans son véhicule. Les cris de Marcia déchirèrent l'air, avec un regain de colère.

— C'est idiot de faire ça, Brian ! Laisse tomber !

Encore trois maisons. Elle vit Brian et ses amis ouvrir la portière, côté conducteur, et plonger la tête à l'intérieur. La rixe éclata, et elle hurla quand ils tirèrent Luke sur le trottoir.

— Laisse-le tranquille ! hurla Sophia.

— Arrête ça tout de suite, Brian ! ajouta Marcia.

Brian — électrisé ou ivre, comment savoir — les ignora. Perdant l'équilibre, Luke s'écroula dans les bras de Jason et de Rick, les mêmes comparses qui accompagnaient Brian au rodéo de McLeansville. Quatre autres garçons le prirent au piège.

Paniquée, Sophia cavalait au milieu de la rue et vit Brian prendre son élan pour lui asséner un coup de poing qui projeta la tête de Luke en arrière. Sophia fut prise d'effroi au souvenir de la vidéo.

Luke chancela, Rick et Jason le lâchèrent et il s'effondra sur l'asphalte recouvert de neige. Arrivant enfin devant lui, terrifiée, elle attendit qu'il bouge…

— Lève-toi ! lui cria Brian. Je t'avais pourtant prévenu qu'on se reverrait !

Sophia vit Marcia se placer devant Brian.

— Arrête, maintenant ! lui ordonna-t-elle dans l'espoir de le retenir. Tu dois arrêter ça tout de suite !

Brian l'ignora, et Luke chercha enfin à se redresser, d'abord à quatre pattes, puis sur ses pieds.

— Debout ! répéta Brian.

Mais Sophia put alors s'imposer dans le cercle en jouant des coudes pour s'immiscer entre Brian et Luke, juste à côté de Marcia.

— C'est fini, Brian ! vociféra-t-elle. Lâche l'affaire !

— Je n'en ai pas fini !

— C'est terminé ! rétorqua Sophia.

— Viens, Brian, supplia Marcia en lui prenant la main. Allons-y. Il fait froid. Je suis gelée.

Entre-temps, Luke s'était relevé, la pommette enflée. Brian avait le souffle court et, surprenant Sophia, il poussa Marcia à l'écart. Même si son geste ne fut pas violent, il désarçonna Marcia qui tituba avant de tomber. Brian ne parut pas s'en rendre compte. Il avança d'un air menaçant, prêt à repousser Sophia à son tour. S'écartant de son passage, elle saisit son téléphone. Alors que Brian s'emparait de Luke, Sophia brandit son appareil après avoir activé quelques commandes.

— Vas-y ! J'enregistre tout ! Ça m'est égal si tu finis en prison ! Si on te vire de l'équipe ! Tant pis si on te rejette de partout !

Elle prit du recul de manière à pouvoir filmer toute la scène. Elle zooma sur Brian qui s'élança vers elle, provoquant l'inquiétude de tous, et lui arracha le téléphone des mains avant de l'écraser du pied.

— Voilà, tu n'enregistres plus !

— Peut-être, dit Marcia qui, de l'autre côté du cercle, brandissait aussi son portable. Mais moi, si.

<br>

\*

\*\*

<br>

— J'imagine que je l'ai mérité, dit Luke. Après ce que je lui ai fait, j'entends.

Ils étaient dans le pick-up, Luke derrière le volant et Sophia à côté de lui. Les menaces avaient eu de l'effet. C'étaient Jason et Rick qui avaient réussi à convaincre Brian de rentrer avec eux au foyer de la fraternité, où Brian devait se vanter du coup de poing qui avait assommé Luke. Marcia ne s'était pas jointe à eux ; elle s'était retirée du côté de la sororité, et Sophia avait vu la lumière de leur chambre s'allumer.

— Non, ce n'était pas mérité, dit-elle. Si je me souviens bien, tu n'as pas frappé Brian. Tu l'as juste… épinglé au sol.

— Le nez dans la poussière.

— Oui, c'est vrai, admit-elle.

— Merci d'être intervenue, au fait. Avec ton téléphone. Je t'en achèterai un autre.

— Ce n'est pas la peine. Il commençait à être vieux. Pourquoi n'as-tu pas décroché ?

— Ma batterie s'est éteinte en route, et j'ai oublié mon char-geur de voiture. Je n'ai que l'autre. Je ne pensais pas qu'il me manquerait.

— Tu as au moins envoyé un SMS à ta mère ?

— Oui, dit-il.

S'il se demanda comment elle avait connaissance de cette habitude, il ne posa pas de questions. Sophia croisa les mains sur ses genoux.

— Je suppose que tu devines la question suivante ?

Luke la regarda en plissant les yeux.

— Pourquoi je suis là ?

— Tu n'aurais pas dû venir. Je ne veux pas te voir ici. D'au-tant que tu reviens d'un rodéo. Parce que…

— Tu ne peux pas vivre comme ça.

— Exact, confirma-t-elle. Je ne peux pas.

— Je sais. (Il soupira avant de lui faire face.) Je suis venu te dire que moi non plus, je ne peux pas. À partir de ce soir, c'est la fin de ma carrière. Pour de bon, cette fois.

— Tu arrêtes ? demanda-t-elle sans oser y croire.

— J'ai déjà décroché.

Elle s'interrogea sur la réaction à adopter. Le féliciter ? Exprimer sa sympathie ? Son soulagement ?

— Je suis aussi passé te demander si tu étais prise ce week-end. Et si lundi tu avais des obligations ? Des examens ou un devoir à terminer ?

— Je dois rendre un essai jeudi prochain, mais à part ça, je n'ai que deux cours. Qu'as-tu en tête ?

— Juste une petite pause pour m'aider à faire le point. Avant que mon téléphone ne s'éteigne, j'ai appelé ma mère pour en parler avec elle, et elle trouve que c'est une bonne idée, dit-il avec un long soupir. J'ai envie de retourner au chalet, et je me demandais si tu aimerais m'accompagner.

Elle avait toujours du mal à assimiler ces dernières nou-velles, et encore plus à le croire. Se pouvait-il que ce soit la vérité ? Avait-il définitivement renoncé à monter des tau-reaux sauvages ?

Alors que ses yeux étaient rivés sur elle, elle murmura :

– D'accord.

*<br>* *

Dans leur chambre, elle trouva Marcia occupée à préparer son sac.

– Que fais-tu ?

– Je rentre chez moi ce soir. J'ai besoin de dormir dans mon lit, tu comprends ? Je n'en ai que pour une minute.

– Tu n'as pas à te dépêcher, dit Sophia. C'est aussi ta chambre.

Marcia hocha la tête, sans cesser de lancer des affaires dans son bagage. Sophia sautilla d'un pied sur l'autre.

– Merci de m'avoir prévenue. Et de ce que tu as fait avec ton téléphone après.

Marcia leva les yeux pour la première fois.

– De rien. Il le méritait. Il s'est comporté comme un… dingue.

– C'était pire que ça, dit Sophia. Ça m'étonnerait qu'il se souvienne de grand-chose.

– Peu importe.

– Ça compte, si tu tiens à lui.

Marcia hésita un bref instant, puis secoua la tête. Sophia eut le sentiment qu'elle en était arrivée à une certaine conclusion, même si elle ignorait laquelle.

– Luke est parti ?

– Il est allé faire le plein et acheter des provisions. Il sera de retour dans quelques minutes.

– Vraiment ? J'espère qu'il va verrouiller sa portière.

Elle ferma son sac, puis concentra son attention sur Sophia.

– Au fait, pourquoi revient-il ? Je croyais que vous aviez rompu.

– J'avais rompu.

– Mais ?

— Et si on en parlait la semaine prochaine, quand tu reviendras ? Pour l'instant, je n'ai pas encore compris tout ce qui vient de se passer entre nous.

Marcia l'accepta et, alors qu'elle s'apprêtait à sortir, s'immobilisa au moment d'ouvrir la porte.

— J'ai bien réfléchi, dit-elle, et j'ai le sentiment que tout va s'arranger entre vous. Et si tu veux mon avis, c'est une bonne nouvelle.

*
* *

Dans les montagnes, les chutes de neige étaient abondantes et les routes verglacées par endroits, ils n'atteignirent donc le chalet qu'à près de quatre heures du matin. Le terrain ressemblait à un campement de pionniers abandonné depuis longtemps. Malgré l'absence d'éclairage, Luke conduisit le pick-up avec une précision sans faille jusqu'au bungalow qu'ils avaient occupé la fois précédente. La clé les attendait dans la serrure.

À l'intérieur, il faisait un froid de canard, les murs en lambris ne parvenant pas à isoler le chalet de la température extérieure. Luke lui avait conseillé de prendre un bonnet et des gants, et elle resta habillée pendant qu'il allumait le feu de cheminée et le poêle à bois. La chaussée glissante l'avait empêchée de fermer l'œil, mais maintenant qu'ils étaient arrivés, la fatigue l'accablait.

Ils se couchèrent sans enlever leurs blousons ni leurs bonnets et s'endormirent en quelques minutes. Quand Sophia se réveilla quelques heures plus tard, la maison s'était considérablement réchauffée, mais pas assez pour qu'elle renonce à toutes ses couches de vêtements. Elle se fit la réflexion qu'un motel aurait été plus confortable, mais dès qu'elle regarda par la fenêtre, la beauté des lieux la frappa aussi vivement que la première fois. Des stalactites pendaient des branches, scintillant au soleil. Luke était aux fourneaux, et une odeur de bacon et d'œufs lui parvint.

— Enfin debout ! s'exclama-t-il.

— Quelle heure est-il ?

— Presque midi.

— Je devais être fatiguée. Depuis combien de temps es-tu levé ?

— Deux heures environ. Ce n'est pas si facile que ça de faire grimper la température au point de rendre la maison habitable.

Elle n'en doutait pas. Mais l'extérieur attira de nouveau son attention.

— Tu étais déjà venu en hiver ?

— Une seule fois. Mais j'étais petit. J'ai passé la journée à faire des bonhommes de neige et à manger des marshmallows grillés.

Elle sourit en l'imaginant enfant, avant de retrouver son sérieux.

— Tu es disposé à discuter ? De ce qui t'a fait changer d'avis ?

Il planta sa fourchette dans une tranche de bacon qu'il sortit de la poêle.

— Rien de spécial. Je crois que le bon sens a fini par prendre le dessus.

— C'est tout ?

Il posa la fourchette.

— Lors du tirage au sort, je suis tombé sur Big Ugly Critter. Et au moment de le monter… (Il secoua la tête sans aller jusqu'au bout de sa phrase.) Enfin bref, j'ai compris qu'il était temps de raccrocher. Je me suis rendu compte que c'en était fini pour moi. Je tuais ma mère à petit feu.

*Et moi,* eut-elle envie d'ajouter. Mais elle garda sa remarque pour elle.

Il jeta un coup d'œil par-dessus son épaule, comme s'il avait lu dans ses pensées.

— Et puis tu me manquais, aussi.

— Et le ranch ? demanda-t-elle.

Il répartit les œufs brouillés dans deux assiettes.

— Nous allons sûrement le perdre. Et il faudra repartir de zéro. Ma mère a une certaine réputation dans le milieu. J'espère qu'elle finira par retomber sur ses pieds. Bien sûr, elle me répète de ne pas m'inquiéter pour elle. De réfléchir plutôt à mon avenir.

— Et que comptes-tu faire ?

— Je ne sais pas pour l'instant.

Il déposa les assiettes sur la table, à côté de la cafetière et des couverts déjà installés.

— Je compte sur ce week-end pour m'aider à y voir plus clair.

— Et tu crois qu'on peut reprendre notre histoire là où nous l'avons arrêtée ?

— Pas du tout, dit-il en reculant leurs chaises de la table. J'espérais qu'on puisse tout reprendre depuis le début.

*
* *

Après leur collation, ils passèrent l'après-midi à ériger un bonhomme de neige, comme dans l'enfance de Luke. Pendant qu'elle roulait les boules dans la neige pour leur donner la taille d'un rocher, ils évoquèrent leurs actualités respectives. Luke décrivit ses performances à Macon et en Caroline du Sud et l'informa de ce qui se passait au ranch. Sophia expliqua que ses mauvais rapports avec Marcia l'avait conduite à étudier à la bibliothèque la majeure partie du temps et à prendre de l'avance sur ses lectures, au point de n'avoir plus besoin de bûcher ses cours pendant les deux semaines à venir.

— C'est l'avantage, quand on cherche à éviter sa colocataire, expliqua-t-elle. On étudie à un rythme plus soutenu.

— Elle m'a surpris, hier soir, observa Luke. Je n'aurais pas cru ça d'elle. Pas dans ces circonstances.

— Moi, ça ne m'a pas surprise, dit Sophia.

— Non ?

Elle réfléchit, se demandant comment allait Marcia.

— Bon, peut-être un peu.

*
* *

Dans la soirée, alors qu'ils étaient lovés sous une couverture devant la cheminée, Sophia demanda :

– Ça va te manquer, les taureaux ?

– Sûrement un peu, admit-il. Mais pas assez pour recommencer à les monter.

– Tu as l'air sûr de ton choix.

– J'en suis sûr.

Sophia se tourna pour l'observer, hypnotisée par le reflet des flammes dans ses yeux.

– Je suis triste pour ta mère, dit-elle. Je sais qu'elle est soulagée que tu aies décidé d'arrêter, mais…

– Oui. Moi aussi, ça m'ennuie. Mais je trouverai le moyen de lui rendre ce que je lui dois.

– Je crois que tout ce qu'elle veut, c'est t'avoir auprès d'elle.

– C'est ce que je me suis dit. Mais j'ai une question à te poser. Et j'aimerais que tu prennes le temps de réfléchir avant d'y répondre. C'est important.

– Je t'écoute.

– Es-tu disponible le week-end prochain ? J'aimerais t'inviter à dîner.

– Tu me proposes de sortir avec toi ? demanda-t-elle.

– J'essaie de reprendre depuis le début. C'est comme ça qu'on fait, non ? On invite quelqu'un ?

Elle l'embrassa pour la première fois de la journée.

– Je ne pense pas qu'on ait besoin de tout recommencer.

– C'est un oui ou un non ?

– Je t'aime, Luke.

– Moi aussi je t'aime, Sophia.

\*

\* \*

Ils firent l'amour cette nuit-là, puis de nouveau le lundi matin, après avoir longtemps dormi. Ils prirent le temps de déjeuner, et après la balade, Sophia resta au chaud à siroter son café pendant que Luke chargeait le pick-up. Ce n'était pas comme avant entre eux. Depuis qu'ils se connaissaient, en l'espace de quelques mois, leur relation avait gagné en profondeur à un point qu'elle n'avait prévu.

Ils prirent la route quelques minutes plus tard et descendirent la montagne. Sur la neige, les reflets du soleil étaient si aveuglants que Sophia dut détourner le regard et appuyer le front contre la vitre. Elle jeta un coup d'œil à Luke qui conduisait. Elle n'avait pas décidé de ce qu'elle ferait après la remise des diplômes en mai, mais pour la première fois, elle se demanda s'il la suivrait. Elle ne lui en avait rien dit, mais elle se demandait si ses propres projets avaient joué un rôle dans sa décision de mettre un terme à sa carrière.

Elle méditait sur ces questions, estourbie par la chaleur et la sérénité, sur le point de s'endormir, quand la voix de Luke rompit le silence.

– Tu as vu ?

Elle ouvrit les yeux et s'aperçut que la voiture ralentissait.

– Je n'ai rien vu du tout, avoua-t-elle.

La surprenant, Luke freina sèchement et rangea son véhicule sur le bas-côté, les yeux rivés au rétroviseur.

– J'ai cru voir quelque chose, dit-il.

Il enclencha le point mort et coupa le moteur, puis alluma les feux de détresse.

– Laisse-moi une seconde, tu veux bien ?

– Qu'y a-t-il ?

– Je ne sais pas. J'aimerais vérifier quelque chose.

Il s'empara de son blouson posé sur le siège arrière, sortit précipitamment et s'habilla tout en se dirigeant vers l'arrière du pick-up. En se retournant, elle remarqua qu'ils se trouvaient juste à la sortie d'un virage. Luke regarda à droite, à gauche, puis traversa la route en trottant jusqu'à la glissière de sécurité. Ce ne fut qu'à cet instant qu'elle s'aperçut qu'elle était abîmée.

Alors qu'il scrutait le talus profond et escarpé, Luke tourna brusquement la tête vers elle. Même à cette distance, son visage et son langage corporel exprimaient l'urgence de la situation. Elle bondit hors du pick-up.

— Prends mon téléphone et appelle les secours ! cria-t-il. Une voiture est sortie de la route, et je crois qu'il y a quelqu'un à l'intérieur !

Sans rien ajouter, il se glissa par l'ouverture de la barrière de protection et disparut.

# 30

## Sophia

Plus tard, elle ne se souviendrait de la suite des événements que comme une série d'images entrecoupées : l'appel aux secours et Luke dévalant le talus. Revenir au pas de course, prendre la bouteille d'eau après que Luke eut affirmé que le chauffeur bougeait encore. S'agripper aux buissons et aux branches pour descendre la pente boisée et remarquer l'état de la voiture emboutie – le capot froissé, les ailes quasi arrachées, le pare-brise étoilé. Luke s'acharnant sur la portière du conducteur pour l'ouvrir sans dégringoler la pente, une pente si inclinée qu'elle se changeait en ravin à quelques mètres seulement de l'avant de la voiture.

Mais, surtout, elle se rappelait avoir eu la gorge serrée en découvrant le vieil homme, sa tête osseuse reposant sur le volant. Elle avait remarqué les mèches de cheveux épars qui recouvraient son crâne tacheté, ses oreilles démesurées. Son bras replié en un angle inquiétant. L'entaille à son front, son épaule déboîtée, ses lèvres si sèches qu'elles saignaient. Ses blessures devaient le faire souffrir horriblement, et pourtant il paraissait serein. Quand Luke parvint à ouvrir la portière, elle se rapprocha sans s'en rendre compte, peinant à tenir debout, tant les flancs du talus étaient abrupts et glissants.

– Je suis là, disait Luke au vieil homme. Vous m'entendez ? Pouvez-vous bouger ?

Sophia perçut l'angoisse de Luke, qui porta délicatement la main au cou de l'homme, en quête d'un pouls.

394

— C'est faible, lui dit-il. Il est dans un sale état.

Le vieil homme murmura d'une voix à peine audible. Instinctivement, Luke versa de l'eau dans le bouchon de la bouteille, et le porta à la bouche de l'homme. Une grande quantité se renversa, mais quelques gouttes suffirent à humidifier ses lèvres et l'aidèrent à déglutir.

— Qui êtes-vous ? demanda doucement Luke. Comment vous appelez-vous ?

L'homme émit un son qui jaillit dans un sifflement. Ses yeux à moitié ouverts restaient perdus dans le vague.

— *Ira.*

— Quand avez-vous eu cet accident ?

Sa réponse ne se fit entendre qu'au bout d'un certain temps.

— *Ame… di…*

Luke regarda Sophia avec stupéfaction, et se tourna de nouveau vers Ira.

— Nous avons appelé les secours. L'ambulance ne va pas tarder. Tenez bon. Voulez-vous de l'eau ?

Sur le moment, Sophia crut qu'Ira n'avait pas entendu Luke, mais il ouvrit légèrement la bouche, et Luke remplit le bouchon d'eau pour verser quelques gouttes entre ses lèvres. Ira avala, puis articula des syllabes incompréhensibles. Puis, d'une voix lente et rauque, il prononça chaque mot en les séparant d'une respiration.

— *Ettre…Pou…ma…rouffe.*

Ni Sophia ni Luke ne trouvèrent de sens à ses paroles. Luke se rapprocha de l'homme.

— Je ne comprends pas. Je peux prévenir quelqu'un, Ira ? Avez-vous une femme ou des enfants ? Un numéro de téléphone à me donner ?

— *Ettre…*

— Être ? demanda Luke.

— *Non…ett…ettre…voi…ture…rouffe…*

Luke consulta Sophia du regard. Elle secoua la tête, en tentant d'ajouter toutes les lettres de l'alphabet une à une… guêtre… paître… lettre.

Lettre ?

— Je crois qu'il parle d'une lettre.

Elle s'approcha d'Ira, et sentit à son haleine que son état de santé était critique.

— Une lettre ? C'est ce que vous voulez dire ?

— *Oui…,* répondit Ira dans un sifflement, avant de refermer les yeux.

Sa respiration était aussi bruyante que des cailloux secoués dans un bocal en verre. Sophia balaya l'habitacle du regard et aperçut des objets dispersés sur le sol, sous le tableau de bord enfoncé. S'accrochant au flanc de la voiture, elle entreprit d'en faire le tour.

— Que fais-tu ? cria Luke.

— Je veux trouver cette lettre…

Le côté passager était moins endommagé, et Sophia put ouvrir la portière avec une facilité relative. Sur le plancher, elle découvrit une Thermos et un sandwich écrasé. Une bouteille d'eau… et là, dans un coin, une enveloppe. Elle s'en approcha, mais glissa. Elle étendit le bras en grommelant et attrapa l'enveloppe à deux doigts. De l'autre côté de la voiture, elle la brandit à l'attention de Luke qui semblait ne rien comprendre.

— Une lettre pour sa femme, dit-elle en fermant la portière pour rejoindre Luke. C'est ce qu'il voulait dire.

— Par « rousse » ?

— Pas « rousse », dit Sophia.

Elle retourna l'enveloppe pour que Luke lise l'inscription avant de la ranger dans la poche de son blouson.

— Ruth.

\*

\* \*

Un policier de la patrouille de contrôle des autoroutes fut le premier sur place. Quand il les eut rejoints au bas de la pente, il partagea l'avis de Luke qui trouvait trop risqué de déplacer Ira. Mais le SAMU et l'ambulance mirent une éternité à arriver, et une fois là, ils conclurent rapidement qu'il était dangereux de l'extraire de la voiture pour remonter la pente enneigée sur un brancard. Il leur aurait fallu trois fois plus de bras, et même avec plus d'hommes, ç'aurait été compliqué.

Au final, ils appelèrent une dépanneuse, ce qui prolongea l'attente. Quand elle arriva, elle s'installa convenablement, puis un câble fut déroulé et accroché au pare-choc arrière de la voiture pendant que les médecins, improvisant avec les ceintures de sécurité, attachèrent Ira le plus fermement possible afin de réduire les secousses. Ce ne fut qu'alors qu'ils purent remonter lentement la voiture jusqu'à la grand-route.

Pendant que Luke répondait aux questions des policiers, Sophia resta près des secouristes qui allongèrent Ira sur le brancard, et le placèrent sous oxygène avant de l'enfermer dans l'ambulance.

Un instant plus tard, Luke et Sophia étaient seuls. Il la prit dans ses bras en la serrant le plus fort possible, chacun puisant de la force dans la proximité de l'autre, puis, subitement, Sophia se souvint de la lettre qui était toujours dans sa poche.

*
* *

Deux heures plus tard, ils patientaient dans la salle bondée des urgences de l'hôpital de la région, assis côte à côte, main dans la main. De sa main libre, Sophia tenait la lettre, et de temps à autre, son regard tombait sur l'enveloppe, remarquait l'écriture tremblante et se demandait pourquoi elle avait donné leurs noms à l'infirmière et demandé à être informée de l'état de santé d'Ira, au lieu de simplement lui remettre la lettre pour qu'elle la range avec les affaires du vieil homme.

Cela leur aurait permis de reprendre la route. Mais alors elle avait revu le visage d'Ira, son besoin désespéré de retrouver la lettre, et elle s'était sentie obligée de veiller à ce que cette missive ne se perde pas dans le tourbillon d'activités de l'hôpital. Elle préférait la remettre au docteur, ou mieux encore, à Ira en personne…

C'est du moins ce qu'elle s'était dit. Tout ce qu'elle savait, en fin de compte, c'est qu'Ira semblait presque paisible à leur arrivée, au point qu'elle s'était demandé à quoi il avait songé ou rêvé dans la voiture. C'était un miracle qu'il ait survécu, si l'on considérait ses blessures, son âge et l'état de faiblesse dans lequel il se trouvait. Mais surtout, elle était surprise qu'aucun proche – ni ami ni membre de sa famille – n'ait encore surgi aux urgences, rongé par l'inquiétude. Il était conscient au moment où on l'avait placé dans l'ambulance, et aurait probablement pu leur transmettre le nom d'une personne à contacter. Alors, où était-elle ? Pourquoi n'était-elle pas encore là ? Dans un moment comme celui-ci, Ira avait plus besoin de soutien que jamais, et…

Luke s'anima sur son siège et interrompit le fil de ses pensées.

– Tu sais qu'il est probable qu'on ne puisse pas le voir ? avança-t-il.

– Je sais. Mais j'ai quand même envie de savoir comment il va.

– Pourquoi ?

Elle retourna la lettre dans ses mains, incapable d'exprimer ce qui motivait son désir d'attendre.

– Je ne sais pas.

\*

\* \*

Quarante minutes s'écoulèrent avant qu'un médecin n'émerge des portes battantes. Il se rendit d'abord au bureau d'accueil, puis, après que l'infirmière les eut montrés du doigt, vint à leur rencontre. Luke et Sophia se levèrent.

– Je suis le Dr Dillon, se présenta-t-il. On m'a dit que vous souhaitiez voir M. Levinson ?

– Vous voulez parler d'Ira ? demanda Sophia.

– C'est bien vous qui l'avez découvert ?

– Oui.

– Puis-je vous demander quel lien vous relie au patient ?

Sophia faillit évoquer la lettre, mais se ravisa. Conscient de sa confusion, Luke s'éclaircit la gorge.

– Nous voulons simplement avoir de ses nouvelles, dit-il.

– Malheureusement, je ne suis autorisé à discuter de son état de santé qu'avec sa famille.

– Mais comment va-t-il ?

Le docteur les regarda tour à tour.

– Vous n'avez pas le droit d'être ici. Vous avez bien agi en appelant les secours. Je suis content que vous l'ayez trouvé à temps, mais votre rôle s'arrête là. Vous êtes des étrangers.

Sophia regarda le docteur, car elle sentait qu'il avait autre chose à dire, et le vit soupirer.

– Je ne comprends pas ce qui se passe, reprit le Dr Dillon, mais pour une raison qui m'échappe, M. Levinson sait que vous êtes là et il a demandé à vous voir. Je ne peux rien vous révéler sur son état de santé, mais je dois vous demander d'écourter votre visite au minimum.

*
* *

Ira paraissait encore plus petit que dans la voiture, comme s'il avait rétréci en quelques heures. Il était allongé dans le lit d'hôpital, la tête légèrement relevée, bouche bée, les joues creuses, les tubes tortueux de l'intraveineuse plantés dans le bras. À côté de son lit, une machine émettait des bips au rythme de son cœur.

– Pas trop longtemps, les prévint le médecin, et Luke hocha la tête avant qu'ils n'entrent dans la chambre.

D'un pas hésitant, Sophia s'approcha du lit. Du coin de l'œil, elle vit Luke prendre une chaise calée contre le mur et la glisser vers elle, avant de se placer à l'écart. Sophia s'assit près du malade et s'avança dans son champ de vision.

– Nous sommes là, Ira, dit-elle en plaçant la lettre sous ses yeux. J'ai votre lettre.

Ira inhala péniblement, et fit lentement rouler sa tête sur l'oreiller. Ses yeux se posèrent sur l'enveloppe, puis sur elle.

– Ruth…

– Oui, dit-elle. La lettre pour Ruth. Je vais la laisser juste à côté de vous, d'accord ?

À ces mots, son regard se focalisa avec perplexité sur quelque chose d'inexistant. Puis son visage se radoucit et se para d'une vague tristesse. Il bougea légèrement la main vers la sienne, et d'instinct elle la serra.

– Ruth, dit-il, les larmes aux yeux. Ma chère Ruth.

– Je suis désolée… je ne suis pas Ruth, dit-elle avec douceur. Je m'appelle Sophia. C'est nous qui vous avons retrouvé aujourd'hui.

Il cligna des yeux, manifestement déconcerté.

– Ruth ?

Sa voix était si suppliante que Sophia en eut la gorge serrée.

– Non, dit-elle avec gentillesse, alors que sa main remontait vers la lettre.

Elle comprit alors ce qu'il cherchait à faire et lui tendit la lettre. Il s'en empara, la souleva aussi difficilement qu'un objet lourd et la fourra dans la main de Sophia. À cet instant, elle remarqua qu'il avait les larmes aux yeux. Il prit la parole avec plus d'assurance, et ses mots furent distincts, pour la première fois.

– Tu veux bien ?

Elle caressa la lettre du bout des doigts.

– Vous voulez que je la lise ? La lettre que vous avez écrite pour votre femme ?

Leurs regards se croisèrent, et une larme roula sur sa joue émaciée.

– S'il te plaît, Ruth. J'aimerais que tu la lises.

Il exhala longuement, comme si ces quelques mots l'avaient épuisé. Sophia consulta Luke du regard, se demandant quoi faire. Luke indiqua la lettre d'un geste.

– Je crois que tu devrais la lire, Ruth, déclara-t-il. Fais ce qu'il te demande. Lis à haute voix pour qu'il t'entende.

Sophia fixa la lettre du regard. Elle était gênée. Ira était perturbé. C'était une lettre personnelle. C'était à Ruth de la lire, pas à elle…

— Je t'en prie, murmura Ira, comme s'il avait lu dans ses pensées.

D'une main tremblante, Sophia examina l'enveloppe avant de soulever le rabat. La lettre tenait sur une seule page, et les mots étaient griffonnés avec autant de gaucherie que sur l'enveloppe. Malgré son incertitude, elle se surprit à rapprocher la lettre de la lumière. Puis, lentement, elle la lut.

*Ruth, ma chérie,*

*Il est tôt, trop tôt, mais comme toujours, il semblerait que je ne parvienne pas à me rendormir. Dehors, le jour se lève, fort de sa splendeur renouvelée, et pourtant toutes mes pensées sont tournées vers le passé. À cette heure silencieuse, je rêve de toi et des années que nous avons passées ensemble. Notre anniversaire approche, chère Ruth, mais ce n'est pas celui que nous célébrons habituellement. Toutefois, il célèbre le moment qui a initié ma vie à tes côtés, et je me tourne vers ton fauteuil, prêt à te le rappeler, bien que je comprenne que tu n'es pas là. Dieu, avec une sagesse que je ne parviens pas à saisir, t'a rappelée à Lui il y a longtemps, et les larmes que j'ai versées cette nuit-là semblent ne pas vouloir sécher.*

Sophia se tut pour regarder Ira, remarquant sa bouche fermée, ses larmes qui ruisselaient dans les crevasses et les rides de son visage. Malgré ses efforts pour s'exprimer posément, sa voix se brisa dès qu'elle poursuivit sa lecture.

*Tu me manques, ce matin, comme tu me manques tous les jours depuis neuf ans. J'en ai assez d'être seul. J'en ai assez de vivre avec l'écho de ton rire, et l'idée de ne plus jamais te prendre dans mes bras me réduit au désespoir. Et pourtant, tu serais contente d'apprendre que lorsque ces idées noires menacent de me submerger, je t'entends me réprimander : « Cesse de te morfondre, Ira. L'homme que j'ai épousé ne se laissait jamais abattre. »*

*Quand je remonte le temps, tant de souvenirs me reviennent en mémoire. Que d'aventures, n'est-ce pas ? Ce sont tes mots, pas les miens, car c'est ainsi que tu aimais résumer notre mariage. C'est ce que tu m'as dit un soir, alors que nous étions couchés l'un à côté de l'autre, c'est ce que tu me disais tous les ans, à Rosh ha-Shana. J'ai toujours décelé un éclat de satisfaction dans tes yeux, chaque fois que tu prononçais cette petite phrase, et c'était ton expression, plus que tes mots, qui m'emplissait le cœur de joie. Avec toi, c'est vrai que ma vie ressemblait à une aventure fantastique. En dépit des circonstances ordinaires, ton amour imprégnait tout ce que nous faisions d'une richesse secrète. Comment j'ai pu avoir la chance de partager ma vie avec toi, je ne le comprends toujours pas.*

*Je t'aime en cet instant comme je t'ai toujours aimée, et je regrette de ne pas pouvoir te le dire en face. Et bien que j'écrive cette lettre en espérant que tu puisses la lire d'une façon ou d'une autre, je sais également qu'une époque touche à sa fin. Ceci, ma chérie, est la dernière lettre que je t'écrirai. Tu sais ce qu'ont dit les docteurs, tu sais que je suis mourant, et que je n'irai pas à Black Mountain en août. Et pourtant, je veux que tu saches que je n'ai pas peur. Mon temps sur terre s'est écoulé et j'attends la suite avec sérénité. Cela ne m'attriste pas. En fait, je me sens paisible à cette idée, et je compte les jours avec soulagement et gratitude. Car chaque jour qui passe me rapproche du moment où je te reverrai.*

*Tu es ma femme, mais surtout, tu as toujours été mon seul et unique amour. Pendant presque trois quarts de siècle, tu as donné un sens à ma vie. À présent, il est temps que je te dise au revoir, et à l'aube de cette transition, je crois que je comprends pourquoi tu as été rappelée. C'était pour me montrer à quel point tu étais spéciale, et à travers cette longue période de deuil, m'apprendre autrement ce qu'aimer signifie. Notre séparation, ai-je fini par comprendre, n'est que temporaire. Quand je considère les profondeurs de l'univers, je sais qu'approche le moment où je pourrai de nouveau te prendre dans mes bras. Après tout, si le paradis existe, nous nous retrouverons, puisqu'il ne peut y avoir de paradis sans toi.*

*Je t'aime,*

*Ira*

\*
\*\*

À travers ses larmes, Sophia vit le visage d'Ira s'illuminer d'une sérénité indescriptible. Soigneusement, elle rangea la lettre dans l'enveloppe. Elle la glissa dans sa main et sentit ses doigts la serrer. Au même instant, le médecin apparut sur le seuil, et Sophia comprit qu'il était temps de partir. Elle se leva et Luke remit la chaise à sa place contre le mur avant de lui prendre la main. La tête d'Ira roula sur l'oreiller, et sa bouche s'ouvrit tandis qu'il paraissait étouffer. Sophia se tourna vers le médecin qui se précipitait déjà vers lui. Après un dernier coup d'œil à la frêle silhouette du vieil homme, Sophia et Luke sortirent dans le couloir pour rentrer chez eux.

# 31

## Luke

Plus le mois de février avançait, plus Sophia se rapprochait de ses examens de fin d'études, et le ranch de sa saisie inévitable. Les récompenses que Luke avait perçues à l'issue des trois premiers concours avaient couvert un mois ou deux de traites en retard, mais à la fin du mois, sa mère alla consulter les voisins sur leur éventuel désir de racheter son domaine.

Sophia commençait à se soucier concrètement de son avenir. Elle n'avait aucune nouvelle de l'Art Museum de Denver ni du MoMA, et craignait de devoir se résoudre à travailler pour ses parents et à réintégrer sa chambre de jeune fille. De son côté, Luke dormait mal. Il redoutait que sa mère ne se voie offrir aucune opportunité dans son milieu et se demandait comment l'aider, le temps qu'elle trouve une solution viable. Cependant, pour l'essentiel, aucun d'eux ne souhaitait évoquer l'avenir. Ils préféraient se concentrer sur le présent, cherchant du réconfort dans la compagnie l'un de l'autre et la certitude de leurs sentiments respectifs. En mars, Sophia avait pris l'habitude d'arriver au ranch le vendredi après-midi pour n'en repartir que le dimanche. Souvent, elle restait aussi la nuit du mercredi. Sauf quand il pleuvait, ils passaient beaucoup de temps à cheval. Sophia assistait généralement Luke aux corvées de la ferme, mais à l'occasion, elle tenait compagnie à sa mère. En résumé, c'était la vie comme il l'avait toujours rêvée… Puis il se souvenait que ça n'allait pas durer et qu'il ne pouvait pas changer le cours des choses.

*
* *

Un soir de la mi-mars, alors que le début du printemps devenait palpable, Luke emmena Sophia écouter un groupe de country dans un club. Assis en face d'elle à une vieille table en bois, il la regarda taper du pied au rythme de la musique, sa bière entre les mains.

– Si tu continues, dit-il en indiquant son pied, je vais finir par croire que tu aimes cette musique.

– J'aime bien cette musique.

Il sourit.

– Tu connais la blague ? Sur ce qui arrive quand on écoute de la country à l'envers ?

Elle avala une gorgée de bière.

– Je ne pense pas, non.

– On récupère sa femme, son chien et son pick-up.

– Très drôle, fit-elle avec un sourire en coin.

– Tu n'as pas ri.

– Ce n'était pas si drôle.

Il pouffa.

– Ça se passe toujours aussi bien avec Marcia ?

Sophia coinça une mèche de cheveux derrière son oreille.

– Au début, on était plutôt mal à l'aise, mais maintenant, c'est presque comme avant.

– Elle sort toujours avec Brian ?

Elle ricana.

– Non, elle a rompu quand elle a découvert qu'il l'avait trompée.

– C'est arrivé quand ?

– Il y a deux semaines, je crois. Peut-être plus.

– Elle était triste ?

— Pas vraiment. Elle aussi avait rencontré quelqu'un d'autre. Il n'est qu'en première année, alors je ne pense pas que ça durera.

Luke gratta distraitement l'étiquette de sa bouteille de bière.

— Intéressante, cette fille.

— Elle a bon cœur, insista Sophia.

— Et tu ne lui en veux pas de ce qu'elle t'a fait ?

— Je lui en ai voulu, mais c'est passé.

— Comme ça, d'un coup ?

— Elle a commis une erreur. Elle n'a pas voulu me faire de mal. Elle s'est excusée un million de fois. Alors, oui, c'est passé. Je n'y pense plus.

— Tu crois que vous allez rester en contact ? Quand vous aurez quitté la fac ?

— Bien sûr. Elle reste ma meilleure amie. Tu devrais apprendre à l'apprécier, toi aussi.

— Comment ça ?

Il haussa les sourcils.

— Parce que sans elle, dit-elle, je ne t'aurais jamais rencontré.

*
* *

Quelques jours plus tard, Luke accompagna sa mère à la banque pour proposer de renégocier les traites de façon à leur permettre de garder le ranch. Sa mère présenta un budget prévisionnel qui impliquait de vendre la moitié du domaine, dont la sapinière, le champ de citrouilles et l'un des prés, si toutefois un acheteur se présentait. Ils avaient réduit leur cheptel d'un tiers, mais d'après ses calculs, ils parviendraient à couvrir les remboursements en les étalant.

Trois jours plus tard, la banque rejeta officiellement leur proposition.

*
* *

Un vendredi soir, à la fin du mois, Sophia arriva au ranch, visiblement bouleversée. Ses yeux étaient rougis et gonflés, son dos voûté sous le poids du désespoir. Luke l'enlaça dès qu'elle posa le pied sous le porche.

– Qu'est-ce qui ne va pas ?

Il l'entendit renifler, puis dire d'une voix tremblante :

– Je n'en pouvais plus d'attendre, alors j'ai appelé le musée de Denver pour savoir s'ils avaient eu le temps d'étudier ma candidature. Ils m'ont expliqué qu'ils l'avaient lue, mais qu'ils avaient choisi un autre stagiaire. Et j'ai obtenu la même réponse au MoMA.

– Je suis désolé, dit-il en la berçant. Je sais à quel point tu espérais obtenir l'un de ces deux postes.

Finalement, elle se dégagea de son étreinte et révéla son visage creusé par l'anxiété.

– Que vais-je devenir ? Je n'ai pas envie de retourner chez mes parents. Je ne veux plus travailler à l'épicerie.

Il fut sur le point de lui répondre qu'elle pouvait rester avec lui aussi longtemps qu'elle le souhaiterait, mais se rappela brusquement que ce n'était pas possible.

*

\* \*

Début avril, Luke aperçut sa mère qui faisait visiter le ranch à trois messieurs. Il reconnut l'un d'eux, un exploitant de la région de Durham, avec qui il avait échangé quelques paroles une fois ou deux sur des foires aux bestiaux, et qui lui avait fait mauvaise impression. Toutefois, même de loin, il était évident que sa mère n'y prêtait pas grande attention. De plus, Luke ne pouvait dire si son aversion pour l'homme était personnelle ou simplement due au fait que la perte du ranch se concrétisait. Les deux autres visiteurs qui l'accompagnaient devaient être de sa famille ou des associés.

Ce soir-là, au cours du dîner, sa mère n'évoqua pas leur venue. Et il ne souleva pas la question.

Bien que Luke n'ait participé qu'à trois des sept premiers tournois de l'année, il avait cumulé suffisamment de points pour terminer en cinquième position, et assez pour passer en première ligue. Le week-end suivant, à Chicago, ils avaient mis en jeu une somme qui lui aurait permis de garder le ranch jusqu'à la fin de l'année, si toutefois il avait monté aussi bien qu'en début de saison.

Mais au lieu de s'y rendre, il tint parole. Le taureau mécanique dans la grange ne servit pas, et un autre cow-boy prendrait sa place sur la grande tournée, rêvant sans doute de tout rafler.

— Tu regrettes de ne pas concourir ce week-end ? lui demanda Sophia.

Sur un coup de tête, ils étaient allés à Atlantic Beach, sous un ciel bleu sans nuage. Au bord de l'eau, le vent était frais et la plage truffée de promeneurs et de gens manœuvrant des cerfs-volants ; quelques surfeurs intrépides affrontaient les longs rouleaux qui s'abattaient sur la rive.

— Pas du tout, répondit-il sans aucune hésitation.

Ils firent quelques pas, les pieds de Luke glissant sur le sable.

— Je parie que tu aurais été bon.

— Probablement.

— Tu crois que tu aurais gagné ?

Luke prit le temps de réfléchir, les yeux fixés sur deux marsouins qui glissaient sur les flots.

— Peut-être, répondit-il finalement. Et peut-être pas. Il y a beaucoup de cow-boys talentueux dans le circuit.

Sophia s'immobilisa pour lever les yeux vers Luke.

— Je viens de réaliser quelque chose.

– Quoi donc ?

– Quand tu es allé en Caroline du Sud, tu m'as dit que tu étais tombé sur Big Ugly Critter, en finale.

Il hocha la tête.

– Tu ne m'as jamais raconté ce qui s'était passé.

– Non, dit-il sans quitter les marsouins des yeux. Je crois bien que non.

*
* *

Une semaine plus tard, les trois hommes qui avaient visité le ranch revinrent et passèrent une demi-heure dans la cuisine avec sa mère. Luke supposa qu'ils étaient venus faire une offre, mais n'eut pas le cœur d'aller aux nouvelles. Il préféra attendre qu'ils soient partis. En entrant, il trouva sa mère assise à la table de la cuisine.

Elle leva les yeux vers lui sans dire un mot.

Puis elle secoua simplement la tête.

*
* *

– Que fais-tu vendredi ? demanda Sophia. Pas demain, mais le vendredi suivant ?

C'était un jeudi soir, à un mois de la remise des diplômes, la première et probablement la dernière fois que Luke se retrouvait dans un club, cerné par un troupeau de filles de la sororité. Marcia était présente, et bien qu'elle l'ait salué, elle était plus intéressée par un brun qui s'était joint à eux. Lui et Sophia devaient quasiment hurler pour couvrir les basses ininterrompues.

– Je ne sais pas. Je travaille, répondit-il. Pourquoi ?

– Parce que le directeur du département, qui est également mon référent, m'a obtenu des invitations pour une vente aux enchères d'œuvres d'art, et j'aimerais que tu viennes avec moi.

Il se pencha par-dessus la table.

– Tu as bien parlé d'une vente d'œuvres d'art ?

– Ça va être incroyable, un événement unique. La vente aura lieu dans la salle des congrès de Greensboro, et sera dirigée par l'une des grosses maisons de vente aux enchères de New York. Apparemment, un obscur habitant de Caroline du Nord a accumulé une collection d'art moderne d'envergure mondiale. Les gens vont venir de tous les continents pour assister à cet événement. Certaines œuvres valent une fortune.

– Et tu as envie d'y aller ?

– Quand même ! C'est de l'art ! Tu sais à quand remonte la dernière grosse vente aux enchères dans la région ? Jamais.

– Ça va durer combien de temps ?

– Aucune idée. Je n'ai jamais assisté à ce genre de manifestation, mais j'aime autant te dire que je vais y aller. Et ça me ferait plaisir que tu m'y accompagnes. Sinon, je vais être coincée avec mon professeur, et je crois savoir qu'il sera accompagné d'un autre enseignant du département, ce qui veut dire qu'ils vont passer leur temps à parler entre eux. Et disons simplement que si ça se passe de cette façon, je serai de mauvaise humeur et devrai passer le week-end au foyer, le temps de m'en remettre.

– Si je ne te connaissais pas aussi bien, je te soupçonnerais de me menacer.

– Je ne te menace pas. C'est juste… une information à ranger dans un coin de ta tête.

– Et si je refuse, malgré tout ?

– Alors, tu risques d'avoir de sérieux problèmes.

Il sourit.

– Si c'est important pour toi, je ne manquerai cela pour rien au monde.

\*
\* \*

Étonné de ne pas s'en être aperçu plus tôt, Luke constata que le matin, il démarrait sa journée de travail en traînant les pieds. Il négligeait les tâches d'entretien général, non pas parce que ce n'était pas important, mais, comprit-il, parce que sa motivation s'étiolait. À quoi bon remplacer la rampe détériorée sous le porche de sa mère ? À quoi bon combler le gouffre qui s'était formé sous la pompe d'irrigation ? À quoi bon reboucher les nids-de-poule qui s'étaient creusés pendant l'hiver ? Pourquoi continuer à travailler, alors qu'ils ne vivraient bientôt plus ici ?

Il avait cru que sa mère était immunisée contre ce genre de sentiment, qu'elle jouissait d'une force dont il n'avait pas hérité, mais quand il était sorti pour contrôler le bétail dans la matinée, un coin du domaine avait attiré son attention, et il avait arrêté Cheval.

Le potager avait toujours été une source de fierté pour elle. Même petit, il se souvenait de l'avoir vue le préparer aux semences de printemps ou le désherber avec minutie pendant l'été, pour récolter les légumes au terme d'une longue journée. Mais à cet instant, quand il avait survolé du regard ce qui aurait dû être des rangées droites et impeccables, il n'avait vu qu'un bout de terrain envahi par les mauvaises herbes.

*
* *

— Au fait, à propos de vendredi, dit Sophia dans le lit, en roulant sur le côté pour faire face à Luke. N'oublie pas qu'il s'agit d'une vente d'œuvres d'art.

Elle avait lieu dans deux jours, et elle s'efforçait de lui faire partager son enthousiasme.

— Oui, tu me l'as déjà dit.

— Plein de riches. De gens importants.

— Compris.

— C'est juste pour m'assurer que tu ne viennes pas avec ton chapeau et tes bottes.

— Je m'en doute.

— Il va te falloir un costume.

– J'ai un costume, dit-il. Et beau, en plus.

– Tu as un costume ? s'exclama-t-elle en haussant les sourcils.

– Ça t'étonne ?

– Je t'imagine mal en costume. Je te vois toujours en jean.

– Ce n'est pas vrai, dit-il avec un clin d'œil. Je ne suis pas en jean, là.

– Arrête de penser à ça un moment, dit-elle pour éviter de s'attarder sur le sujet. Tu sais bien que ce n'est pas ce que je voulais dire.

Il éclata de rire.

– J'ai acheté un costume il y a deux ans. Et aussi une cravate, une chemise et des mocassins, si tu veux tout savoir. J'étais de mariage.

– Et tu ne l'as plus jamais sorti du placard.

– Faux, se défendit-il en secouant la tête. Je l'ai remis par la suite.

– Un autre mariage ?

– Un enterrement, répondit-il. Un ami de ma mère.

– Je m'en doutais, dit-elle en se levant. (Elle s'empara du dessus-de-lit, le drapa autour d'elle et en coinça le bout sous le repli du tissu.) J'aimerais le voir. Tu l'as rangé dans ton placard ?

– Dans la penderie, à droite… indiqua-t-il en admirant ses formes moulées dans sa toge improvisée.

Elle ouvrit la porte du placard, délogea le cintre et prit le temps d'inspecter l'ensemble.

– C'est vrai, commenta-t-elle. C'est un beau costume.

– Voilà que tu reprends cet air surpris.

Tenant le costume à bout de bras, elle tourna la tête vers lui.

– Qui ne le serait pas ?

*
\* \*

Dans la matinée, Sophia retourna au campus, tandis que Luke partit examiner le bétail à cheval. Ils avaient prévu qu'il passe la prendre le lendemain. Mais, ce qui le surprit, il la trouva assise sous son porche quand il rentra dans l'après-midi.

Elle tenait un journal entre les mains, et quand elle leva le nez, son air hagard le choqua.

– Qu'est-ce qui ne va pas ? demanda-t-il.

– C'est Ira. Ira Levinson.

Il lui fallut une seconde pour resituer ce nom.

– L'homme que nous avons sauvé ?

Elle lui tendit le quotidien.

– Lis ça.

Il lui prit les pages des mains et découvrit un titre qui évoquait la vente aux enchères du lendemain. Luke fronça les sourcils, perplexe.

– C'est un article sur la vente.

– La collection appartient à Ira, dit-elle.

*
* *

L'article était assez complet. S'il contenait peu de détails d'ordre personnel, il apprit qu'Ira avait été commerçant et à quelle date il s'était marié avec Ruth. Il était précisé que Ruth avait été institutrice, et qu'ils avaient commencé à acquérir des œuvres d'art dès la fin de la Seconde Guerre mondiale. Ils n'avaient pas eu d'enfants.

La suite de l'article se concentrait sur la vente et les œuvres qui allaient être proposées aux enchères, dont la plupart n'évoquaient rien à Luke. Toutefois, la dernière phrase le pétrifia et le bouleversa autant que Sophia.

Elle serra les lèvres au moment où Luke arrivait à la fin de l'article.

– Il n'est jamais sorti de l'hôpital, murmura-t-elle d'une voix faible. Il est mort de ses blessures le lendemain du jour où nous l'avons trouvé.

Luke leva les yeux vers le ciel et les ferma un moment. Il n'y avait rien à dire.

– Nous sommes les dernières personnes à l'avoir vu, dit-elle. Ce n'est pas précisé, mais je le sais. Sa femme est morte, ils n'ont pas eu d'enfants et il vivait en ermite. Il est mort seul, et cette idée me brise le cœur. Parce que...

Voyant qu'elle était incapable de terminer sa phrase, Luke la prit dans ses bras, songeant à la lettre qu'Ira avait écrite à sa femme.

– Je comprends pourquoi, dit Luke. Parce que ça me brise le cœur, à moi aussi.

# 32

## Sophia

Le jour de la vente aux enchères, Sophia venait de mettre ses boucles d'oreilles quand elle vit le pick-up de Luke se garer devant la maison. Bien qu'elle ait taquiné le garçon sur le fait qu'il ne possédait qu'une seule tenue habillée, en vérité, elle n'en avait que deux, des jupes à hauteur de genoux avec vestes assorties. Et elle les avait achetées pour paraître élégante lors de ses futurs entretiens d'embauche. Sur le moment, elle avait craint que deux ne suffisent pas, tant sa liste de rendez-vous serait longue. Cela lui évoqua un vieux proverbe… Que disait-il au juste ? Quand les gens font des projets, Dieu se marre, peut-être ?

Dans les faits, elle les avait portées une fois chacune. Sachant que le costume de Luke était de couleur sombre, elle avait opté pour le plus clair des deux tailleurs. Alors que l'idée d'assister à cette vente l'enchantait depuis qu'elle avait reçu l'invitation, à présent elle éprouvait quelque réticence. Lorsqu'elle avait découvert que la collection avait appartenu à Ira, l'événement avait pris une tournure plus personnelle, et elle craignait que chaque tableau ne lui rappelle son visage à l'hôpital, au moment où elle lui avait lu la lettre. D'un autre côté, si elle annulait cette sortie, elle aurait le sentiment de lui manquer de respect, puisque la collection leur était si chère, à lui et à son épouse. C'est dans cet état d'esprit contradictoire qu'elle sortit de sa chambre et descendit au rez-de-chaussée.

Luke l'attendait dans l'entrée.

— Tu es prête ?

— Je crois, avança-t-elle prudemment, mais ce n'est plus pareil, maintenant.

— Je comprends, j'ai passé la nuit à penser à Ira.

— Moi aussi.

Il s'efforça de sourire, sans grande conviction.

— Mais tu es splendide. Une vraie dame.

— Toi aussi, tu es très élégant, dit-elle sincèrement.

— Pourquoi ai-je l'impression d'aller à un enterrement ?

— Parce que, d'une certaine façon, c'est le cas.

*
* *

Ils pénétrèrent dans l'une des immenses salles d'exposition du Centre des congrès, une heure avant midi. L'atmosphère la surprit. Dans le fond de la salle, une scène apparaissait entre des rideaux tirés sur trois côtés. À droite, deux longues tables disposées sur des estrades surélevées accueillaient dix téléphones chacune. De l'autre côté se trouvait le podium, certainement la place du commissaire-priseur. Un écran occupait tout l'arrière-plan de la scène, et sur le devant était posé un chevalet vide. Approximativement trois cents chaises étaient installées face à la scène, en éventail, afin que tous les enchérisseurs disposent d'une vue dégagée sur les pièces présentées.

La salle était bondée, mais peu de personnes étaient assises. Les visiteurs préféraient faire le tour de la pièce et examiner des photos des œuvres les plus prisées. Ces reproductions étaient placées sur des chevalets le long des murs, accompagnées d'une note sur l'artiste, des prix atteints par des tableaux du même artiste dans d'autres ventes, ainsi que de sa valeur estimée. Certains s'étaient regroupés autour des quatre podiums, de part et d'autre de l'entrée, où s'empilaient les catalogues décrivant l'intégralité de la collection.

Sophia parcourut la pièce, Luke à ses côtés, se sentant vague-ment étourdie. Pas seulement parce que tout avait appartenu à Ira, mais à cause de la collection elle-même. Elle comprenait des créations de Picasso, Warhol, Johns et Pollock, Rauschen-berg et De Kooning, exposées côte à côte. Certaines pièces lui étaient totalement inconnues. Les rumeurs sur leur valeur n'avaient rien d'exagéré ; elle resta bouchée bée devant cer-taines estimations, et dès qu'elle passa à la série suivante, elle s'aperçut que les prix étaient encore plus élevés. Durant toute sa déambulation, elle tenta d'associer ces sommes à Ira, le vieil homme tendre qui, jusqu'au bout, avait écrit sur l'amour qu'il continuait d'éprouver pour sa femme.

Luke sembla partager ses pensées, car il lui prit la main en murmurant :

— Dans sa lettre, il ne parlait pas de tout ça.

— Peut-être que rien de tout cela ne comptait pour lui, dit-elle, déconcertée. Mais comment est-ce possible ?

Comme Luke ne trouvait pas de réponse, elle lui serra la main.

— Je regrette qu'on ne l'ait pas plus aidé.

— Je ne sais pas ce qu'on aurait pu faire de plus.

— Mais quand même…

Il la scruta de ses yeux bleus.

— Tu as lu la lettre, dit-il. C'était son souhait. Et je crois que c'est pour cette raison que nous étions destinés à croiser sa route. Qui d'autre aurait patienté aux urgences ?

Quand il fut demandé à tous de prendre place, Luke et Sophia trouvèrent deux chaises vides dans la rangée du fond. De là, il était quasiment impossible de distinguer le chevalet, ce qui déçut Sophia. Elle aurait adoré voir certains tableaux de près, mais elle savait que ces places étaient réservées aux ache-teurs potentiels, et préférait éviter qu'on lui tape sur l'épaule pour lui demander de céder sa chaise. Après quelques minutes, des employés en uniformes s'installèrent derrière les télé-phones sur les tables surélevées, et lentement mais sûrement, les plafonniers furent éteints au profit d'une série de spots sur-plombant la scène.

Sophia balaya la foule du regard et reconnut ses deux professeurs d'histoire de l'art, dont son référent. Alors qu'une heure sonnait, le calme s'installa et les murmures cessèrent dès qu'un homme aux cheveux argentés, portant un costume luxueux, apparut sur le podium. Dans ses mains, il tenait un dossier qu'il ouvrit devant lui avant de sortir ses lunettes de vue de sa poche de poitrine. Il les cala sur son nez tout en ajustant ses feuilles au carré.

– Mesdames et messieurs, j'aimerais vous remercier d'être venus aussi nombreux assister à la vente aux enchères de l'extraordinaire collection d'Ira et Ruth Levinson. Comme vous le savez, notre cabinet n'a pas pour habitude d'organiser ce genre d'événement à l'extérieur de nos bureaux, mais dans ce cas, M. Levinson ne m'a pas laissé le choix. De la même façon, il est peu orthodoxe de rester vague sur les conditions d'une vente, comme c'est le cas aujourd'hui. Pour commencer, j'aimerais expliquer les règles relatives aux enchères. Sous chacun des sièges, vous trouverez une plaque numérotée, et…

Il poursuivit la description de la procédure à suivre, mais, ses pensées la ramenant sans cesse à Ira, Sophia ne retint rien. Elle entendit vaguement la liste de ceux qui avaient choisi d'assister à la vente – des conservateurs du Whitney, du MoMa, de la Tate et de musées étrangers. Elle en conclut que la plupart des gens présents représentaient des collectionneurs privés ou des galeries, et espéraient mettre la main sur une œuvre d'une grande rareté.

Après avoir insisté sur la marche à suivre et remercié des individus et des institutions, l'homme aux cheveux argentés retrouva toute l'attention du public.

– À présent, j'ai l'honneur de vous présenter Howie Sanders. M. Sanders a été l'avocat d'Ira Levinson pendant de nombreuses années et a préparé quelques commentaires dont il souhaite vous faire part.

Sanders apparut, un vieil homme voûté. Son costume noir en lainage semblait trop grand pour sa frêle silhouette.

Lentement, il traversa le podium. Puis il s'éclaircit la voix avant de démarrer son discours avec une vigueur et une clarté remarquables.

– Nous sommes rassemblés ici pour participer à un événement extraordinaire. Après tout, il est très rare qu'une collection de cette envergure reste secrète pendant aussi longtemps. Jusqu'à il y a six ans, je crois que peu des personnes présentes dans cette salle avaient connaissance de son existence. Les circonstances de sa formation – la genèse, pour ainsi dire – ont été décrites dans un article, et pourtant je dois admettre que même moi, qui ai été l'avocat d'Ira Levinson pendant quarante ans, j'ai été stupéfait par l'importance culturelle et la valeur de ces œuvres.

Il se tut, le temps de balayer le public du regard, puis reprit :

– Mais ce n'est pas pour cette raison que je suis ici. Je suis ici parce que Ira a été très explicite dans ses instructions relatives à la vente et qu'il m'a demandé de vous dire quelques mots à tous. Je dois avouer que j'aurais préféré ne pas avoir à jouer ce rôle. Bien que je sois à l'aise au tribunal ou dans l'intimité de mon bureau, il m'arrive rarement de m'adresser à un public de cet ordre, et nombre d'entre vous se sont vu confier la responsabilité de réserver une œuvre précise pour un client ou une institution, à un prix qui dépasse mon entendement. Toutefois, puisque mon ami Ira m'a prié de prendre la parole, je me retrouve dans cette situation peu enviable.

Quelques gloussements de sympathie jaillirent du public.

– Que puis-je vous dire d'Ira ? Que c'était un homme bon ? Un homme honnête et consciencieux ? Qu'il adorait sa femme ? Ou dois-je plutôt évoquer son commerce et la sagesse paisible qui émanait de lui ? Je me suis posé toutes ces questions afin de mieux cerner ce qu'Ira souhaitait m'entendre dire. Qu'aurait-il dit si c'était lui, et pas moi, qui se tenait devant vous ? Ira, je crois, vous aurait dit cela : « Je veux que chacun de vous comprenne. »

Il fit suivre sa déclaration d'un moment de silence, pour s'assurer de l'attention de tous.

– Je suis tombé sur une admirable citation, reprit-il. Elle est attribuée à Pablo Picasso, et comme vous avez dû vous en rendre compte, c'est le seul artiste étranger de toute la vente aux enchères. Il y a des années, Picasso a déclaré : « Nous savons tous que l'art n'est pas la vérité. L'art est un mensonge qui nous fait comprendre la vérité, du moins la vérité qu'il nous est donné de comprendre. »

Il releva la tête vers l'assistance, et sa voix s'adoucit.

– « L'art est un mensonge qui nous fait comprendre la vérité, du moins la vérité qu'il nous est donné de comprendre », répéta-t-il. J'aimerais que vous méditiez sur cette phrase.

Il scruta l'auditorium du regard et observa la réaction de la foule silencieuse.

– Je trouve cette déclaration profonde à plusieurs égards. À l'évidence, elle s'applique au regard que vous allez porter sur les œuvres que vous allez examiner ici aujourd'hui. Après réflexion, je me demande tout de même si Picasso ne parlait que de l'Art, ou s'il souhaitait aussi nous inviter à considérer notre propre vie à travers ce prisme. Qu'a-t-il voulu suggérer ? Pour moi, il voulait dire que la réalité est modelée par la perception. Que si une chose est bonne ou mauvaise, c'est uniquement parce que nous – vous et moi – la percevons comme telle en nous fondant sur nos expériences personnelles. Et pourtant, Picasso précise que c'est un mensonge. « Autrement dit, nos opinions, nos pensées et nos émotions – tout ce qui compose notre expérience – ne sauraient nous définir pour l'éternité. » Je suis conscient que pour certains d'entre vous, j'ai l'air de divaguer en tenant un discours sur le relativisme moral, tandis que pour les autres, je ne suis qu'un vieil homme qui déraille…

À ces mots, le public éclata de rire.

– Mais je suis ici pour vous dire qu'Ira aurait apprécié cette citation. Ira croyait au bien et au mal, à la justice et à l'injustice, à l'amour et à la haine. Il a grandi dans un monde, à une époque où la destruction et la haine étaient visibles à l'échelle planétaire. Et pourtant, cela n'a jamais influencé Ira, ni lui ni l'homme qu'il s'appliquait à être au quotidien. Aujourd'hui, j'ai envie de considérer cette vente aux enchères comme une sorte de mémorial à tout ce qui avait de l'importance à ses yeux. Mais plus que tout, j'espère que vous comprendrez.

*

* *

Sophia se demandait ce qu'elle devait retenir du discours de Sanders, et en regardant autour d'elle, elle s'aperçut qu'elle n'était pas la seule dans ce cas. Pendant son intervention, elle avait remarqué que des gens tapotaient le clavier de leur téléphone et que d'autres consultaient le catalogue.

Il y eut une brève pause, pendant laquelle l'homme aux cheveux argentés s'entretint avec Sanders, puis le commissaire-priseur reprit place sur le podium. Il chaussa ses lunettes et se racla la gorge.

— Comme la plupart d'entre vous le savent, la vente va s'étaler sur plusieurs séances, dont la première a lieu aujourd'hui. Nous ne sommes pas encore en mesure d'estimer la durée de chaque session, puisque la suite sera déterminée par ce qui sera accompli aujourd'hui. Et maintenant, je sais que vous êtes nombreux à attendre de connaître les modalités de la vente aux enchères à proprement parler.

La foule se pencha en avant à l'unisson, lui accordant toute son attention.

— Les conditions de vente, je le répète, ont été définies par le client. Le contrat est assez précis sur un certain nombre de… détails inhabituels, dont l'ordre dans lequel les pièces seront proposées aujourd'hui. Conformément aux instructions que vous avez tous reçues préalablement, trente minutes vous sont accordées pour discuter de l'ordre d'achat avec vos clients. Pour mémoire, vous trouverez une liste des œuvres qui seront assurément mises en vente aujourd'hui, de la page trente-quatre à la page quatre-vingt-seize. Leurs photographies sont également exposées au mur. De plus, l'ordre des mises en vente apparaîtra sur l'écran.

421

Des gens se levèrent en s'emparant de leurs téléphones ; d'autres discutèrent entre eux. Luke se pencha vers Sophia pour lui murmurer à l'oreille :

— Si je comprends bien, personne ne connaît l'ordre des mises en vente ? Et si quelqu'un en veut une qui n'arrive qu'à la fin ? Il va passer des heures ici ?

— Pour une occasion aussi rare, n'importe qui serait prêt à patienter jusqu'à la fin des temps.

Il indiqua les chevalets alignés contre le mur.

— Alors, laquelle veux-tu ? Il se trouve que j'ai quelques centaines de dollars dans mon portefeuille, et une plaque numérotée sous mon siège. Le Picasso ? Le Jackson Pollock ? L'un des Warhol ?

— Si seulement.

— Penses-tu que les prix de vente atteindront les estimations ?

— Je n'en ai aucune idée, mais je suis sûre que la maison des ventes sait ce qu'elle fait. On devrait s'en approcher.

— Plusieurs de ces tableaux valent vingt ranchs comme le mien.

— Je le sais, compris ?

— C'est dingue.

— Possible, admit-elle.

Il tourna la tête de tous côtés pour observer la salle.

— Je me demande ce qu'Ira aurait pensé de tout ça.

Elle se remémora le vieil homme à l'hôpital, et la lettre dans laquelle il n'était fait aucune allusion à l'art.

— Je me demande, dit-elle, s'il ne s'en ficherait pas complètement.

*
* *

À la fin de la pause, alors que chacun reprenait sa place, l'homme aux cheveux argentés traversa la scène. Au même instant, deux assistants apportèrent avec précaution une peinture protégée. Si Sophia s'était attendue à un enthousiasme palpable au moment où les enchères débuteraient, en balayant la salle du regard, elle s'aperçut que rares étaient ceux qui manifestaient un quelconque intérêt. Ils recommencèrent à jouer avec l'écran de leurs téléphones tandis que le présentateur préparait son introduction. Elle savait que la première œuvre majeure, l'un des De Kooning, était programmée pour passer en deuxième, et le Jasper Johns en sixième position. Entre les deux, il s'agissait d'artistes que Sophia avait eu plus de mal à identifier, et la première devait en faire partie.

— Pour commencer, une peinture qui se trouve en page trente-quatre du catalogue. Il s'agit d'une huile sur toile de soixante sur soixante-quinze centimètres, que Levinson, et pas l'artiste, a intitulée *Portrait de Ruth*, qui était, comme vous le savez sûrement, l'épouse d'Ira Levinson.

Dès que la peinture fut révélée, Sophia et Luke se concentrèrent sur le chevalet. En fond, la peinture était projetée sur grand écran. Malgré son manque d'expérience, Sophia reconnut l'œuvre d'un enfant.

— Elle a été réalisée par un Américain, Daniel McCallum, né en 1953 et mort en 1986. La date exacte de sa création est inconnue, bien qu'on puisse la situer entre 1965 et 1967. D'après la description d'Ira Levinson, Daniel fut l'élève de Ruth, et cette toile a été offerte à M. Levinson par la veuve McCallum en 2002.

Pendant la présentation, Sophia se leva pour mieux la voir. Même de loin, elle reconnut le travail d'un amateur, mais après avoir lu la lettre, elle s'était demandé à quoi ressemblait Ruth. Malgré le rendu grossier, Ruth paraissait belle et il émanait d'elle une tendresse qui lui fit penser à Ira. Le commissaire-priseur reprit :

— On ne sait pas grand-chose d'autre sur l'artiste, et à notre connaissance, il n'a produit aucune autre œuvre. Pour ceux qui n'ont pas eu la possibilité de découvrir ce tableau hier, il vous est possible de vous rapprocher de la scène pour l'examiner. Les enchères débuteront dans cinq minutes.

Personne ne bougea, ce qui n'étonna pas Sophia. Au lieu de ça, des conversations s'engagèrent, certains bavardant tranquillement tandis que d'autres réprimaient leur impatience en silence dans l'attente de l'œuvre suivante. Quand la vente aux enchères commencerait vraiment.

Les cinq minutes s'écoulèrent lentement. Sur le podium, le crieur ne manifesta aucune surprise. Au contraire, il parcourait les feuilles placées sous ses yeux, ne semblant pas plus intéressé que son auditoire. Même Luke avait l'air détaché, ce qui la surprit, étant donné qu'il avait assisté à sa lecture de la lettre d'Ira.

Quand le temps fut écoulé, le commissaire-priseur réclama le silence.

— *Portrait de Ruth,* de Daniel McCallum. L'enchère va commencer à mille dollars, annonça-t-il. Mille. Mille, quelqu'un ?

Personne ne bougea. Sur le podium, l'homme aux cheveux argentés ne manifesta aucune réaction.

— Neuf cent, quelqu'un ? J'aimerais souligner que c'est l'occasion d'acquérir une pièce de la plus grande collection privée jamais réunie.

Rien.

— Huit cents ? Quelqu'un ?

Puis, après quelques secondes :

— Sept cents ? Quelqu'un… Six cents ?

À chaque baisse, Sophia se sentait flancher. Ce n'était pas normal, en un sens. Elle repensa à la lettre qu'Ira avait écrite à Ruth, celle dans laquelle il exprimait tout ce qu'elle représentait pour lui.

— J'annonce cinq cents… Quatre cents ?

À cet instant, du coin de l'œil, elle vit Luke brandir sa plaque numérotée.

— Quatre cents dollars, cria-t-il, sa voix se répercutant contre les murs.

Quelques têtes se tournèrent vers lui, mais avec une curiosité mitigée.

— Quatre cents dollars par ici. Quatre cents. Quelqu'un à quatre cent cinquante ?

La salle resta muette. Sophia eut le tournis.

— Une fois, deux fois, adjugé vendu.

Une jolie brune vint trouver Luke, une écritoire à pince à la main, et nota son nom avant d'expliquer qu'il devait régler son achat sur-le-champ. Elle demanda ses coordonnées bancaires ou le formulaire qu'il avait rempli à l'arrivée.

— Je n'ai pas rempli de formulaire, dit-il d'une voix hésitante.

— Comment souhaitez-vous régler ?

— Vous prenez de l'argent liquide ?

La jeune femme sourit.

— Ça ira très bien, monsieur. Veuillez me suivre.

Luke disparut à sa suite et revint quelques minutes plus tard, un reçu à la main. Il s'assit à côté de Sophia, un sourire satisfait sur les lèvres.

— Qu'est-ce qu'il y a ? demanda-t-elle.

— Je serais prêt à parier que cette peinture était celle qu'Ira aimait le plus, dit-il en haussant les épaules. C'était la première mise en vente. Et puis il aimait sa femme et c'est un portrait d'elle. Ça m'ennuyait que personne n'en veuille.

Elle prit le temps de réfléchir.

— Si je ne te connaissais pas, je croirais que tu deviens romantique.

— Je crois, dit-il lentement, que c'était Ira le romantique. Je ne suis qu'un monteur de taureaux à la retraite.

— Tu n'es pas que ça, dit-elle en lui donnant un coup de coude. Où allons-nous l'accrocher ?

— Je ne sais pas si c'est important. D'autant plus que je ne sais même pas où je serai dans quelques mois.

Avant qu'elle ne puisse répondre, elle entendit le marteau retentir, annonçant que le commissaire-priseur allait reprendre.

— Mesdames et messieurs, à ce stade, et avant que nous ne poursuivions, conformément aux conditions définies pour cette vente aux enchères, Howie Sanders souhaite vous lire une lettre d'Ira Levinson, les propres mots d'Ira concernant l'achat de cette pièce.

Sanders surgit de derrière le rideau, flottant dans son costume mal ajusté, une enveloppe entre les mains. L'homme aux cheveux argentés le devança pour lui faire de la place au micro.

Sanders ouvrit l'enveloppe à l'aide d'un coupe-papier et sortit la lettre. Il prit son souffle, puis la déplia avec soin. Il survola la pièce du regard et but une gorgée d'eau. Il redevint grave, avant de se lancer dans sa lecture, comme un acteur se préparant à une scène dramatique.

*Je m'appelle Ira Levinson, et aujourd'hui, vous allez entendre le récit de mon histoire d'amour. Ce n'est pas ce que vous imaginez. Ce n'est pas une histoire de héros et de méchants, ce n'est pas une histoire de princes charmants et de princesses en devenir. Non, c'est l'histoire d'un homme simple qui s'appelle Ira et qui rencontre une femme extraordinaire qui s'appelle Ruth. Nous nous sommes rencontrés jeunes et sommes tombés amoureux ; un peu plus tard, nous nous sommes mariés et avons fait notre vie ensemble. C'est une histoire comme tant d'autres, sauf que Ruth avait l'œil pour l'art, alors que je n'avais d'yeux que pour elle, et finalement, ça a suffi à créer la collection qui est devenue inestimable à nos yeux. Pour Ruth, l'art était une question de beauté et de talent ; pour moi, l'art n'était qu'un simple reflet de Ruth, et de cette façon nous avons rempli notre maison et mené une vie de couple longue et heureuse. Et puis, bien trop tôt, tout s'est arrêté et je me suis retrouvé seul dans un monde brusquement dénué de sens.*

Sanders se tut, le temps d'essuyer ses larmes, et à la surprise de Sophia, sa voix se brisa. Il toussota et Sophia se pencha en avant, soudain intéressée par son discours.

*C'était injuste pour moi. Sans Ruth, je n'avais aucune raison de continuer à vivre. Et puis il s'est produit un miracle. Un portrait de ma femme est arrivé, un cadeau inattendu, et quand je l'ai accroché au mur, j'ai eu l'étrange sentiment que Ruth veillait de nouveau sur moi. M'aidait. Me guidait.*

*Et peu à peu, j'ai retrouvé les souvenirs de ma vie à ses côtés, des souvenirs rattachés à chaque pièce de notre collection. Pour moi, ces souvenirs ont toujours eu plus de valeur que l'art. Il ne m'est pas possible de les transmettre, et pourtant – puisque l'art était à elle et les souvenirs à moi – qu'étais-je censé faire de la collection ? Je comprenais ce dilemme, mais pas la loi, et pendant longtemps, je n'ai pu me décider. Sans Ruth, après tout, je n'étais rien. Je l'ai aimée dès l'instant où je l'ai vue pour la première fois, et bien que je ne sois plus là, je dois vous dire que je l'ai aimée jusqu'à mon dernier souffle. Mais je tiens surtout à ce que vous compreniez cette vérité simple : bien que l'art soit beau et d'une valeur quasi démesurée, j'aurais troqué toutes ces œuvres contre un seul jour de plus auprès de la femme que j'ai toujours adorée.*

Sanders scruta la foule du regard. Dans leurs sièges, les spectateurs s'étaient immobilisés.

Quelque chose se passait, quelque chose d'extraordinaire. Sanders sembla s'en rendre compte et parut s'étouffer, peut-être en anticipant la suite. Il porta son index dressé devant sa bouche.

– *Un seul jour de plus*, répéta Sanders en faisant suivre ces mots d'un moment de silence.

*Mais que puis-je faire pour vous convaincre que je suis capable d'un tel acte ? Comment puis-je vous persuader que la valeur commerciale de l'art ne compte pas ? Comment vous prouver à quel point Ruth était unique à mes yeux ? Que faire pour que vous n'oubliiez pas que mon amour pour elle est au cœur de chaque œuvre que nous ayons jamais achetée ?*

Sanders leva brièvement la tête vers le plafond voûté, avant de revenir à l'audience.

– L'acquéreur du *Portrait de Ruth* pourrait-il se lever ?

Sophia avait le souffle coupé. Son cœur tambourinait dans sa poitrine, alors que Luke se redressait. Elle sentit l'attention de toute la salle se porter sur lui.

*Mes volontés, ainsi que les termes de la vente aux enchères, sont simples : j'ai décidé que la personne qui achèterait le* Portrait de Ruth *recevrait la collection d'œuvres d'art dans son intégralité avec effet immédiat. Et comme elle ne dépend plus de moi, la vente est par la présente annulée.*

# 33

## Luke

Luke ne pouvait bouger. Debout dans la rangée du fond, il sentait le silence médusé qui envahissait la salle. Il fallut plusieurs secondes non seulement à Luke, mais aussi à toutes les personnes présentes pour saisir toutes les répercussions des volontés d'Ira.

Sanders avait dû se tromper. Ou, dans le cas contraire, c'était Luke qui avait mal entendu. Parce que, d'après ce qu'il avait compris, il venait d'acquérir la collection complète. Mais c'était impossible. Alors, quoi ?

Ses pensées semblaient se refléter dans l'audience. Il distingua des mines déconcertées, des sourcils froncés par l'incompréhension, des mains s'agiter en tous sens, des visages choqués et confus, peut-être même envahis par un sentiment de trahison.

Puis s'ensuivit un vacarme infernal. Pas une rébellion dans laquelle on renverse les chaises comme lors des rencontres sportives, mais plutôt la manifestation d'une rage contrôlée de la part de ceux dont la suffisance leur donnait l'impression d'avoir plus de droits que leurs semblables. Un homme se leva au centre de la troisième rangée et menaça d'appeler son avocat. Un autre cria au scandale, et ajouta qu'il allait lui aussi convoquer son avocat. Un troisième soutint qu'ils étaient victimes d'une escroquerie.

L'indignation et la colère montèrent d'un cran et l'ambiance devint explosive. Les gens se levèrent en masse et s'en prirent à Sanders ; un autre groupe porta son attention sur l'homme aux cheveux argentés. À l'autre bout de la salle, des chevalets furent renversés par quelqu'un qui sortit en trombe.

Puis, tout à coup, les visages se braquèrent sur Luke. Il sentit leur colère et leur déception, en cet instant qu'ils vivaient comme un abus de confiance. Mais certains semblaient également suspicieux à son égard. Par ailleurs, quelques-uns le perçurent comme une opportunité. Une blonde séduisante en tailleur cintré s'approcha de lui, et brusquement, la foule renversa les chaises pour se ruer vers Luke en l'apostrophant.

— S'il vous plaît…

— Je pourrais vous parler ?

— Pourrions-nous convenir d'un rendez-vous ?

— Mon client est particulièrement intéressé par l'un des Rauschenberg…

Par réflexe, Luke s'empara de la main de Sophia et repoussa sa chaise pour leur dégager le passage. Ils s'élancèrent vers les portes, le public à leurs trousses.

Il poussa les portes battantes, pour tomber nez à nez avec six agents de la sécurité encadrant deux femmes et un homme dotés de badges de la maison des ventes. Ils reconnurent celle qui avait pris son nom — et presque tout l'argent qu'il avait dans son portefeuille.

— Monsieur Collins ? demanda-t-elle. Je suis Gabrielle, et je travaille pour la maison des ventes. Nous vous avons réservé une salle à l'étage. Nous avons anticipé l'affolement général et pris des dispositions pour assurer votre confort et votre sécurité. Voudriez-vous me suivre ?

— Je pensais plutôt sauter dans mon pick-up…

— Il y a des papiers à remplir, comme vous pouvez l'imaginer. S'il vous plaît ? Si ça ne vous dérange pas ? insista-t-elle en indiquant le couloir.

Se retournant, Luke vit que la foule les rattrapait.

— Allons-y, décida-t-il.

Sans lâcher la main de Sophia, il emboîta le pas à Gabrielle, aussitôt flanqué de trois gardiens. Luke s'aperçut que les trois autres étaient restés sur place afin de contenir la foule, qu'il entendait vaguement l'interpeller et le bombarder de questions.

Il avait l'impression surréaliste d'être la victime d'une farce, mais dans quel but, il n'en avait pas la moindre idée. C'était de la folie. Toute cette histoire était démente...

Le groupe tourna à l'angle et se dirigea vers une porte débouchant sur l'escalier. Quand Luke jeta un coup d'œil en arrière, il remarqua qu'il n'y avait plus que deux agents de la sécurité avec eux ; le troisième était resté devant la porte.

Au deuxième étage, ils longèrent une série de portes en bois, et Gabrielle ouvrit l'une d'elles pour les faire entrer.

— Je vous en prie, dit-elle en les accueillant dans une suite de salles spacieuses, installez-vous. Des rafraîchissements et un buffet vous attendent, ainsi que le catalogue. Je suis sûre que vous devez avoir des centaines de questions à poser, et je peux vous assurer que nous y répondrons en détail.

— Que se passe-t-il ? demanda Luke.

Elle haussa les sourcils.

— Je crois que vous le savez déjà, dit-elle sans répondre directement.

Elle tendit la main à Sophia.

— Je ne pense pas connaître votre nom.

— Sophia. Sophia Danko.

Gabrielle inclina la tête sur le côté.

— Vous êtes originaire de Slovaquie ? Un beau pays. Je suis ravie de faire votre connaissance.

Puis elle se tourna vers Luke

— Les agents de la sécurité vont rester devant la porte, vous n'avez donc pas à craindre d'être dérangé. Pour l'instant, vous devez avoir besoin de réfléchir et de discuter ensemble. Nous allons vous laisser seuls un instant, le temps de survoler la collection. Est-ce que cela vous convient ?

— Je crois, répondit-il, l'esprit troublé. Mais...

— M. Lehman et M. Sanders ne vont pas tarder.

Luke se tourna vers Sophia, avant de survoler la pièce du regard. Des canapés et des fauteuils encadraient une table basse ronde. Sur la table était disposé un assortiment de boissons, dont un seau à champagne, un plateau de sandwichs, des fruits en tranches et du fromage sur un plat en cristal.

À côté de la table, le catalogue était ouvert à une page précise.

Derrière eux, la porte se referma, et Luke se retrouva seul avec Sophia. Elle lui jeta un rapide coup d'œil, puis s'avança d'un pas prudent vers la table pour étudier la page sur laquelle le catalogue était ouvert.

– C'est Ruth, dit-elle en effleurant la feuille.

Il la vit caresser l'image.

– Dis-moi que c'est un rêve.

Elle fixa longuement le portrait avant de relever la tête avec un sourire stupéfait et béat.

– Je crois que c'est pour de vrai, dit-elle.

*
* *

Gabrielle revint avec M. Sanders et M. Lehman, que Luke reconnut comme le président de la vente aux cheveux argentés.

Après que Lehman se fut présenté, il prit un siège et se moucha dans un carré de tissu en lin. De près, Luke remarqua ses rides et ses sourcils broussailleux ; l'homme devait avoir aux environs de soixante-quinze ans. Pourtant, avec son petit air discrètement malicieux, il paraissait plus jeune.

– Avant de commencer, j'aimerais répondre à la question qui a dû vous venir d'emblée, commença Sanders, les mains sur les genoux. Vous vous demandez certainement : « Y a-t-il un piège ? » Avez-vous, en achetant le *Portrait de Ruth,* réellement hérité de l'intégralité de la collection ? Est-ce juste ?

– À peu près, oui, admit Luke.

Depuis l'émeute qui avait éclaté dans l'auditorium, il pataugeait. Ce cadre… ces gens… Rien n'aurait pu lui être plus étranger.

– La réponse à vos interrogations est oui, affirma Sanders d'une voix bienveillante. Conformément aux volontés d'Ira Levinson, l'acquéreur de cette pièce, *Portrait de Ruth,* hérite de la collection entière. C'est pour cette raison qu'elle était la première dans l'ordre de mise en vente. En d'autres termes, il n'y a pas de piège. Aucune condition. Vous pouvez désormais faire de la collection tout ce qui vous semble bon.

– Je pourrais la charger dans mon pick-up et la ramener chez moi ? Sur-le-champ ?

– Oui, répondit Sanders. Mais étant donné l'importance de la collection, vous seriez contraints de faire plusieurs voyages. Sans compter que, compte tenu de la valeur de certaines œuvres, je vous conseillerais un moyen de transport sécurisé.

Luke le fixa du regard, abasourdi.

– Toutefois, il y a une question à laquelle vous devez réfléchir.

*Et voilà*, songea Luke.

– Elle concerne les impôts, poursuivit Sanders. Comme vous le savez peut-être, tout legs dépassant une certaine somme est sujet à contributions envers le gouvernement des États-Unis ou les services du fisc. La valeur de la collection dépasse largement ce seuil, ce qui veut dire que vous allez devoir vous acquitter d'une contribution substantielle. À moins que vous n'ayez une fortune personnelle – assez conséquente, j'entends – et des liquidités assez importantes pour couvrir les taxes, vous allez probablement devoir vendre une partie de la collection pour les honorer. Peut-être la moitié. Bien sûr, cela dépendra des œuvres que vous choisirez de vendre. Ai-je été clair ?

– Je crois. J'ai hérité de beaucoup, et je dois payer des impôts sur ce legs.

– Exactement. Alors, avant que nous ne poursuivions, j'aimerais vous demander si vous avez un avocat spécialisé en droits de succession avec lequel vous préféreriez traiter ? Si ce n'est pas le cas, je me ferai un plaisir de vous recommander des noms.

— Je n'ai personne.

Sanders hocha la tête.

— Je m'en doutais un peu – vous êtes jeune. Ce n'est pas un souci, bien évidemment.

Il sortit une carte de visite de sa poche.

— Si vous pouvez m'appeler à mon bureau lundi, je vous fournirai une liste. Rien ne vous oblige, bien sûr, à faire appel aux avocats que je vous suggérerai.

Luke examina la carte.

— Je vois que vous êtes spécialisé en droits de succession.

— C'est exact. Par le passé, j'ai travaillé dans d'autres domaines, mais désormais, les problèmes de succession me conviennent mieux.

— Puis-je vous engager ?

— Si vous le désirez.

Il indiqua les autres personnes présentes dans la pièce.

— Vous connaissez déjà Gabrielle. Elle est directrice adjointe des relations client à la maison des ventes. J'aimerais également vous présenter David Lehman, le directeur de la maison des ventes.

Luke lui serra la main, et ils échangèrent des civilités avant que Sanders ne reprenne :

— Comme vous pouvez l'imaginer, organiser cette vente aux enchères si particulière fut… un défi à plusieurs égards, en particulier d'un point de vue financier. La maison des ventes de M. Lehman était l'une des préférées d'Ira Levinson. Rien ne vous oblige à faire appel à eux pour la suite, mais pendant que je peaufinais les détails avec Ira, il m'a demandé de souligner son attachement pour cette maison, afin que son successeur en tienne compte. Elle est considérée comme l'une des meilleures maisons de ventes aux enchères au monde, ce que vos recherches éventuelles ne feraient que confirmer.

Luke examina les visages qui les entouraient, alors que la réalité prenait forme.

— D'accord, dit-il, mais je ne peux pas prendre ce genre de décision avant d'avoir consulté mon avocat.

— Je pense que c'est une sage décision, dit Sanders. Bien que nous restions à votre disposition pour répondre à toutes vos questions, je vous conseillerais d'engager un avocat au plus vite. Un professionnel saura vous guider dans ce qui risque de devenir une procédure complexe, et qui ne va pas seulement concerner la succession, mais aussi d'autres domaines de votre vie. Après tout, même après avoir réglé toutes les taxes, vous serez un homme incroyablement riche. Alors je vous en prie, n'hésitez pas à me poser toutes vos questions.

Luke croisa le regard de Sophia, avant de se reporter sur Sanders.

— Pendant combien de temps avez-vous été l'avocat d'Ira ?

— Plus de quarante ans, répondit-il avec un accent mélancolique.

— Et si j'engage un avocat, il me représentera de son mieux ?

— C'est une obligation due à chaque client.

— Alors, peut-être, poursuivit Luke, que nous pourrions régler ce point sans tarder. Que dois-je faire pour vous engager ? Au cas où j'aimerais parler avec M. Lehman ici présent ?

— Il vous faudrait me verser un acompte.

— De quel montant ? demanda Luke avec inquiétude.

— Dans l'immédiat, répondit Sanders, je pense qu'un dollar suffira.

Luke soupira, enfin prêt à appréhender l'énormité de la situation. La fortune. Le ranch. La vie qu'il allait pouvoir construire avec Sophia.

Luke sortit son portefeuille de sa poche et en inspecta le contenu. Il était plutôt vide, depuis l'achat du portrait, mais il restait juste assez d'argent pour payer quelques litres d'essence.

Ou peut-être moins, puisqu'il devait déduire l'acompte à verser à Howie Sanders.

# Épilogue

Dans les mois qui suivirent, Luke se fit parfois l'effet d'un acteur jouant dans une fiction écrite à son intention par un scénariste inconnu. Sur les conseils de David Lehman, une autre vente avait été programmée pour la mi-juin, à New York, cette fois. Puis une autre suivrait mi-juillet, et une dernière en septembre. Au final, la majorité de la collection allait être mise sur le marché, ce qui couvrirait largement toutes les taxes à régler.

Le jour de la première vente, en présence de Gabrielle et de David Lehman, Luke expliqua la situation financière du ranch, pendant que Sanders prenait des notes. Quand Luke demanda s'il lui était possible de disposer de la somme nécessaire au remboursement de l'hypothèque, Sanders s'excusa avant de quitter la pièce. Il revint un quart d'heure plus tard, et expliqua calmement que le directeur adjoint de la banque avec lequel il venait de s'entretenir était disposé à reporter d'un an le remboursement des traites à bas taux, et peut-être même à en différer les intérêts, si cela convenait à Luke. Et, au vu de sa situation favorable, la banque était ouverte à un nouvel emprunt s'il désirait réaliser des travaux d'aménagement au plus vite.

Sous le choc, Luke ne put que balbutier quelques mots.

– Mais… comment… ?

Le sourire de Sanders ralluma l'éclat malicieux de ses yeux.

– Disons simplement que la banque souhaite renforcer les liens qui l'unissent à un client loyal dont les moyens se sont brusquement accrus.

Sanders lui présenta également plusieurs gestionnaires et conseillers qui, assis à côté de lui pendant les entretiens, lui

437

posèrent des questions qu'il comprenait à peine, et qu'il n'avait donc pas songé à aborder. Il aida Luke à se familiariser avec les complexités inhérentes à la richesse, répétant qu'il l'assisterait dans tout ce qu'il aurait besoin d'apprendre.

S'il lui arrivait de se sentir dépassé, Luke était le premier à admettre qu'il y avait des problèmes plus graves.

*
* *

Sur le moment, sa mère ne crut pas Luke, pas plus qu'elle ne se fia à Sophia. Elle commença par se moquer de lui, puis, après qu'il eut repris le récit de leur aventure, elle se mit en colère. Ce ne fut qu'après qu'il eut appelé la banque et demandé à parler au directeur adjoint qu'elle accepta, peu à peu, qu'il ne s'agissait pas d'un canular.

Il lui passa l'employé de banque qui lui assura qu'elle n'avait plus à se soucier du crédit pour le temps présent. Tandis qu'au téléphone elle n'exprimait aucune émotion, ne répondant que par oui ou par non, après avoir raccroché, elle prit Luke dans ses bras et versa quelques larmes.

Toutefois, elle s'écarta rapidement de lui, et la mère stoïque qu'il connaissait si bien reprit le dessus.

— Maintenant ils sont généreux, mais où étaient-ils quand j'avais besoin d'eux ?

Luke haussa les épaules.

— Bonne question.

— Je vais accepter leur offre, annonça-t-elle en faisant volte-face. Mais une fois que j'aurai tout remboursé, je veux que tu changes de banque.

Alors, Sanders l'aida à en trouver une autre.

*
* *

La famille de Sophia arriva du New Jersey pour assister à la remise des diplômes. Par cette chaude journée de printemps,

Luke se joignit à eux pour l'acclamer dès qu'elle apparut sur l'estrade. Après la cérémonie, ils allèrent dîner au restaurant, et à la surprise de Luke, ils demandèrent à visiter le ranch.

Le lendemain, la mère de Luke le mit à contribution toute la matinée, pour ranger à la fois l'extérieur et l'intérieur de la maison pendant qu'elle préparait le repas. Ils déjeunèrent autour de la table de jardin derrière la ferme, et les sœurs de Sophia étaient partagées entre admirer le paysage bouche bée et considérer la jeune femme avec hébétude, tout en se demandant comment ils avaient fait pour se rencontrer.

Cependant, l'ambiance était bonne, d'autant que la mère de Sophia et Linda semblaient s'entendre comme larrons en foire. Elles firent le tour du domaine, bavardant et riant, et quand Luke passa devant le potager et découvrit les rangées de légumes régulières et propres récemment plantées par sa mère, il en eut chaud au cœur.

*
* *

— Tu peux vivre où tu veux maintenant, maman, lui dit Luke dans la soirée. Rien ne t'oblige à rester au ranch. Je peux t'acheter un loft à Manhattan, si tu veux.

— Qu'irais-je faire à Manhattan ? demanda-t-elle avec une grimace.

— Peut-être pas à Manhattan, alors. Où tu veux.

Elle regarda par la fenêtre et contempla le ranch où elle avait grandi.

— Je n'ai pas envie de vivre ailleurs, déclara-t-elle.

— Bon, alors je peux faire faire des travaux. Pas par petits bouts, mais d'un seul coup.

Elle sourit.

— Ah, en voilà une excellente idée !

*
* *

— Bon, tu es prêt ? lui demanda Sophia.

— À quoi ?

Après la remise des diplômes, Sophia était allée passer une semaine chez ses parents avant de rentrer en Caroline du Nord.

— À me raconter ce qui s'est passé en Caroline du Sud, dit-elle en soulignant sa requête d'une œillade déterminée, tandis qu'ils cherchaient Mudbath dans le pâturage. As-tu monté Big Ugly Critter ? Ou as-tu fait demi-tour ?

Sa curiosité le ramena à cette journée hivernale, l'une des plus mornes de sa vie. Il se revit marcher en direction du couloir de l'arène et observer le taureau entre les lattes de la palissade ; il se souvint de la vague de peur qui l'avait brusquement submergé, et de ses nerfs tendus comme un arc. Il était monté sur Big Uggly Critter et avait ajusté la sangle, en s'efforçant d'ignorer les battements accélérés de son cœur. *Ce n'est qu'un taureau,* s'était-il dit, *un taureau comme un autre.* Or, ce n'était pas n'importe quel taureau, et il le savait, mais quand le portail s'était ouvert et que la bête s'était élancée dans l'arène, Luke était resté centré sur son dos.

Le taureau avait été aussi violent qu'à son habitude, avait rué et tournoyé comme un possédé, mais Luke avait senti qu'il dominait la situation, comme s'il se voyait de loin. Autour de lui, tout bougeait au ralenti, lui donnant l'impression de participer à une course sans fin, de traverser le plus beau des chemins, mais il était resté fermement ancré au dos de l'animal, son bras libre s'agitant devant lui pour contrebalancer les secousses. Dès que la sonnette avait retenti, la foule s'était levée d'un bond et avait laissé libre cours à son exaltation.

Il avait rapidement détaché la sangle, avait sauté à terre et était retombé sur ses pieds. Comme s'il rejouait leur première rencontre, le taureau s'était immobilisé puis retourné, les naseaux frémissants, le poitrail vibrant. Luke avait compris que Big Uggly Critter était sur le point de charger.

Et pourtant, il n'avait pas bougé. Au lieu de ça, ils s'étaient regardés longuement, jusqu'à ce que, aussi incroyable que cela puisse paraître, le taureau s'éloigne.

— Tu souris, dit Sophia en coupant court à ses pensées.

— Tu m'étonnes.

— Ce qui veut dire… quoi ?

— Je l'ai monté, déclara Luke. Et après cela, j'ai su que j'étais prêt à arrêter.

Sophia lui asséna un coup de poing dans l'épaule.

— C'était idiot de ta part.

— Probablement, admit Luke. Mais j'ai gagné un pick-up tout neuf.

— Je n'ai vu aucun pick-up neuf, fit Sophia en fronçant les sourcils.

— Je n'en ai pas voulu. J'ai préféré de l'argent à la place.

— Pour le ranch ?

— Non, dit-il. Pour ça.

De sa poche, il sortit une petite boîte et, se plaçant sur un genou, la tendit à Sophia.

Elle en eut le souffle coupé.

— C'est ce que je pense ?

— Ouvre, dit-il.

Elle souleva lentement le couvercle et fut hypnotisée par la bague.

— J'aimerais bien t'épouser, enfin, si ça te va.

Elle le considéra de ses yeux pétillants.

— Oui, répondit-elle, je crois que ça me va.

*<br>* *

— Où as-tu envie de vivre ? lui demanda-t-elle, plus tard, après qu'ils eurent annoncé la nouvelle à sa mère. Ici, au ranch ?

— À long terme ? Je ne sais pas. Pour l'instant, je suis bien ici. La vraie question, c'est « et toi » ?

— Ai-je envie de vivre ici toute ma vie ?

— Pas forcément, dit Luke. Je me disais qu'on pourrait rester ici le temps que tout soit réglé. Et puis, après… J'ai dans l'idée qu'on peut vivre là où ça nous chante. Mais dans l'immédiat,

441

je crois qu'avec l'aide d'un legs généreux ou, disons, d'un petit cadeau, tu pourrais décrocher un boulot dans le musée de ton choix.

— À Denver, par exemple ?

— J'ai entendu dire qu'il y avait pas de mal de terres d'élevage dans ce coin. Même dans le New Jersey, on trouve des ranchs. J'ai vérifié.

Elle leva les yeux au ciel, avant de reprendre :

— Et si nous attendions tout simplement de voir où la vie nous mène ?

*
* *

Cette nuit-là, pendant que Sophia dormait, Luke sortit de la chambre et alla profiter de la chaleur tardive sous le porche. Au-dessus de lui, la lune n'était qu'à moitié visible et les étoiles emplissaient le ciel. Une brise légère soufflait, portant les chants des criquets.

Il leva le nez, et son regard se perdit dans les confins de la voûte céleste, alors qu'il songeait à sa mère et au ranch. Il avait toujours du mal à se faire à la voie que son existence avait brusquement empruntée, et qui l'éloignait profondément du mode de vie qu'il avait toujours connu. Tout était différent, désormais, et il se demanda s'il allait changer, lui aussi. Ses pensées le ramenaient souvent à Ira, l'homme qui avait bouleversé sa vie, celui qu'il n'avait pas eu le temps d'apprendre à connaître. Pour Ira, Ruth représentait tout, et dans la tranquillité de la nuit, Luke imagina Sophia endormie dans son lit, ses cheveux blonds étalés sur l'oreiller.

Sophia, en fin de compte, était le seul vrai trésor qu'il ait trouvé cette année, plus précieux à ses yeux que tout l'art du monde. Le sourire aux lèvres, Luke murmura dans le noir : « Je comprends, Ira. » Et quand une étoile filante traversa le ciel, il eut l'étrange sentiment que non seulement Ira l'avait entendu, mais que, de là-haut, il l'approuvait en souriant.

# Remerciements

*Le plus beau des chemins*, mon dix-septième roman, n'aurait pu voir le jour sans le soutien d'un grand nombre de merveilleuses personnes. En haut de ma liste, comme toujours, est placée ma femme, Cathy, qui reste après toutes ces années la meilleure amie que j'aie jamais eue. Sa présence enrichit ma vie au quotidien, et au fond de moi, je sais que mes personnages féminins s'en inspirent beaucoup. C'est une grande joie que de partager avec elle le plus beau des chemins, celui que l'on nomme la vie.

Je tiens également à remercier Theresa Park – mon agent littéraire, mon manager et désormais mon associée de production –, l'une des bénédictions de mon existence. J'ai du mal à croire que nous travaillons ensemble depuis dix-neuf ans. Je l'ai souvent dit, mais il est temps pour moi de l'écrire : je me suis toujours considéré comme le plus chanceux de nous deux.

Jamie Rabb, mon éditrice, est inestimable lorsqu'il s'agit de tirer de mes romans le maximum de leur potentiel. Elle est mon éditrice depuis le tout début de ma carrière, et travailler avec elle fait de moi un auteur comblé. Elle mérite mes remerciements non seulement pour tout ce qu'elle accomplit, mais aussi parce que c'est une amie chère.

Howie Sanders et Keya Khayatian – mes agents artistiques pour le cinéma au sein d'United Talent Agency – sont tout simplement les meilleurs du métier. Plus encore, ce sont des génies créatifs dans tous les domaines de leur profession. Sans compter leur gentillesse, leur honnêteté, leur enthousiasme : plus je passe de temps en leur compagnie, et plus je me félicite de les compter parmi mes amis.

Scott Schwimer, mon avocat expert dans les arts du spectacle, fait partie de l'équipe qui me suit depuis toujours. Grâce à sa sagesse et à ses conseils, à la faveur de son amitié souriante, sa présence enrichit ma vie.

Elise Henderson et Kosha Shah dirigent ma société de production audiovisuelle. Ces deux personnes sont douées d'une merveilleuse motivation, d'intelligence et d'humour, et c'est un privilège de les compter dans mon équipe. Je remercie également Dave Park, mon agent artistique pour la télévision au sein d'United Talent Agency, pour ses conseils et son soutien indéfectible.

J'aimerais également m'adresser à Denise DiNovi, qui a produit avec élégance et exigence plusieurs adaptations de mes textes à l'écran, dont *Une bouteille à la mer, Le Temps d'un automne,* et *Le Temps d'un ouragan.* J'ai pris beaucoup de plaisir à travailler avec elle et je suis impatient de découvrir *Une seconde chance* sur grand écran. Merci également à Alison Greenspan pour tout ce qu'elle a fait.

Marty Bowen, producteur, a lui aussi permis l'adaptation de mes romans, et j'aimerais le remercier pour sa participation à *Cher John* et *Un havre de paix.* Avec Theresa et moi, il va produire *Le plus beau des chemins*, et je ne doute pas que le film soit formidable. Merci aussi à Wyck Godfrey qui travaille avec Marty sur tous ces projets.

Je pense également à Emily Sweet et Abby Koons, du Park Literary Group. Emily œuvre non seulement pour ma fondation et le site Internet, mais s'attelle à toutes les difficultés de mes aventures avec énergie, enthousiasme et efficacité. Abby est responsable de tout ce qui a trait à l'étranger et accomplit un travail fantastique. Je les considère toutes deux comme des amies, et je ne sais pas ce que je ferais sans elles.

Michael Nyman, Catherine Olim, Jill Fritzo et Michael Geiser, de PMK-BNC, mes attachés de presse, sont tous formidables. Je tiens à les remercier pour tout le travail qu'ils mènent à bien pour moi.

Laquishe Wright – également connue sous le nom de Q – qui est chargée des pages de médias sociaux, et Mollie Smith qui s'occupe de mon site Internet méritent elles aussi ma reconnaissance. Elles sont incroyables dans leur domaine d'activité, et c'est grâce à elles que je peux faire savoir ce qui se passe dans mon monde.

Si je ne reste pas à la traîne face aux progrès technologiques, c'est grâce à David Herrin et Eric Kuhn, d'United Talent Agency, que je remercie d'être toujours disposés à répondre à mes questions.

Merci aussi à David Young et Michael Pietsch, de Hachette Book Group. David, travailler avec toi va me manquer, et Michael, j'ai hâte que notre collaboration démarre.

Larry Vincent et Sara Fernstrom, collaborateurs d'United Talent Agency, méritent également mes remerciements pour leur excellent travail en partenariat avec les entreprises et les marques. J'ai vécu une expérience formidable jusqu'à présent, et j'attends la suite avec impatience.

Merci à Mitch Stoller qui, en tant que président, guide les pas de la fondation Nicholas Sparks, grâce à sa sagesse et à ses connaissances, et à Jenna Dueck, la vice-présidente des initiatives stratégiques. Ils constituent eux aussi des atouts inestimables dans mon équipe, et je leur suis reconnaissant d'agir en faveur de l'éducation.

Je souhaite également remercier Saul Benjamin, le proviseur de The Epiphany School of Global Studies, une école que ma femme et moi avons fondée en 2006. Je suis sûr qu'il mène l'école vers l'avenir et de nouveaux sommets. Bien sûr, il ne pourrait pas y parvenir sans l'aide de David Wang, assistant du proviseur, et j'aimerais prendre le temps de te remercier, David.

Je ne peux pas omettre Jason Richman et Pete Knapp, qui ne travaillent pas directement pour moi mais qui, finalement, agissent pour mon compte. Merci à tous deux.

Rachel Bressler et Alex Greene méritent également mes remerciements pour m'aider à faire avancer les choses dans le bon sens avec tout ce qui touche aux Novel Learning Series et aux contrats, tâche pouvant se révéler sans fin.

Micah Sparks, mon frère, mérite lui aussi mes sincères remerciements, non seulement parce qu'il est le meilleur frère qu'on puisse rêver, mais aussi pour tous ses efforts, son travail acharné et son angle de vue, qui ont enrichi les Novel Learning Series.

Emily Griffin, Sara Weiss et Sonya Cheuse, collaboratrices de Grand Central, méritent elles aussi que je les remercie pour leur travail. Emily m'a aidé dans un projet qui me tenait à cœur, Sara a assumé une énorme charge de travail pour moi à GCP, et Sonya est la formidable attachée de presse responsable de mes tournées littéraires.

Merci aussi à Tracey Lorentzen, directrice du bureau de New Bern de ma fondation, et à Tia Scott pour son travail d'assistante. Elle fait en sorte que tout se passe bien dans ma vie, ce qui n'est pas chose facile. Enfin, j'adresse de nombreux remerciements à Jeanne Armentrout pour tout ce qu'elle effectue à la maison.

Je dois aussi remercier Andrew Sommers, qui fait tant pour moi dans un autre domaine de ma vie tout aussi important et complexe.

Pam Pope et Oscara Stevick, mes comptables merveilleusement efficaces, font aussi partie de mon équipe et j'en suis heureux.

Courtenay Valenti et Greg Silverman, chez Warner Bros, sont comme des membres de ma famille avec qui je retravaillerai avec un grand enthousiasme.

Ryan Kavanaugh, Tucker Tooley, Robbie Brenner et Terry Curtin, collaborateurs de Relativity, méritent que je les remercie pour leur formidable participation à *Un havre de paix,* et j'ai hâte de retravailler avec eux un jour, nous formons une équipe merveilleuse. Mille fois merci à Elizabeth Gabler et à Erin Siminoff, de Fox 2000, qui ont accepté d'adapter *Le plus beau des chemins* en images. Travailler avec vous deux est une expérience exaltante. David Buchalter, qui m'aide à arranger tous mes discours, mérite mes remerciements. J'apprécie tout ce que tu fais. Todd et Kari Wagner méritent aussi que je les remercie pour ce qu'ils ont accompli – je pense qu'ils savent à quoi je fais allusion. Et enfin, merci à mes amis, les nouveaux comme les anciens, qui m'apportent tant de joie et de rires, parmi lesquels Drew et Brittany Brees, Jennifer Romanello, Chelsea Kane, Gretchen Rossi, Slade Smiley, Josh Duhamel et Julianne Hough.

Composition : Compo-Méca
64990 Mouguerre

Impression réalisée par Marquis Imprimeur
pour le compte des éditions Michel Lafon

Imprimé au Canada
Dépôt légal  CANADA : octobre 2013

ISBN : 978-2-7499-2087-0
LAF1798